FILOMENO, PARA MEU PESAR

Gonzalo Torrente Ballester

FILOMENO, PARA MEU PESAR

2.ª edição

Tradução de Cristina Rodriguez e Artur Guerra

PUBLICAÇÕES DOM QUIXOTE

Biblioteca Nacional – Catalogação na Publicação
Torrente Ballester, Gonzalo, 1910-1999
Filomeno, para meu pesar – 2.ª ed.
(Ficção Universal; 231)
ISBN 972-20-1767-5
CDU 821.134.2-31"19"

© 1989, Gonzalo Torrente Ballester
© 2000, Publicações Dom Quixote

Nota dos tradutores:
Os tradutores, a fim de seguirem o critério utilizado pelo autor,
mantiveram em itálico as expressões que se encontram em português no original.

Título original: *Filomeno, a mi pesar*

1.ª edição: Outubro de 1990
2.ª edição: Março de 2000
Depósito legal n.º 147731/00
Fotocomposição: Fotocompográfica, Lda.
Impressão e acabamento: Tilgráfica, Lda.

ISBN: 972-20-1767-5

Índice

Índice

Para María José, Gonzalo, María Luisa, Javier,
Fernanda, Francisca, Álvaro, Jaime, Juan Pablo,
Luis Felipe e José Miguel.

De seu pai

Capítulo Um

Belinha

I

FILOMENO, NEM MAIS NEM MENOS, assim como soa, justa-
mente, um desses nomes que não se podem rejeitar excepto se renunciarmos a
nós próprios: irrecusável pela lei do baptismo e do Registo Civil, e também pela
herança, porque o meu avô paterno se chamava assim, Filomeno; e o meu pai
empenhou-se em perpetuar, digamos, aquela recordação do passado, o respeito
que tinha à memória do seu progenitor, de quem recebera, segundo ele, todo o
bem do mundo e até o que lhe sucedera, com absoluta injustiça no que respeita à
minha mãe, pois casar-se com ela não foi um mau acontecimento, ainda que pouco
duradouro: como que decidiu partir desta vida, quero dizer, a minha mãe,
quando a ela me trouxe. Isto foi há muito tempo, e nessa altura a ciência carecia
dos remédios de que agora dispõem as parturientes com febres puerperais. Ah,
se eu tivesse nascido quarenta anos depois, só quarenta anos! Que teria sido de
mim? Ver-me-ia neste transe de escrever as minhas recordações? É claro que
não, mas, em troca, ter-me-iam embalado os olhos ignorados da minha mãe e
não os de Belinha, tão luminosos; ter-me-iam cantado canções de embalar em galego e não baladas portuguesas, velhas baladas vindas do fundo dos séculos. Os
olhos da minha mãe eram azuis, ao que parece, como os de todos os Taboada, e
que eu herdei; gente de estirpe sueva, altos e rubicundos, com o cabelo arruivado
e tendência para as sardas. Mas os da minha avó materna eram de um verde profundo, e habituaram-me, desde que nasci, a obedecer-lhe com tão-só olhar-me.
A minha mãe teria gostado do nome Filomeno? Imagino que não. Atrevo-me até

a pensar que, se ela tivesse vivido depois do meu nascimento, ainda que fosse só um mês, ter-se-ia oposto a que lançassem sobre o seu filho, e para sempre, semelhante rótulo, por muito que a recordação do meu avô o impusesse do seu obscuro além-túmulo. Porém, se tivesse sido obrigada a transigir, o mais provável seria ter encontrado para mim algum diminutivo aceitável e ao mesmo tempo carinhoso e ocultador. Entretive-me muitas vezes a fantasiar qual seria. Meniño, por exemplo? Tem o inconveniente de, por muito que o entendamos como diminutivo de Filomeno — Meno, Meniño — não deixa por isso de significar «menino» em galego e em português, de ser um substantivo válido para todos os meninos do mundo, o que seria o mesmo que mergulhar numa imensidão sem diferenças. Na verdade, não me lembro de outro. Filliño? Chamar-me-iam Filliño, que partilha com Meniño a mesma substantividade indeterminada. Não, não. Nenhum dos dois. A minha avó solucionou isso chamando-me sempre pelo segundo nome, Ademar. Se Filomeno foi uma imposição do meu pai, Ademar foi-o da minha avó, com a ameaça de me deserdar se não o aceitasse. Ademar pertence-me com o mesmo direito que Filomeno, ainda que interposta mais uma geração, pois fora o nome de seu pai, o meu bisavô, Ademar Pinheiro de Alemcastre. Pensei muitas vezes que Freijomil e Pinheiro ficavam distantes, sem me aperceber de que as coisas mudam quando se passa a raia, dado que, como é costume em Portugal, o meu bisavô era Pinheiro por parte da mãe, e o que valia era o Alemcastre, não tão antigo como os pinheiros, mas mais ilustre, pois procedia de certos príncipes Lencastre que, na Idade Média, tinham vindo de Inglaterra para Portugal, e aqui tinham ficado, ainda que acomodando o nome à alma portuguesa. Confesso, e digo-o em jeito de parêntese, que o Alemcastre sempre me agradou, não pela prosápia britânica, real pelos quatro costados, que estabelece uma certa relação ténue entre os dramas de Shakespeare e eu, mas por esse «alem» que lhe tinham acrescentado, uma palavra fascinante que, embora coincidindo na sua significação com o *plus ultra* latino, não é a mesma coisa. Os conceitos, ao deixarem o latim, recebem cargas semânticas como que de uma espécie de electricidade acrescida, que os torna mais amáveis ou mais duros, e até, por vezes, misteriosos: «O alem» é, com efeito, o além, o mesmo que o *plus ultra*. Mas, qual além? O meramente ambicioso, o meramente geográfico? Li algures que o imperador Carlos V, quando soube que tinha herdado as coroas de Espanha, escreveu no vidro de uma janela, com o diamante de um anel, as palavras *plus ultra*; mas aquele Carlos de Gande era um príncipe com aspirações pelos vistos ilimitadas, e eu sou um fidalguinho de província que oculta com cautela um poeta reprimido. Para mim, «o alem» não é um além marcado por horizontes de mar e céu, mas de mistério, e por isso sempre pensei que trazia o mistério comigo, como uma prenda com a qual não sabia como brincar.

Desde o princípio que a minha avó Margarida, como disse, não gostava de Filomeno, mas também não achava graça a Freijomil. Por parte da minha mãe eu era Taboada, que, unido à fiada portuguesa, ficava Taboada Távora de Alemcastre: mesmo próprio para cartões de visita. A minha avó, uma vez, disse-me: «Eu descendo, por parte do meu pai, de reis, e pela da minha mãe, de amantes de reis.» Mas quando me levava ao seu paço dos vales minhotos e passávamos a raia numa carruagem puxada por seis cavalos, eu deixava de me chamar Filomeno Freijomil para ser apenas Ademar de Alemcastre: o Taboada e até o Távora diluíam-se no ar húmido, e naquele vale verde as pessoas que vinham ao paço chamavam-me «O meu menino de Alemcastre», a não ser Belinha, que me chamava simplesmente «O meu menino»: o que alegrava muito a minha avó, embora não o confessasse. Eu gostava do paço de Alemcastre, porque nele me podia perder e atravessar as portas do mistério sem sair das suas paredes, que não eram quatro, mas quinze ou vinte, nunca as contei; cruzavam-se, entravam, saíam, iam formando esquinas, recantos, saliências: umas de perpianho, outras de pedra pequena e formidáveis guarnições de granito, e até as havia de tijolos combinados no estilo mudéjar. Depois soube que o paço era assim bizarro por causa de sobreposições impensadas, acrescentos exigidos pelos cada vez mais prolíficos Alemcastre; houve um que engendrou vinte filhos, entre bastardos e legítimos; e outro, dezoito numa só mulher. Além disso, o costume da família era as solteiras ficarem em casa: como aos Alemcastre lhes tinha dado para o voltairianismo, não sentiam o menor interesse pelos conventos de freiras, a não ser que tivessem de raptar alguma especialmente formosa, que as houve várias, em conventos próximos e distantes, e até dizem que se deu o caso de uma expedição marítima, saída de Viana do Castelo, para roubar uma freira do Brasil, cuja reputação tinha atravessado os mares e esporeado o desejo de um Alemcastre, mas talvez nesta história haja algo de exagero e se tratasse apenas de uma freira de Cabo Verde.

Heine acusava Goethe de ocultar a história da sua família paterna, porque era de modestos artesãos, sem nenhum burgomestre que pudesse exibir. O meu caso parece-se com o de Goethe, mas não posso deixar de falar do meu avô Freijomil, menos ainda do meu pai, porque sem eles eu seria inexplicável. E não se trata de uma explicação biológica: estes ou aqueles traços pertencem-lhes, porque, como já disse, saí aos Taboada; nem Alemcastre nem Freijomil. Trata-se de uma questão biográfica em que as influências do fado são bastante visíveis. Por vezes os fados tomam a forma de uma vontade obstinada ao serviço de uma ideia elementar: foi esse o caso do meu avô Filomeno, carteiro rural numa zona montanhosa próxima de Zamora e de Portugal, o que lhe permitia infiltrar mercadoria de contrabando com alguma facilidade, pois ninguém como ele conhecia os caminhos secretos, os atalhos esquecidos. O meu pai, para ir à escola, tinha de percorrer a pé duas ou três milhas, com chuva, com neve ou com um sol de abrasar, o que já era de admirar; mas fazia-o de bom grado porque gostava da escola e porque, se na aldeia não era mais do que o filho do carteiro, na escola capitaneava os seus trinta ou quarenta colegas: sabia mais que todos eles e quase tanto como o professor; o monstro que não só repete de cor a lista dos reis godos, como também resolve os problemas de Aritmética mais difíceis. Além disso, era bastante bonito, embora (suponho) um pouco rude devido ao ambiente: do qual toda a sua vida conservou alguns traços, como as suas grandes mãos. O padre disse uma vez ao pai dele que era preciso dar estudos àquele rapaz, e que seria bom mandá-lo para o seminário, mas o meu avô achava que as sotainas eram demasiado compridas e demasiado parecidas com saias (se calhar as razões foram outras, mas eu imagino estas, porque, que mais podia querer o carteiro Freijomil do que ver o seu filho padre?). Também não é impossível, segundo certos rumores, que não simpatizasse com os abades com governanta e um rebanho de sobrinhas. O meu avô Filomeno, não por se tratar dele, não só acatava as regras da sociedade, como as defendia: cada um no seu sítio e eu no que me corresponde; com algumas excepções relacionadas com o seu único filho, que também tinha o seu sítio, embora ainda ninguém o soubesse. Foi assim que respondeu à proposta do prior que, estudos sim, mas laicos, e que, como ele tinha reunido alguns milhares de reais, parecia-lhe melhor mandar o miúdo estudar no liceu da capital. Muita gente pensou que, com aquela operação, o meu avô, tão sensato em todas as suas decisões, saía airoso da situação e apontava para lá do alcance da sua espingarda; mas, quando chegaram à aldeia notícias de que o meu pai, no liceu, não só era o primeiro aluno do seu ano, como ainda o achavam cada vez mais bonito, começaram a aceitar a possibilidade de, sem sair do mundo que lhe correspondia, aspirar a oficial de correios, o que não era nenhuma miséria: setenta e cinco pesetas por mês, pelo menos, e vestir como um senhor. Mas o meu avô sorria: «Oficial de correios, sim, sim.» O meu pai fez o liceu, e o director, no acto de encerrar o curso e de entregar os diplomas, referiu-se a ele como um rapaz de extraordinária capacidade, digno da mais alta fortuna, da qual o distanciavam de momento algumas dificuldades, não como a alguns mastronços que, por serem filhos de ricos, já estavam a pensar matricular-se na universidade. Nunca consegui saber como é que aquele bom homem fez as coisas de forma a meter o meu pai como aluno interno na universidade dos frades de El Escorial, mas pelo que vim a saber, referido a outros casos, admitiam ali uma espécie de criados de meninos ricos que também estudavam. Provavelmente o meu pai foi um deles, e, entre aula e aula, limpou sapatos e escovou casacos, provavelmente na perfeição, como tudo o que fazia; mas nunca tive informações que me permitissem imaginar a vida que ele levava naquele lugar selecto. Passou cinco anos em El Escorial, sem sequer vir durante as férias, a não ser uma ou duas vezes, durante todo aquele tempo, e tão adiantado nos estudos e na vida, que o distante já era ele, tão sério e suficiente, e todos os da aldeia, incluindo o padre, o consultavam acerca das coisas mais díspares, tanto de extremas como de sementeiras. O que eu sei mesmo é que, ao acabar o curso, trouxe consigo uma carta de apresentação do prior do mosteiro para o bispo de Villavieja del Oro. Foi visitá-lo, tiveram uma longa conversa, e daí resultou que o meu pai tomaria a seu cargo as finanças do bispado, que andavam bastante baralhadas; e pô-las em ordem num abrir e fechar de olhos, em apenas alguns meses: vivendo no bispado, isso sim, e comendo à mesa do bispo. Donde a sua fama. Embora bonito e bem parecido, era modesto e discreto, ou pelo menos portava-se como tal: não sei porquê, nem tudo deviam ser virtudes, mas também cautelas, porque não se tinha esquecido da humildade das suas origens, que ainda podiam ser-lhe atiradas à cara como um defeito e não como um mérito. Das finanças do bispo passou às da sociedade recreativa, que também andavam mal, e este segundo êxito proporcionou-lhe um lugar de importância na Caixa de Aforros, recém-fundada com a melhor vontade, mas onde tudo andava às avessas. Não levou muito tempo a ser director, com a confiança do presidente e do Conselho de Administração e do entusiasmo dos sócios, que o consideravam a garantia dos seus três por cento. Foi então que as pessoas começaram a esquecer-se do carteiro rural, que, ao fim e ao cabo, ficava longe, num vale perdido que a neve isolava no Inverno, e que nunca vinha à capital, talvez para não se cansar por fazer a viagem a pé. Desconheço as relações que mantiveram em vida, o pai e o filho, mas suponho que foram boas, por não ter notícia de que em momento algum o não tenham sido. Também desconheço quando é que morreu o meu avô, mas, de qualquer modo, foi antes do meu nascimento, pois deram-me o nome de Filomeno no baptismo como lembrança, não sei se por carinho ou justiça. É claro que não houve a menor dificuldade em que o meu pai fosse sócio da Sociedade Recreativa Liceo, de cuja administração chegou a fazer parte e até a presidir, mas isto aconteceu uns anos depois, quando as coisas já tinham mudado muito e não só era já o viúvo da menina Taboada, como o genro de D. Margarida de Távora; coisa de somenos, toda a História de Portugal por trás. Um genro com quem a sogra nunca tinha transigido. Noutras condições, o parentesco ter-se-ia esfumado, ela no seu paço minhoto, ele nas suas Cortes do Reino; mas eu já andava pelo meio, testemunho vivo de um episódio que D. Margarida a princípio considerou uma catástrofe, ainda que no fim talvez não.

Sobre como o meu pai se casou com a menina Taboada existem, de certo modo, várias histórias falsas, embora haja também a verdadeira. O responsável pelas histórias falsas fui eu, e parecem-se com a verdadeira não só no argumento, que é o mesmo, quer dizer, o casamento, como em todas ficarem esquecidas, pouco a pouco, à medida que o facto se ia distanciando, por mais que eu tentasse que a sua recordação não se apagasse nunca, ou, pelo menos, enquanto eu vivesse. Mas naqueles tempos maravilhosos da minha juventude, a história verdadeira angustiava-me pela sua vulgaridade, pela sua estrita legalidade dentro de certas irregularidades, e precisava de a redimir de algum modo. Dava-me a impressão de que os meus pais, podendo ter vivido um romance, se tinham contentado com o protagonismo de um folhetim social na segunda página de um jornal de quatro. Decorria o ano do planeta... Mas será melhor contar, para que me entendam, alguns antecedentes. Um deles, que a casa em que vivia a minha avó, a dos Taboada, e que é ainda a minha, se ergue na cidade velha, em frente ao palácio do bispo, com fachada mais luxuosa, e ameias decorativas (talvez simbólicas), na parede mais velha e carcomida. Entre bispos e Taboadas sempre houve relações, na maior parte das vezes boas, algumas más. Quando as coisas corriam bem, a porta frontal estava aberta para o palácio episcopal; quando eram más, esta porta fechava-se e abria-se a outra lateral. Então as pessoas diziam: «Os Taboada andam mal com o bispo», e ninguém vinha em demanda de recomendações. Mas nos tempos de paz, o bispo atravessava a rua todas as tardes e tomava chocolate com os Taboada de turno. Esse turno também coube à minha avó, que não tomava chocolate, mas sim chá, como portuguesa que era, mas há que dizer em sua honra que jamais obrigou os bispos a mudar de costumes e a inserirem-se, nem que fosse pelo líquido de uma chávena, nos negócios do império britânico. D. Margarida tomava chá, e o bispo, chocolate, e todos em paz. O bispo, cujas finanças o meu pai pusera em ordem, teve uma certa intervenção decisiva na questão do casamento.

A menina Taboada, minha mãe que nunca conheci, quanto a rapariga atracti-va, nem era nem deixava de ser: mais ou menos como as demais, mas nenhuma outra em Villavieja del Oro a igualava em prosápia, e quanto a meios próprios, não estava mal. Para já tinha herdado de seu pai nada menos que sete paços repartidos por diversos lugares da província, e de D. Margarida deveria herdar, não só o paço minhoto, mas uma certa fortuna em acções depositadas num banco de Londres. Por que é que, apesar dessa fortuna, não tinha pretendentes? Talvez não se atrevessem, com tanto passado ilustre, os rapazinhos de Villavieja, nem mesmo os de melhor linhagem, ou talvez simplesmente porque, apesar de tudo, não gostassem da rapariga. Mas ocorre-me que a maior dificuldade era D. Mar-garida, aquela espécie de dragão de olhos verdes, mais temida que respeitada. Ninguém teria esperado nem mesmo imaginado, que o meu pai pusesse os olhos na filha de semelhante assombração. Contudo, nada mais lógico. A opinião po-pular conferia ao meu pai a posse da maior quantidade de inteligência de toda a província, uma quantidade realmente abusiva, segundo alguns, e intolerável, se-gundo os invejosos, que nunca faltam, e esperava-se dele, não que saísse deputa-do, mas senador do reino: bastava que a tal se propusesse, ou que conviesse às pessoas que o rodeavam e aproveitavam os seus saberes. Julgo que ele compreen-deu a necessidade de um fundamento social mais firme que a inteligência em exercício, ou que a humildade da sua origem o empurrava a ascender (discreta-mente) a estratos mais elevados, de acordo com o gosto do pai. Fixou-se na mi-nha mãe, cortejou-a. D. Margarida, ao saber, disse à filha que não, apesar de não ter sido isto o grave, mas, numa daquelas tardes de chocolate e chá, o bispo ter-lhe perguntado porque se opunha ao noivado da sua filha com aquele cava-lheiro de tão brilhante futuro e de tão agradável presença. Ela respondeu-lhe que era por ser filho de um carteiro rural.

— Senhora, eu sou filho de um guarda civil, e há vários anos que me convida para tomar chocolate de igual para igual.

Se era a mesma coisa ou não, foi o que discutiram. A minha avó, num momen-to que se tornou teatralmente culminante, disse ao bispo que, que se soubesse, nunca nenhum prelado, nem mesmo português, tinha superado um Alemcastre em posição social, a não ser alguns filhos de reis que, por razões de Estado, tive-ram de aceitar a prelatura, ainda que com algumas liberdades nas suas vidas pri-vadas; mas estes eram meras excepções. O convidado levantou-se, não sem antes beber até ao fim o chocolate que restava na xícara (gesto que a minha avó sem-pre considerou um sinal de vulgaridade), e foi-se embora. D. Margarida, depois de ele sair, mandou fechar a porta do vestíbulo, mas não abriu a pequena, pegou sim na minha mãe e levou-a para um dos paços que lhe vinham do ramo dos Taboada, não muito longe de Villavieja, o suficiente para se tornar cansativo fazer o caminho a pé. Mas este foi o seu erro. Isto acontecia quando começavam a aparecer, surpreendentes e barulhentos, os automóveis, e, em Villavieja, qualquer rico extravagante teria comprado um. Que o meu pai também o comprasse não foi considerado, no entanto, como extravagância, mas como a coisa mais natural do mundo, tratando-se de um homem de reconhecida relevância, chamado às mais altas magistraturas. O meu pai, todas as tardes, depois do seu inteligente tratamento das finanças provinciais, metia-se no carro e partia, a trinta quilómetros por hora, em direcção desconhecida. «Vai passear as suas tristezas», pensavam as pessoas, ou «Vai afogá-las na confusão», podiam pensar também, mas o que o meu pai ia fazer era encontrar-se clandestinamente com a sua namorada, e uma criada cúmplice e testemunha das entrevistas. Isto não durou muito. O meu pai visitou o bispo, tiveram uma longa conversa, e o bispo deu-lhes alguns conselhos. Numa daquelas tardes, o meu pai regressou da sua viagem com a minha mãe e a criada a reboque, e, como manda a lei, depositou a menina Taboada em casa de uma tia carnal a quem o meu pai tinha feito certos favores, e à qual o prelado tinha dado instruções. Poucos dias depois, o bispo casou-os, e a minha avó atravessou a fronteira e refugiou-se no seu paço minhoto, de onde não regressou até à morte da minha mãe, quando soube que tinha ficado um filho do qual alguém teria de se encarregar. E foi desta maneira que se apoderou de mim. Dominou a minha vida enquanto viveu, e continua a dominá-la do mistério para onde partiu há muito tempo, único acto da sua vida acontecido contra a sua vontade. A razão pela qual o meu pai acedeu a separar-se de mim, parece que foi devido à ameaça da minha avó de se meter num convento, e deixar tudo às freiras.

Como se vê, a história como conto de amor, é de uma legalidade decepcionante. Por isso, quando comecei a ter sentido estético da vida, decidi reformulá-la, em alguns pormenores, a acrescentar-lhe um ou outro ingrediente romântico ou, pelo menos, dramático. Para começar, fiz da minha mãe uma beleza fascinante, e do meu pai, que também morrera, um génio oprimido pela tacanhez provinciana, que tinha levado para a sepultura nada menos que os únicos planos possíveis da regeneração económica de Espanha. Eliminei do rapto toda a legalidade e, claro, toda a intervenção episcopal, embora ninguém, então, jamais acreditasse que um homem tão legalista como o meu pai tivesse cometido uma insensatez, ainda que a paixão o justificasse. Menos ainda acreditaram que a minha mãe tivesse ido grávida para o casamento, e recordo que, certa vez, com a cumplicidade das estrelas e do champanhe, contei a uns amigos a história do meu nascimento clandestino no paço minhoto da minha avó. «A vontade que tens de ser um verdadeiro português!», disseram-me. As minhas imaginações chocavam-se com os dados objectivos e constantes das datas do casamento dos meus pais e do meu nascimento, e não digamos com a notícia recolhida pela imprensa local de que o ilustríssimo senhor bispo da diocese tinha abençoado os amores do famoso advogado, senhor Práxedes Freijomil, e da bela menina Inês Taboada y Távora de Alemcastre. Olha o luxo! Estou, no entanto, persuadido de que os meus antepassados, do seu além, aprovaram as minhas ficções. Pelo menos os portugueses, que sempre tiveram um sentido mais romântico do amor e da aventura.

Não o tinha a minha avó Margarida. Nunca conheci ninguém menos sentimental, mais incapaz para a ternura. É bem certo que a sua secura foi suprida, durante alguns anos, por uma ama um tanto morena que me criou ao peito, Belinha, que me adormecia cantando-me canções tristes num português harmonioso. Vivíamos metade do ano no paço minhoto, e a outra metade na casa de Villavieja. Nessa altura levavam-me a ver o meu pai, que recordo como um homem severo e esguio, embora jovem, que não sabia beijar-me. Já tinha chegado a senador, viajava com frequência para Madrid, e trazia-me brinquedos que me deixavam indiferente, mas o que a mim me fazia feliz era perder-me pelos recantos daquelas velhas casas, a de Taboada e a de Alemcastre; perder-me e explorar os seus mistérios. A casa de Villavieja também os tinha, mas não tantos, ou, pelo menos, eram de outra maneira, menos acessíveis à minha fantasia, porque ficava na cidade, fazendo esquina para duas ruas empedradas que brilhavam com a chuva, e, em contrapartida, o paço de Alemcastre emergia de um bosque de espécies raras, trazidas dos quatro cantos do mundo; era uma surpresa súbita, como um susto, com as suas torretas e coruchéus, um desafio à razão e um regalo para a fantasia.

A minha avó, por sua vontade, ter-me-ia mandado para uma escola inglesa das mais caras, dessas que são para o resto da vida como um cartão de visita e que obrigam ao uso de uma gravata como identificação; mas sabia que ali batiam nas crianças, e ela afirmava que ninguém no mundo podia bater no seu neto mais do que ela, e ela não tinha muita vontade de o fazer, mesmo que o neto merecesse algum açoite. Nesses casos dizia a Belinha:

— Dá-lhe no rabo.

Mas Belinha olhava-a ternamente, implorante, pegava-me ao colo e escapava à ordem e ao olhar. Foi por causa dos açoites ingleses, perante a exigência do meu pai de que me enviasse para o colégio, que a minha avó se lembrou de me trazer um professor espanhol e uma *miss*, pagos do seu bolso: do do meu pai não queria receber nem um chavo. O professor ensinava-me a ler em espanhol, e a *miss*, em inglês. Chegou uma altura em que comecei a baralhar uma língua com a outra, e resolvia o conflito falando em português, o que encantava Belinha e à minha avó parecia não desagradar, mas que desesperava os meus pedagogos, que tiveram de pôr-se de acordo. Fizeram várias reuniões estritamente profissionais donde saíram umas relações secretas que não o eram tanto: eu e Belinha tínhamos descoberto que o professor ia, nocturno, aos aposentos da *miss*. Belinha sabia para quê: eu ainda o ignorava, mas Belinha dizia-me que me calasse, e ria-se.

Quando agora reflicto sobre as recordações daqueles anos, recordações cada vez mais nítidas e precisas, como se as tivessem restaurado, apercebo-me de que, entre o mundo e eu, havia duas pontes; por uma evadia-me para as coisas e para os sonhos: era o paço minhoto, com as suas confusões; pela outra relacionava-me com as pessoas. Essa função coube a Belinha durante muitos anos, quase todos os que durou, ainda que de forma diferente, consoante as nossas idades. Deixava-me deitado com o candeeiro aceso, naquela cama enorme, enorme até para dois, na qual podia perder-me, pela qual podia realizar expedições aos desertos remotos e, é claro, dormir. Mas o que realmente me absorvia era o exame dos desenhos talhados na cabeceira, nos arabescos da colcha. Nunca consegui ver maior quantidade de labirintos, todos diferentes, intermináveis. Foram muitos os anos em que os meus olhos, também os meus dedos, os percorreram, e penso não os ter esgotado: em cada um deles vivia uma aventura, mas a minha imaginação não inventava aventuras suficientes, de forma que, frequentemente, a que começava num labirinto, acabava no do lado. Havia-os também nos damascos do dossel sustentado por colunas de bronze, mas ficavam altos e eram monótonos, iguais uns aos outros, repetidos. Quando Belinha calculava que eu tinha adormecido, entrava e apagava-me a luz, depois de me deixar bem tapado, ou de verificar se eu estava a suar, quando era Verão. Algumas vezes, entre sonhos, ouvi-a chamar-me não só «Meu Menino», como «Meu filhinho». O dela tinha nascido morto, e o leite destinado a ele, alimentara-me a mim.

Belinha acordava-me depois de ter aberto as madeiras, chamava-me com voz queda e melodiosa, não «Filomeno!», mas «Ademar, meu menino!». Eu preguiçava até acabar por abrir os olhos, e era então que ela mostrava o peito e oferecia às minhas mãos as suas mamas morenas, nas quais eu mexia com a complacência sorridente de Belinha, durante um tempo que eu não sentia passar, e ela também não, até que de repente se assustava e dizia-me que a minha avó devia estar à minha espera para tomar o pequeno-almoço. Então dava-me banho, vestia-me e levava-me ao colo até mesmo à porta da sala. Ali, deixava-me no chão, e eu entrava sozinho e cumprimentava em inglês. A *miss* estava ali, o pedagogo também, e com um mero jogo de olhares entre eles e a minha avó aprovavam ou desaprovavam o meu comportamento. O exame das minhas unhas e das minhas orelhas cabia à *miss*, e como às vezes Belinha se descuidasse naquelas atenções, a minha avó mandava-a chamar e mostrava-lhe as unhas sujas e as orelhas com cera. Belinha envergonhava-se, levava-me com ela, e, chorando, concluía a obra de limpeza e devolvia-me ao trio, reluzente eu e satisfeita ela. Estou persuadido de que a minha avó apreciava a *miss*, tão correcta e cumpridora das suas obrigações (a não ser de noite, mesmo assim, quem sabe!), mas gostava de Belinha porque Belinha gostava de mim, e era como se a minha avó tivesse transferido todas as suas obrigações sentimentais. Depois do pequeno-almoço, o duo pedagógico encarregava-se de mim, e embora a minha avó lhes tivesse dito que para um futuro cavalheiro como eu era suficiente saber comportar-se, falar bem, e um pouco de História, eles ampliavam os meus conhecimentos cada um segundo as suas preferências. Quando estávamos em Villavieja del Oro, o meu pai, que costumava falar com eles, insistia em perguntar-lhes se achavam que eu, no caso de ser aluno de um colégio como outra criança qualquer, e não mimado por uma velha disparatada, poderia ser o primeiro da aula. A obsessão do meu pai era aquela, e senti-a quando, anos depois, morta D. Margarida, o meu pai se encarregou de mim (de certo modo e por criados interpostos) e me matriculou no mesmo liceu onde ainda, segundo ele, o recordavam como aluno brilhante. A minha avó tinha-me dito milhares de vezes: «A tua obrigação na vida é repetir a figura do teu avô Ademar», e a figura de Ademar de Alemcastre tinha presidido, como meta para a qual me encaminhavam, bastantes anos da minha vida. A meta, quando fiquei sob a autoridade do meu pai, não era um homem concreto, mas uma noção relativa: ser o primeiro da aula, o primeiro do ano, o assombro dos professores; e depois, o primeiro da cidade e o seu assombro. Mas disto falarei mais tarde.

Naqueles tempos da minha infância, as pessoas andavam metidas numa guerra de que eu ouvia falar como de tantas coisas que não entendia. O curioso foi que a imaginava como uma briga de rapazes de aldeias rivais, no fim da qual os vencedores davam gritos de vitória. O meu pedagogo era partidário de uma das aldeias, e por isso se chamava a si próprio germanófilo; a *miss* apostava na aldeia contrária e a contenda dirimia-se diariamente na minha presença frente a um mapa com umas linhas traçadas por cima com tintas de diferentes cores: o vermelho era o da *miss;* o negro, o do professor. E não consigo perceber por que é que de cada vez que um deles dizia que o seu bando tinha vencido, também não davam gritos de vitória. A minha avó, com aquilo da guerra, andava de mau humor, não porque fosse partidária de uns ou de outros, mas porque tinha projectado levar-me a Londres, e enquanto durasse a guerra não podíamos seguir viagem. Também não percebia porquê, embora ouvisse dizer que já não se podia navegar sem perigo. O que era navegar? O professor falava-me dos mares, mostrava-mos de longe, de uma das torres do paço: o mar remoto, para lá do estuário do Minho, sempre com chuvas ou nevoeiros que não deixavam ver o horizonte. Mas eu só meti os pés nele depois da primeira vez que me levaram a Lisboa. Então fiquei deslumbrado para sempre, com desejos, não de me meter num barco, mas de ser o próprio barco. Que fui muitas vezes. Enquanto durou a espera, e foi muito tempo. A minha avó levava-me com frequência a Lisboa, passeava-me pelas avenidas, mostrava-me isto e aquilo, e, por uma rua que se chamava do Alecrim, quando subíamos a encosta, dizia-me muito séria, como se pudesse ser verdade, que quando o seu pai, Ademar, o fazia na sua juventude, as casas tiravam os telhados para o cumprimentar: muito demorei a compreender o significado daquela hipérbole, mas nessa altura ela já não vivia, e quando subia pela Rua do Alecrim, nenhuma casa tirava o telhado à minha passagem, nem sequer o insinuava: alegro-me de ela já ter morrido, porque ficaria desgostosa até à humilhação com a indiferença das casas lisboetas à minha passagem. Talvez me tivesse dito: «Pretendi inutilmente que repetisses a figura do meu pai. Estás condenado a ser toda a vida um vulgar Filomeno Freijomil.» Ela não teve oportunidade de o dizer, mas eu de senti-lo e pensá-lo sim.

A guerra acabou, por fim, e embora não tenha gritado vitória, notava-se na *miss* que tinham ganho os seus. Não me lembrei de averiguar se, como consequência da vitória, fechava as portas do seu quarto ao meu professor. Belinha também não o devia ter averiguado, porque não me disse nada, embora não deixe de ser possível que o soubesse e calasse, porque não era mexeriqueira nem bisbilhoteira, salvo no que a mim se pudesse referir. Um dia a minha avó anunciou-nos que partíamos para Londres. Não disse qual de nós a acompanharia, mas era assente que eu iria com ela, e Belinha, perante o meu temor de que me deixasse sozinho com a velha durante um tempo que não sabíamos quanto ia durar, consolava-me assegurando-me que D. Margarida não podia prescindir dela para certos mesteres a que não estava habituada nem se habituaria nunca, como os de me deitar e me acordar. Supus que o dizia pensando que a avó não tinha mamas para eu brincar de manhã, enquanto espertava, mas depois descobri que não se tratava disso. Finalmente, não só Belinha fazia parte da companhia, como também a *miss;* ao professor deu-lhe umas férias com o salário adiantado para que fosse até à sua aldeia enquanto nós estávamos ausentes, e fê-lo sobretudo por cortesia para com um homem que em todas as ocasiões mostrava a sua aversão pelos Ingleses, por causa de, ao que parecia, um lugar chamado Gibraltar, cuja situação exacta eu ignorava, por mais que mo indicasse nos mapas. Ali havia nascido a *miss*, precisamente! Naquele tempo eu não tinha conseguido compreender como é que naqueles papéis que desdobrava em cima da mesa para me indicar onde ficava a China, podiam ter resumido a Terra inteira, que, não sei porquê, sempre tinha concebido como muito grande; mais, bastante mais, do que a distância entre Villavieja del Oro e Lisboa, que era, de todos os caminhos terrestres, o que melhor conhecia. De maneira que as três mulheres passaram dois ou três dias a fazer as suas trouxas e as minhas. Devo dizer que, por ocasião da última das viagens a Lisboa, a minha avó me tinha comprado meia dúzia de fatos, casacos, impermeáveis e boinas com fitas dos barcos ingleses: umas boinazinhas brancas muito engraçadas, mas que, segundo Belinha, não me ficavam bem; de forma que, apesar de gostar, eu antipatizava muito com elas, e de cada vez que me obrigavam a usar uma, corria até ao espelho para ver se ficava bem ou se me modificava; mas eu não notava que me tornasse mais feio do que era, de modo que a minha antipatia não teve outro fundamento a não ser o desgosto de Belinha. Quando a bagagem ficou pronta, partimos para Lisboa, mais uma vez. O professor acompanhou-nos enquanto pôde, e ao despedir-se da *miss*, emocionou-se bastante, tanto que a minha avó considerou indecoroso, segundo ouvi dizer nas costas daquela menina entristecida que chorava quando ninguém a estava a ver (eu não era ninguém para ela), apesar de ir de viagem para a sua Inglaterra. Embarcámos num paquete inglês, imenso como uma povoação, lá em Lisboa, e ao pisar o convés, a *miss* pareceu mais animada, sobretudo pelo facto de falar inglês melhor do que a avó, enquanto eu mal o balbuciava; de Belinha, nem sequer falar, pois a ela não era possível tirá-la do seu português minhoto, apesar do imenso tempo que passava connosco em Villavieja del Oro, e de ali ter amizades. Mas, uns em galego, ela em português, entendiam-se mais ou menos. O que se passou no barco foi que a minha avó enjoou, mal começámos a navegar; que à *miss* lhe aconteceu outro tanto e que os únicos a aguentar fomos Belinha e eu, mas Belinha tinha que dividir os meus cuidados com os das enjoadas, e embora servisse a minha avó de bom grado, à *miss* fazia-o contrafeita, e depois vinha contar-me, ou melhor, pensar em voz alta na minha presença, que não entendia como é que o professor se tinha enamorado daquele monte de ossos e daquela carne rosada, que parecia a de *uma porquinha faminta*. E toda a beleza da sua cara de boneca era pintura, e enjoada e a vomitar metia nojo. A viagem durou pelo menos cinco dias. Atracámos num cais de Londres, depois de subir por um rio e contemplar uns campos verdes com as casas muito arranjadas e uma ou outra vaca nos prados. Londres, do barco, pareceu-me demasiado grande, mais do que Lisboa, e, não sei porquê, tanto ir e vir de carros, tanto ruído de guindastes, tanta carga e descarga meteram-me medo. Por sorte, assim que descemos a escada aguardava-nos um carro com um motorista demasiado hirto; a *miss* disse-lhe qualquer coisa, e ele levou-nos a um hotel que não me desagradou, porque me fazia lembrar alguns dos aposentos do paço minhoto, se bem que os criados fossem mais esguios e se vestissem todos como senhores, e não como aldeãos, como os criados da minha avó. A mim chamaram-me, desde o primeiro momento, o «pequeno lorde», mas em inglês, *the little lord,* e *lady* à minha avó. À *miss* tratavam-na como igual, e para Belinha, nem olhavam. Deram-lhe o mesmo quarto que a mim, para que não me sentisse sozinho de noite, mas, coisa curiosa, durante a viagem, com a azáfama de atender esta e aquela, tínhamo-nos esquecido do rito das brincadeiras matinais, e ali, em Londres, apesar de ela dormir tão perto de mim, não se repetiram, suponho que por esquecimento, porque se eu as tivesse reclamado ela não se teria negado. Mas imagino que brincar com as mamas de Belinha, imagino-o agora, relacionava-se com os ambientes do paço e da casa de Villavieja, que naquele aposento tão solene ao qual não conseguia habituar-me, sobretudo pelo ruído nocturno, não se ajustava aquela brincadeira; e não é que tivéssemos descoberto o pudor, porque ela, como sempre, dava-me banho nu quando era a minha vez de tomar banho.

A razão daquela viagem a Londres tinham sido os negócios da minha avó: pô-los em ordem ocupou-a vários dias, ou melhor, várias manhãs, durante as quais eu ficava ao cuidado de Belinha e da *miss,* que nos levava aos parques, mesmo que chovesse, ou o nevoeiro não deixasse ver as árvores, ou a visitar igrejas e palácios, que, segundo parecia, eu tinha necessidade de conhecer. Falava comigo em inglês, e Belinha era como se não existisse. O que aquela *miss* me contava, ao que parece por ordem expressa da minha avó, era a história das lutas entre os York e os Lancaster, que fiquei a saber então que também se chamava a guerra das Duas Rosas, que me deixou a impressão de que os meus antepassados tinham sido uns bárbaros que só pensavam em lutar e em matar-se uns aos outros. Mas quando a minha avó acabou de pôr os seus negócios em ordem, as coisas mudaram, de repente: alugou um grande automóvel, com motorista, metíamo-nos nele, e fazíamos viagens para visitar as igrejas onde os meus antepassados estavam enterrados e também os castelos em que tinham vivido. Daquelas igrejas ficou-me uma forte impressão de luminosidade; dos sepulcros visitados, que todos eram iguais; à minha ideia de que os Lancaster tinham sido uns bárbaros, juntou-se outra muito inesperada (parece-me agora) de que tinham lutado e morrido para que os enterrassem assim tão sumptuosamente, em sarcófagos de pedra com estátuas em cima. A *miss* fazia gala dos seus conhecimentos, mas eu costumava distrair-me com a contemplação dos múltiplos pormenores que me atraíam, como as armaduras das estátuas ou as filigranas das coroas. Havia também sepulturas de rainhas, algumas jovens e formosas, e muitos deles e delas tinham um cãozinho aos pés. Uma vez ouvi um clérigo de uma daquelas igrejas perguntar à *miss* se eu era um príncipe estrangeiro, pela forma como andava vestido e como me tratavam; um príncipe com uma escrava mulata ao meu serviço. A *miss* explicou-lhe que sim, que era um príncipe português, e que também o podia ser de Inglaterra. Aquilo deixou-me surpreendido, porque, para mim, os príncipes eram certas personagens dos contos e das lendas, mais velhos do que eu e mais bonitos; ao ouvir chamarem-me príncipe, fiquei com medo de ser também eu uma daquelas personagens. Disse-o a Belinha, e ela respondeu-me que não fizesse caso da *miss*, que estava louca; que eu era o seu menino e mais nada, e que, para mim, nem a *miss*, nem a avó deveriam contar, só ela. Não me custou nada acreditar em Belinha, mas não podia prescindir da *miss* e da avó. A resposta de Belinha serviu-me, no entanto, para me tranquilizar acerca da minha condição, embora no fundo tivesse pena de, por não ser príncipe, não me enterrarem daquela forma tão atractiva, numa igreja tão bonita como as que íamos vendo. A ideia ficou-me na cabeça enquanto estivemos em Inglaterra. Por um lado, imaginava-me convertido em estátua, frio e quieto, com uma Belinha em pedra agachada aos meus pés, mas isto não me satisfazia, dado que eu era pequeno e feio e Belinha grande e bonita: seria melhor que a estátua fosse ela e eu o agachado, ainda que para isso Belinha tivesse de matar uma princesa; e que eu soubesse, não tínhamos nenhuma à mão. Também é verdade que a ideia de Belinha poder matar alguém, mesmo que fosse só para chegar a estátua e estar enterrada para sempre numa daquelas igrejas com janelas de vidros coloridos, cheias de reis e de escudos de armas, não me cabia na cabeça.

De regresso, em Villavieja del Oro, as pessoas começaram a olhar para mim de uma maneira estranha, por causa da versão que Belinha tinha dado, às suas amigas, da viagem; mas, felizmente, aquilo durou pouco, e digo felizmente porque as histórias de Belinha tinham chegado aos ouvidos do meu pai, e o meu pai ria-se de mim.

— Com que então príncipe, hã? Anda lá, não passas de um vulgar Freijomil!

E durou pouco porque a minha avó, certa manhã, ao acordar, perdeu os sentidos e caiu ao chão. Deitaram-na e esperaram que voltasse a si, porque ninguém se atrevia a chamar um médico sem a sua ordem; mas ela, ao aperceber-se do que se tinha passado, disse em português que acontecera a mesma coisa à sua mãe e que lhe restavam poucos dias de vida. A partir daquele momento, a minha avó começou a morrer, mas fê-lo com uma certa parcimónia e ordenando tudo do limiar da morte. Tinha de morrer, mas, mesmo na sua morte mandava ela. De seguida, partimos para o paço minhoto, ela com muitas precauções, deitada entre almofadas e com a *miss* ao lado sem a deixar um só instante. Uma vez instalados, começou a vir gente, chamada por ela. Um padre e um notário, para começar. Também manteve uma longa entrevista com o professor e com a *miss*, que se casaram logo, antes de ela morrer. Eu apercebi-me, pela boca de Belinha, que ficavam encarregados do paço, com um salário; mas foi preciso fazer um inventário de tudo o que ali havia, coisa por coisa, e algumas delas, as mais valiosas, mandou-as embalar e, quando veio o meu pai, chamado também por ela, ordenou-lhe que as levasse para a casa de Villavieja e as mantivesse em bom estado até eu chegar à maioridade e poder tomar conta delas, dado que no dia dos meus vinte e um anos, tudo o que era dela e o que fora da minha mãe passaria a ser meu. Também me deixava a obrigação de vir todos os verões ao paço, e ao meu pai a de o visitar de vez em quando para ver como o mantinham. O professor e a *miss* já caminhavam por aqueles corredores com outro ar, como se pisassem terra própria, e as pessoas da povoação começaram a tratá-los com mais respeito. A minha avó permanecia na cama sem dar um ai, embora, ao que parecia, tivesse grandes dores. Às vezes levantava-se a desoras, envolvia-se numa capa, e andava de cá para lá, como um fantasma, alta como era, longa cabeleira branca despenteada, cada vez mais magra e amarela, mas com os olhos ainda autoritários, mais verdes e mais profundos. Uma noite acordei, e encontrei-a debruçada sobre mim, com uma vela na mão, contemplando-me. Talvez eu tenha feito um gesto amedrontado, porque me disse:

— Não tenhas medo, *menino*, que sou a tua avó.

E isto nunca o esquecerei porque o disse com ternura, a única vez na minha vida que me falou assim. Pensei depois muitas vezes que também gostava de mim, mas que o dissimulava, e agora creio que não era dissimulação, mas fingimento de dureza para ocultar a sua debilidade. Nos últimos dias gemeu, sim, na cama e levantada, e caminhava com mais dificuldades, como que arrastando os pés e aguentando o corpo. Percorria toda a casa, e em todos os cantos ficava o eco dos seus ais. Certa noite deu um grande grito, um grito que nos levantou a todos.

— É a morte — disse-nos — que quer abrir a porta, mas eu ainda tenho forças para a fechar.

O médico proibia-lhe levantar-se, mas ela dizia-lhe que tanto fazia, que já estava para morrer, e que ainda lhe faltavam muitos caminhos para andar. E foi assim que morreu, numa daquelas noites em que os seus gemidos não nos deixavam dormir; ao pararem de repente, e ouvir-se depois um alarido, acudimos todos e encontrámo-la morta, a meio de um salão: a vela que levava também tinha caído e o tapete começava a arder. Houve um momento de aflição, se se devia acudir a ela ou apagar o fogo; mas como ela estava morta, Belinha, a *miss,* o marido e alguém mais que estava ali, foram buscar água e empaparam o tapete até deixar de sair fumo: era uma pena que se tivesse estragado para sempre um tapete tão bonito, dos trazidos da Ásia séculos atrás. Depois levaram a avó para a cama. Belinha vestiu-me, e começaram a amortalhá-la. De manhã mandaram avisar o meu pai, que chegou à tarde, no seu automóvel novo de senador do Reino, vestido para a circunstância, com chapéu alto. Permaneceu no paço não só no dia do enterro, como mais alguns, para as missas e cerimónias fúnebres. Antes de se ir embora disse-me que eu iria com ele, coisa que não me surpreendeu, porque Belinha já me tinha avisado, e porque o professor e a *miss* se haviam lamentado de que já não me ensinariam a História e a Gramática. Belinha também preparou a sua trouxa, e quando o meu pai lhe disse que ela ficaria no paço, começou a chorar e a gritar que a ela não a separavam *do seu menino,* e que se não a levassem comigo, se atiraria da janela mais alta da torre. O meu pai fechou-se com o professor e a *miss,* tiveram uma conversa muito longa, da qual resultou que Belinha viria comigo por uma temporada, pois os três concordaram que me mimava demasiado e que isso não era bom para a minha educação. Mas Belinha preocupava-se com algo mais que os mimos. Numa manhã em que pudemos falar a sós no meio do parque, onde tínhamos ido cortar flores para pôr na campa da avó o nosso último ramo, disse-me que tivesse em conta que, no paço ou na casa de Villavieja, eu vivia no que era meu e do que era meu; que a avó tinha deixado as coisas dispostas para pagar a minha educação, sem que custasse nada ao meu pai, e que se por um lado tinha obrigação de lhe obedecer, porque era meu pai, não devia esquecer o que a minha avó me tinha recomendado tantas vezes; mas das recomendações da minha avó, eu só recordava o meu dever de me parecer com Ademar de Alemcastre, o qual, para mim, era como um fantasma, ainda que no paço houvesse vários retratos seus cuja elegância, com os nove anos feitos que tinha, eu não chegava a compreender.

II

INSTALARAM-ME, BEM INSTALADO, num aposento grande da casa de Villavieja, com uma varanda para a rua da fachada onde dá o sol, justamente a oposta à do bispado. Concederam a Belinha um quarto ao lado do meu, apesar de não ser aquele o andar dos criados, mais pequeno e com uma janelita por onde o sol entrava apenas como um fiozinho de luz; mas ela estava contente, e, por esse lado, não houve mudanças na minha vida. Como o bispo continuava a vir tomar o chocolate quando o meu pai estava na cidade, uma tarde vestiram-me de gala e apresentaram-me a ele, e ficou combinado que me daria o crisma na capela da casa, um dia qualquer; mas naquele encontro descobriu-se que a minha avó se havia descuidado em matéria religiosa, e que eu ainda não tinha feito a primeira comunhão; de modo que se organizou a cerimónia para eu receber os sacramentos um a seguir ao outro, com uma só festa. No dia seguinte veio um clérigo jovem, que começou a instruir-me no catecismo, e vinha todas as tardes. Ao princípio estávamos sós; mas, como eu contava a Belinha tudo o que aprendia com o clérigo, ela pediu que a deixasse assistir às lições para aprender também; porque daquelas coisas de Deus tinham-lhe falado pouco, e tudo o que sabia, era de ter ouvido. Assim, entrava comigo no salão onde o prior já estava instalado: sempre num cadeirão de espaldar alto, e, nós, em cadeiras. Eu ficava em frente dele, e, Belinha, num canto, muito recolhida e silenciosa, embora algumas vezes interrompesse o padre para lhe fazer algumas perguntas sobre coisas que não entendia. Eu agradecia a Belinha, porque geralmente o que ela não entendia eu também não, mas o padre não se esforçava muito por esclarecê-las: olhávamo-nos, ela e eu, e a lição seguia o seu curso. Depois, o padre lanchava comigo e Belinha servia. No entanto, quando chegava a noite e me ia deitar, não rezávamos nenhuma das orações que nos ensinava aquele padre, mas a que tínhamos aprendido com a avó Margarida, cujo significado demorei muito tempo a compreender: «Deus Todo-Poderoso, mantém nos teus infernos o marquês de Pombal pelos séculos dos séculos, amen.»

Houve outra novidade, mais importante. Uma tarde, depois de o padre se ter ido embora, o meu pai chamou-me ao seu escritório, que era muito escuro, com móveis grandes e cortinados vermelhos, e um grande Cristo em cima da mesa, um Cristo que eu tinha visto no paço minhoto, cujo mérito descobri anos depois, quando já começava a entender dessas coisas. O meu pai mandou-me sentar e fez-me um longo sermão do qual recordo duas advertências principais: a de que, dali em diante, eu me chamaria Filomeno, e mais nada; melhor dizendo, Filomeno Freijomil Taboada, que era o meu verdadeiro nome, e nada de menino Ademar de Alemcastre. A segunda, que tudo isso dos reis de Inglaterra era uma pura invenção da minha avó, que estava louca, e que os Alemcastre eram uma família que tinha enriquecido roubando negros em África e vendendo-os no Brasil.

— De forma que, tudo o que herdaste da tua avó está feito com o sofrimento e a morte de seres humanos como nós; dinheiro ensanguentado. Tu agora não entendes, mas um dia compreendê-lo-ás, quando chegares à idade própria. O que tens dos Taboada é um pouco mais limpo, mas não muito. Quando souberes o suficiente de História, verás que essas riquezas feudais também não são muito legítimas. A única coisa limpa é o que virás a ter de mim: o nome preclaro de um homem que não deve nada a ninguém, e uns dinheiros de somenos, mas ganhos com o meu trabalho. Nunca te deves esquecer disto. Ah! Como em Outubro começas a ir ao liceu para fazeres o teu curso, deves ter em conta que a tua obrigação é ser sempre o primeiro da aula, aquele que tem sempre as melhores notas, e que ninguém possa dizer que és inferior ao que o teu pai foi.

Foi assim que perdi o nome de Alemcastre e, sobretudo, o de Ademar, e fiquei-me por Filomeno, nem sequer menino Filomeno, porque o meu pai não tolerava que me chamassem assim. Mas Belinha não acatava a ordem, e, em segredo, chamava-me «O meu pequeno Ademar.» Graças a ela, o mundo do paço minhoto, a recordação da avó, e até a do meu professor e da *miss*, continuavam vivas, e a nossa esperança secreta era voltar para junto deles.

— Vais ver quando chegar o Verão, e formos lá...

A minha verdadeira vida como Filomeno começou no liceu. Todos os professores faziam a chamada diária: fizeram-na pelo menos durante algum tempo, até nos irem conhecendo e tirarem o nome pela cara. Ali comecei a ser Freijomil

Taboada, na lista, e Freijomil, simplesmente, quando um professor se dirigia a mim. Devo dizer que não encontrei em lado nenhum a recordação do meu pai, nem ninguém que me perguntasse se era seu filho, provavelmente porque já o sabiam e era escusada a pergunta, e também porque já não havia nenhum professor dos de outrora. No primeiro dia de aulas apresentei-me muito aperaltado: Belinha tinha-me vestido pensando em como devia ter sido, segundo ela, o primeiro dia de aulas do meu bisavô. Os outros rapazes vestiam-se de forma normal, todos com boina e impermeável, porque chovia, e, é claro, ninguém se apercebeu da minha capa inglesa. Nada do resto que eu levava vestido lhes chamou a atenção, a não ser apenas a minha atrapalhação ao falar com eles, todos desconhecidos, faladores, barulhentos.

— Tu, onde jogas? — perguntou-me um.

E eu respondi que em minha casa. Afastou-se de mim a rir.

— Este joga em casa.

Rapidamente se agruparam pelas escolas de procedência ou por outro tipo de afinidades que eu então não atingi, de modo que, nos recreios, comecei a ficar sozinho: sentava-me e via-os correr, gritar, alvoroçar como pássaros. Havia umas quantas meninas que formavam um grupo à parte, para as quais se jogava, se corria, se alvoroçava. E elas sabiam-no, depressa o compreendi, e encaravam com seriedade a sua condição de tribunal efémero. Uma vez aproximou-se de mim um pequenito horrivelmente vestido, não por pobreza, mas por mau gosto ou deliberada extravagância. Olhava com grandes olhos vivos e audaciosos, mas dava a impressão de olhar de cima para baixo, e essa minha impressão manteve--se durante todo o tempo das nossas relações, que foram muitos anos. Perguntou--me se não tinha amigos. Disse-lhe que não. Perguntou-me porquê, e eu respondi-lhe que não sabia.

— Sabes quem sou?

— Sim. Tu és Montes Ladeira, Sotero, o primeiro da turma.

Pareceu satisfeito.

— Se quiseres, podes andar comigo.

Não disse «brincar», e isso chocou-me. E começou a falar-me, de repente, do muito que sabia de Geografia, mais do que o próprio professor pensava.

— Porque eu tenho livros, sabes? Tenho livros. E tu? Não tens livros?

— Não. Estudo-os, mais nada.

— E em tua casa, não tens?

— Não. Não sei. Nunca vi.

— Então, o que há em tua casa?

Não soube que responder, porque cadeiras e camas, e outra espécie de móveis não eram a resposta que ele procurava; isso adivinhei eu.

— Se quiseres vir a ser alguém na vida, tens de ler livros.

Fiquei sem perceber. O que era isso de vir a ser alguém na vida? A mim só me tinham falado de ser como o meu bisavô, embora também de ser o primeiro em todo o lado, mas ainda não tinha tentado por preguiça, ou talvez por achar suficiente ser o primeiro em minha casa e no coração de Belinha.

O embaraço da minha resposta fez com que ele me dissesse:

— Vê-se mesmo que és um menino. Não sabes nada da vida. Mas tanto faz. Podemos ser amigos. Eu empresto-te livros.

Naquela noite disse ao meu pai que um dos meus professores me dissera que eu precisava de ler. O meu pai ouviu-me, disse-me que ora bem, e no dia seguinte chamou o padre que me tinha preparado para a comunhão, e, diante de mim, perguntou-lhe que livros seriam convenientes para mim. O padre sentiu-se muito satisfeito por ter sido consultado e começou a enumerar títulos, que o meu pai ia apontando. Ficaram-se por três ou quatro, e o meu pai encomendou-os numa livraria. Quando, oito ou dez dias depois, nos avisaram de que tinham chegado, o meu pai, quando mos entregou, advertiu-me que só os lesse depois de ter preparado as minhas lições. No dia seguinte levei um para o liceu. Intitulava-se *Juanito* e mostrei-o a Sotero.

— Olha, um livro.

Ele folheou-o, remirou-o e devolveu-mo com desprezo.

— Isso é coisa de parvos. Eu empresto-te algum que trate do Universo, mas não digas ao teu pai, porque os padres não gostam que se leiam essas coisas.

A mim também não me interessou especialmente, mas li-o todo, e soube pela primeira vez o que havia no céu, além da Lua e do Sol, e que tantas estrelas tinham nome. Quando lho devolvi, Sotero observou-me directa e indirectamente.

— Agora já deves saber como se chamam as estrelas.

— Sim — respondi-lhe escassamente convencido.

Depois emprestou-me mais dois ou três, eram todos acerca da natureza e aborreciam-me. Uma manhã, outro rapaz, que era o primeiro a saltar e a correr, surpreendeu-me com o livro na mão, disse-me que eram coisas de mais velhos e que ele podia emprestar-me romances de Júlio Verne e de Salgari, se lhe pagasse um pataco por cada um. Disse-lhe que sim, e no dia seguinte trouxe-me o primeiro. Durante aquele ano lectivo sonhei, sucessivamente, com piratas, com viagens submarinas, com ilhas misteriosas, e às vezes, com fantasmas. Chegou o fim do ano lectivo e chumbaram-me em todas as disciplinas. O meu pai recebeu isto como um fracasso seu, como uma humilhação pessoal. Andou umas vezes cabisbaixo e outras furioso, e passado algum tempo, à mesa, disse-me que eu desonrava o seu nome. Ele mesmo me levou ao paço minhoto e avisou os meus antigos professores para que me fizessem estudar todo o Verão e eles próprios me dessem aulas, pelo que lhes pagaria à parte. Já tinham um filho, andavam muito atarefados com os trabalhos da quinta e não lhes sobrava tempo, mas talvez com medo de que o meu pai os despedisse daquele emprego tão lucrativo que tinham, acharam uma maneira de cada um me dedicar umas horas, e de que eu ocupasse a estudar as que não pudesse passar com eles. Foi um Verão espantoso: às vezes levantava-me do lugar que me tinham estabelecido, assomava à janela e contemplava o jardim onde tantas vezes tinha corrido e brincado e sido feliz, embora este juízo o faça agora, porque da verdadeira felicidade não se tem consciência: vive-se, e seguimos. Mas a verdade é que, daquela janela, eu sentia a falta de qualquer coisa. Só à noite, depois de jantar, é que me juntava a Belinha num miradouro da casa e chorávamos juntos, ou falávamos da avó e dos bons tempos de Inglaterra. Numa noite de luar, lembrei-me de olhar para o céu, e descobri as estrelas; falei delas a Belinha e fui-lhes dando nomes segundo as minhas recordações: nomes ao deus-dará, como se, depois de ditos, cada qual voasse para a sua estrela. Belinha disse-me que antes não sabia disso:

— Não. Não sabia, mas agora sei.

Também dei em contar-lhe as histórias que tinha lido, e ela ouvia-as com assombro, às vezes com incredulidade, porque já lhe fora difícil admitir que um barco como aquele que nos levara a Inglaterra, ou como aquele que nos tinha trazido, não soçobrasse, quanto mais navegar por baixo. A minha antiga *miss*, agora *mistress*, descobriu que me estava a esquecer do inglês, e não só arranjou uma hora para tentar que eu o recordasse, como, numa ocasião em que o meu pai veio ver-me e comprovar que se cumpriam as suas ordens, lhe disse que era uma pena se perdesse tudo o que aprendera e como seria conveniente conseguir-me, em Villavieja, um professor que continuasse os ensinamentos que ela tinha começado. O meu pai concordou, e assim foi: todas as tardes veio uma senhora feia, de óculos, que me fazia revisões de gramática e tentava falar comigo; mas, embora soubesse de gramática, falar falava eu melhor. Não obstante, continuou a ensinar-me inglês durante vários anos, e, como eu, conforme crescia, compreendia melhor as coisas, e até gostava delas, quando no Verão regressava ao paço repetia e aumentava com a *miss* o que tinha aprendido, e, não sei porquê, ela estava muito orgulhosa de poder conversar comigo todas as tardes. Na realidade, a lição consistia em lhe relatar em inglês a guerra das Duas Rosas, cada vez com mais pormenores. Falava-lhe também das coisas de que me ia apercebendo pelos livros que lia, e ela dava-me em inglês os nomes que eu sabia em castelhano. Um dia perguntou-me se eu ia para sábio.

— Não, nada disso. Sábio é um companheiro meu que se chama Sotero. Gostaria de um Verão o trazer connosco. Vais ver o rapaz que é.

À medida que Sotero lia cada vez mais livros de Ciência, que ia desencantar não sei onde, eu lia mais romances. Divertíamo-nos muito, cada qual à sua maneira, mas a superioridade dos seus conhecimentos permitia-lhe manter-se por cima e repetir com frequência aquele olhar que foi o primeiro e que me deixou esmagado para sempre. Uma noite, depois de jantar, pareceu-me que o meu pai estava de bom humor e falei-lhe de Sotero.

— Por que não o trazes uma tarde para lanchar contigo?

Assim fiz. Sotero veio muito contente, o meu pai juntou-se a nós depois do lanche e falaram durante muito tempo. Eu ouvia-os de um canto e provavelmente com inveja. Sotero parecia uma pessoa adulta, e era evidente a admiração do meu pai. Quando se foi embora, disse-me com tristeza:

— Era assim que eu gostava que fosses, como esse menino. Ele há-de ser alguém na vida, e tu não serás mais do que um menino rico. Enquanto o fores... — acrescentou depois de uma pausa.

Não entendi bem, porque eu naquela altura julgava que éramos o que éramos para sempre. Mas isso de ser alguém na vida já não era novidade, e não deixou de me chocar a coincidência de opiniões entre Sotero e o meu pai. Ousei responder-lhe:

— Sotero pensa como tu, mas ele diz que, para se ser alguém na vida, é preciso ler muitos livros.

— Sim, os de estudo — respondeu-me o meu pai secamente.

E deixou-me só.

A partir daquela tarde, Sotero veio mais vezes a minha casa. Nunca se interessou pelo que havia nela: quadros de valor, diziam, móveis antigos, objectos nas vitrinas, tudo o que o meu pai mostrava como se fosse seu quando vinham visitas. Não. Sotero vinha falar com o meu pai e tomar o chocolate que Belinha nos fazia, e de que ele gostava muito. O meu pai foi-lhe sacando coisas da vida dele, que eu nunca lhe tinha perguntado porque nunca me lembrara. Donde vinha, quem era. Afinal era filho de uns comerciantes de Buenos Aires que o tinham mandado para Villavieja del Oro, para casa de uma tia, a fim de fazer aqui os seus estudos. Não sentia o menor interesse pela terra em que tinha vivido, quase nem se lembrava dela.

— Eu nasci aqui, e levaram-me quando criança.

E falava dos seus pais com distanciamento, ainda que da sua tia com um pouco mais de calor. Não sei porquê, imaginei que a tia devia ser para ele o que Belinha era para mim, mas quando a conheci, vi que era uma mulher grandalhona e feia, que tratava Sotero com admiração e dava como certo que todo o mundo o reconhecia como a criança mais esperta que jamais tinha existido, ou quase.

— Como o meu Sotero — costumava dizer — já se fazem poucos.

A tia de Sotero chamava-se Matilde, tinha uma lojinha onde vendia de tudo, desde vassouras até réstias de cebolas e de alhos: uma lojinha muito limpa, com as madeiras do soalho reluzentes de tanto as esfregar e umas cadeirinhas baixas, de palha, onde eu gostava de me sentar. Tratou-me bem desde o primeiro dia e parecia gostar de que o sobrinho fosse meu amigo. À loja de Matilde vinham fazer tertúlia três ou quatro amigas, todas as tardes ao esmorecer da luz. Ali só se falava de Sotero, e eu tinha a impressão de que aquelas mulheres tinham vindo ao mundo para se ajoelharem à volta dele e lhe cantarem louvores. A mim tomaram-me como testemunha dos triunfos de Sotero.

— Não é verdade que é o mais esperto? Não é verdade que é o que tem sempre melhores notas? Não é verdade que há-de ser um homem de talento?

Eu dizer que sim fazia-as felizes.

Naquele Verão, que foi o de 23, o meu pai permitiu-me convidar Sotero para me acompanhar até ao paço minhoto. Previamente tinha falado com Matilde, e ela pareceu encantada com o convite, ela e as suas quatro amigas. Sotero apareceu com um fato novo de Verão, um chapéu de palha e duas malinhas, uma muito pesada, cheia de livros. O meu pai levou-nos no seu automóvel, com Belinha, e lá nos deixou, em certa liberdade, porque eu tinha passado em todas as disciplinas e a minha única obrigação era a conversa em inglês com a *miss*, todas as tardes. A primeira coisa que Sotero perguntou quando ficámos instalados, os dois no mesmo quarto, as camas com dossel, foi se naquela casa tão grande havia livros. Falei-lhe então da biblioteca, que estava numa ala afastada e na qual eu tinha entrado poucas vezes. Disse-me que era preciso explorá-la para ver se encontrávamos algo que valesse a pena. Também me perguntou o porquê dos dosséis, pois não via a sua utilidade.

— São coisas dos antigos — respondi-lhe, à falta de uma ideia melhor.

— Os antigos eram uma gente estúpida que não fazia mais do que asneiras destas. A Revolução Francesa acabou com os de França, mas nem em Espanha nem em Portugal guilhotinaram alguém nem queimaram os castelos. Por isso andamos tão atrasados.

Imaginei imediatamente o paço a arder, as torres em chamas, e Sotero atiçando o fogo, mas não lhe disse nada. No dia seguinte, levei-o à biblioteca. Eu mal a recordava: era uma sala imensa, de tectos altos, de paredes cobertas de prateleiras, com rótulos que indicavam o género de livros ali ordenados — teologia, filosofia, literatura latina, literatura clássica, literatura moderna. E várias outras denominações. Sotero pareceu, à primeira impressão, estupefacto, e até um pouco estonteado, dava voltas, queria ver tudo ao mesmo tempo, subiu uma escada, leu títulos em voz alta, títulos que não me diziam nada, alguns em latim.

— E chegaste aos treze anos sem ler nada disto?

— É como vês.

— Agora realmente já percebo que o teu pai te despreze.

Aquilo doeu-me:

— Por que é que achas que o meu pai me despreza?

— Basta ver.

Desceu da escada e começou a bisbilhotar o que havia nas prateleiras de baixo, à sua altura. Deteve-se numa grande esfera montada sobre um suporte muito trabalhado, que eu lamentei imediatamente não ter reparado antes, pois ter-me-ia servido de cenário para as minhas navegações e piratarias.

— Isto, estás a ver, não serve para nada. Os mapa-múndi de hoje são de outra maneira. Mas é bonito saber como os antigos viam o mundo.

Ainda bem que encontrava algo plausível!

— De qualquer forma, é preciso voltar aqui. Numa só manhã não se consegue saber o que há. Devem ter feito um catálogo...

— Um catálogo?

— Sim. Uma lista de todos estes livros.

— Pois, não sei..., se calhar está nalgum caixote, ou perderam-no.

Ainda se entreteve mais algum tempo nas prateleiras que continham os livros de História.

— Aqui, estás a ver, há coisas boas. Gostaria de ter algumas delas.

Estive para lhe dizer que as levasse, que lhas oferecia, mas, não sei porquê, calei-me. Pouco depois disse-lhe:

— Podes levar um para o nosso quarto e lê-lo lá, se quiseres.

— Está bem, já vejo.

Mas tinha pegado num volume bastante grande, encadernado em tafilete vermelho, com muito ouro nas letras da lombada.

— Este lia-o de boa vontade, mas é em francês.

— Os meus antepassados sabiam francês, e inglês também.

Ficou um pouco aborrecido, e devolveu o livro à estante.

Depois do lanche disse-lhe:

— Bom, agora vou deixar-te sozinho, porque vou ter de ir para a minha aula de inglês.

E ele ficou a olhar um pouco surpreendido.

— Mas tu estudas inglês?

— Sim. Sei bastante bem inglês.

Ficou calado por uns instantes.

— Deixas-me acompanhar-te?

— Por mim... — respondi-lhe com indiferença simulada, porque compreendi que se me oferecia, pela primeira vez, a ocasião de me mostrar superior a ele em alguma coisa. — Suponho — acrescentei — que a professora não terá inconveniente.

Não teve. Sotero sentou-se um pouco afastado, mas não muito, e não perdeu pitada do que se dizia, embora não entendesse nada, ou eu imaginasse assim. Ao acabar a aula, disse à *miss:*

— A senhora terá por aí uma gramática inglesa que pudesse emprestar-me? Só para dar uma vista de olhos.

A *miss* tinha várias, embora nenhuma em espanhol, mas Sotero disse-lhe que não fazia mal ser em português, e levou uma. Passou a manhã a lê-la, e a tomar notas num caderno, e quando lhe perguntei se queria ir à biblioteca, respondeu-me com um desprezivo «Deixa-me em paz!». Deixei-o, senti-me contente por poder andar sozinho pelo jardim e fazer o que me desse na real gana, sem ninguém ao meu lado a avisar-me que aquele tipo de brincadeiras e vagabundear à toa eram coisas de imbecis: percorrer as veredas, cheirar as flores, contemplar algumas árvores. Esteve silencioso durante a refeição, não fez a sesta, acorreu pontual à hora da aula, voltou a escutar atentamente. Assim se passaram vários dias, até ao primeiro em que fez uma observação ou uma pergunta, não me lembro bem, à *miss.* Ela olhou para ele admirada, mas respondeu-lhe, e ele fez uma nova anotação no seu caderno. A partir daquele dia perguntava sempre algo, coisas cada vez mais complicadas, ou pedia que a *miss* repetisse uma palavra e a ouvisse depois a ele, para ver se a dizia bem. E assim se passou o Verão. Sotero, com a sua gramática inglesa num canto onde ninguém o incomodasse com perguntas, e eu, livre para percorrer a casa e o jardim, como era o meu desejo, ou de conversar com Belinha ou de estar com ela, simplesmente, sem falar, olhando um para o outro de vez em quando. Setembro já tinha chegado, pensávamos em partir, quando o meu professor nos disse, à hora do jantar, que em Espanha se tinham passado coisas, não sei quê de generais. Foi Sotero quem perguntou:

— Um novo pronunciamento?

— Sim, chama-se assim — disse-lhe o professor, um pouco surpreendido.

— Tinha que acontecer — continuou Sotero.

— E tu, como é que sabes isso?

— Disse-me alguém que sabe tudo: «Vais ver como isto acaba num golpe militar.»

— Isto, o quê? — insistiu o professor.

— Isto da guerra de África.

A mim, esta resposta já não me interessou, mas sim o que tinha dito antes: «Disse-me alguém que sabe tudo.» Fiquei um pouco desconcertado: só Deus sabe tudo, e a primeira coisa que me ocorreu foi que Sotero recebia de Deus os seus saberes, embora algumas vezes o tivesse ouvido dizer que não acreditava n'Ele, e que isso da religião eram tretas dos padres. Havia alguém que o ensinava, alguém que não eram os nossos professores comuns, embora, quem sabe se algum deles teria relações secretas com Sotero, por causa de ser o menino esperto, o assombro? Comecei a recordá-los, um por um, os que tivéramos durante aqueles anos, e nenhum me pareceu homem de saber tudo, mas sim coisas: Aritmética, Gramática, Geografia... Agora surpreende-me que a minha ingenuidade e os meus escassos saberes não tivessem ficado deslumbrados perante nenhum deles, sérios, barbudos e extravagantes; mas naquela altura não me ocorriam essas questões. Provavelmente o que me aconteceu foi que, enquanto o meu professor explicava a sublevação do general, e como o tinha sabido (em Tui a fronteira estava fechada), me pus a imaginar em que arrazoado de professor mediano encaixava aquela frase relativa ao golpe militar, que eu também não atingia o que queria dizer. Perguntei. Sotero olhou para mim com o seu desprezo habitual, e o meu professor explicou-me que, a partir daquele dia, os militares mandariam em Espanha e o meu pai deixaria de ser senador. Eu encolhi os ombros.

— Se não é mais do que isso...

Naquela noite atrevi-me a perguntar a Sotero, de cama para cama, quem era aquele que lhe ensinava tantas coisas.

— *Don* Braulio — respondeu-me.

— Quem é *don* Braulio?

— O meu professor de sempre. Esse sim é que é um sábio.

A coisa ficou por ali, e no dia seguinte só se falou do golpe militar, porque tinha chegado um telegrama do meu pai dizendo que o regresso a Villavieja se ia atrasar uns dias e que depois nos avisaria. Prolongámos a vida de veraneio. Numa daquelas tardes, quando julgávamos que o regresso não devia tardar, Sotero perguntou à *miss* se queria fazer-lhe um exame de gramática inglesa. Ela primeiro ficou surpreendida, anuiu depois, e eu assisti ao exame. Sotero sabia tanto como eu, e, em algumas coisas, mais do que eu. A *miss* entusiasmou-se tanto que lhe deu um beijo, mas Sotero não pareceu ficar satisfeito com aquela manifestação de afecto.

— As mulheres — disse — resolvem tudo com beijos.

Chegou o aviso do meu pai, chegou ele próprio, e regressámos a Villavieja.

— Papá, é verdade que já não és senador?

III

Numa tarde de muita chuva, Sotero levou-me a casa do professor Braulio. Era um rés-do-chão escuro e húmido num bairro afastado, mas na sala em que nos recebeu havia livros até ao tecto, e alguns retratos de gente que eu desconhecia. Não me atrevi a perguntar quem eram: agora sei que um deles representava Friedrich Nietzsche, de quem, nessa altura, nunca tinha ouvido falar, e que só li alguns anos mais tarde. O tal professor Braulio recebeu-me dizendo:

— Com que então, é este o fidalgote?

Eu, ingenuamente, respondi-lhe que sim, mas que me chamava Filomeno Freijomil, para o servir. Mandou-nos sentar, e fez-me toda a espécie de perguntas acerca da minha família e do paço minhoto, e de tudo o que sobre mim tinha sabido pelas histórias de Sotero. Quando terminou o interrogatório, acrescentou qualquer coisa assim:

— Pertences à classe dos exploradores e será difícil redimires-te, mas eu não me oponho a que venhas algumas vezes ouvir-me. Servir-te-á, pelo menos, para teres consciência da tua própria injustiça.

E, como eu olhasse para ele estupefacto, concluiu:

— Porque tu és a injustiça viva, a injustiça andante. O que tens a mais é o que roubaram para ti os teus antepassados, e também o teu próprio pai, o ex--senador. O Primeiro Anarquista de que se tem notícia disse a quem o ouvia: «Vende os teus bens, dá o dinheiro aos pobres e segue-me.» Mas Aquele Anarquista acreditava em Deus e, se calhar, até julgava que o era. Hoje não basta vender os bens e dá-los aos pobres. Há que acabar com os bens de todos, e que nunca mais haja pobres. Nós homens somos iguais perante a Natureza, e qualquer diferença é criminosa. Tu és diferente, se bem que ainda não o saibas, mas eu digo-to e não deves esquecê-lo. Enquanto fores diferente, és cúmplice da Injustiça Universal. Está nas tuas mãos abandonar.

— Vês, vês? — disse-me, então, Sotero.

Eu não vi nada. Senti-me confuso e com vontade de me ir embora. Mas aquele homem falava de maneira sugestiva, e voltei outras tardes, com Sotero, para o ouvir. Nunca mais me acusou de rico nem de indiferente, não voltou a deitar-me em cara nenhum crime de que eu, involuntariamente, fizesse parte. Falava-nos, às vezes, de Igualdade, e, outras, do Universo, que parecia conhecer como a palma das suas mãos. Devo confessar que a viagem que fazia com a palavra pelas estrelas e pelos mundos superiores, era realmente fascinante, como quando nos descrevia a correspondência harmónica entre todos os seres, e que para tudo o que existe mais não havia do que uma lei e uma só explicação. Mas nunca no-la deu, talvez por compreender que a nossa idade não era para certas revelações. Doutra vez questionou-me acerca das minhas leituras. Falei-lhe dos romances que tinha lido.

— Bah, literatura, nada mais que literatura! Os literatos colaboraram sempre no engano dos homens e justificaram a sua escravidão. Devemos libertar-nos também da literatura.

Eu disse-lhe, ingenuamente, que era uma disciplina que tínhamos de fazer, e ele desatou a rir, mas não disse mais nada. Aquele professor Braulio já era um homem de idade, de barbas grisalhas e óculos de metal por cima do nariz. Numa daquelas tardes explicou-nos as razões pelas quais em Espanha todos os problemas se resolviam com pronunciamentos militares, e que este que começávamos a sofrer fora provocado pelos anarquistas de Barcelona com as suas bombas.

— Eu não sou partidário desses processos, que não resolvem nada. A revolução virá por si só, quando o proletariado, consciente de si mesmo, alcançar o poder. Mas para isso ainda falta algum tempo. Nem eu, nem talvez vocês, o vejamos. No entanto, o destino da humanidade é a sociedade sem classes, sem diferenças de riqueza, todos iguais e todos felizes. Mas isso vocês ainda não entendem.

— Eu também não? — perguntou Sotero.

— Tu também não, meu filho, ainda; mas não tardarás a entendê-lo.

O professor Braulio morreu naquele Inverno, de um resfriado. Passou muito tempo de cama, tossindo e enfraquecendo. Sotero ia vê-lo todas as tardes, e eu algumas. Falava pouco, e o que falava era da morte, que, insistia, esperava com a serenidade dos sábios. Eu teria gostado que me explicasse o que era isso de esperar a morte com serenidade, provavelmente porque eu não tinha as ideias muito claras acerca da relação entre a serenidade e a morte, mas nunca me atrevi. Sotero encarregou-se de convencer-me de que morrer era voltar à terra donde tínhamos saído; que o corpo se desintegrava, uma parte era comida pelos vermes e outra a terra absorvia-a; mas da serenidade não conseguiu dizer-me nada. A sua explicação da morte também não me tranquilizou, porque eu não vinha da terra, mas do ventre da minha mãe. O professor Braulio anunciou-lhe um dia, quando estava pior, que o fazia herdeiro dos seus livros e da sua mesa de trabalho, e que podia levá-los antes de ele morrer, não fossem depois criar-lhe dificuldades. Ajudei Sotero a transportar grandes volumes, um a seguir ao outro, durante várias tardes; mas a mesa e as estantes tiveram de ser levadas num carro de bois, o que custou a Sotero duas pesetas, mas como não as tinha, tive de ser eu a dar-lhas. O professor Braulio morreu numa tarde de muita chuva, depois de uma noite só de tosse e sufoco, até que ficou de repente calado e quieto, com a boca torta, ao entardecer. Vieram amortalhá-lo e vestiram-no com o seu fato de sempre, até o colete.

— Parece que está vivo — diziam. — Parece que está a falar.

Mas a mim parecia-me estranha, entre grotesca e macabra, aquela figura metida na urna, com a corrente do relógio no colete e o maxilar seguro por um lenço amarelado de onde emergia o bigode. No dia seguinte fomos ao enterro: pouca gente, todos com guarda-chuva aberto, o féretro levado aos ombros por uns desconhecidos. No cemitério havia poucas campas, nenhuma com cruz. A do professor Braulio estava aberta, com um monte de terra encharcada ao lado. Antes de meterem o caixão, alguém lhe pôs em cima uma bandeira vermelha e um homem que saiu de entre as pessoas pronunciou umas palavras que não entendi, mas das quais recordo a expressão «apóstolo laico», talvez por serem as menos compreensíveis. Depois, cada qual foi para o seu lado, e ouvi referir a Polícia. Sotero, no fundo, estava contente por se encontrar dono de tantos livros, e durante muitas tardes ajudei-o a ordená-los por tamanhos e a catalogá-los. Também tinha trazido os retratos. Pude ler neles que um era de um tal Reclus, e outro de Bakhunine, ambos muito cabeludos, além do de Nietzsche, o mais deteriorado pela humidade.

No jornal local deram a notícia daquela morte em muito poucas linhas. Diziam que tinha sido enterrado no cemitério civil e acompanhado por alguns camaradas. O meu pai comentou que havia que meter na prisão toda aquela gente, ou fuzilá--la, e deixar em paz os que são pela ordem, como ele. Então, ou talvez por aqueles dias, soube que o Governo dos generais tinha penalizado o meu pai, segundo ele, pelo único delito de ter servido a pátria. Deu em sair à noite para se juntar na Sociedade com outros como ele, que tinham sido deputados ou senadores, e outras coisas assim, e aos quais os generais também tinham penalizado, a uns mais, a outros menos. Diante de mim, à hora da refeição, disparatava contra o Governo e acusava o rei de cumplicidade. Mas eu não lhe ligava muito.

Naquele tempo havia em Villavieja uns cavalheiros que se reuniam num café, dos quais toda a gente falava com respeito, a não ser o meu pai, que lhes chamava charlatães e farsantes. Tinham publicado livros, escreviam no jornal local, e a nós, crianças, ensinavam-nos a respeitá-los e a admirá-los porque eram as glórias da cidade. Eu chamar-lhes-ei Os Quatro Grandes, ainda que esse nome lhes assente com bastante atraso, mas não me ocorre outro melhor, porque eram efectivamente quatro, e porque toda a gente os tinha por grandes sábios e escritores. A sua reputação chegava até nós, crianças, como um eco ou como os últimos movimentos das vagas quando, ao longe, passa um barco de grande calado. Assim, uma manhã daquela Primavera, ao sair do liceu, Sotero confessou-me, com toda a classe de precauções, que lhe tinham mandado um recado dizendo que queriam falar com ele, e que esperavam por ele naquela mesma tarde no café onde costumavam reunir-se.

— Se não te causar incómodo, podes acompanhar-me, porque não sei o que sinto por aparecer ali sozinho.

Era à hora em que o meu pai me deixava sair a dar uma volta, pelos jardins, se estava bom tempo, e, se chovia, sob os alpendres. Marquei encontro com Sotero, perguntámos onde ficava o café (estávamos fartos de o ver, de passar diante dele, mas sem repararmos), e lá aparecemos, Sotero à frente, eu um pouco mais atrás, como se fosse a protegê-lo. Um criado perguntou-nos o que queríamos. Sotero respondeu pelos dois, e de um canto onde estava um grupo de senhores saiu uma voz que disse:

— Traga-os, traga-os aqui!

Foi o próprio criado que nos conduziu, um pouco aos empurrões, embora suaves:

— Por aqui, por aqui! — e afastou umas cadeiras para que nos sentássemos, eu sempre em segundo plano.

A cadeira era alta para Sotero: ficou com as pernas penduradas, pois as pontas dos sapatos não chegavam ao chão, e parecia mais pequeno, mas a cara e o modo de olhar já eram de pessoa feita. Eu tremia um pouco, se bem que aquilo não fosse comigo, mas ele estava ufano. Aquela gente manteve-se uns momentos em silêncio, olhando para ele e fazendo comentários em voz baixa, agora penso que o fizeram para ver se ele se atrapalhava; por fim, um deles, com muito bom aspecto, e com a barba cinzenta muito cuidada, começou a perguntar-lhe coisas sobre temas que não estudávamos no liceu, e Sotero respondia a todos; e outros também lhe fizeram perguntas. Ouviam as respostas, primeiro com surpresa, depois com admiração, e continuavam fazendo comentários entre si, dos quais nem o sussurro me chegava. Das perguntas passaram ao diálogo, e Sotero falava como um deles, com o mesmo aprumo. Tinham-nos oferecido gelados, e um deles, não sei em que momento, ao tirar do bolso um maço de tabaco disse a Sotero:

— Suponho que ainda não fumas.

— Não senhor, nunca hei-de fumar. É um vício perigoso que limita a liberdade do homem.

Ouviu-se dizer:

— Caramba!

E ficaram em silêncio. Eu penso que foi então que o cavalheiro da barba cuidada, de aspecto tão simpático, se dirigiu a mim e me perguntou:

— E tu, também sabes alguma coisa?

Apanhou-me de surpresa, de repente não soube o que responder, e para dizer alguma coisa, acabei por responder:

— Sim, senhor. Eu sei a guerra das Duas Rosas.

Desataram todos a rir, senti-me derrotado e, pela primeira vez na minha vida, ridicularizado. Teria começado a chorar, ou teria até fugido, se não fosse por um deles, que devia ser um dos Quatro Grandes pela sua autoridade, ter sorrido para mim, carinhosamente, dizendo:

— Por que não a contas?

Sotero olhou para mim e com o seu olhar veio uma ordem de silêncio; mas não lhe fiz caso, e comecei a falar. Em inglês, tranquilamente, cada vez mais seguro de mim mesmo, à medida que notava que se calavam e me escutavam. O meu relato durou bastante tempo. Quando acabei, o senhor da barba de prata pediu que nos trouxessem outros gelados. Aquele que tinha sorrido para mim perguntou-me se tinha lido Shakespeare.

— Não, senhor. Ainda não.

— Pois deves lê-lo quanto antes.

E um terceiro, que não tinha falado, perguntou quem eu era. Sotero adiantou--se:

— É o filho do ex-senador Freijomil.

Diabos me levassem o ex!

Alguém disse:

— Assim já se explica.

Acabámos os gelados e sugeriram-nos que nos fôssemos embora. Apercebi-me de que tinha passado a hora de regressar a casa, e comecei a temer o raspanete do meu pai; mas o pior foi que Sotero, quando nos tínhamos afastado um pouco do café, me disse com palavras irritadas que, daí para a frente, onde ele falasse eu teria de ficar calado. Tive sorte porque o meu pai não tinha regressado, ou saíra, contra o seu costume. Belinha esperava-me, deu-me o jantar e, quando me deitei, o meu pai ainda não tinha chegado. No dia seguinte, quando fui cumprimentá-lo, sorriu-me, creio que foi o primeiro e único sorriso que me dirigiu em toda a sua vida, um sorriso satisfeito.

— Com que então, finalmente, deixaste-me bem visto? — atirou-me.

Eu não percebi até me ter explicado que a nossa façanha do dia anterior tinha sido comentada na Sociedade, e, embora alguns dos presentes fossem a favor de Sotero e outros estivessem do meu lado, todos estavam de acordo em que eu estivera à altura das circunstâncias.

— E que quer isso dizer, papá?

IV

NÃO SEI SE FOI NAQUELE MESMO INVERNO, ou no seguinte, que o meu pai teve uma forte pega com Belinha. Aconteceu que eu tinha apanhado uma gripe, com muita febre, e que ela me tinha retido em casa, com excessivos cuidados, mais dias do que o necessário, e eu perdera algumas aulas no liceu e até um exame. O meu pai foi bastante duro com ela, e, por tabela, comigo, dizendo-me que eu já era demasiado crescido para precisar daqueles mimos. É verdade que durante a minha doença, duas semanas mais ou menos, Sotero viera algumas vezes perguntar como eu estava, mas sem subir para me ver. Disse claramente a Belinha que tinha medo do contágio e que não podia dar-se ao luxo de passar duas semanas de cama, porque isso podia prejudicá-lo na altura dos exames. Belinha disse-me com toda a franqueza, pela primeira vez, que não gostava daquele rapaz, e isto foi o que o meu pai ouviu, mas não o que o incomodou, e sim que Belinha me tivesse chamado Ademar e não Filomeno. A discussão começou por isto. O meu pai disse a Belinha que Ademar tinha morrido com D. Margarida, e Belinha respondeu-lhe que, enquanto ela fosse viva, eu seria Ademar. A partir daqui as coisas continuaram de tal forma e tornaram-se tão violentas que Belinha chegou a dizer que eu era dela, e não do meu pai, e que ela sabia com que dinheiro se pagavam as minhas despesas, e coisas desta índole. A cólera do meu pai aumentou até ao ponto de me atemorizar, de forma que me refugiei num canto, de onde contemplei a zaragata. Por que terá sido esta a primeira vez que me apercebi de que Belinha era verdadeiramente bonita? Assim, cheia de fúria, os olhos deitando fogo. Naquele Inverno, tinha começado a gostar das raparigas, mas não ia além de olhar para elas na rua, sem perceber porquê. Talvez por isso não me tenha surpreendido a beleza de Belinha, e houve um momento em que, em vez de ouvir as palavras, e até as ameaças, que se cruzavam entre o meu pai e ela, me limitava a contemplá-la deleitado, olhando de vez em quando para o meu pai, que, apesar dos gritos, não perdia a compostura, mas que mesmo assim parecia vulgar, como um homem qualquer da rua, embora talvez mais bem vestido. E aquela disputa terminou de uma maneira inesperada. O meu pai disse a Belinha que tinha de falar com ela, e que o seguisse até ao seu escritório. Deixaram-me só. O meu pai não regressou, Belinha tardou a fazê-lo. Chegou calma e de cabeça baixa, sem olhar para mim. Deu-me o jantar e deitou-me como sempre, e, ao dar-me as boas-noites, disse que haveria de gostar sempre de mim. Como que em sonhos, ouvi-a depois agitar-se no seu quarto, que era ao lado do meu, a paredes meias, como já disse. No dia seguinte soube que tinha ido para longe, para o outro lado da casa, e assim, se eu gritasse de noite, ela não me poderia ouvir. O andar era muito grande, quartos e salões imensos, e nele só dormíamos Belinha, o meu pai e eu, porque os outros criados ficavam no andar de cima, grandes águas-furtadas sob as telhas, mobiladas de velharias, que eu gostava de percorrer e de espreitar pelas suas janelinhas, onde se via o telhado da catedral, e caminhos em volta de cúpulas e torres que as pessoas em baixo ignoravam. Naquela noite tive consciência da solidão, mas não do medo. A solidão era como um vazio no espaço, em cujo centro estava eu. Passei muito tempo a escutar os ruídos, coisa que nunca tinha feito: os que vinham da rua e os que se engendravam no interior da minha casa, estalidos da madeira, correrias de ratos, portas ou janelas distantes a baterem com o vento. Naquela noite descobri-os, e em todas as seguintes dediquei-me a reconhecê-los, a persegui-los, até que este novo jogo de escutar ruídos me cansou ou me aborreceu, ou talvez tenha simplesmente acontecido habituar-me a eles, pois já não eram nada de novo, e já faziam parte do silêncio. Belinha continuou como sempre, na casa, mas achei-a mudada, como se não quisesse olhar para mim. Uma noite, em sonhos, ouvi-a entrar no meu quarto, aproximar-se em bicos de pés, escutar e dar-me um beijo no rosto. O meu pai também pareceu mais tranquilo, e não voltaram a zangar-se. O meu pai saía todas as noites, ia à Sociedade, não sei quando regressava.

Aquele dos Quatro Grandes que tinha a barba branca dissera a Sotero que fosse vê-lo um dia, não ao café, mas a sua casa, e Sotero às vezes visitava-o à tarde, não com a mesma frequência que ao professor Braulio, mas quase. Daquelas visitas resultou uma mudança em Sotero, não na sua atitude para comigo, que era a mesma, mas na sua forma de falar e, sobretudo, nas coisas de que falava. Tinha deixado de se interessar pelo cosmos e suas particularidades, pela injustiça social e pelas revoluções, e agora divagava sobre a filosofia: autores até então jamais referidos, e quando eu ia a sua casa, mostrava-me livros de aquisição recente. Se eu tentava folheá-los, dizia-me:

— Não percas tempo. Tu não percebes nada.

Em compensação, eu era o primeiro na aula de teoria literária e o professor deu-me alguns livros de poesia para eu ler, de Nuñez de Arce, agora me lembro, e de Campoamor. Sotero chamava a tudo aquilo «pataratas», que era a sua palavra preferida para designar tudo o que desprezava; talvez fosse uma palavra do professor Braulio. Quanto a mim, não posso dizer que aquelas leituras me entusiasmassem, como nos anos anteriores me tinham fascinado os romances de aventuras; mas também não me aborreciam. Adquiri uma habilidade especial em reconhecer, à primeira leitura, as figuras e as estrofes, mas Sotero chamava a esta habilidade coisa de parvos. Não se sentiu humilhado quando me deram, no final do ano, melhor nota do que ele em teoria, e as mesmas notas, mais ou menos, nas restantes disciplinas do curso, menos em lógica, que ele dominava porque já tinha lido Aristóteles e eu não. Os rapazes diziam uns aos outros «Aquele leu Aristóteles», colocando-o assim, ou melhor, mantendo-o no mais alto respeito e admiração em que sempre estivera, embora a verdade fosse que o consideravam de outra espécie ou de outro mundo e não contavam com ele para nada. Eu, em contrapartida, era um igual, que falava com eles de trivialidades ou de porcarias, e de vez em quando, como eles, dizia uma asneira e fumava um cigarrito às escondidas. Os meus conhecimentos de literatura eram muito pouco apreciados por eles, que coincidiam com Sotero em chamar-lhes palha (desconheciam as «pataratas»). Apesar de tudo, quando chegou o Verão, Sotero acompanhou-me ao paço português, não perdeu uma única aula da *miss*, e passava o resto do tempo na biblioteca a ler e a explorar. A este propósito, certa manhã trouxe à discussão a questão da injustiça. De que me serviam aqueles livros tão bons, fechados todo o ano, sem serem úteis a alguém? A minha obrigação era oferecê-los a uma biblioteca pública, para que as pessoas pudessem conhecê-los e estudá-los. Suponho que as pessoas a quem se referia era ele. Mas eu respondi-lhe que embora fossem meus não podia oferecê-los a ninguém, nem mesmo a ele, até à minha maioridade, e que nessa altura falaríamos. Recordo que uma vez contei isso ao meu pai e ele opôs-se a qualquer intenção de donativo, porque o que era meu não tinha que partilhá-lo com os outros, assim, sem mais nem menos. Não faltava mais nada! Andei durante algum tempo a debater-me entre tais opiniões. Depois esqueci a questão.

Mais importante foi um dia descobrir Belinha a chorar. Perguntei-lhe o que tinha e disse-me que nada, que sentia *soidades*. Mas continuou a chorar, às escondidas, e quando não chorava estava triste. Certa manhã, depois do pequeno-almoço, beijou-me, emocionada, e chamou-me como quando eu era pequenino, «Meu menino, meu pequeno Ademar», e beijou-me mais, veio comigo até ao vestíbulo, voltou a beijar-me, e ficou à porta até eu virar a esquina. À hora do almoço servia-nos outra criada. Perguntei por Belinha e o meu pai respondeu-me que se tinha ido embora para a sua aldeia.

— Porquê sem se despedir? Porquê sem mo ter dito?

— A essas perguntas eu não te posso responder. São coisas dela — disse o meu pai.

Foi então que a solidão me atingiu mais profundamente e me doeu, e que aquela casa enorme pareceu vazia. Percorri-a como se fosse encontrar Belinha escondida num canto, sorridente, com os braços estendidos. «Meu menino, meu pequeno Ademar». Nem sequer as suas recordações eu encontrava, porque tinha levado tudo, até o cheiro. Deu-me para ficar triste, para chorar, para me deitar na cama, até que o meu pai me levou um dia ao seu escritório e me disse que eu deixara de ser um menino, e que ao lado de Belinha teria continuado a sê-lo. Do que depreendi que ele a tinha despedido, e senti uns maus ímpetos para com ele, algo a que agora posso chamar verdadeiro ódio. Não sei se foi por essa altura, porque as minhas recordações andam um pouco confusas, que as pessoas começaram a falar na rua de que tinha acabado a guerra de África e de que as tropas espanholas tinham tomado Alhucemas e expulsado Abd-el-Krim de Marrocos. No liceu houve uma festa patriótica na qual Sotero leu umas páginas sobre a paz e sobre a grandeza de Espanha: escrevera-as ele. Mas eu pensava em Belinha. Tinha a vaga esperança de a encontrar no paço quando chegasse o Verão, mas não foi assim, e nem a *miss* nem o marido sabiam nada dela, ou, se o sabiam, não mo quiseram dizer. Foi um Verão aborrecido e melancólico. Sotero não me ligava, sempre sozinho com os meus livros e a repetir-me aquilo da injustiça e outras pantominices. No final do Verão lembrei-me de ir buscar qualquer coisa para ler. Encontrei um romance que se chamava *As Minas de Salomão,* que me prendeu bastante. Estava na estante juntamente com outros livros de mera literatura que me propus ler no Verão seguinte, se tivesse vontade, o que, se calhar, não. Também descobri naquele Verão que nalgumas das maiores árvores do jardim havia uns letreiros com os nomes latinos e o lugar donde as tinham trazido. Uma, especialmente alta e multiplicada, era um cedro do Himalaia. Aquela descoberta contei-a mesmo a Sotero. Ele foi vê-las, e leu os letreiros. Ficou surpreendido por os meus «antigos», como dizia sempre, se terem preocupado com a botânica, mas acabou por não dar importância à descoberta. O que me disse foi que tinha encontrado na biblioteca um livro de Berkeley, e olhou para mim com o seu habitual desprezo. Depois, por fim, respondeu-me:

— Um filósofo segundo o qual tu não passas de um fantasma.

V

NUNCA TINHA CONSEGUIDO QUE ME ATRAÍSSEM as colegas de turma, mas isto talvez esteja mal dito, porque nunca a tal me tinha proposto. Haviam crescido comigo, ou, pelo menos, ao pé de mim, e tinha visto sem me surpreender como lhes iam despontando as maminhas. Os meus companheiros também não lhes ligavam muito, quer dizer, não se sabia de nenhum que estivesse apaixonado por alguma delas, mas quem sabe se entre nós não existiria algum amor secreto desses que sabem dissimular os olhares e mascarar com tosses os suspiros. Mas naquele ano tivemos uma menina nova, e pelo apelido coube-lhe sentar-se ao pé de mim. Vinha de Madrid, era filha de um funcionário importante e revelou-se bastante sabichona, mas não tanto que conseguisse superar Sotero, de modo que neste aspecto alguém ficava acima dela. Não obstante, desdenhava de nós ostensivamente, mas não era por mais nada, a não ser porque ela vinha de Madrid e nós éramos uns provincianos com um acentuado sotaque regional. Era vulgar corrigir-nos.

— Daquela! O que quer dizer «daquela»? — e ria-se.

Chamava ao orvalho, sirimiri, e ao pão seco, pão duro. Parecia-nos estranha e um pouco ridícula, mas ninguém em público se atrevia a rir-se dela, porque era bonita, diferente das nossas, que também o eram, embora de um modo mais local. Esta, que se chamava Rosalía, tinha o rosto ovalado e moreno, os olhos escuros e umas grandes tranças negras que lhe caíam sobre os seios e que trazia sempre atadas com dois laços. Apaixonei-me por ela imediatamente, pois, naquela altura, apaixonar-se consistia em pensar em alguém dia e noite, ou, dizendo mais exactamente, em recordá-la, também em interpretar as suas palavras e os seus gestos, se eram ou não favoráveis. Nesse sentido pouco tive que interpretar, pois, apesar de se sentar ao meu lado, virava-me ostensivamente as costas e não me dirigia a palavra, nem sequer para me perguntar algo que não soubesse, embora seja verdade que sabia tudo e que o dava a entender. Não sei quando foi que, no recreio, a empurrei sem querer, ou tropecei nela, e ela me repeliu com um enérgico «Afasta-te, feio!», que todo o mundo ouviu, de que todo o mundo se riu, e me deixou desolado, sem mais consolo que o oportuno, embora inútil, conselho de Sotero: «Não devemos fazer caso às mulheres.» Pelas quais nessa altura, ele não se mostrava sensível, mas explicitamente desdenhoso e insultuoso, de modo que no meu caso, segundo teve por bem explicar-me, ele tê-la-ia repelido com um violento «Afasta-te do meu caminho, cadela!», que eu teria sido incapaz de proferir. Aquele conselho não me serviu de nada. Tinha sido o faz-me rir da turma, e a menina das tranças pretas, Rosalía, sem dar explicações quando lhas pediram, pediu ao professor para a mudar de lugar, e como ele insistisse em quê explicasse a causa, respondeu-lhe que era para o ouvir melhor, o que provocou uma grande gargalhada na aula e que todos olhassem para mim. Nunca me meti mais em mim mesmo do que naquela ocasião, nunca senti tanto a falta de

Belinha como então, mas, coisa curiosa, a humilhação e a tristeza foram-se transformando sem que eu me apercebesse, e numa manhã de aulas, enquanto o professor falava dos invertebrados, dei comigo a escrever o quinto verso de um soneto cuja rima me opunha resistência. Mas o soneto, por fim, saiu, à custa da minha ignorância de certas qualidades dos animais superiores. Intitulava-se simplesmente *A Rosalía,* e não só lhe perdoava a sua ofensa em torpes hendecassílabos, porventura algum deles coxo, como, no final, lhe declarava o meu amor. Entreguei-lho pessoalmente fazendo das fraquezas força, e ela recebeu-o com uma gargalhada, e riu-se mais, depois de o ter lido.

— Olhem, rapazes, o que este palerma me escreveu!

E foi lendo os meus versos para um grupo que se formou à sua volta, e todos se riram uma vez mais, cada vez mais, a não ser uma rapariga das de sempre, que saiu em minha defesa.

— Vocês bem se podem rir, mas ninguém é capaz de escrever uns versos como estes!

E depois acrescentou que os achava bonitos e que teria gostado que alguém lhe tivesse escrito a ela algo parecido. Deus a tenha em sua glória, a pobre Elvirita, que morreu tísica pouco tempo depois, quando já, todos com o liceu feito, nos tínhamos dispersado! Na aula de Literatura daquele dia continuaram os risos, e quando o professor perguntou o que se estava a passar, alguém respondeu:

— É que o Filomeno Freijomil escreveu uns versos de amor à Rosalía!

O professor não os acompanhou nas risadas, respondeu-lhes que as raparigas bonitas estavam no mundo para que os adolescentes lhes escrevessem versos de amor, e que ficava satisfeito por, entre os da sua aula, ter saído um poeta. Rosalía, sem que ele lho pedisse, entregou-lhe o papel, e o professor guardou-o no bolso e, dirigindo-se a mim, disse-me num tom mais que amistoso, terno, e que sempre lhe agradeci, que depois falaríamos. Falámos, com efeito, no dia seguinte, depois de acabarem as aulas. Perguntou-me se seria capaz de encontrar defeitos no soneto. Respondi-lhe que sim. Deu-mo, fui lendo-o e assinalando os rípios, os deslizes, as sinalefas forçadas, as sílabas a mais e a menos.

— Não desanimes, porque, apesar de tudo isso, o soneto tem qualquer coisa. — Tirou um livro do bolso e deu-mo. — Toma, lê isto e lê-o bem; melhor, estuda-o. Ser-te-á muito útil.

Eram uns sonetos de Lope de Vega, e embrenhei-me logo neles, e até cheguei a perguntar ao professor algumas estranhezas que não percebia ou que não conseguia compreender. Faltava pouco para acabar o ano. Falei mais vezes com aquele professor, deu-me conselhos e pediu-me que, se escrevesse mais alguma coisa, lhe mostrasse. Mas eu não me atrevia, conquanto na minha cabeça andassem sonetos soltos e outros géneros de poemas. Mas a vergonha que os versos para Rosalía me tinham feito passar ainda durava: uma vergonha surda perante mim mesmo.

O curso acabou com uma festa em que ofereceram alguns livros, segundo as preferências, aos finalistas. Tinham concedido a Sotero por unanimidade e sem exame o prémio extraordinário e foi felicitado publicamente pelo director, aplaudido com delírio pelos rapazes que viam nele o que gostariam de ser ou o que não gostariam de ser em absoluto. Ele respondeu com um breve discurso, com muita sustância, que levava decorado, e que recitou sem um passo em falso, com aquela sua voz, tão superior, tão pastosa e agradável. Uma menina que estava ao pé de mim disse a uma colega, num tom que consegui ouvir:

— Que pena ser tão esgalgadinho! Porque até tem os olhos bonitos.

Estavam, entre os presentes, os pais de Sotero, que tinham vindo de Buenos Aires e que foram muito felicitados. Não estava, em contrapartida, o meu pai, que deu como pretexto (assim julgo eu) uma viagem a Madrid para não sofrer, uma vez mais, a humilhação de o seu filho não ser como ele. Quando a festa acabou, encontrei-me sozinho, da mesma forma que no primeiro dia, mas com mais seis anos e alguns sofrimentos. Ansiava pelo momento da minha partida para Portugal, embora naquele Verão Sotero não me acompanhasse devido à presença dos pais, que o queriam a seu lado. Levou-me, uma vez mais, o meu pai no seu automóvel. Não me dirigiu a palavra durante a viagem nem sequer se despediu de mim. Vi-o partir sem dor. O professor e a *miss* tinham-me recebido muito carinhosamente, e ela manifestou logo a sua satisfação pela forma como ia o meu inglês. Quando fiquei só, não me vinham à ideia nem sequer Villavieja del Oro, nem o liceu, nem a minha mediocridade escolar, nem mesmo Sotero. Sentia-me como se não tivessem passado seis anos. Como se fossem um parêntese que se pudesse apagar, ou pelo menos esquecer durante as férias do Verão. A casa com os seus mistérios, que já não o eram tanto, mas que eu me empenhava em que continuassem a sê-lo; o jardim com as suas árvores e as suas veredas sombrias, até a língua em que todos falavam comigo, foi como que uma recuperação. Só faltava Belinha, e Belinha apareceu uma tarde.

VI

Não foi logo de seguida, mas algum tempo depois da minha chegada. Eu não fazia mais do que viver com entusiasmo o meu reencontro com o meu mundo, o meu esquecimento dos meus estudos e do meu pai, a minha liberdade sem o olhar de Sotero reduzindo-me a nada. Mas três ou quatro dias depois lembrei-me de entrar na biblioteca e também de a esquadrinhar. Primeiro descobri dois romances muito diferentes que li avidamente: primeiro *O Mistério da Estrada de Sintra;* depois, imediatamente, *Amor de Perdição.* Um e outro foram como duas portas que se abrissem para realidades de que nunca suspeitara: sobretudo no *Amor de Perdição* descobri um mundo fascinante de amor e sacrifício. Mas depois caíram nas minhas mãos os poemas de Antero de Quental, que primeiro estudei da maneira como me tinha ensinado o meu professor de Literatura, mas pouco a pouco foram-me conquistando o coração e introduzindo-me no âmago do amor e da morte. Ao mesmo tempo convenciam-me de que eu jamais escreveria uma coisa semelhante. Creio que cheguei a andar, enquanto duraram aquelas leituras, como que ausente do mundo, alucinado: a um tal ponto que a *miss* se decidiu a perguntar-me se eu tinha alguma coisa, se andava mal, se queria que chamasse o meu pai. Respondi-lhe com um «Não!» tão saído da alma que a *miss* se assustou. Penso que a sua compreensão do meu estado de espírito se devia ao regresso de Belinha. Eles sabiam onde ela estava e mandaram-na vir: soube-o depois, quando ela, Belinha, mo revelou. Vivia perto do paço, numa aldeiazinha, na casa com quintal que a minha avó lhe tinha deixado. E eu sem sequer o suspeitar, tanto tempo, eu que sentira tanto a sua falta!

Eu estava na biblioteca. Era já o entardecer e os meus olhos mal viam as letras daquele livro. Recordo perfeitamente que se tratava de *Os Maias,* em cujo mundo de pecado tinha penetrado com espanto e um estranho prazer. Alguém abriu a porta, alguém se aproximou de mim. Pensei que seria uma criada que vinha chamar-me para o lanche, e continuei a ler. Até que ouvi ao meu lado, quase junto ao meu ouvido, palavras muito conhecidas: «Meu menino, meu pequeno Ademar!». E a seguir encontrei-me nos braços de Belinha, os dois chorando, os dois sem dizer nada, além dos nomes: «Belinha», «Meu Ademar». Só algum tempo depois, quando nos acalmámos, é que consegui perguntar-lhe porque é que tinha demorado tanto. Respondeu-me que me explicaria depois e que eu iria entender. Mas quase não me contou nada quando lhe perguntei pela sua vida durante aquele tempo tão longo, quase dois anos... Eu, pelo contrário, contei-lhe a minha, o que conseguia perceber da minha. O soneto a Rosalía ocultei-lho, e jus-tifiquei-me a mim próprio reconhecendo que ela não podia saber o que era um soneto, se bem que talvez sim uma quadra. Perguntou-me pelo meu pai.

— Não sei, às vezes vai a Madrid. À noite sai para o café.

Perguntou-me se ele me tratava bem.

— Como sempre.

Também não lhe falei de Sotero, com quem ela não simpatizava.

— Então agora vem comigo — e levou-me pela mão, como quando eu era pequenino.

Levou-me para a salinha onde o professor e a *miss* costumavam fazer a vida. Estavam lá eles, e com eles uma menina que eu não conhecia. Brincavam com ela, faziam-lhe caretas, pareciam gostar dela, e ela respondia-lhes como que familiarizada com aquelas mãos, aquelas caras, aquelas vozes. Não me ocorreu quem poderia ser, até que Belinha me sussurrou:

— É a minha filha.

E eu, a princípio, não entendi e, de repente, senti uma espécie de dor pro-funda e uma incompreensão ainda maior.

— Tua filha? Tua filha como? Casaste?

Não me respondeu, mas empurrou-me para ela.

— Anda, dá-lhe um beijinho.

E o professor e a *miss* também a empurravam para mim. A *miss* disse-me:

— Chama-se Margarida, como a tua avó.

Mas aquela Margarida não se parecia com a minha avó, não tinha os seus olhos verdes nem a sua cara comprida e branca, mas sim morena e redonda com os olhos escuros como os da mãe.

Aproximei-me para lhe dar um beijo, e ela afastou-se, não para as saias da mãe, que estava atrás de mim, mas para as da *miss,* que lhe disse que não tivesse medo de mim, que eu era bom. Durante o tempo que esta cena durou, eu impro-visara a minha hipótese: Belinha tivera um amor secreto, tinha ficado grávida, por isso saíra de Villavieja tão de repente, depois de uns dias de choros e suspi-ros. Senti-me ciumento e ressentido por tê-lo ignorado, por não mo ter confes-sado, e só alguns minutos depois, quando já Margarida me tinha beijado e rece-bido o meu beijo no rosto, é que me saiu não sei de que fundo da consciência, ou do esquecimento, algo que havia lido ou ouvido, certamente lido em algum dos livros devorados nas últimas semanas: Belinha era um ser livre e tinha direito à vida. Mas foi uma ideia que passou como um relâmpago, sem se deter, sem fazer mossa nos ciúmes que dissimulava com esforço, que não fazia diminuir o rancor súbito por Belinha, pelo seu silêncio. Esforcei-me, no entanto, por parecer calmo, e até disse a Belinha que esperava que ficasse connosco durante o resto do Verão, pelo menos enquanto eu estivesse. Disse-me que sim, rindo, com um riso sem reservas, com o seu riso de sempre. E acrescentou que a sua filha também...

Suponho que todos tinham compreendido a minha emoção, e que todos adivinhavam a minha dissimulação, menos Belinha, que se mostrava tranquila e afectuosa. Pouco a pouco fui-me acalmando. Pela primeira vez na sua vida, Belinha sentou-se à mesa, como uma convidada, ao meu lado, à hora do jantar. Mas a conversa era forçada, apercebia-me vagamente, talvez porque todos soubessem que algo que era preciso dizer ainda não fora dito. O meu professor brincou comigo quando me ofereceu um cigarro; aceitei-o e fumei-o desajeitadamente.

— Já estás a ficar um homem!

— Está a ficar o quê? Já é.

A *miss* disse isto com um olhar de carinho, um olhar que nunca tivera para mim, pois parecia também dizer: «Tens de acreditar», enquanto Belinha me punha o braço por cima do ombro e repetia:

— Um homem.

Reconheço que não me fizeram feliz aquelas manifestações, não sabia bem se sobre a minha virilidade ou sobre a minha maturidade, mas vinham de pessoas que sem dúvida gostavam de mim, e aceitei-as meio a sorrir e com um «Claro que sou!» apenas sussurrado. E as palavras desviaram-se então para a pequena Margarida, que estava a ficar com sono. A mãe disse que a ia deitar e saiu. O professor e a *miss* tinham qualquer coisa para fazer, e eu fui continuar a leitura de *Os Maias,* que me atraía desde há um tempo como atrai o presenciar um pecado dos outros. Não sei quanto tempo estive sozinho, a ler. Chegou uma altura em que não consegui imaginar o que lia, e fui deitar-me. Fi-lo, mas sem apagar a luz, sem me atrever a esperar o que na realidade esperava. Belinha apareceu algum tempo depois, quando eu já lutava com o sono. Entrou sem bater, e aproximou-se lentamente, em toda a sua altura, em toda a sua beleza, mas sem sorrir. Sentou-se na beira da cama. Olhámo-nos. Ela pegou-me na mão e pareceu pensar no que ia dizer-me, pareceu que hesitava. Por fim falou, com voz surda e algo trémula:

— A minha menina é tua irmã.

E mesmo não querendo saltaram-lhe as lágrimas. Mas não choramingou nem se lançou nos meus braços, antes permaneceu assim, voltando para mim o tronco e a cara, a sua mão apertando a minha. Fiquei confuso. Não percebi logo, e talvez tenha demorado a compreender mais do que o necessário, porque fui ofuscado por uma espécie de névoa. Cheguei a perguntar-lhe o que estava a dizer, e ela repetiu, e acrescentou:

— E também filha do teu pai.

Ergui-me então violentamente, larguei a mão dela.

— Como pudeste fazê-lo? Porquê? — disse com voz dura, não voluntariamente, mas por me ter saído assim, e fui sacudido por uma onda brutal de ciúmes e de ódio. — Porquê com ele, porquê?

— Obrigou-me — disse ela, e empurrou-me suavemente para as almofadas. Agora segurava-me nas duas mãos e apertava-mas.

— Quero que o entendas, menino, quero que o entendas.

— Mas tu quiseste?

Negou com a cabeça, uma negativa lenta, sólida. Eu olhava-a nos olhos e vi passar por eles um olhar duro, que me pareceu de ódio.

— Nunca o quis. Houvera-lhe dado morte, se pudesse, se não fora por ti.

E começou a contar-me a história, contou-a com as palavras necessárias, sem chorar muito, mas chorando, tremendo-lhe por vezes a voz. Tinha sido naquela noite em que, depois da zanga, o meu pai a levara ao seu escritório. Tinha-a mandado sentar, pedira-lhe que se acalmasse, tinha-lhe falado da sua solidão, de que eu não gostava dele, de que ninguém gostava dele. E ela perguntou-lhe por que é que não se casava, mas a resposta do meu pai foi: «Preciso de uma mulher, sim. Por que não tu?» Belinha recordava as palavras exactas, recordava a sua incompreensão e a sua surpresa, e também a sua indignação quando o meu pai lhe disse friamente que ou aceitava dormir na cama dele (assim o disse Belinha) ou se ia embora para a sua terra no dia seguinte de manhã, sem se despedir. «Se me aparta do menino, mato-me!» «Pois já sabes o que tens a fazer.» Belinha pediu-lhe que, pelo menos, a deixasse pensar. «Sim. Até amanhã. Não é preciso que me digas, nem que sim nem que não. Se não te tiveres ido embora de madrugada, deduzirei que sim, e amanhã mesmo esperar-te-ei no meu quarto quando todos já estiverem deitados.» «E que dirá o menino, quando suspeitar?» «O menino não tem nada que suspeitar, nem ninguém da casa. Esta noite mesmo, se decidires ficar, levas as tuas coisas para o quarto que está desocupado, ao lado do salão. Ninguém te ouvirá nem a entrar nem a sair.» E foi assim a história. Belinha passou a noite sem dormir, debatendo-se entre abandonar-me ou deitar-se com um homem pelo qual não sentia sequer respeito, quanto mais amor, mas sim medo, e, a partir daquele momento, ódio, um ódio que a teria levado a matá-lo se não fosse por na prisão também não me poder ver nem cuidar de mim. E um dia encontrou-se grávida. «E agora, senhor, que faço?» «Agora vais para a tua casa para sempre, e que nem o meu filho nem eu voltemos a saber de ti.» «Mas, senhor, o que venha não deixa de ser seu.» «Dar-vos-ei dinheiro, todo o que quiseres, dinheiro não vos há-de faltar, desde que Filomeno não torne a ver-te.» «Não quero o seu dinheiro! Pró que venha e pra mim, tenho de sobra.» Foi assim que, poucos dias depois, Belinha se foi embora sem se despedir, mas não sem passar, muito cedo de manhã, pelo meu quarto e ver-me pela última vez. Foi ao paço de Alemcastre, e o professor e a *miss* receberam-na bem, talvez por o meu pai não lhes ser simpático e porque gostavam de mim. Acordaram em que naquele Verão Belinha não deixaria que eu a visse, para que a gravidez não me surpreendesse, que nessa altura já estaria muito adiantada e sem dissimulação possível, e que, mais adiante se veria. «Temos de esperar que Ademar possa entender as coisas.»

— E agora já as entendes, não é verdade?

Senti um impulso súbito, abracei-a. Creio que cheguei a dizer-lhe que ia matar o meu pai, que o odiava como ela, que não merecia viver. Mas ela acalmou-me. E disse-me que embora a sua filha partilhasse o seu amor comigo, que por isso não gostaríamos menos um do outro, e que esperava de mim que eu gostasse da minha irmã, se não por isso, ao menos por ser filha dela. Não sei quanto tempo durou aquela conversa, foi muito longa. Dissemos muitas coisas que só tinham sentido naquele momento e naquela situação. Quando Belinha partiu, talvez as janelas já clareassem. Não conseguiria descrever aqui o revolutear dos meus pensamentos. Mas compreendo que naquela noite algo mudou dentro de mim, ou pelo menos, algo começou a mudar. Algum tempo depois Belinha disse-me que eu a olhava como um homem. Não sei se seria verdade. O que sei é que continuava a gostar dela, embora o meu amor talvez se tivesse também transformado. Quando se despediu, e nos beijámos, procurei a boca dela, mas ela repeliu-me, rindo.

— Não, isso não, meu menino, isso não.

Foi a última noite que veio ao meu quarto. Víamo-nos durante o dia, à mesa ou com mais alguém, mas não ia procurar-me na biblioteca, nem mesmo no jardim. E eu começava, não a compreender, mas a temer o porquê. Sentia que do mesmo modo que algo tinha mudado em mim, também mudara nela, embora não me atrevesse a pensar que já gostávamos um do outro como um homem e uma mulher. Não o pensava, mas sentia-o, e quando olhava para ela os meus olhos diziam-no, e os dela davam-me uma resposta de amor e de temor. Agora vejo isto com clareza, tantos anos depois, anos de insistente, obsessiva recordação. Naqueles tempos tudo era confusão de ideias, se bem que no coração as coisas estivessem mais claras. A situação não mudou em nada. Tornou-se habitual que nos olhássemos com desejo, também que ela me fugisse, era esta a realidade, embora também pudesse dizer-se que me evitava. Chegou a transformar-se num jogo de esperança e dor, que ela ganhou por ser mais forte? Esperei por ela muitas noites, quase todas. Em algumas delas percorri os corredores, cautelosamente, para ver se a encontrava. Nem sequer sabia qual era o seu quarto, nem me atrevi a perguntar-lhe, embora depois tenha sabido que, para ir até ao quarto em que dormia com a sua filha, teria de ter passado pelo quarto do professor e da *miss*. Agora penso que tinham combinado assim para ela se proteger dos seus próprios desejos. Penso também, por outros acontecimentos posteriores, mais do que acontecimentos, pormenores ínfimos ou palavras soltas, que fizera do professor e da *miss* os seus confidentes, da mesma forma que antes tinham sido os seus protectores. Isto durou bastante tempo, até que uma noite, pensando ao mesmo tempo que esperava, ocorreu-me que, quando o meu pai viesse buscar-me, no fim das férias do Verão, ou, como ele dizia às vezes, da minha obrigação testamentária de residir por temporadas no paço; quando o meu pai viesse buscar-me, dizia, Belinha estaria ali, e não sei o que poderia acontecer. Rejeitei a ideia de que se vissem, para mais estando eu ali, e de que o meu pai conhecesse a minha irmã, a quem nunca ligara. Disse-o no dia seguinte, depois da refeição, enquanto tomávamos o café; disse-o como a coisa mais natural do mundo, pressupondo tudo o que todos sabíamos.

— Não quero que o meu pai me venha buscar, estando aqui Belinha com a sua filha.

Belinha perguntou-me se queria que ela se fosse embora.

— Não. Tu não deves sair daqui. Esta é a tua casa, sempre o foi. Vou é partir sozinho.

E assim fiz, dando uma volta por Tui e Vigo. Prometi-lhes que iria vê-los no Natal, e, ao partir, não só beijei Belinha como também a sua filha. Beijei-a com afecto, talvez forçado, porque repetia comigo mesmo que era minha irmã e que devia gostar dela.

VII

O MEU PAI FICOU SURPREENDIDO POR ME VER CHEGAR inesperadamente, carregado com as minhas malas, tão pesadas. Perguntou-me porque o fizera. Respondi-lhe secamente, sem o encarar:

— Porque Belinha está no paço.

Não sei a cara que fez, não me respondeu. Retirei-me sem lhe dar mais explicações e ocupei-me a desfazer as malas. Trouxera comigo alguns livros (romances, poesia) que não tivera vontade de ler, embora a tal me tivesse proposto. Depois fui ver se encontrava Sotero. Encontrei-o em casa dele, onde tudo estava de pernas para o ar, porque, explicou-me, se mudavam para Santiago, onde ele já estava matriculado numa faculdade.

— E tu, já sabes o que vais fazer?

— Ainda não pensei nisso, mas de qualquer maneira não vou para Santiago.

Pareceu desagradar-lhe, mas não com o desagrado de alguém que se afasta de um amigo, mas (penso agora) de quem perde um ponto de apoio no mundo. Por quem me substituiria, perante quem se mostraria superior? Visto à distância de tantos anos, compreendo que Sotero precisava de mim, não só para desdenhar de mim, mas para se manifestar como era perante quem o admirava, provavelmente de antemão; perante quem vivia na atitude de admiração espontânea.

— Vais sentir muito a minha falta. Eu podia guiar-te nos teus estudos, como sempre. Noutro lado, sem mim, vais encontrar-te só e desorientado.

Respondi-lhe indirectamente, contando-lhe o que tinha lido durante o Verão, a minha descoberta de Antero de Quental e de Eça de Queirós. Respondeu-me:

— Sim, sim.

Mas tive a impressão de que não os conhecia, e aquilo causou-me satisfação.

— Mas continuas a perder tempo — continuou. — Nem os romances nem os versos te vão valer de alguma coisa. Eu, é claro, afastar-te-ia deles. O futuro está na ciência, não na literatura.

— É que eu — retorqui — ainda não penso no futuro. O meu pai faz isso por mim.

Aquilo é que ele não entendeu.

— Dizes isso por seres rico? De qualquer forma, vais ter de aprender a conservar a tua riqueza, pelo menos, se não mesmo a aumentá-la. Disso posso eu falar-te um pouco. Os meus pais têm algumas posses que lhes permitem viver desafogadamente e pagarem-me os estudos. Estás a ver, vieram da América para que eu não ficasse sozinho em Santiago, para não ter de me preocupar com a minha alimentação nem com quem me lave a roupa. É uma maneira razoável de empregar o dinheiro.

— Eu não estava a pensar que sou rico.

— Então, o que é que vais fazer na vida?

Foi a primeira vez que me fizeram esta pergunta, que respondi, também pela primeira vez:

— Não sei.

Não o sabia nem nunca tinha colocado a questão. Vagamente, lá no fundo da minha consciência, confiava isso ao meu pai, porque eu não conseguia que tal coisa me preocupasse: tinha outras coisas em que pensar. Se Sotero tivesse sido outro género de amigo, com as ideias e os defeitos dos rapazes da sua idade, eu ter-lhe-ia confessado as minhas angústias do Verão, o que tinha esperado e o que tinha sofrido, também o que o sofrimento me permitira disfrutar, ou, pelo menos, o que me permitira viver; mas, se lho houvesse contado, ele ter-se-ia rido, teria mais um pretexto para demonstrar o seu desdém por todos os homens que se apaixonam e em especial por mim. E muito mais sabendo como sabia que Belinha era uma aldeã analfabeta. «Belinha? Queres dizer aquela alimária que servia em tua casa? E não tens vergonha?» Também não lhe contei que tinha fumado cigarros e bebido alguns copos, mas esses deslizes, assim como a história de Belinha, faziam com que me sentisse intimamente, se não superior a Sotero, pelo menos à sua altura, ainda que de modo diferente, como se cada um tivesse subido para uma cadeira diferente. E não foi só uma coisa daquele momento, daquela primeira vez que nos víamos depois do Verão e última que conversámos longamente. A história de Belinha nunca desapareceu da minha memória, menos ainda do meu coração. Se a vida de um homem maduro se apoia em dois ou três acontecimentos, aquele foi o primeiro de uns quantos que também contarei e aos quais devo em boa parte ser o que sou, talvez o que não cheguei a ser, e o porquê.

Quando regressava de casa de Sotero, senti o temor de me encontrar com o meu pai, inevitavelmente, à hora do jantar, que se aproximava. Mas ao chegar a casa, encontrei o recado de que fosse jantando, de que ele certamente não viria. Depois de ter ficado contente, pensei que tinha medo de estar a sós comigo. E, no entanto, nenhum dos dois podia evitar uma explicação que eu não imaginava como poderia começar, nem como acabaria. Tudo o que me passava pela cabeça eram ideias extravagantes, mais ou menos tiradas de alguma cena de romance que, do fundo escondido da memória, me ia ditando palavras, imediatamente rejeitadas e substituídas por outras novas, que também rejeitava. Na realidade, eu não conhecia o meu pai e não podia prever com um mínimo de certeza, qual seria a sua conduta. Tinha evitado o primeiro encontro, mas tanto podia ser por medo como por necessidade de pensar prévia e seriamente no que me ia dizer. De qualquer modo, ao chegar aqui, às suas palavras, a minha imaginação, tropeçava numa parede obscura em que nada estava escrito, nem sequer uma pequena luz. Também descobri, durante o jantar, que tinha medo do meu pai, e que se me mandasse calar, calar-me-ia. Meu Deus, como tudo era tão difícil! Por que é que me aconteciam aquelas coisas? Houve um momento em que invejei Sotero, com todas as coisas da sua vida tão claras e tão simples, ou outro companheiro qualquer, que, embora não almejasse tanto, já sabia o que tinha a fazer e como. Imaginei que, quando se é filho de um pai vulgar, nem senador, nem viúvo, nem homem importante, o pai dá-nos tudo já feito, com uma pequena margem de liberdades que se utiliza em patifarias veniais, e só quando se acaba a função do pai é que começa a verdadeira liberdade, que consiste em fazer o que se deseja, mas sabendo previamente o que se pode e o que se deve desejar. Porém, mesmo nesse caso, que diria um pai vulgar quando eu lhe dissesse que o que me interessava era continuar a ler romances e poemas, e talvez dar umas voltas pelas ruas da cidade velha, em redor da minha casa e sem ir até aos bairros dos imigrantes ricos? Era um costume que tinha adquirido nos últimos tempos do ano lectivo anterior e de que não tinha falado a ninguém, e muito menos a Sotero, pois já sabia a sua resposta, e o elogio subsequente das ruas modernas, tão largas e tão luminosas, de construção racional, e com casas espaçosas e higiénicas. E não estou a inventar: porque certa vez o ouvira comentar um artigo que tinha lido não sei em que jornal que dizia coisas do género, com as quais estava de acordo. Mas talvez tivesse aproveitado a minha declaração para me convencer a ir estudar para Santiago, que era uma cidade em que abundavam as ruas estreitas e as fachadas antigas.

O meu pai foi de viagem. No bilhete que me deixou explicava que uma tempestade de Verão tinha causado estragos numa das casas da minha mãe, a mais afastada de Villavieja, precisamente, onde eu nunca estivera, e que as reparações exigiam a sua presença. Não achei que o fizesse para fugir de mim, embora pense agora o contrário. O facto é que, na sua ausência, recuperei pouco a pouco os meus hábitos e desapareceu-me da imaginação a cena, tantas vezes temida e desejada, das suas desculpas, ou das suas explicações, ou porventura do seu arrependimento, mas insinuou-se em mim a ideia, provavelmente certa, de que nunca se propusera a dar explicações da sua conduta ao filho. Senti-me, de repente, humilhado, mas também liberto; ainda que o facto de o recordar queira dizer que a humilhação me atingira fundo, e ali ficava com todo o resto da história. Demorou oito ou dez dias para regressar, e, quando nos encontrámos, falou-me com toda a naturalidade, como se nada se tivesse passado, e eu não me atrevia a mencionar Belinha nem a sua filha, nem sequer a fazer-lhes alusão. Desde o primeiro momento dirigiu as conversas para os meus próximos estudos.

— Que achas de ir para Madrid? — perguntou-me de rompante. — É conveniente para a tua formação viveres numa cidade moderna, longe desta esterqueira provinciana. Além disso, um título universitário de Madrid é sempre mais apreciado, sei-o por experiência.

Eu temera que tivesse o projecto de me mandar para a Universidade de El Escorial, que continuava a considerar a sua, e na qual tinham estudado pessoas importantes de que costumava falar. Regozijei-me, portanto, quando mencionou Madrid, e eu respondi-lhe que me parecia bem.

— Podes ir para o hotel onde eu fico durante as minhas viagens. É um hotel decente, onde te tratarão muito bem. Fica mesmo no centro e perto da universidade. Queres estudar Direito ou atrai-te outra coisa? Pensei que para já seria melhor matriculares-te no ano preparatório, e depois, veremos. Esta gente que manda agora, não vai mandar sempre, e dentro de três ou quatro anos as coisas ter-se-ão normalizado e eu voltarei a ser o que era e haverá sempre um lugar para ti nalgum sítio. Afortunadamente, tens meios para viver sem a urgência de procurares um trabalho. Poderes arriscar uma candidatura a longo prazo...

Referiu-se vagamente a cartórios notariais ou magistratura, ou talvez ao corpo diplomático, já que eu falava português e inglês, «embora o importante nessa carreira seja falar bem o francês. Poderias começar a estudá-lo».

Finalmente o meu pai falara como um pai qualquer! Já me dava tudo feito, pelo menos em parte, e não tinha mencionado a obrigação de ser o primeiro em toda a parte. Senti-me aliviado e, no fundo, satisfeito. Agora penso que o meu pai tinha tomado aquela decisão para me manter longe. Estudar em Santiago era como estar ali ao lado, e não poderia evitar que um sábado qualquer me lembrasse de vir a Villavieja. Dissimulou, no entanto, o seu propósito (ou a sua necessidade) anunciando-me que me iria ver de vez em quando. E com o pretexto das suas possíveis visitas pretendeu, ou assim parecia, manter-me bem informado da situação política, porque, disse-me, os militares não poderiam ficar muito tempo no poder. Para começar, tinham-se apercebido de que não sabiam governar e viram-se na necessidade de recorrer a civis que se prestavam a colaborar com eles. Mas as antigas forças políticas estavam a reorganizar-se cuidadosamente para que o fim iminente da ditadura não as apanhasse desprevenidas. A sublevação da artilharia (eu não sabia ao que se referia) tinha sido uma chamada de atenção. A coisa andava mal, até no seio do Exército, a situação estava prestes a cair de madura.

— Vai sendo conveniente começares a saber algumas coisas. Eu não duro eternamente e até me posso cansar e apetecer-me a reforma, e a realidade dos teus bens não só te proporcionará benefícios, como obrigações e dores de cabeça. Há muita gente que depende de nós, e temos a obrigação de protegê-la contra os desvarios dos que mandam. Para já, o mais tardar no ano que vem, terás de conhecer as tuas propriedades, para que servem e o que valem, ainda que algumas delas mais não dêem do que trabalho. Estas antigas formas de propriedade, como as tuas, são um verdadeiro enredo. Há a questão dos foros, por exemplo... — Eu não sabia o que eram os foros, mas ele estendeu longamente a explicação acerca deles e dos problemas que traziam. — É preciso ser-se um bom advogado para que certa gente não ultrapasse os limites.

Ele, evidentemente, era-o.

Conseguiu, pelo menos na altura, o que pretendia. As férias de Verão no paço minhoto, Belinha e a sua filha não foram esquecidos, mas ficaram para segundo plano, como que adiados. Dei em imaginar o que seria a minha vida em Madrid, mas a única coisa real que eu atingia era a possibilidade de comprar livros, de ler muito. Não tinha compreendido ainda que até mesmo o meu gosto pelos livros exigia certos saberes. E imaginava a vida na universidade igual à do liceu, se bem que com alunos mais velhos. Mas mal deixava de imaginar, a mente ficava em branco como um quadro limpo em que qualquer coisa podia ser escrita. Certa tarde dei comigo na estação de caminho-de-ferro. Várias malas tinham sido enviadas à frente. Eu levava uma pasta e um impermeável porque chovia. O meu pai estava ao meu lado, de guarda-chuva fechado e a falar não sei do quê. Chegou o comboio, acompanhou-me até ao lugar, deixou-me bem instalado e, ao despedir-se, estendeu a mão.

— Quando passar um senhor a tocar a campainha, é a hora do jantar.

Capítulo Dois

Os anos de aprendizagem

I

As minhas recordações de Londres já estavam longe; as de Lisboa, embora mais recentes, não eram muito mais nítidas. Conservava, isso sim, uma sensação de grandeza que tinha Villavieja del Oro como única referência, tão pequenina e aconchegada, onde todos nos conhecíamos. Foi essa a única coisa, a grandeza, que reconheci em Madrid assim que cheguei. O meu pai tinha-me dado instruções. Com as malas não precisava de me preocupar, porque as levariam ao hotel. Com a pasta e o impermeável, apanhei uma carruagem de um só cavalo e dei ao cocheiro, um senhor importante que me olhou com ironia do alto do assento, a direcção. O sol brilhava e ainda fazia calor. Pela janelinha da carruagem desfilavam as casas e as ruas de uma cidade inesperada. As pessoas também eram diferentes, falavam de outra maneira. Apercebi-me, logo na estação, de que a minha pronúncia cerrada seria o que estranhariam em mim, o que iria distinguir-me. Perguntava-me se algum dia seria capaz de falar com aquela entoação, que as minhas vogais fossem como as que estava a ouvir. As pessoas falavam como aquela menina, já esquecida, mas relembrada então, Rosalía, a quem dedicara um soneto de amor. Aquela menina, Rosalía, troçava da nossa maneira de falar.

De repente, a carruagem deteve-se.

— Aqui está o seu hotel, senhor.

Senhor? Paguei o que me pediu e lembrei-me de que o meu pai me tinha recomendado dar gorgetas, embora sem me exceder. Juntei uma peseta ao que me pediu, e o cocheiro levou a mão ao chapéu alto, com galões, muito chamativo.

— Muito obrigado, senhor.

Um agradecimento muito expressivo, talvez com algum sarcasmo. «Este sujeito não sabe quanto vale uma peseta», queria dizer o sorriso. Fiquei na beira do passeio, vendo a manobra da carruagem para dar a volta na rua, que era bastante estreita. A porta do hotel estava à minha frente e tinha boa aparência. No letreiro, em cima, constava o nome. E da porta, um sujeito alto e gordo, vestido com uma casaca escura com galões, olhava para mim. Perguntou-me o que procurava.

— Nada, senhor, já encontrei. Venho para este hotel.

Então, aproximou-se de mim, tirou-me a pasta das mãos.

— Venha comigo.

Aproximou-se de um balcão e disse ao homem que ali estava:

— Deve ser o filho do senhor Práxedes.

Eu avancei.

— Sim, sou Filomeno Freijomil.

Filomeno! Como me pareceu estranho! O sorriso que o homem do balcão me dirigiu seria de amabilidade ou por causa do meu nome?

Levaram-me para um quarto espaçoso, com duas janelas para a rua, duas janelas de alto a baixo, que davam para uma varanda corrida. Abri-as porque estava calor. Olhei para tudo. O quarto era agradável, e os móveis bonitos; talvez a cama um pouco grande, e demasiados espelhos. À primeira vista, senti a falta de uma estante para os livros, embora a secretária me oferecesse espaço para os colocar. As minhas malas já estavam no quarto, juntas, dir-se-ia alinhadas, ao lado do armário, que era amplo e com dois espelhos, com painel ao meio, marchetado com madeiras finas. Os candeeiros tinham imensos pingentes de vidros coloridos, dispostos segundo desenhos caprichosos. Tudo me fazia lembrar interiores anunciados em revistas antigas como sendo de última moda, que as senhoras de Villavieja tentavam copiar ou, pelo menos, desejavam-no. O candeeiro da secretária era muito mais simples, e tinha um quebra-luz verde. Bateram à porta, suavemente. Abri. Era um senhor um pouco careca, bastante alto, de fraque, com um sorriso que me pareceu sincero.

— Tenho a honra de falar com o filho do meu ilustre amigo o senhor Freijomil?

Era o director do hotel. Pediu-me licença para entrar, e as suas primeiras palavras foram para me desejar boas-vindas e colocar-se às minhas ordens.

— O seu pai não lhe falou de mim? Bom, não faz mal que se tenha esquecido. Já tomou o pequeno-almoço? Importa-se que o tomemos juntos, aqui, no seu quarto? Não se preocupe com as malas; depois há-de vir uma rapariga para pôr tudo em ordem.

Aproveitei este momento para lhe dizer que, numa delas, trazia livros.

— Livros, sim, claro. O mais natural num estudante. Se achar necessário, mandarei pôr uma estante, e veremos o tamanho. Para já, pode deixá-los em cima da mesa.

Tinha tocado a campainha, energicamente, três toques seguidos. Apareceu imediatamente uma rapariga, toda embonecada, claro está, e bastante bonita.

— Olga, vou tomar o pequeno-almoço com este senhor, aqui no seu quarto. Quer alguma coisa de especial, senhor Freijomil, ou prefere o normal, café com bolos? Os do Norte preferem ovos estrelados.

Respondi-lhe que queria o normal. Trouxeram o pequeno-almoço numa bandeja grande, que podia ser de prata. Deixaram-na em cima de uma mesinha. Sentámo-nos.

— Na verdade, tenho algumas coisas a dizer-lhe, as instruções que recebi do senhor seu pai. Antes de mais, o dinheiro. O senhor terá as suas despesas. Um rapaz novo, recém-chegado, tem-nas sempre. Todas as manhãs, ao sair do hotel, na caixa entregar-lhe-ão cinco pesetas, quinze aos domingos.

Não sei que cara terei feito, que olhou para mim admirado.

— Acha pouco? Crê que necessitará de mais?

— Não faço ideia, senhor. Ignoro o que se possa fazer com cinco pesetas numa cidade como Madrid.

Desatou a rir.

— Olhe, cinco pesetas diárias, e quinze todos os domingos, somam duzentas e dez. Há muitas famílias em Madrid que gostariam de dispor desse dinheiro.

— Então, é muito?

— Julgo mais do que suficiente. Com cinco pesetas diárias para os seus gastos pessoais, pode passar por rico. — E como eu fizesse um gesto de surpresa, acrescentou: — Embora não convenha nada parecê-lo. O que vou dizer-lhe não faz parte das instruções recebidas do seu pai, mas julgo-o oportuno. Quando se é rico em Madrid, o melhor é dissimulá-lo, a não ser que o senhor seja desses que precisam que os outros o saibam. Nesse caso, meu amigo, está perdido. Ver-se-á rodeado de supostos amigos que tentarão sacar-lhe o que puderem e divertir-se às suas custas. A seguir está a questão das mulheres. O que há de melhor, para uma dessas galdérias, que um estudante de província em início de estudos? Veja bem que não estou a tentar afastá-lo dos amigos nem das mulheres, mas apenas a preveni-lo. Há certas coisas que um pai não se atreve a aconselhar, e em que um bom amigo pode substituí-lo. Eu sou um bom amigo do seu pai e estou-lhe agradecido. Fez-me alguns favores quando podia fazê-los e eu não sou dos que esquecem. Considero uma sorte poder empregar em si o meu agradecimento e prepará-lo para ser um homem mundano. Um homem mundano tem acima de tudo que ser prudente.

Não tínhamos começado o pequeno-almoço. Ele serviu-me o café e o leite e pegou num bolo, partiu-o com a faca e comeu-o aos bocadinhos, enquanto eu começava a ensopar o meu. Riu-se.

— Olhe, por exemplo, isso que está a fazer agora. Já não se usa. O correcto, agora, é comer o bolo como eu estou a fazer. Que o ensope em privado, não tem importância: faça-o, se gostar. Mas nunca em público. As pessoas da sua classe não o fazem, e o senhor ficará mal visto.

Continuou a comer. Eu observei-o, e pareceu-me que o fazia de um modo afectado, sem naturalidade. Provavelmente, a boa educação impunha aquela maneira artificial de comer.

— E quanto ao que lhe estava a dizer... Vejamos um exemplo: as criadas do hotel. Se o senhor deixar cinco pesetas em cima da mesa de cabeceira, ou qualquer coisa de valor, o mais provável é encontrá-los quando voltar, mas se se deitar com uma delas, vá pensando em ir ao médico.

Devo ter ficado muito corado, porque desatou a rir.

— Não se atrapalhe, homem! É uma das coisas que convém ir ouvindo!

A conversa continuou durante um bocado: às voltas com as mulheres e os oportunistas.

— Vai andar com rapazes que dispõem, quando muito, de uma ou duas pesetas diárias para os seus gastos. Com isso fumam, vão ao café e compram o jornal. Procure não parecer mais do que eles. Estar acima de alguém ofende sempre, e é tão mau que tenham alguém por tonto como por orgulhoso ou prepotente.

Acabou dizendo-me que o considerasse seu amigo, e que se alguma vez me encontrasse em apuros, fossem de que natureza fossem, e repetiu isto como se o tivesse sublinhado, que contasse com a sua amizade e a sua confiança. Já se ia embora, quando me disse:

— Permite-me que dê uma vista de olhos à sua roupa? — Abri a mala, pus a minha roupa toda em cima da cama, e ele comentou: — Está bem, está muito bem, talvez demasiado bem. Mas acho prematuro aconselhar-lhe uma certa negligência elegante que fica bem aos jovens. Isso não se aprende num dia, nem por palavras. O que lhe digo já é que, quando chegar à universidade, só pelo seu modo de vestir sentir-se-á diferente dos seus colegas. Leve o mesmo fato todos os dias. Muito cuidado.

Aquelas palavras fizeram-me lembrar o meu primeiro dia do liceu, mas nessa altura a diferença não fora notada, ou, pelo menos, ninguém lhe tinha dado importância de uma maneira ostensiva, salvo Sotero, talvez, que nada disse. O director do hotel foi-se embora, depois de me informar que se chamava Justo e de me perguntar se precisava de dinheiro para já. Disse-lhe que não. E pus-me a pendurar os fatos no armário, e a colocar as camisas, a roupa interior e os sapatos nas gavetas. Estava eu nisto, quando a criada veio buscar a bandeja do pequeno-almoço.

— Oh, menino! Por que está a fazer isso? Eu já ia fazer isso. — E acrescentou, muito sorridente: — Chamo-me Olga. Se precisar de mim, é só tocar a campainha.

II

Os corredores da universidade, enormes, sombrios, eram um verdadeiro burburinho de gente e de vozes. Ninguém sabia nada, não se percebia ninguém, e os contínuos pediam-nos que os deixássemos em paz. No fim da manhã, finalmente, meteram-nos numa aula, a nós os do primeiro ano, e um professor jovem («É um assistente», diziam por ali) dirigiu-nos a palavra para nos felicitar pela nossa chegada à universidade (ele chamava-lhe a *alma mater*), uma instituição secular de onde tinham saído os homens mais ilustres pelo seu saber ou pela sua posição na sociedade. Em geral, fizeram-lhe pouco caso, e custou-lhe muito silenciar as conversas a meia voz. Avisou, isso sim, que nas aulas não se podia fumar e que era preciso assistir a elas decentemente vestidos, com gravata. Disse também que os livros de texto se podiam adquirir em tais e tais livrarias, e ditou-nos uns títulos e uns autores. Lembro-me do nome de Abel Rey e dos senhores Hurtado e Palencia, que seriam os nossos textos de Lógica e de Literatura, mas não me lembro do de História. Havia bastantes raparigas entre os alunos recém-chegados, umas moças que, nos corredores, se sentiam atraídas pelos alunos mais bem vestidos. Como eu era um deles, uma das raparigas aproximou-se de mim, mas pelos vistos a minha forte pronúncia galega afugentou-as e afastaram-se rapidamente. Dali saíram grupos que se encontraram no bar da frente, para beber umas cervejas e fumar uns cigarros. De repente fiquei sozinho. E repetiu-se o que me tinha acontecido no liceu quando o burburinho e a camaradagem espontânea me relegaram à minha sorte. Aproximou-se um dos que não tinham ido ao bar da frente e que também parecia isolado, embora à primeira vista não existisse razão para o seu isolamento. Nem sequer me cumprimentou. Só me disse:

— Não achas que são uma cambada de imbecis?

A semelhança com aquela cena de outrora deixou-me surpreendido, mas este rapaz de agora não era parecido com Sotero, não olhava para mim de cima para baixo, mas de frente, de uma forma cordial.

— Estive a observar-te na aula. Tens de ser um dos nossos. — E acrescentou de seguida: — Eu sou poeta. Isso diz-te alguma coisa?

— Pois claro! — respondi-lhe alegremente; e senti que era uma sorte termo-nos encontrado, mas não lho disse.

— Deves ser como eu, um desses a quem os pais mandam estudar Direito porque não acreditam que a Literatura ofereça um futuro seguro. Muito menos a poesia.

Ia responder-lhe, mas tirou-me as palavras da boca:

— Em parte têm razão. Neste país, dedicar-se à poesia é candidatar-se a pobre, mas provavelmente os tempos hão-de mudar. Convido-te a tomar um café, e falamos.

— Ali no bar da frente, onde estão todos?

— Não. Levo-te a um sítio melhor, mais sossegado.

Agarrou-me no braço e começámos a caminhar em direcção ao centro. Foi-me dizendo que se chamava Benito Armendáriz, mas que, apesar do seu apelido basco, era de Santander. Tivera um bom professor de Literatura, um homem novo e conhecedor, que o havia orientado bem.

— Sobre os clássicos podes perguntar-me o que quiseres, e sobre os modernos também. Onde falho é no século dezanove, mas esse século não tem interesse nenhum, salvo Bécquer, que já li bastante.

O pai dele era engenheiro de uma companhia de electricidade, o que permitia a Benito andar sempre com dinheiro no bolso e comprar livros. Passámos diante do café grande e barulhento, dobrámos a esquina e entrámos por uma pequena porta de aspecto nada vulgar, como de ilustração de um conto: era forrada de couro, cravejada de cobre. O local era pequeno, não havia ninguém, e algures, não muito longe, alguém tocava piano. Não havia cadeiras, mas cadeirões, e as mesas eram largas e baixas.

— Há outros lugares aonde hei-de levar-te. Mas aqui também vêm escritores. Mais tarde, claro. À hora do café e à noite. Os escritores de agora já não vão aos sítios desprezíveis de antigamente. Já não usam cabelo comprido nem lenço, como no tempo do modernismo. Ouviste falar da vanguarda?

Não lhe respondi, porque estávamos a sentar-nos.

— Nem penses bater as palmas. O criado já vem.

Tinha tomado o meu silêncio à sua pergunta sobre a vanguarda como resposta negativa.

— Então, que poetas é que tu lês? Rubén Darío?

Citei-lhe Antero de Quental e Teixeira de Pascoaes, e também Shelley. Ficou a olhar para mim.

— Donde são?

— Portugueses. Shelley é inglês.

— E lê-los na sua língua?

— Sim.

Ficou calado um bocado.

— Aqui não lemos isso. Lemos principalmente os franceses, Paul Valéry, sabias? Sobretudo, Paul Valéry. — E começou a recitar uns versos que eu não compreendia. — Chama-se *O Cemitério Marinho, Le Cimetière Marine*. O melhor da vanguarda é francês. — Tinha chegado um empregado, pedimos dois cafés. — Sabes alguma coisa de cor desse Quental? — Disse-lhe um soneto. — Soa bem, mas não percebo nada. Parece mentira que o Português seja tão diferente do Espanhol. Mas soa bem, soa muito bem. Como é que é o nome completo? As pessoas do século passado eram muito trágicas. Agora a poesia é puro jogo. Vais ver: há que ter um sentido desportivo da literatura e da vida.

Trouxeram os cafés. Sorveu um pouco do seu e mudou de conversa.

— O que vamos aprender este ano não irá servir-nos de grande coisa. Mas temos de ir às aulas de Literatura, de onde, pelo menos, trazemos um catálogo ordenado de escritores e de obras. Criticarão indecentemente Góngora, mas disso falaremos depois. O professor de lógica é socialista, mas é um homem muito elegante e educado, aquilo que antes se chamava um cavalheiro. Diz-se que na sua aula nos ensinam a pensar. Quanto à de História... — acabou de beber o café. — E tu, donde és? Galego, é claro, mas donde?

Referi Villavieja del Oro e acrescentei que ali havia muitos poetas e alguns escritores famosos. Disse os nomes.

— Nunca ouvi falar deles. Devem ser escritores locais, ou, quando muito, regionais. Quem fica na província condena-se ao silêncio. Em Santander também há poetas que andam anos às voltas com a mesma coisa. Felizmente, a minha família teve a ideia de vir para aqui e eu já me livrei do provincianismo, mas não penses que basta ser madrileno. Aqui há-os tão provincianos como em Villavieja del Oro. Gente agarrada ao pitoresco e ao castiço, ou resíduos do modernismo. Nós lutamos contra eles, uma verdadeira batalha em que eles estão a ganhar, porque têm os jornais. Mas o futuro é nosso. Há que ser europeu.

— E como? — perguntei-lhe, ingenuamente.

— Estando a par de como se pensa no mundo, e pensando da mesma maneira. Tens de ler muito.

Sotero, anos antes, tinha-me aconselhado a mesma coisa, e eu tinha lido, mas agora acontecia que as minhas leituras estavam antiquadas, e que em Madrid não conheciam os meus poetas favoritos. Estava um pouco perplexo, mas não desconfiado, porque Benito Armendáriz comportava-se com espontaneidade e franqueza, embora talvez, como Sotero, repetisse palavras ouvidas. De qualquer forma, aquele encontro parecia um princípio de amizade. Depois de tomarmos o café, demos um passeio, e foi-me falando dos escritores que ainda havia em Madrid e que podiam ser vistos nas ruas, nomes desconhecidos para mim. Perguntei-lhe pelos poucos de que eu tinha ouvido falar, lá, em Villavieja, como gente longínqua, que quase vivia nas estrelas.

— Esses também são bons, mas já estão ultrapassados. Os escritores, quando ficam ultrapassados, têm a obrigação de morrer, ou, pelo menos, de se calarem. Senão, acontece-lhes o mesmo que a esses, que se obstinam em manter a sua e a deles já está morta. Mas açambarcam a fama, as pessoas acreditam neles, e tudo é negado aos verdadeiramente vivos, que são os novos.

Insisti nalgumas perguntas. Para mim, a literatura era um enorme conjunto fora do tempo. Havia estilos, sim, como havia vida e morte; mas isso de os novos substituírem os velhos só por o serem...

— Falta-te sentido histórico — respondeu-me.

E começou a dizer-me que o mundo antigo se tinha extinguido, matara-o a última guerra, e que o mundo que nascia era muito diferente, era outra coisa, até agora desconhecida, mas esplêndida.

— Já vais ver quando fores ao Museu do Prado e conheceres a pintura antiga. É muito boa, não há dúvida, mas já não se pode pintar assim. Também tens de visitar algumas exposições de pintores modernos ou ver quadros em revistas:

aperceber-te-ás da diferença. Já ouviste falar do cubismo? — Confessei-lhe que não. — Tens de aprender muito se quiseres ser um homem do teu tempo. E o pior é que aquilo que tens de aprender não te é ensinado na universidade.

Deteve-se subitamente, encarou-me, pôs-me as mãos nos ombros.

— Não penses que por isso — continuou ele — vou ser o teu guia. Eu também sou um aprendiz. Mas procuraremos juntos.

III

JULGO QUE AINDA NÃO TINHAM PASSADO duas semanas desde a minha chegada a Madrid, quando recebi carta de Sotero. Quatro folhas à máquina (coisa nova) e um cantinho no fim para assinar. Contava-me com excesso de pormenores os seus primeiros passos na universidade: juízos sobre os professores e os colegas, e um rol do que já tinha aprendido, sem dúvida bastante mais do que eu. Não dava a entender, dizia claramente, que aquele pouquíssimo tempo fora suficiente para se destacar dos outros alunos e declarava-me que os professores o tratavam com bastante deferência e como se já estivesse predestinado a ser um deles. A cadeira de Lógica não lhe dava trabalho, porque a dominava desde o liceu: «Até posso dizer-te que sei mais do que o professor, um desses velhos professores auxiliares que se eternizam nos seus postos repetindo todos os anos a mesma cantilena.» Da Literatura só lhe interessava a parte de filologia, realmente nova para nós; «mas a minha grande descoberta foi a História. Penso ser esse o meu verdadeiro caminho, um caminho, para além do mais, em que tudo conflui e em que nenhum outro saber estorva. Continuarei, pois, a estudar de tudo, principalmente Filosofia. Terei de o fazer por minha conta, porque aqui ninguém se interessa pela especulação a fundo, e não há quem saiba grande coisa, salvo um ou outro professor do seminário, segundo me dizem. Mas isto não me preocupa. Confio na minha intuição». A grande novidade da carta, minha grande surpresa, foi a sua confissão de que havia visitado um prostíbulo. «Começava a chatear-me que todos os meus colegas falassem disso e eu tivesse de ficar calado. Só o fiz por essa razão. E confesso-te que ainda não me encontro em situação de poder opinar. É uma coisa estranha e, para já, insatisfatória. Saí desalentado, porque não conseguia pensar: faltava-me um termo de referência. Andei vários dias a matutar e em busca de algumas opiniões eminentes e, se bem que as

tenha encontrado, não fiquei nada esclarecido, pelo menos de forma a satisfazer-
-me. É muito possível que uma só experiência não seja suficiente, mas confesso-
-te que é uma questão em que preciso de ver claro. Uma coisa descobri, isso sim,
mas que só a aflora, ou só aflora a sua natureza: que nada está claro acerca da
importância que os outros lhe dão, a preeminência dos mais exercitados ou dos
que presumem ter-se exercitado mais. E a série de precauções e de conselhos que
toda a gente dá, essa noção de pecado introduzida pelos padres. Tudo isso me faz
suspeitar que a coisa não é tão simples como parece à primeira vista, dar dinheiro
a uma mulher para que te dê prazer através de um simples processo de fricção. É
verdade que o corpo de uma mulher nua também me deixou perplexo. Realmente não sei o que dizer-te, embora pense ser meu dever concluir algo substancial.
Para já, aconselho-te a atrasar a experiência o tempo todo que puderes, até eu
ter reflectido o suficiente e poder esclarecer-te. Tudo isto se resume num paradoxo: a surpresa está em não ser tão surpreendente como se espera.» Andei uns
dias com a carta na algibeira. Uma tarde decidi mostrá-la a Armendáriz. Leu-a
com atenção e, ao devolver-ma, disse-me:

— Este teu amigo é um bicho esquisito; é o que posso dizer-te.

Deixou-me um pouco desiludido, mas, se calhar, Benito também não tinha o
conhecimento necessário para ser mais explícito. Não me pareceu correcto perguntar-lhe.

De qualquer modo, a leitura daquela carta influiu na sua conduta posterior.
Uma tarde disse-me de rompante:

— Já foste alguma vez a um café-concerto?

— Não. E tu?

— Eu também não. Por que não vamos? Bom, se tivermos dinheiro que chegue.

Entre os dois contávamos com vinte pesetas.

— Eu acho que chega — disse Benito.

— E onde está isso?

— Eu sei que há vários na Rua da Aduana.

Lá fomos nós. Com alguma timidez dissimulada, fazendo-nos desentendidos,
como se passeássemos pela Rua de Alcalá. Passámos diante de vários tugúrios, e
as pessoas em quem tropeçávamos eram um pouco esquisitas, sobretudo as
mulheres. Ao passar por uma, de cabelo muito pintado de loiro e muito maqui-
lhada, Benito deu-me uma cotovelada:

— É uma puta.

Não me atrevi a olhar. Parámos em frente de um daqueles locais de cujo interior saíam músicas e canções. Olhámo-nos.

— Aqui, não achas?

Era um espaço grande e repelente, com muitos espelhos sujos e alguns quadros pornográficos. Estaria meio cheio. No fundo, muito iluminado, um palcozito onde uma mulher dançava e se esganiçava. Estava vestida de preto, com botas altas, uma saiazita curta, um corpete e um chapéu alto. Na mão tinha uma bengalinha. Quando entrámos cantava isto:

> *O negro John do* charleston *é um castiço*
> *que dança o* charles
> *sobre um chouriço.*
> *negro John do* charleston *põe-me louca.*
> *Ai, negro, toca!*
> *Toca-me John!*

As pessoas olhavam para ela e não pareciam muito divertidas. Sentámo-nos bastante perto: a rapariga era bonita, a sua voz não. Fazia movimentos desavergonhados, insinuantes. Quando terminou a canção, tirou o chapéu, fez uma vénia e, depois, fê-la à decoração do palco, mostrando o traseiro: tinha umas cuecas ínfimas, também pretas. Caiu o pano. Tinha-se aproximado um criado e Benito pediu-lhe dois cafés:

— Os senhores sabem que aqui o café custa duas pesetas? — Benito olhou para ele com superioridade. — Mais nada?

Quando o criado nos serviu o café, Benito pôs-se a falar. O conhecimento que ele tinha de lugares assim era através da pintura e de algumas ilustrações.

— Ou aqui há qualquer coisa que nós não sabemos ver, ou pintores como Toulouse-Lautrec idealizaram a realidade. Tudo isto não é mais do que imundície e pornografia. No entanto, recordo-me de ter visto um cartaz com estes mesmos elementos: a rapariga do *charleston,* umas luzes, e umas sombras. Era um cartaz cubista e nada mau.

— O que acontece, se calhar, é que os pintores vêem a realidade com olhos diferentes dos nossos.

Olhou-me com surpresa:

— Onde leste isso?

— Não li em lado nenhum. Lembrei-me mesmo agora.

— Não está nada mal, e isso explica muitas coisas.

Bebeu um gole de café e cuspiu-o.

— Além disso, o café é uma porcaria.

— Se quiseres, vamos embora.

— Não. Temos que aguentar aqui e ver tudo bem. Faz parte da realidade, e a realidade é a base da poesia, ainda que depois a poesia não se pareça em nada com a realidade. Se encontrássemos meia dúzia de imagens sugeridas por isto, mas que não fossem isto...

— Imagens?

— Sim. A essência da poesia moderna, o seu fundamento, é a imagem. Quero dizer, é claro, a imagem verbal.

Citou-me uns quantos versos de não sei quem, que eu não compreendi. Confessei-lho.

— O mais provável é também os poetas terem o seu modo de ver a realidade. A questão está em... como dizer-te? Alcançá-la, descobri-la, apropriarmo-nos dela? Ou tudo junto ao mesmo tempo?

A bailarina tinha voltado ao palco, agora vinha vestida de caraíba e começava a cantar uma canção que dizia: *«Em Cuba há um guarda / atento e muito serviçal / que quando batem as palmas / acode muito pontual.»* Tudo isto com muitos meneios de mamas e de ancas.

— Isto é uma rumba — esclareceu-me Benito.

— Como é que sabes?

— Em Santander há muita gente que veio de Cuba.

Na mesa ao lado, duas mulheres que pareciam jovens envelhecidas, uma muito gorda, a outra magra, olhavam para nós. Disse a magra à gorda, e eu ouvi perfeitamente:

— Aproximamo-nos daqueles pexotes?

A outra respondeu-lhe:

— Não te metas em sarilhos de menores. Ainda por cima nem devem ter dinheiro.

E deixaram de olhar para nós. Benito tinha tirado um lápis e tentava desenhar a bailarina no mármore da mesa.

— Também sabes disso?

— Faço umas coisas. E é como vês: parece-me que certos movimentos dessa tipa têm graça, mas não sou capaz de os captar.

A bailarina prosseguiu com o seu repertório de gritinhos e meneios. Os cafés ficaram em cima da mesa. Saímos para a rua quando o espectáculo acabou. Confessámos um ao outro a nossa desilusão.

— No entanto — disse Benito —, a um verdadeiro artista ou a um verdadeiro poeta, esta experiência teria servido de alguma coisa. Descobrimos um mundo que não é o nosso, mas tão real como o nosso, perante o qual não sabemos o que dizer.

Eu não soube responder-lhe. A única coisa que concluíra claramente era que não gostava daquilo, e que não voltaria mais.

IV

BENITO FOI A CAUSA INVOLUNTÁRIA do senhor Romualdo Estévez entrar na nossa vida. Benito tinha-me convencido da necessidade de ampliar o pouco francês que ainda me restava do liceu, e de me fazer sócio do Ateneo. O senhor Justo, o director do hotel, achou estupendo, e deu-me uma ideia acerca de quanto podia pagar por uma aula particular, tanto se fosse no domicílio do professor, tanto se fosse no meu. Quanto ao Ateneo, ficava perto do hotel, bastava virar a esquina. À tarde íamos ao Ateneo, e ficávamos de espectadores (ou de malditos), perto de qualquer um dos personagens, mais ou menos brilhantes, que assentavam cátedra em qualquer canto onde pudessem armar-se em fanfarrões: quer em política, quer em literatura, quer em temas gerais, que era o que mais havia. Benito informava-me dos seus nomes e filiações, e de que entre o público que, como nós, ouvia, havia sempre polícias e papalvos.

— Digo-to para que tenhas cuidado com o que dizes em voz alta.

Às vezes armavam-se grandes discussões, ou iniciavam-se movimentos de protesto público que se prolongavam na rua, seguindo sempre um daqueles líderes que servia de bandeira porque gritava mais, e que acabavam em correria à frente dos polícias. Mas essas tentativas de revolta interessavam-me pouco. Vendo uma, viam-se todas. Preferia assistir às tertúlias em que se falava de literatura: quem consumia o tempo eram, em geral, escritores maduros, conhecidos mas não famosos, que invectivavam contra os jovens, cujos versos, cujas pinturas não se percebiam e eram a destruição da verdadeira poesia, da verdadeira pintura. Não tardei em aperceber-me de que falavam por ressentimento, de que algo que eles não tinham promovido nem favorecido, algo que sobrevinha como uma catástrofe, os ia afastando do caminho antes de chegarem ao topo. Não costumavam dar-se a si mesmos como exemplo, mas sim aos velhos mestres. E um deles, excelente orador, de cabelo branco e barba, repetia insistentemente:

— Se Unamuno estivesse em Espanha, já teria varrido toda essa catrefa de incapazes.

Em geral, a ausência de Unamuno era lamentada em vários círculos como a de alguém insubstituível que trazia a verdade na sua palavra. Benito avisou-me uma vez:

— Se Unamuno estivesse aqui, também o achincalhariam.

Aprendi muitas coisas negativas, pouco do que me interessava. Mas o tempo que passava na biblioteca permitia-me ir lendo livros de cuja existência não tinha sequer suspeitado, autores de que já tinha ouvido dizer o nome, e outros que nunca.

Uma tarde, por acaso, li um papel preso com *punaises* no quadro de anúncios: «Oferecem-se aulas de francês de pessoa culta a pessoa culta. Honorários acessíveis.» E remetia para um contínuo, para mais informações. Perguntei. Mandaram-me ter com um senhor que estava numa tal sala de leitura, com tais e tais características.

— Agora mesmo, se o senhor quiser, pode encontrá-lo.

Deram-me também o seu nome, o professor Estévez. Fui à procura dele. O que atendia nos livros indicou-mo.

— Aí o tem.

Aproximei-me e, em voz baixa e com bastantes precauções para não ser ouvido pelos outros leitores, disse-lhe que queria falar com ele sobre as aulas anunciadas. Olhou-me de alto a baixo por cima dos óculos.

— Espere-me no bar dentro de dez minutos. Tenho de acabar isto que estou a ler.

Foi pontual. Vi-o chegar e aproximar-se da mesa onde eu o esperava: era um sujeito alto, de alguma distinção, e uma cabeça branca inteligente, viva, com qualquer coisa de caduco no aspecto. Sentou-se ao meu lado e pediu um café.

— Como se chama?

Respondi-lhe que me chamava Filomeno Freijomil.

— Não é que eu possa gabar-me de ter um nome bonito. Romualdo não é muito apresentável, mas Filomeno é bastante pior. Não poderia evitá-lo?

— Também me chamo Ademar, mas é o meu segundo nome.

— Ademar soa melhor — sorriu. — Soa a exótico. Um nome exótico é conveniente em certos ambientes, mas não neste que o senhor frequenta, suponho. Vamos ter de suportar o Filomeno. O senhor é galego, é claro. Nota-se a cem léguas. E medianamente rico, pela forma como está vestido. Um bom viver na província, que em Madrid passa inadvertido e, fora de Espanha, é como se não existisse. Alguma vez teve intenção de ser um homem elegante?

Não soube o que dizer-lhe. Na realidade, estava um pouco surpreendido com aquele género de perguntas. Esperava que me fizesse um exame de gramática.

— Digo-lhe isto porque se nota pelo seu trajar uma certa vontade de estilo, embora não muito clara, e, sobretudo, pessimamente orientada. À primeira vista parece que pretende que se note quem é. Mas ser-lhe-á conveniente saber que aqui, em Madrid, existem vários milhares de rapazes da sua idade que vão para a rua todos os dias com o firme propósito de repararem neles, e apenas o conseguem nesses meios restritos, um pouco presumidos, em que vivem. São, é claro, uns idiotas, e você não tem cara disso, mas sim de inexperiente. Fale-me um pouco da sua família.

Contei-lhe quem era o meu pai, e o seu nome era-lhe familiar, embora sem muita precisão.

— Imagine só que, senadores, havia pelo menos duzentos! E da sua mãe? Não conta nada da sua mãe?

Claro que lhe contei: em grandes traços, toda a história da minha infância e das minhas permanências em Portugal, e quem tinham sido os meus avós portugueses. Descrevi-lhe o paço minhoto e a sua biblioteca, e os livros que tinha lido, mas de todo aquele relato só reteve os meus conhecimentos de inglês: até se dirigiu a mim naquela língua, que ele falava muito bem, como verifiquei a seguir, e então, sim, examinou a minha gramática.

— E o que é que leu em inglês? E de que é que gosta? Não gosta dos escritores deste século? Vejo que a biblioteca dos seus avós se ficou pela era vitoriana, mas o que leu não é nada mau. Parece-me, Ademar, que nos vamos entender.

Ademar! Emocionou-me ter-me chamado assim, e, de repente, toda a minha desconfiança se converteu em simpatia.

— Nem sabe como o desejo, senhor. Quero aprender francês, preciso.

— Para alguns estudos especiais?

— Para ler os escritores modernos. Não conheço nenhum, e sem eles...

— Eu conheço-os bem, pois vivo disso, mas aconselho-o à partida que não se deixe deslumbrar.

Era um professor de nível bastante modesto e ensinava francês numa escola normal. Ganhava pouco, tinha uma família numerosa, precisava da ajuda de algumas explicações.

— Levar-lhe-ei cinco pesetas à hora se vier a minha casa, e sete se for eu à sua.

E vou tê-lo um mês à experiência. Se não der resultado, desistimos, sem que lhe pareça mal, porque já está avisado. Mas não penso que vá fracassar, a julgar pelo inglês que aprendeu tão bem.

Quando lhe disse onde vivia, pareceu alegrar-se.

— Mas isso é aqui ao lado! Fica-me a caminho do Ateneo. Dar-lhe-ei as aulas no hotel e cobrar-lhe-ei como se viesse a minha casa, com a condição de me oferecer o café todos os dias de lição. — Ficou um momento calado. — Filomeno! Esse é o inconveniente. Já reparou no que podia ser em Madrid se se chamasse Ademar de Alemcastre? Entraria na literatura com o pé direito. Não sabe o que faz um nome! Metade da fama de Valle-Inclán deve-se ao nome: Ramón María del Valle-Inclán. Basta só ver como soa! Mas é um nome arranjado, não o esqueçamos. Você também podia arranjar o seu, se for o caso.

Levantou-se de repente.

— Desculpe, mas tenho de me ir embora. Começamos amanhã, depois do almoço? Parece-lhe bem às quatro? Peço-lhe que me pague o café.

E foi-se embora muito dignamente. Subiu as escadas com calma: no último degrau voltou-se para mim e enviou-me uma saudação.

No dia seguinte chegou pontualmente. O director estava prevenido. Apresentei-lho. O director disse-lhe que era ele quem atendia aos meus gastos em Madrid e, portanto, quem lhe pagaria.

— Quer receber à quinzena ou ao mês?

O professor hesitou:

— Tudo tem as suas vantagens e os seus inconvenientes. Vou pensar nisso e digo-lhe amanhã.

— Acha bem que o café seja levado ao quarto do senhor Freijomil? Estarão mais sossegados.

Ao ver o quarto o professor Romualdo disse:

— O senhor vive como um paxá, um paxá governado por um agiota.

— Por que diz isso?

— Porque este director do hotel...

Não passou dali. Tomámos o café. Depois, enquanto abria a gramática, advertiu-me:

— Já se deve ter apercebido de que sou um fala-barato, mas, durante a aula, não costumo dizer uma só palavra que não tenha relação com o que estamos a estudar. Se gosta da minha conversa, pode procurar-me no Ateneo por volta das oito. A essa hora costumo dar um passeio, e quando o faço sozinho, custa-me bastante caminhar com a boca fechada. É claro que vou imaginando diálogos com este mundo e o outro, o que tem as suas vantagens, porque não gosto de ouvir parvoíces. Solitário, pelas veredas do Prado... Já lá esteve? Vá até lá ao fim da tarde, se é que é sensível à cor do Outono e às árvores douradas. É uma ilha de sossego, nesta Madrid já demasiado ruidosa. Eu invento os meus interlocutores e os meus diálogos com eles. Ri-se de mim se eu citar nomes? Shakespeare, Montaigne... e quando estou especialmente abatido, Cervantes, que me diverte, que me irrita, que às vezes me consola. Insisto em que não se ria, mas sinto por ele sentimentos contraditórios, porque embora sendo meu próximo, não consigo amá-lo. Cervantes foi um fracassado, eu também, por isso nos entendemos, exceptuando o seu endemoninhado sentido de humor, de que não partilho. Sou um castelhano que estima a gravidade. Entre nós existe, além disso, a diferença de uma obra conseguida a qualquer preço face à qual nunca pôde exprimir-se. Mas, em tudo o resto...

Parou e olhou para mim. O cigarro consumia-se entre os seus dedos. Sacudiu a cinza...

— Mas é muito cedo para começar com as confidências, não acha? Passe-me essa gramática. Vamos ver como é que está com os verbos.

V

CERTA TARDE, CHEGAVA EU AO ATENEO, o professor Romualdo esperava por mim à porta.

— Não entre, venha comigo. Convido-o a ir ao teatro.

Não me atrevi a dizer-lhe que, embora fosse bom cliente dos cinemas, ao teatro nunca tinha ido, uma experiência que o meu pai nunca pensara em programar para mim. Acompanhei-o, pois, dissimulando os nervos, com a esperança vaga, mas entusiasta, de quem se aproxima de uma descoberta. Foi-o, com efeito, desde a luz que iluminava o pano até à corporeidade das personagens e a realidade imediata da voz. Como nessa altura ainda não tinha aparecido o cinema falado, embora se começasse a falar dele, fui de surpresa em surpresa. O que ali se representava não era excessivamente importante em si, tal como me advertiu o professor Romualdo, cuja atenção, no entanto, se transformou em emoção visível ao aparecer em cena, uma rapariguinha magra que mal teria quinze anos, embora fizesse papel de mais velha. Era espigadota, de seios pequeninos, e olhava para a sala com uns grandes olhos escuros, brilhantes da maquilhagem. Falava com uma voz bonita, não sei se hábil se desajeitadamente, porque a minha falta de hábito não me permitia julgar. Em princípio, tudo me parecia bom e natural. E aconteceu que, a dada altura, a rapariga escorregou e caiu. O professor Romualdo semiergueu-se, assustado. Ajudaram a rapariga a pôr-se de pé, o público aplaudiu-a, e ela respondeu com uma vénia que me pareceu graciosa. A função continuou como se nada tivesse acontecido, mas o professor Romualdo saiu do seu lugar depois de me dizer em voz baixa:

— Vou ver se lhe aconteceu alguma coisa, depois explico-lhe.

Tardou a voltar cerca de um quarto de hora, e, quando voltou, a rapariga já não estava em cena. Esforçou-se por não incomodar os espectadores que, no entanto, resmungaram. Ao meu lado, manteve-se quieto e tranquilo até cair o pano.

— Vamos fumar um cigarro.

As pessoas haviam-se juntado no vestíbulo. Fumavam e conversavam. O professor Romualdo também fumou, mas não disse nada e eu não me atrevi a perguntar-lhe. O mesmo aconteceu no segundo intervalo. E continuou silencioso quando saímos. Acompanhou-me até ao hotel. Ao despedir-se «Até amanhã», acrescentou:

— A rapariga que caiu em cena é minha filha, e a que fazia de velha marquesa, minha mulher.

E nada mais.

À entrada do hotel encontrei o director.

— Mas como é que o senhor vem tão tarde para jantar, o senhor, tão madrugador?

Contei-lhe onde tinha ido, mas não sabia o nome da sala nem o título da comédia.

— Com ou sem música?

— Sem música, claro.

— Uma noite destas, ou talvez uma tarde, levá-lo-ei a ver uma revista. Diverti-lo-á mais do que essas comédias enfadonhas. Levá-lo-ei a ver coisa fina.

E despediu-se. O professor Romualdo no dia seguinte também não se referiu, nem antes nem depois da aula, quer à sua mulher quer à sua filha: esperava que me dissesse pelo menos o seu nome. Tinha-me lembrado dela durante um bom bocado, antes de adormecer, e sonhara com ela, um sonho, além do mais, trivial:

que a encontrava na rua, que me dizia adeus, e que, ao voltar-me para a ver, reparei que ela também olhava para mim.

Naquela tarde, Benito e eu estávamos juntos, quando o professor Romualdo passou. Ao ver-nos, aproximou-se. Eu apresentei Benito como sendo poeta.

— A sério ou dos outros?

Benito não soube senão sorrir, enquanto lhe estendia a mão. O professor Romualdo disse-nos francamente que gostaria de ficar connosco e conversar.

— Não é todos os dias que se encontra um poeta em embrião. Venham, convido-vos a tomar um café.

Levou-nos ao bar, e, sem mais nem menos, lançou a Benito:

— O que é para si a poesia? Não me responda que «poesia és tu», porque eu não sou poesia de forma nenhuma.

Benito pensou uns instantes, e respondeu-lhe:

— A palavra no tempo.

— Bom, isso é o que disse Antonio Machado, mas, se reparar bem, não quer dizer nada. O senhor pensa que a de Góngora é a palavra no tempo? Vejamos um exemplo: «Bem preveniu a filha da espuma / a batalhas de amor, campos de pluma.» Acha isto poético?

— Sim, claro.

— Então, diga-me como se explica de acordo com essa definição da palavra no tempo.

— Nesses versos há imagens...

— Sim, com efeito, aquilo a que vocês chamam imagens, que antes tinha vários nomes. Umas imagens postas em palavras musicais. Concordo que a música implica tempo, mas a poesia desses versos não consiste só em música, mas que esta faz parte de um conglomerado, ou fusão, de várias realidades independentes da realidade resultante que é a poesia.

Benito, então, retorquiu:

— O senhor também é poeta?

E o professor Romualdo sorriu com alguma tristeza. — Não, meu filho. Eu não sou nada, mas às vezes ocorre-me pensar. Está a ver aquela do Pascal, uma cana pensante.

Tinham trazido os cafés e entretivemo-nos a tomá-los. Depois vieram os cigarros. E a conversa, tomando como ponto de partida a figura especialmente esbelta de uma rapariga que tinha passado, mudou de tema. O professor Romualdo apoderou-se então da palavra e atirou-nos com um discurso prolongado, que Benito e eu chegámos a interromper algumas vezes.

— Vocês, os jovens, andam bastante despistados acerca de uma questão tão importante como as relações entre homens e mulheres. Tendem a considerá-las como puro sexo, no máximo como sexo sublimado. Terão visto que acabo de usar uma expressão freudiana, mas não porque eu seja freudiano. Freud é um dos grandes charlatães deste século, e que conste que não o digo gratuitamente. Tudo isso do sexo sublimado é só palavreado. Freud tinha das relações entre homens e mulheres uma ideia extraída da clínica; quer dizer, de pessoas doentes, de neuróticos, e de um ou outro farsante, provavelmente. Mas faltou-lhe a experiência pessoal do amor, apesar das suas relações com Lou Andreas Salomé. Não sabem quem foi essa importante senhora? Ai, meus amigos, quantas coisas lhes falta ainda saber! Lou Andreas Salomé foi uma mulher especializada em génios verdadeiros, como Nietzsche, ou aparentes, como Freud. Eu não a teria querido ao meu lado, apesar dos seus encantos e da sua inteligência. Foi uma mulher que fez experiências com o amor como quem as faz num laboratório; mas do mesmo modo que a vida nos laboratórios é uma vida condicionada e, portanto, irreal, o amor experimental é a melhor forma de nunca se saber o que é o amor.

Foi aqui que Benito interrompeu, timidamente:

— E o senhor, sabe?

O professor Romualdo olhou para nós, primeiro para um, depois para o outro.

— Gostaria, sim, de o ter vivido em toda a sua plenitude, mas não me tocou essa sorte, mas apenas sofrer as suas consequências.

Havia já uns minutos que a memória se me povoara de Belinha e da nossa história comum; daquele amor em que tantas carícias, tanto beijocar, tanta presença viva de umas e de outro tiveram tanta parte.

— Mas o senhor não falou do papel do corpo no amor. Acredita no amor das almas, como li algures, isso que alguns chamam amor puro?

O professor Romualdo abanou a cabeça.

— Nenhuma actividade fundamental do homem, meus amigos, pode prescindir do corpo. Sem o corpo não poderíamos fazer nada, nem sequer poesia. Essa frase corrente, que tantas vezes se lê e se ouve, «Amo-te com toda a minha alma», é uma simples tolice. A alma, que não sabemos o que é, nem onde está, nunca actua separada do corpo; a alma, por si só, não pode amar. Quando os místicos falam de relações da alma com Deus, empregam uma metáfora bastante perigosa, que as suas próprias experiências desmentem, pois é indubitável que Santa Teresa, nos seus desfalecimentos, experimentou orgasmos, o que não deve escandalizar-nos, porque o orgasmo é a expressão de uma realidade pessoal, de uma situação, de um determinado acontecimento. O estranho teria sido que o corpo de Santa Teresa permanecesse indiferente, ainda que ela, naturalmente, não soubesse do que se tratava. Mas a interpretação sexual dos estados místicos é tão estúpida e tão incompleta como a explicação meramente espiritual. A alma só existe separada do corpo para lá da morte. Inclinar-me-ia a acreditar que é então que verdadeiramente começa a existir como alma. Antes foi uma componente de um homem que precisa do corpo para o ser, do mesmo modo que o corpo precisa da alma. Mas não nos metamos nesses enredos metafísicos, dos quais nunca saberemos nada. Se voltarmos ao sexo, creio que está para o amor como a música verbal para a poesia, uma componente que pode analisar-se e que pode actuar, infelizmente, independente do amor. Nisso reside o drama, meus amigos, um dos dramas mais profundos da natureza humana! O amor não nos vem da natureza! Inventámo-lo nós à força de viver e de tentar transcender a vida. É uma criação natural, como a poesia, mas do mesmo modo que a palavra desprovida de poesia, há o sexo desprovido de amor. E há quem não queira que seja mais do que isso, e propõe que se lhe chame também amor. Mas eu sei que há um além do sexo, ainda que com o sexo.

Acendeu outro cigarro, chupou-o, e, depois de hesitar (ao que parecia) levantou-se.

— Peço-lhes que me perdoem. Com a conversa tinha-me esquecido de algo muito importante que tenho de fazer sem falta. Já vou atrasado. Mas gostaria de que voltássemos a falar desses temas. A poesia, o amor, às vezes tão próximos que parecem ser a mesma coisa! Ainda que repugne à minha condição de intelectual, um mistério, juntos ou separados tanto faz.

Foi-se embora, deixou-nos perplexos, não voltou a cabeça. Benito perguntou-me o que opinava. Eu não soube dizer.

— Há tipos assim... — começou, mas não continuou.

Foi por aqueles dias que o director do hotel me deixou o recado, à hora do almoço, de que não me comprometesse de tarde, porque iríamos ao teatro. A hora do encontro, um pouco antes das sete. Mudei de fato e de camisa, escolhi uma gravata nova, que havia comprado recentemente, e sentei-me à espera dele. Apareceu pontual, muito bem arranjado também, com chapéu de coco, bengala e um sobretudo leve.

— Vamos andando.

Levou-me a um teatro muito afastado do hotel, em cuja porta nos detivemos, pois havia mais convidados. Duma das carruagens que iam chegando apearam-se duas meninas, uma mais velha do que a outra, a mais velha um pouco mais gorda, bem vestidas (a meu parecer) com jóias e um pouco de pintura no rosto, sobretudo a mais velha. Apresentou-mas como sendo as meninas Arellano, Manuela e Flora. Entrámos e levaram-nos para um camarote. Eu sentei-me à frente, com Flora, e o director atrás, com Manuela. Flora tirou da mala uns binóculos com muito ouro e muito nácar, que me deixou ver. Serviram-lhe para espreitar se havia alguém conhecido entre o público ou a entrar, e cochichar com a irmã virando-se para trás. «Ali está Fulano com Fulana», ou «Ali está a bruxa da Beltranita. Que esquisito vir sozinha, não achas?» Numa das vezes, o director repreendeu-as por serem tão más-línguas, e elas desataram a rir. Quando a orquestra atacou, deixei de lhes prestar atenção, e quando as luzes iluminaram o cenário abstraí-me por completo. A diferença em relação ao que vira dias antes era notável: aqui as mulheres andavam quase despidas, mas com muitas plumas; mudavam constantemente de roupa, e por vezes cantavam, sozinhas ou em coro. Nas partes faladas, intervinha, junto de vários cavalheiros muito bem vestidos, embora de maneira estranha, uma espécie de mamarracho que devia dizer coisas muito engraçadas, com as quais as pessoas se riam, e que com o maior descaramento dava palmadas nas nádegas das mulheres com a mão muito aberta, quase sempre acompanhadas de um ronco enorme, que também fazia rir. Flora, ao meu lado, desmanchava-se toda, percebia as piadas, e com o riso e os movimentos, deixava cair a mão no meu braço ou na minha coxa, e deixava-a ficar ali até à outra gargalhada. Tinha a perna encostada à minha, e não a afastou durante toda a função. Eu pensei que aquilo seria um costume e deixei-me ficar quieto. Quando terminou a função, o director levou-nos a cear a um restaurante muito vistoso, com muita gente, onde devia ser muito conhecido, pela familiaridade com que tratava os empregados e até a senhora que nos guardou os casacos. Ele mesmo escolheu a ementa, composta de manjares de que eu nunca tinha ouvido falar, embora, depois de provados, conseguisse reconhecer alguns. Também bebemos muito. Durante a refeição, as meninas Arellano, mais ou menos revezando-se, informaram-me que pertenciam a uma família distinta, que o seu pai tinha sido não sei quê da monarquia, anterior a «estes de agora», e que depois da sua morte haviam ficado em situação difícil, pois um irmão estróina que tinham quase as arruinara.

— Pois aqui o fidalgote, ninguém poderá dizer que esteja com uma mão à frente e a outra atrás — riu-se a dada altura o director, todo pícaro.

E então elas demonstraram curiosidade em conhecer as minhas riquezas. Não sei porquê, lembrei-me do conselho do próprio director, e fui parco em enumerações, e acabei declarando que tudo o que tinha eram propriedades rurais sem valor.

— Bom, e então esse castelo em Portugal?

Expliquei-lhes que não era um castelo, mas sim um paço, e o que é um paço e no que é que difere de um castelo, e por aí adiante. Não sei porque é que tive o cuidado em acrescentar que, embora tudo fosse meu, não poderia dispor das coisas livremente até fazer vinte e um anos.

— Isso é lógico — disse Manuela. — Um rapaz da tua idade, dono de tanto dinheiro seria um perigo por aí à solta.

— Um pouco perigoso já ele é — corrigiu a pequena, e encostou novamente a perna.

À hora do café, Manuela propôs-nos que fôssemos a casa delas, que nos convidavam para um café e uma bebida. O director mandou que chamassem uma carruagem, na qual se sentou ao lado de Manuela e me deixou a mim o lugar junto de Flora. Não sei em que rua viviam, ou antes, não me lembro, dado que depois aprendi o caminho, mas sei que se situava na Madrid antiga. Num bairro: rua estreita, com candeeiros a gás e ar de classe média. Tal como a casa, não muito grande, segundo me pareceu, mas bem mobilada, com retratos e fotografias nas paredes e em cima das consolas e mesinhas. Tinha um aspecto, a casa, que não me era desconhecido: um pouco mais de luxo e um pouco mais de antiguidade e bem poderia ser uma das da minha mãe; mas depois verifiquei que a aparência mentia, e que os móveis eram imitação pura. O chão era de tijoleira, sem tapetes. Manuela explicou-me, sem que eu lho tivesse perguntado, que os tiravam, chegado o Verão, e que este ano se tinham atrasado a recolocá-los.

— Mas vamos ter de o fazer antes de vir o frio.

Isto não quer dizer que ali dentro fizesse calor.

Meteram-nos numa salinha um pouco mais moderna que o resto da casa, de uma modernidade falsa, compreendo-o agora, mas naquela altura não distinguia alguns matizes; de qualquer forma, pareceu-me de um péssimo gosto. Havia almofadões nos assentos e, não me lembro em que sítio, uma espécie de boneco vestido de arlequim e que devia de estar cheio de lã, ou qualquer coisa assim inconsistente, pela forma como estava caído. Bonecos como aquele já eu vira num filme qualquer, e nunca tinha gostado: não sei porquê, pareciam-me tristes e desnecessários. Além disso também não achei graça ao pano de renda em cima da mesa, porque tinham enfiado pelo meio dos desenhos umas fitas azuis que se cruzavam com outras cor-de-rosa, formando quadradinhos. Puseram a toalha por cima daquele paninho. Foi Flora a fazê-lo, bem como a disposição das chávenas e dos copos. A sua irmã, na cozinha, preparava o café. E tudo prosseguiu normalmente durante um bocado. O director falava com Manuela, e Flora parecia muito interessada em que eu lhe descrevesse os jardins do meu paço e lhe contasse histórias, insistia em parecer culta, e, sem vir a propósito, disse que gostava do teatro de Benavente, que era como a própria vida.

— Tu nunca viste Benavente? Temos de ir uma tarde, para tu veres.

Às vezes comentava suspirando a delícia que seria viver num palácio no campo, e que elas, as duas irmãs, também costumavam passar o Verão numa quinta, em Zarauz, quando o pai era vivo e os reis faziam a sua viagem para o Norte. Flora, uma vez, vira a rainha muito de perto, quase lhe tinha tocado na roupa. Julgo que foi neste momento da conversa que me apercebi de que o director do hotel e Manuela tinham saído. O paleio entre Flora e eu ainda durou mais algum tempo, até que ela se levantou de repente, aproximou-se de mim, agarrou-me na cabeça com as mãos e beijou-me na boca.

— Anda, vamos — e agarrou-me na mão.

Fomos para um quarto bem arranjado, onde havia uma cama grande com uma colcha vermelha; ficou de costas para mim.

— Anda, despe-me.

Naquela noite, as minhas mãos inábeis aumentaram a sua escassa sabedoria.

— Assim, não. Cuidado, que me beliscas. Não, não me tires as meias. O que eu tenho de te ensinar!

Fiquei estupefacto perante o seu corpo nu. Passou por mim a recordação de Belinha, mas rapidamente. Foi como se um vento leve afastasse um fantasma de nevoeiro.

VI

Querido Sotero: Eu também tenho coisas para te contar, semelhantes às tuas, ou pelo menos assim me parecem, mas não iguais. Para já, ainda não falei com nenhum professor, nem penso vir a fazê-lo. Somos muitos no curso, e embora haja alguns colegas que se aproximem deles, como estão mal vistos pelos outros, eu não quero ser um deles, e também não me importo. De que é que hei-de falar com eles? Assisto regularmente às aulas. O professor de Lógica parece-me o melhor: é um senhor muito agradável e muito inteligente, que nos obriga a espremer o cérebro, embora polidamente, e, como diz um colega, ensina-nos a pensar. O de História, nem carne nem peixe. Quanto ao de Literatura, repete o que vem no livro, quase ao pé da letra, sem comentar nada. E embora seja o que mais me atrai, faz-me falta uma explicação a fundo, que seria o importante, e não esta série de dados e datas com que nos oprime. Enfim, vou sabendo um pouco daqui e dali, mas não o suficiente. Não sei se me servirá de muito. Costumo ir ao Ateneo, do qual me fiz sócio: isto permite-me ler livros que não se encontram nas livrarias ou que ficam caros, e também ouvir por todos os lados conversas de política, nas quais se diz o mesmo com pequenas variantes. Sussurra-se que vai ser fechado pela Polícia. Viver nesta cidade, é óbvio, não se parece nada com o que fazíamos em Villavieja, mas nem por isso penses que é de ficarmos entusiasmados: andamos sozinhos pelas ruas, não conhecemos ninguém e se nos distrairmos um bocadinho a ver uma montra dão-nos um empurrão. A nós, galegos, têm-nos, em geral em pouca consideração, e por dar cá aquela palha dizem-nos logo: "Cala-te, galego." Mas, apesar de tudo, não estou descontente por ter vindo.

«Quanto ao que me contas da tua visita a um prostíbulo não sei o que dizer-te. Para já, eu não fui além de um café-concerto, onde me aborreci. Mas aqui as pessoas falam muito dessas coisas, se bem que num tom científico. Cita-se um tal Freud, um senhor de Viena de muita fama que já comecei a ler. Tudo o que se refere a essas questões, é dito sempre com citações dos seus livros, ou segundo as suas teorias, que ninguém discute, e até louvam, e das quais eu não tenho mais do que uma ideia muito vaga. Suponho que por aí acontecerá mais ou menos a mesma coisa. Ora bem: sem ter ido a um prostíbulo, também passei pelos mesmos apertos e pelas mesmas dúvidas que tu, embora tenham durado pouco. Para começar, não precisei de pagar. Dormi uma noite com uma mulher: ao princípio, surpreendido e bastante confuso; na manhã seguinte, um pouco mais senhor de mim. Eu também creio que isso do corpo das mulheres surpreende, e até espanta; também não sei dizer-te porquê, até se conhecer a fundo. Não é que eu tenha chegado a tanto, mas já percorri um pouco do caminho. A verdade é que pouco mais te posso dizer, salvo que não me preocupo tanto como tu em chegar a conclusões definitivas, as quais, por outro lado, não sei se são importantes ou não. Tenho um amigo, um homem de idade e um tanto disparatado, mas com muita experiência, com quem espero conversar um dia destes sobre este particular. Não é que eu acredite a pés juntos no que ele me diz, mas, de qualquer forma, é uma pessoa que me interessa e me explica as coisas: neste caso, espero que me esclareça alguma coisa. Tenho a impressão de que, sem nos darmos conta, nos metemos, cada um a seu modo, num daqueles problemas a que chamam importantes e que teremos de resolver, também cada qual a seu modo. Devo dizer-te, no entanto, que há uma diferença: eu estive apaixonado, e se calhar ainda estou, e isso altera as coisas, porque amar uma mulher implica desejá-la, e eu desejo a minha. É claro que a mulher que amo não é aquela com quem me deitei. Tenho a impressão de ter provado, por um lado, a comida, e por outro, o sal. O que esse senhor de quem te falei me disse uma vez é que o sal deve ser ingerido com a comida. Entende, se puderes.

«Um abraço.

Filomeno

VII

Não contei nada a Benito, e ao senhor Justo, o director do hotel, não dei nem pedi explicações. Havia umas quantas dúvidas para resolver, mas não me atormentavam. Flora tinha-me dito que me havia de telefonar, e fê-lo, exactamente uma semana depois! Marcou um encontro num certo lugar a uma dada hora. Chegámos pontuais. Perguntou-me se a levava a jantar. Disse-lhe que não sabia se o dinheiro iria chegar.

— Quanto tens?

Contei-o: tinha doze pesetas.

— Com isso podemos jantar muito bem numa tasca que eu conheço.

Levou-me até lá, e, com efeito, jantámos bem e ainda sobrou dinheiro. Depois demos um passeio, falando de trivialidades, mas de braço dado. Umas duas vezes, interrompendo a conversa, pegou-me no queixo e chamou-me lindo, de uma maneira bastante impulsiva. «Hum, lindo!». E o beijo. Depois, por fim, fomos para casa dela. Não sei se Manuela estava ou não, não sei se estava sozinha ou não. Eu não a vi. Tudo o que se seguiu foi bastante parecido com a vez anterior, excepto que a despi com mais destreza. Na manhã seguinte, não fui à aula. Pedi um banho, fui ao Ateneo, fingi que lia, mas estava preocupado. Quando regressei ao hotel, o senhor Justo viu-me e piscou-me o olho.

— Com que então, esta noite, o menino andou na boa vai ela?

Perguntei-lhe se tinha feito mal.

— Não. Mas não pense que essa vai ser a sua única ocupação no mundo.

Atrevi-me a perguntar-lhe:

— Quem paga a essa mulher?

Desatou a rir-se.

— Eu, é claro, com o seu dinheiro. Por isso lhe recomendo que não intensifique muito as visitas: umas centenas de pesetas são fáceis de justificar, mas muito mais, não.

— Justificar a quem?

— Ao seu pai.

Naquela tarde decidi abrir-me com o professor Romualdo. Disse-lhe, no fim da aula de Francês que tinha de falar com ele e que esperasse por mim no Ateneo, à hora que ele quisesse. Marcou para as sete horas. Escolhemos um cantinho, e contei-lhe o que tinha acontecido, sem nada ocultar. Ficou pensativo.

— Já lhe disse uma vez que esse director do hotel é um agiota, mas não sabia que também era corruptor de menores.

— O que quer dizer com isso?

— Algo que ainda não entende.

— Eu queria que me aconselhasse e me esclarecesse a situação.

— A única questão real é que você se meteu num caminho em declive, do qual ainda lhe será fácil regressar, se for capaz; caso contrário, ninguém poderá prever aonde isso o irá levar.

— Mas tenho para mim que, mais cedo ou mais tarde, essas coisas acontecem. Um amigo meu de Santiago, um rapaz verdadeiramente esperto, não um medíocre como eu, já esteve num prostíbulo.

— É outra maneira de começar, igualmente perigosa, ou mais, embora de um modo diferente. Você é presa fácil, e essa menina Flora, não vai querer que lhe fuja das mãos.

— O que quer dizer com isso?

— Que você tem dinheiro e é novo. A menina Flora pode arruiná-lo física e economicamente. O director do hotel sabe isso, pelo que o aconselhou a não intensificar as visitas mais do que o indispensável; mas a menina Flora terá certamente outro ponto de vista, e, acredite, o corpo de uma mulher tem muito mais poder do que a experiência e do que a própria conveniência.

— Eu esperava que o senhor relacionasse isto que lhe contei com o amor. Lembro-me do que nos disse no outro dia a Benito e a mim.

— Já esteve alguma vez apaixonado?

— Acho que sim.

Contei-lhe toda a história das minhas relações com Belinha. Desatou a rir e deu-me palmadas nas costas.

— Isso, como vê, é muito mais humano, e muito mais bonito. Bem contado poderia ser comovente. O que um freudiano daria por essa história!... Claro que é também uma situação sem saída, porque umas relações amorosas entre essa Belinha e você estariam necessariamente condenadas à catástrofe. Aconteceu-lhe a melhor coisa que lhe podia ter acontecido, acredite, apesar de ter sofrido. Mas isso da menina Flora são outras cantigas. Muito mais perigoso e bastante mais vulgar. A si não o torna mais homem, embora lhe proporcione uma experiência de que todos necessitamos.

Dissimulou um silêncio com a operação de enrolar e acender um cigarro. Não me ofereceu do seu picadilho pestilento. Eu tirei um dos meus.

— Não sei, não sei — disse em seguida. — O conselho já o tem. Como levá-lo à prática é problema seu.

E como eu não lhe respondesse, ficou a olhar para mim:

— Está a pensar nalguma coisa?

— Sim, professor Romualdo. Penso que esperava de si outras palavras.

— Nada mais lhe posso dizer, nem ninguém, a não ser um padre, que apelaria ao pecado e à condenação eterna. Mas esta é precisamente a ocasião em que muitos jovens crentes renunciam às suas crenças para que o medo do pecado não os estorve naquilo em que eles julgam que consiste a virilidade. Não o é, a não ser em parte, mas a humanidade tem resistido a acreditar nisso desde que o sexo entrou em conflito com a moral. Eu não vou repetir-lhe a cantilena. A única coisa que devo acrescentar é que você pode destruir para sempre uma das realidades mais delicadas e belas do homem. Refiro-me à capacidade de amar.

Mudou repentinamente de conversa. Referiu-se a um livro que estava a ler e que também seria bom para mim. *Os Cadernos de Malte,* chamou-lhe. Falou longamente dele, do que nele havia de experiência da morte sem morrer, e conseguiu fazer-me interessar. Era um livro em francês, ainda não traduzido, que dentro de algum tempo eu estaria em condições de ler sem grande esforço.

— Nunca lhe falei da minha satisfação pelos seus progressos e penso que se continuar assim durante todo o ano, no final poderá devorar qualquer livro em francês, se bem que ainda lhe falte muito para manter uma conversa corrente. Mas isso, para si, deve ser secundário. Terá de passar uma temporada em França, e deve fazê-lo assim que lhe for possível, mas quando a língua escrita já não lhe causar problemas. Será conveniente ir a Paris, que é a cidade onde este autor tem as experiências, e essa é outra questão, de que falaremos um dia, ainda que de momento seja prematura.

Saímos juntos do Ateneo, acompanhou-me até ao hotel, como fazia muitas vezes. Ao despedir-se, reteve a minha mão por uns instantes.

— Talvez chegue a pensar estar apaixonado por Flora. É a pior coisa que lhe pode acontecer. O amor parece-se muitas vezes com a obsessão sexual por um corpo de mulher, e tanto acontece aos jovens como aos já em declínio. Se isso lhe chegar a acontecer, o melhor será fugir.

Quando entrei no hotel, deram-me o recado de que Flora me tinha telefonado e que me esperava no mesmo sítio e à mesma hora. Hesitei, dei mil voltas à cabeça. Por fim pedi vinte e cinco pesetas na caixa e parti a correr.

VIII

Visitar Flora uma vez por semana converteu-se num costume, e nem o senhor Justo protestou nem o professor Romualdo voltou a puxar conversa. Tínhamo-nos deixado de ver no Ateneo, pelo incómodo da Polícia, e reuníamo-nos todas as tardes no café em frente. Benito aparecia com frequência, e a conversa, geralmente sobre poesia, era consumida entre eles; e eu, mero espectador. Interessava-me muito pelo que diziam e pelo que discutiam, mas não sabia o suficiente para intervir. Numa daquelas tardes surgiu o tema do sobrerrealismo, que assim deram em traduzir o *surrealisme* francês. O professor Romualdo tinha lido os vários escritos dos fundadores, manifesto para aqui e manifesto para ali, e uma vez trouxe-os. Li-os calmamente, procurando entendê-los; Benito caiu em cima deles com verdadeira voracidade: foi uma surpresa maior para ele do que para mim, e conforme eu fiquei como mero curioso, ele apaixonou-se imediatamente, e uma tarde, com muitos cuidados, mostrou-nos e leu-nos um poema surrealista que ele escrevera. O professor Romualdo julgou-o como irrepreensivelmente sobrerrealista, mas que de poesia não tinha nada. Benito ficou aniquilado. Outro dia trouxe um poema dos poetas cuja fama começava sob a melhor estrela. Deu-lho a ler e perguntou-lhe se aquilo também era sobrerrealismo.

— De certo modo, mas, decididamente, não à maneira francesa. É um sobrerrealismo bastante original, e o poema é muito bom, segundo me parece.

Andámos às voltas com o sobrerrealismo cerca de uma semana, e nos jornais já se falava do tema, se bem que ironicamente, como costumavam falar do cubismo e de todas as vanguardas. O professor Romualdo disse-nos em certa ocasião:

— Vocês não devem partilhar dos meus pontos de vista. Vocês são novos, eu não o sou, mas já o fui, e nessa altura era mais ou menos como vocês, e teria ficado irritado se ninguém defendesse a poesia de Campoamor contra aquela de que eu gostava. Da mesma forma que eu superei aquela etapa e alcancei pontos de vista pessoais, convosco acontecerá o mesmo, a não ser que a vossa inteligência e o vosso gosto se embotem e fiquem estagnados. Tudo chega, tudo brilha e tudo passa. Isto que vos entusiasma passará também, mas vocês devem, agora, apaixonar-se. Têm de ser leais ao vosso tempo, mas, entendam-me bem, lealdade não significa escravidão. Estes poetas de agora têm de dez a vinte anos a mais do que vocês. É muita diferença. Quando vocês amadurecerem, o que eles escreverem então não se parecerá, nem com o que agora escrevem, nem com o que vocês escreverem então. E mal de vós se não for assim! A vida nunca se detém: a vida segue em frente. A arte é um acto vital, e também não se pode deter. Os que vierem atrás de vocês também farão de forma diferente, bem ou mal. Não pensem sequer que é disparatado o que então vier, como pensam das coisas de agora esses burros dos jornais. Para qualquer um dos de há trinta anos, o que escrevem os de agora também é um disparate. Não vos chegaram certos juízos pejorativos que já se tornaram públicos? É natural que assim seja, mas isso não implica que tenham razão. Não a têm. Mas, acreditem, ser-me-ia muito difícil convencê-los. A maioria deles já se encastelaram porque não dão mais de si, e repetem-se, repetem-se. É preciso ter isto em conta e julgar com compreensão.

Benito perguntou-lhe então qual era a coisa que mais o distanciava dos de agora, dos jovens.

— Não só dos jovens, como também de alguns que já não o são. O que me afasta deles é esse conceito de jogo e de desporto que se empenham em impor à vida e à arte. Eu sou um homem sério, e o jogo é para as crianças. A vida não é um jogo (não o sabia então) e a arte também não. A vida e a arte são tanto mais valiosas quanto mais se aproximam da tragédia.

— E a ironia? — perguntou-lhe Benito. — O senhor já leu Ortega.

— Eu diria a Ortega que a ironia de Sócrates destruiu a tragédia de Sófocles. Nunca vos disse que não sou cristão; digo-o agora, e a razão pela qual não o sou:

o cristianismo é incompatível com a tragédia, porque a tragédia é ter razão contra os deuses, e o Deus dos cristãos tem sempre razão. Noutra perspectiva das coisas, confesso-vos também que estou com D. Quixote e não com Cervantes. Cervantes devia ter posto fogo ao mundo, e contentou-se com sorrir em vez de condenar. É esta a razão principal do nosso desacordo.

— Há algum escritor com o qual esteja de acordo?

— Para já, com Dante. Na sua obra não há sorriso. Depois, com Quevedo. Quevedo, por muitas razões, é o meu favorito, e não digo o meu mestre porque me falta talento para o seguir. Mas reparem bem que Quevedo separa acertadamente o sério do risível. Nunca sorri, porque no sorriso, que é a ambiguidade, está o pecado. As coisas são como são, pretas ou brancas, sem meias tintas. Temos que ser maniqueístas e implacáveis.

— Mas o senhor acaba de dizer que é preciso compreender os velhos anquilosados na sua arte.

— É verdade que o disse, e também o é que me apanhará em semelhantes renúncias em muitas ocasiões, porque o meu coração ainda não está de acordo com o meu pensamento. Tenho razões para ser mau, e não o sou, mas também tenho razões para não o ser, ainda que me atraiçoe a mim mesmo.

Não sei se naquela tarde o professor Romualdo tinha bebido, ou se lhe tinha acontecido alguma coisa que necessitava expulsar de si, ou simplesmente se naqueles momentos a vida lhe pesava mais do que noutros; mas a questão é que nunca se mostrou tão comunicativo. Justificou-se dizendo:

— Esta maneira de ser não se explica com raciocínios, mas com histórias. A história de um homem explica-o mais do que qualquer teoria. Um desses imbecis que barafustam aí em frente diria de mim, se me conhecesse, que sofro de complexo de inferioridade. Também está na moda falar do ressentimento do fracassado. Bom, pois tudo isso são definições para sair do impasse. Que sou um fracassado não o nego, porque basta ver. Sendo, como sou, um dos espanhóis que melhor falam o francês e que melhor conhecem a literatura francesa, não passei de contratado numa instituição docente de segunda classe. Mas não fracassei na arte, nem no pensamento, mas sim na vida. É a vida o que me dói, o que me arrasta para baixo, o que não me permite libertar-me. E o meu fracasso deve--se ao erro de um casamento prematuro com uma mulher que me pareceu adorável, uma jovem actriz que então era uma promessa. Você viu-a no outro dia, Freijomil, lembre-se dela: a que fazia de marquesa — uma mediocridade. O nosso casamento fracassou por falta de maturidade. Não sabíamos o que fazer connosco. Nem ela nem eu soubemos encarar a realidade, antes de mais a nossa, as nossas relações pessoais. Tivemos filhos e também não os soubemos educar. Um varão, o primeiro, é um perfeito estouvado que vive do gamanço e que chula as mulheres. A primeira das filhas é segunda voz de revista. A outra, você também a viu, Freijomil: ainda é pequena, ainda é ingénua e espera maravilhas da vida. É o melhor que resta do meu amor, e não me atrevo a desenganá-la, embora já saiba que um dia qualquer vai tropeçar contra esse muro sem misericórdia que é a vida. Como? Sei lá! Um amor que não dá certo, a compreensão súbita de que alguém em quem ainda acredita, por exemplo a sua mãe, não merece o seu respeito nem a sua estima. Que sei eu! Qualquer dia da vida de uma adolescente é bom para perder a fé e a esperança, para que tudo se desmorone. Para já, um dia ouvi a sua irmã dizer: «Vamos lá ver quando é que crescem as mamas a essa rapariga e serve para alguma coisa!» A pobreza, não sabem como destrói. Na minha casa todos os meses entra bastante dinheiro, mas tal como entra, sai. Nunca temos um chavo. Não só a minha mulher trabalha, como teve que meter no teatro a pequena, que devia andar a estudar, para ver se com uma profissão qualquer se libertava do seu destino. Pois, não. Já está acorrentada e condenada, e duvido muito de que um príncipe azul apareça para a resgatar (não sei porquê, olhou para mim ao dizer isto). E aqui me têm, incapaz de dar remédio, espectador de um drama sórdido, que não chega a tragédia porque o remédio existe, embora não esteja ao meu alcance, por mera cobardia.

Caiu num silêncio um pouco triste que nós respeitámos porque não sabíamos o que fazer senão olharmos um para o outro furtivamente. A situação do professor Romualdo não era incompreensível, se bem que não fosse habitual, se bem que para nós fosse nova e um pouco escandalosa.

— Precisava de vos dar isto a conhecer — disse depois de algum tempo — não sei se para desabafar ou por minha própria exigência de que ninguém me tome pelo que não sou. E não será pelas duas coisas? Se tivesse talento de romancista, poderia contá-lo de outra maneira, redimir pela arte a sordidez que me rodeia, que me aturde e que também me engole. Eu sei que a arte purifica o mais sujo, mas acabo de reconhecer a minha incapacidade. Há anos esperava outra coisa de mim, já sabem, a juventude carece de sentido da realidade e, sobretudo, da própria medida; mas se um átomo de talento tive, e talvez o tivesse, não quero desprezar-me tanto, destruiu-o a vida. Corrói-o primeiro, desintegra-o, aniquila-o. Por vezes, para alguns afortunados, apenas se esconde, submerge num canto qualquer do esquecimento — vá-se lá saber! Não gosto de usar esse palavrão de subconsciente, que está tão na moda. A alma não se divide em compartimentos estanques. Tudo está aí, e não se sabe como, mas suponho que em forma de enigma: que só a disciplina ordena. O talento deve ser uma disposição especial das células cerebrais que requer certas condições para funcionar. É muito possível que, no meu caso, tenham faltado, não sei, digo-o para me consolar. E que conste que falo de talento, não de génio. Um génio transformaria a minha experiência em poesia, faria da minha história um símbolo universal. Mas eu, ainda que recuperasse o perdido, não poderia chegar a tanto. Vejo o que me rodeia e até sei como contar, mas sou incapaz de me pôr a fazê-lo. O difícil — sabem? — é a decisão, o salto. Talvez algum de vocês, quando tiverem amadurecido, ao recordar a minha história faça a honra de a escrever à minha lembrança. O que contei é suficiente. O resto é suprido pela imaginação, propriedade que não possuo.

Meteu a mão no bolso, remexeu, tirou umas moedas e contou-as.

— O que tenho não chega para pagar a vossa despesa. Vocês podem pagar também a minha? Assim, poderei comprar tabaco.

Saiu um pouco bruscamente. Nem Benito nem eu dissemos nada, como se algo nos afectasse, algo que não era nosso, mas que de algum modo nos pertencia. Pagou Benito, embora eu quisesse fazê-lo. Fiquei só e triste, fui lentamente para o hotel. De repente, a história do professor Romualdo desvaneceu-se no esquecimento, desapareceu-me a tristeza, tudo foi substituído pela esperança de que Flora me tivesse deixado algum recado. Mas na recepção do hotel, limitaram-se a perguntar se queria a chave agora ou se pensava jantar primeiro.

— Janto — disse para dizer qualquer coisa.

Senti-me, no entanto, com falta de apetite e um pouco decepcionado. Sem razão, porque não a havia para que Flora me tivesse chamado.

No dia seguinte, o professor Romualdo não apareceu à hora da aula nem mais tarde, no café. Benito vinha carregado de notícias poéticas: o que havia escrito Tal e o que Qual estava, segundo parecia, a escrever. Benito tinha a faculdade de falar com eloquência do que desconhecia: assegurava com verdadeiro afinco que as coisas de Tal tinham de ser assim, enquanto as de Qual seriam doutra maneira, e que as de Tal seriam sempre um grau superior às de Qual. No entanto, queixou-se de que tanto aqueles poetas, Tal e Qual, como muitos outros de que também se falava nos círculos de conhecedores, eram inacessíveis a rapazes como nós: eram como deuses longínquos. Para mim, apenas nomes de deuses. Benito tinha a vantagem de os ter visto de longe e ouvido num certame qualquer. Como tinha passado bastante tempo, e o professor Romualdo não comparecesse, decidimos sair e dar uma volta pelo café onde Tal e Qual se reuniam com o seu círculo de admiradores, um círculo muito exclusivo. Era um lugar muito agradável, que me surpreendeu pela sua elegância, de gosto popular: durante uns minutos até me interessei mais pela arquitectura do café do que pelas figuras de Tal e de Qual que por ali deviam andar, ou, melhor dizendo, estar. Para mim podia ser um qualquer dos que ia vendo, pois todos tinham cara de génios, ainda que de espécies diferentes. Imaginei o contraste da minha cara inexpressiva com aquelas, tão reveladoras, e senti-me insignificante. Benito puxou por mim e ficámos à entrada de um pátio deslumbrante no qual o café terminava; cheio de gente (poucas mulheres) em redor das mesas, em grupos próximos uns dos outros, quase confundidos, mas perfeitamente delimitados por uma linha invisível e intransponível. Em cada um deles falava-se como se fosse o centro do mundo, a julgar pelos gestos e pelas atitudes: sobretudo pela contundência da gesticulação, mas, por mais que observasse, não consegui entender o que diziam; ouvi vagamente uma ou outra frase solta: «Já leu o livro de Fulano?» «Lamentável!» Nuns falava-se de políticos e noutros de literatos. Benito foi-me informando: «Este é Beltrano, aquele é Sicrano...», nomes novos para mim. Mas Tal e Qual ainda não tinham vindo naquela tarde.

— Olha, sentam-se naquele canto, onde estão aqueles quatro. Não vês duas cadeiras vazias? São as que eles ocupam.

Fui sacudido por uma espécie de calafrio inexplicável ao contemplar aqueles quatro tipos imersos no silêncio como que esperando um deus que não comparecia; apesar de serem os mais importantes da assembleia, porque *só eles* esperavam os deuses. Não havia um sítio vazio em todo o café, mas mesmo que tivesse havido não nos teríamos atrevido a sentar, ali aonde ninguém nos chamara: ali, onde só se entrava por direito, onde a nossa indecisão era suficiente para que nos identificassem como estranhos. Saí, no entanto, deslumbrado, como quem olha para o céu por um buraco sem poder abrir a porta. Benito iniciou um discurso para justificar, ao menos perante mim, a ausência daqueles de quem se encontrava tão longe como eu, mas de quem se sentia mais próximo, talvez só por ter feito alguns versos.

— Compreenderás que não podem prestar atenção a toda a gente que quiser falar com eles ou, pelo menos, ouvi-los. A quantidade de rapazes como nós que aspiram a ler-lhes os seus poemas! Mas é difícil. São círculos fechados, os deles. É preciso ser apresentado por alguém, e mesmo assim... Julgo que até ter qualquer coisa feita...

«Qualquer coisa feita» deve ter querido dizer «Qualquer coisa publicada», e não era de esperar que alguém levasse a sério os poemas de novatos de dezoito anos.

— Embora já devas saber a história de Rimbaud.

Eu não sabia a história de Rimbaud nem nunca ouvira o nome dele, nem mesmo ao professor Romualdo, que me tinha falado de tanta gente. Pelo menos não me lembrava. Benito contou-me em largos traços que era um poeta adolescente, amigo de Verlaine: que havia escrito poemas geniais entre os dezasseis e os vinte anos, e que depois deixara de escrever e se dedicara à vida aventureira.

— Uns mais outros menos, todos nós nos julgamos um Rimbaud, mas só nos momentos de exaltação. Pelo menos é o que me acontece a mim; mas fico deprimido, ao ler o que escrevo, ou quando alguém me diz que não é bom, como no outro dia o professor Romualdo, se bem te lembras. Às vezes uma pessoa fica com vontade de mandar tudo às urtigas e levar a sério uma dessas carreiras que nós os poetas desprezamos. Ainda bem que o enfado passa quando dormimos, e no dia seguinte voltamos a acreditar em nós.

— E agora como é que estás? — perguntei-lhe; e não me respondeu.

Curiosamente, naquela noite, ao chegar ao hotel, deram-me um recado de Flora. Acudi ao encontro, um pouco surpreendido porque, na realidade, não fazia ainda uma semana que tínhamos estado juntos, e o acordo tácito era de a visitar uma vez por semana.

— Mas — disse-me — hoje estou livre, a minha irmã foi de viagem, e pensei em ti.

Respondi-lhe que, provavelmente, ao senhor Justo, que também se tinha acostumado a que as minhas visitas a Flora fossem semanais, lhe pareceria muito.

— Ele também não tem de saber.

— Aqui eu não tenho dinheiro.

— Não te vou levar nada por esta noite. Como Manuela não está, não vou ter de lhe prestar contas. Tudo consistirá em que, em vez de ficares até amanhã, te vás embora de madrugada, não vá o diabo tecê-las.

Dissera tudo isto num tom carinhoso, e a verdade é que durante aquelas horas se mostrou muito mais meiga do que sensual, e até chegou a lamentar-se das circunstâncias não nos permitirem, pelo menos de momento, viver juntos.

— Viveríamos como num sonho, não é verdade? Eu seria a tua mulher, fazia-te a comida, cuidava da tua roupa, e obrigava-te a estudar, não duvides, para chegares a ser o que queres.

Nunca dissera a Flora o que queria ser, se bem que algumas vezes mo tivesse perguntado. Era uma das perguntas que me deixavam perplexo porque nem a mim próprio saberia responder. Ela imaginava que, depois de formado, aspiraria a qualquer das «saídas», como ela lhes chamava, da carreira de advogado, pelas quais sentia manifesta veneração. «Ah, se chegasses a advogado do Estado!», e punha os olhos em alvo. Pelo que me ia contando, compreendi que tinha recebido aquelas admirações como herança da família, tão ilustre. Falou-me de um jovem da província. Muito educado e respeitador, número um em cartórios notariais, que tinha estudado muito a sério, sem se permitir outras distracções do que visitá-la a ela de quinze em quinze dias, e isso sem ficar: tudo muito comedidamente (não sei porquê, lembrei-me que sem tirar o colarinho). O pobre tinha ficado tão esmifrado do esforço, que tivera de se ir recompor para uma aldeia da serra, onde permanecia, embora já quase recuperado.

— Às vezes, e por isso vês como é bem educado, manda-me um postal.

Para Florita, aquele triunfador de concursos podia ser o meu modelo: estranha coincidência com o meu pai!

Nas duas semanas seguintes encontrou também um intervalo extraordinário e clandestino. Foi ao terceiro que combinou encontrar-se comigo à tarde, e não à noite. Primeiro lanchámos juntos, depois levou-me a sua casa, de braço dado, como sempre, e muito melada: pediu-me, lembro-me bem, que quando estivéssemos na cama lhe falasse em português, que gostava muito. Porém, ao entrarmos em casa, deparou-se-nos a surpresa de um homem lá dentro, um tipo exageradamente vestido, com muitos anéis; moreno, de cabelo ondulado e atitude arrogante. Sorriu ao ver-nos, deleitado. Flora ficou aterrada, e só conseguiu dizer:

— Eduardo! Que fazes aqui?

E Eduardo respondeu-lhe calmamente:

— Não há nada de especial em vir uma vez por outra a casa dos meus pais.

— Nunca vens por nada de bom! — quase gemeu Flora. E o outro respondeu-lhe:

— Mete cem pesetas na minha mão, e assunto arrumado.

— Não as tenho! — disse Flora, muito compungida. — Bem sabes que Manuela é quem guarda o dinheiro, e nunca em casa!

Nesse momento, Eduardo aproximou-se de mim com parcimónia, agarrou-me no queixo e olhou-me nos olhos.

— Espero que aqui o cavalheiro possa proporcionar-tos. Pelo menos, é esse o teu preço.

— Esse, a quem tu chamas cavalheiro, não o metas nisto, nem tem cem pesetas para te dar!

Eduardo, descaradamente, apalpou-me os bolsos e tirou todo o dinheiro que me restava.

— Trinta e cinco pesetas! É o que agora cobras por te deitares com um rapaz? Desceste tão baixo?

Mas não me largava. Eu sabia que tinha de fazer qualquer coisa, pelo menos de dizer qualquer coisa. Atrevi-me, esforcei-me.

— Por que é que não deixa a sua irmã em paz? — balbuciei apenas.

— Tu, cala-te, imbecil!

E ao dizer isto deu-me uma bofetada que me atirou contra a parede.

— Não te metas com o rapaz! — gritou ela, veio para junto de mim e ajudou-me a levantar.

— Coitadinho! Fez-te mal, esse animal?

— É o teu capricho, não é? — respondeu ele, e voltando-se para mim: — Não sei quem és nem o que tens, nem isso me importa; mas, vê-se mesmo, pela pinta, que te é mais fácil a ti do que a mim encontrar cem pesetas. Se dentro de uma hora não estiveres aqui, dou uma tareia à minha irmã que terás de a levar para o hospital.

Tentei pegar no meu sobretudo, mas ele segurou-o.

— O sobretudo fica como penhora. Não vale cem pesetas, mas dão-me umas oito ou dez por ele, e sempre é alguma coisa.

Flora, de um canto, suplicava-me, mas eu não percebia o quê: que não voltasse, ou que voltasse depressa. Saí a correr. Senti o frio da rua, e medo, medo por Flora e por mim. Eduardo não me tinha devolvido as pesetas, de forma que nem um táxi podia apanhar. Cheguei ao hotel deitando os bofes pela boca, e quando pedi cem pesetas ao caixa, respondeu-me que tinha de ir verificar.

— Não, não! Então, não!

— Espere, sente-se. Estou a ver que está em apuros. Mas mesmo assim...

Foi ao telefone e falou. Daí a pouco tempo apareceu o senhor Justo.

— Que lhe aconteceu, vamos lá ver! Para que quer cem pesetas com essa urgência?

Compreendeu que não me atrevia a contar nada em frente do caixa, e levou-me para um canto da sala de jantar, ainda escuro.

— Vamos ver, diga lá.

Pensei que o melhor seria dizer-lhe a verdade, e foi o que fiz. Ficou calado, sem expressão.

— Espere por mim.

Saiu, e voltou ao fim de um bocado, vestido para sair.

— Vamos!

Não me atrevi a perguntar-lhe para que é que ele vinha. Chamou um táxi, e, enquanto o diabo esfrega um olho, encontrámo-nos em frente da casa de Flora. O senhor Justo subiu à frente, e bateu à porta como eu o faria. Ao abrir, Eduardo ficou a olhar para ele, entre furioso e surpreendido; olharam-se os dois bastante tempo, durante o qual tremi, mas Eduardo foi o primeiro a baixar o olhar. Recuperou, contudo, imediatamente, e perguntou a Flora, que tinha vindo atrás e que, como eu, tremia:

— Quem é o cavalheiro?

O senhor Justo respondeu-lhe:

— O que vem devolver a bofetada que você deu a este rapaz.

E sem dar tempo a que Eduardo se pusesse em guarda, arreou-lhe um murro enorme nos queixos e derrubou-o. Ao cair tropeçou em qualquer coisa que tilintou: qualquer coisa de vidro, parecia. Flora gritou.

— Ai, Jesus, não se matem!

Mas não acudiu a socorrer o irmão, que se levantava pesadamente, mas com uma navalha aberta e cujo brilho me percorreu as costas.

— Agora este gajo vai ver!...

Deteve-o a pistola que o senhor Justo entretanto sacara.

— Quietinho, e guarde o canivete. E aviso-o que se lhe perfuro a barriga não seria o primeiro homem a quem envio para o outro bairro, e que o farei sem que me aconteça nada, compreende? Sem que me aconteça nada — silabou. — Guarde a «naifa», e vamos já andando para a salinha, que temos de falar.

Eduardo obedeceu, mas eu vi como guardava a navalha na manga. Entrámos todos. O senhor Justo ordenou a Eduardo que se sentasse, e, de caminho, que deixasse a navalha em cima da mesa.

— Até parece que tem carinho por ela!

O senhor Justo ficou de pé sem largar a pistola. Flora, um pouco afastada, chorava sem soluçar.

— Vou dar-lhe essas cem pesetas que precisa pelo trabalho que teve em procurá-las, e à conta do valor dessa navalha com que vou ficar — e tirou do bolso uma nota que atirou para cima da mesa. — Mas veja bem que sei quem você é, quem são os seus amigos, e onde vive quando não está na prisão. E preste bem atenção ao que vou dizer-lhe: convém que não se esqueça. Se acontecer alguma coisa a este rapaz ou à sua irmã, liquidá-lo-ei sem contemplações, e se calhar nem sequer me rebaixo a fazê-lo com as minhas próprias mãos, porque tenho quem o faça por mim. De modo que já sabe: Flora e este rapaz são sagrados. Pegue na nota e devolva ao rapaz o dinheiro que lhe tirou.

Eduardo ia a pegar na nota, mas o senhor Justo pôs-lhe a mão em cima.

— Primeiro, o troco.

Eduardo tirou o meu dinheiro, contou-o, deixou-o em cima da mesa: sete moedas de prata dentro de um porta-moedas de malha.

— O porta-moedas não é meu — atrevi-me a dizer.

Eduardo esvaziou-o e guardou-o no bolso. Levantou o olhar para o senhor Justo. Este disse:

— Pegue nas cem pesetas e saia daqui. Acompanho-o à porta.

Saíram, e nesse momento Flora correu para mim e abraçou-me. Não disse nada, e largou-me a seguir porque se ouviam os passos do senhor Justo no corredor, depois do barulho da porta a fechar-se.

— Assunto concluído... Quer dizer, não. Florita, compreenderás que o que se passa entre ti e este rapaz se acabou para sempre.

— Mas eu gosto dele! — gemeu ela.

— Mal feito, Florita. Uma mulher como tu não deve ter coração, e se não puder evitar, deve utilizá-lo mais razoavelmente. Tens de compreender que por este caminho não vais a lado nenhum.

Florita chorava. Entre soluços, suplicou:

— Não diga nada a Manuela.

— Não lhe direi nada se te portares bem. Percebes?

Flora não respondeu. O senhor Justo empurrou-me suavemente.

— Vamos. Vista o sobretudo e despeçam-se. Eu espero no corredor.

Saiu. Flora ajudou-me a vestir o sobretudo e depois abraçou-me em silêncio.

— Adeus! — murmurou.

Beijei-a. O senhor Justo gritou do corredor:

— Já chega!

Saí e segui-o. Metemo-nos num táxi, permaneceu silencioso. Ao chegar ao hotel, dirigiu-se ao porteiro:

— Guarde o sobretudo do senhor Freijomil, que ele vai jantar.

Deixou-me só diante de uma ementa de sopa, robalo no forno, rosbife à inglesa e gelado de chocolate ou de baunilha, à escolha.

A minha atitude para com o senhor Justo mudou, mas ao mudar, complicou-se.

Por um lado, estava agradecido pela sua intervenção, sem a qual não sei como teria acabado o sarilho com Eduardo, mas não por nos ter proibido, a Flora e a mim, voltarmo-nos a ver. Por outro, admirava a sua coragem, ao enfrentar, e vencer, um homem muito mais novo do que ele e mais forte de aparência, mas isto fazia-me suspeitar que não era o homem que parecia, tão cortês e tão melífluo, um director de hotel talvez perfeito. Até a sua voz ao increpar Eduardo, ao dirigir-se a Florita, tinha sido diferente! Uma voz cínica e dura, como de outro homem. Hoje penso que talvez tivesse uma espécie de vida dupla, mas nessa altura eu não percebia dessas coisas e fiquei-me pela perplexidade e por um obscuro terror. Mas também mais ressentido do que contente, porque me tinha afeiçoado a Florita e sentia saudades dela. Teria gostado de comentar o acontecimento com o professor Romualdo, mas não o voltáramos a ver. Um dia soube que tinha estado no hotel, a receber o dinheiro das últimas aulas. É muito possível (pensei então) que, noutras condições, tivesse renunciado àquele punhado de pesetas, setenta ou cem, mas como se aproximava o Natal, devia andar mais necessitado do que nunca, talvez com uma necessidade até urgente. Que esforço deveria ter sido para o professor Romualdo aproximar-se da caixa do hotel, com um sorriso no rosto, ele, que odiava o sorriso! Benito e eu lembrávamo-nos dele com frequência e lamentávamos o seu desaparecimento, embora não o entendêssemos muito bem. Compreendíamos, sim, que tudo obedecia a uma certa inexplicável vergonha pelo relato que nos tinha feito da sua vida: mas se era esta a causa, por que nos contara? Havia razões que nos escapavam? Julgávamos ignorar ainda certas delicadezas do espírito só explicáveis por uma experiência moral que nem imaginávamos, porque essas coisas, penso-o agora, não se imaginam quando não se tem a experiência pertinente. Benito, no entanto, mais dado que eu às explicações estéticas, insistia em ver o professor Romualdo como uma personagem literária, e aquela confissão completava-a, aperfeiçoava-a. Mas eu sentia-me incapaz de ascender àquelas alturas de visão. Ficava-me pela moral, e até pelo que está abaixo da moralidade. Que sabíamos nós, então, da moralidade? Um conjunto de normas elementares, mais precauções do que princípios, que nos tinham ensinado para podermos andar pela vida sem tropeçar. Não roubes, não desprezes ostensivamente o próximo, sê educado com toda a gente, desconfia dos desconhecidos.

Numa daquelas manhãs, já perto das férias, tinha uma carta de Portugal à minha espera no hotel. Tinha sido enviada do paço pelo meu antigo professor, e trazia um *post scriptum* da *miss*. O meu professor dizia-me que ia tudo bem, que o vinho e a madeira tinham sido vendidos a bom preço, que tiveram de pôr telhado novo numa parte da casa, e coisas assim. Terminava comunicando-me que Belinha se tinha casado com um português de Angola e que partira com ele para África, levando, naturalmente, a minha irmã. No *post scriptum* em inglês, a *miss* dizia mais ou menos: «Compreenderás, Ademar, que o problema de Belinha não tinha outra saída, e que esta foi a melhor. É um homem bom que a respeita. Que aconteceria se estivesse aqui quando tu viesses no Natal? Pensa bem e aceita o que aconteceu, por muito que te doa.» Era curioso: o meu professor, nesta carta, tratava-me por você.

Aceitei, à revelia, as razões daquela fuga: aceitei-as mas com rancor. Sentia-me não sei se enganado ou ludibriado; de qualquer forma, despojado do que era muito meu e muito querido. Não voltaria a ver Belinha, era como se tivesse morrido. E à dor causada pela notícia juntou-se o desgosto da minha separação de Florita, até serem a mesma dor e a mesma incompreensão. As coisas aconteciam sem que eu as entendesse: creio que era demasiado para um rapazito, provavelmente prematuras (isto são reflexões que faço agora, a muitos anos de distância). O próprio Benito me perguntou o que se passava comigo, ao ver-me tão amorrinhado, e não soube explicar. «Coisas», limitei-me a dizer-lhe. E ele interpretou o meu silêncio como falta de confiança. Não o era, mas sim o desejo de conservar comigo o segredo do que fora tão meu, do que ainda o era, se bem que de outra maneira, e que me tinham arrebatado. Mas aconteceu que uma manhã, quando já me havia afastado da rua do hotel, e me encaminhava para a universidade, senti atrás de mim a respiração cansada de Florita. Vinha vestida de escuro e com um véu a tapar-lhe muito a cara, como se tivesse estado numa igreja, ou para lá fosse. Tinha esperado por mim, seguira-me, agarrou-se a mim e, sem mais palavras, pediu-me que entrássemos num café. Assim fizemos. Vinha chorosa, continuou a chorar, e de forma bastante desconexa assegurou que era muito infeliz, que não podia viver sem mim, e outras coisas deste género. Eu, como sempre, não sabia o que pensar, nem me ocorria fazê-lo, dominado como estava pelos sentimentos por Florita, renascidos e agora ao rubro.

— Vem comigo uma vez, apenas uma vez! — suplicou-me. — Juro-te que desaparecerei para sempre!

Deixei-me levar a uma casa desconhecida, onde uma senhora gorda, muito sorridente, nos disse em jeito de saudação:

— Caramba, que madrugadores!

Levou-nos a um quarto espaçoso, mas sem janela para a rua, onde vi pela primeira vez, aos pés da cama, um objecto branco, em forma de guitarra: parecia de porcelana e tinha pés do mesmo.

— Esperem, já venho trazer água.

Não sei quanto durou aquilo. Separámo-nos. Ao sair, Florita, mais do que andar, fugiu. Eu fiquei sem rumo, numa rua desconhecida. Desatei a andar, andei muito tempo. Quando cheguei ao hotel, já tinha passado a hora do almoço. Refugiei-me no meu quarto, deitei-me, e de repente lembrei-me de escrever um poema. Comecei a fazê-lo, e saiu-me longo, em versos brancos e desiguais, como alguns que tinha lido, dos modernos. Começava com nostalgia de Florita e acabava com a recordação de Belinha. Foi a segunda vez que necessitei da poesia para me libertar de mim mesmo. Guardei-o e conservo-o. É um poema muito vulgar, feito de lugares-comuns e outras trivialidades sentimentais, mas se por acaso o leio, ainda me comove. De qualquer forma, está aí, como a porta que fechou uma etapa da minha vida.

IX

ESCREVI UMA CARTA AO MEU PROFESSOR anunciando-lhe que não me esperasse para o Natal, que o passaria em Villavieja com o meu pai. Não me referi, em nada, a Belinha nem à minha irmã. Antes de partir de férias, convidei Benito para jantar no hotel, tivemos uma longa conversa acerca de literatura e uma recordação sobre o professor Romualdo. Benito contou-me que lhe tinham prometido, não sei quem, apresentá-lo a um dos poetas que ele admirava, não sei se Tal ou Qual; os daquela tarde frustrada, e que me contaria depois do meu regresso. No dia seguinte apanhei o comboio. Quando cheguei à estação de Villavieja não estava ninguém à minha espera, e ao chegar a casa, vi que o meu pai se tinha ido embora no dia anterior. Deixava-me, isso sim, uma carta, na qual me explicava as causas da sua ausência e dizia-me onde podia encontrar as chaves da secretária do escritório, que no caso de necessitar de dinheiro, encontrá-lo-ia em tal sítio, e várias coisas assim. Embora não o lamentasse, não deixei de ficar perplexo. A criada da casa, uma mulher de idade, andava de volta de mim, muito sorridente, como quem tem algo para dizer e não se atreve. Suspeitei que carregasse o segredo de mais algum sarilho do meu pai, e que necessitava libertar-se dele. Atreveu-se, passados vários dias, precisamente no dia de Natal, depois de me ter servido apenas a mim.

— O que se passa com o senhor seu pai é que ele não quer que o veja. Ficou completamente careca, sem um único pêlo em todo o corpo e pôs uma peruca. Pinta as sobrancelhas, sabe? Dizem por aí que apanhou uma doença de mulheres.

Era este o segredo. Noutras condições ter-me-ia surpreendido, mas se o meu pai tinha sido capaz de obrigar Belinha a servi-lo como concubina, não era nada estranho que, sem ela, acudisse a outros remédios. A doença, no caso de o ser como dizia a criada, era um osso do ofício. Tinha ouvido falar o suficiente daqueles riscos para que a notícia não me apanhasse demasiado de surpresa. E quanto à vergonha do meu pai, considerava-a como um acto de respeito, que cheguei a agradecer. Isso foi a única coisa importante da minha viagem a Villavieja. O resto limitou-se ao encontro com alguns amigos, alguns jantares fora de casa e a algumas conversas superficiais sobre literatura. Havia entre esses amigos alguns que vinham de Santiago, onde tinham ouvido falar dos mesmos nomes e dos mesmos livros que eu, com a mesma superficialidade, e referiam-se a eles segundo o que tinham ouvido e lido. Faziam-me lembrar Sotero, que teria penetrado até ao âmago das mesmas coisas que nós conhecíamos frivolamente, mas tinham em relação a Sotero a vantagem de serem mais simpáticos e mais comunicativos, embora certamente devido à sua própria ligeireza. Cansei-me deles rapidamente, mas continuei na sua companhia até as férias acabarem e cada qual apanhou o seu comboio ou a sua camioneta. Por sorte, costumavam ser apenas companhias vespertinas. Uma noite, lembrei-me de sair e passear pelos arredores da minha casa. Estava frio e chuviscava. Fui naquela noite descobrindo a cidade velha, em torno da catedral e da praça: as suas sombras, os seus vazios da neblina. Perdi-me prazenteiramente, e repeti os passeios nas noites que se seguiram até à minha partida. Foi uma experiência feliz, com a qual, no entanto, não sabia o que fazer, para além de vivê-la. «Isto que sinto podia pô-lo em verso»; mas não me ocorriam as palavras, nem em português nem em castelhano. Senti uma certa melancolia ao regressar a Madrid: Villavieja era qualquer coisa minha, cheguei a compreender; partia para uma cidade que nunca o seria, nem as suas ruas, nem as suas luzes, nem as suas sombras. Por que voltava? A quem obedecia fazendo-o? Tudo isto entreteve a minha mente durante as longas horas da viagem. Voltei ao hotel. O senhor Justo perguntou-me, muito interessado, pelo meu pai e pela sua saúde, e tive de mentir-lhe. No dia seguinte ao reatar as aulas, estive tão distraído, tão aborrecido, que acabei por confessar a mim próprio a minha falta de interesse, e até o desejo secreto de me ir embora, mas não sabia para onde, nem me ocorria. Não vi Benito naquela manhã, mas sim no dia seguinte. Recebeu-me com exuberância que achei sincera. Convidou-me para irmos comer a uma tasca (ainda lhe restava dinheiro das últimas ofertas) e falou-me dos livros que tinha comprado, das comédias que tinha visto. Quando lhe perguntei se, por fim, o tinham apresentado ao poeta admirado e longínquo, não me lembrava se Tal ou Qual, baixou os olhos.

— Aquele tipo enganou-me. Não voltei a vê-lo.

Mas não me pareceu ter ficado com pena. Escrevera alguns poemas, e leu-mos num café aonde fomos depois do almoço. Não me foi difícil entendê-los, mas não consegui dizer-lhe se os achava poéticos ou não.

— Olha, Benito: a verdade é que a poesia continua a ser um mistério para mim. Há coisas de que gosto e outras de que não, mas não sei porquê. Durante as férias, voltei ao meu Antero de Quental, mas não creio que fosse por razões literárias.

— Porquê, então?

— Porque tem qualquer coisa a ver comigo.

— São versos de amor?

— De amor e morte, já to disse uma vez.

— Queres morrer ou tens medo?

— Não, não. Não é isso. Não sei bem o que é. Ando um pouco perdido, sabes? Mas isso não é novidade. Sempre andei perdido.

Não me respondeu e ficámos em silêncio, ele olhando para outro lado para não continuar perguntando. E então, impulsivamente, sem reflectir, disse-lhe:

— Uma vez perguntaste-me o que se passava comigo. Disse-te que nada, ou não te disse nada. Pois bem, vou contar-te agora, se estiveres disposto a ouvir-me.

— Claro que estou!

Escutou-me como quem ouve ler um romance, sem pestanejar, sem me interromper. A verdade é que o fiz com paixão, com pormenores, com todos os pormenores que recordava, desde os mais antigos, desde aqueles tempos já remotos para mim em que brincava com as mamas de Belinha. E quando acabei o relato, perguntei-lhe:

— Que te parece?

Vi-o um pouco perdido. Primeiro abanou a cabeça; depois disse em voz baixa:

— És um tipo esquisito. Ninguém suspeitaria ao ver-te. Sempre te tive por bom rapaz, mas de vida bastante vulgar, mais ou menos como a minha. Nada do que me contaste acontece a toda a gente...

E outras reflexões deste tipo, por trás das quais escondia a sua surpresa e a sua incompreensão.

— Com que então tiveste uma amante? Aos dezoito anos! És mesmo um apressado!

— Não foi uma amante, mas sim um namorico — disse-lhe.

— Aos namoricos não se paga. É essa a diferença — replicou ele.

Benito também era um bom rapaz, mas bem depressa me dei conta de que a minha história era de mais para ele. O senhor Justo ter-se-ia rido e ter-me-ia dado umas palmadas no ombro: «Então, homem, vamos! Quer tomar um copo comigo? Se quiser esta noite podemos ir ao teatro. Há uma revista nova. Deve saber que em Madrid é costume mudar os programas no Natal. O que se estreou, segundo ouvi, é mais frívolo que o que estava.» Etcetera.

Não. O mais provável, pensei, é estas coisas não se contarem a ninguém: estão melhor dentro de nós. Se não as entendermos, como poderemos esperar que as entendam os outros? Os sentimentos são meus e as palavras não comunicam os sentimentos... Quero dizer as palavras correntes, as que eu poderia usar. As de Quental sim comunicam-nos, mas eu não sou Antero, sou Ademar, nem sequer Ademar, mas Filomeno, aquele nome pelo qual ninguém me chama, ou, quando muito, por senhor Freijomil. Até Florita tinha ficado chocada: «Como te vou chamar? Filo? Filo é nome de mulher!» O meu nome nem sequer dava para um diminutivo carinhoso.

Passei uma temporada indo ao cinema, só, de tarde. De manhã, ao sair das aulas, juntava-me a Benito, e íamos beber umas cervejas a um lado qualquer. Num dia pagava ele; no outro, eu. Não voltara a referir-se às minhas histórias, e eu observei que não queria nem aflorá-las. Falava monotonamente de poesia, notícias e notícias, se este dizia tal coisa daquele, ou se se tinham zangado, ou se Qual ia lançar um livro que rivalizasse com o último de Tal. Nada conseguia interessar-me. Além disso andava preocupado com o meu abandono involuntário do francês. Disse-o um dia ao senhor Justo, e ele prometeu-me encarregar-se disso. Cumpriu a promessa: certa tarde veio ao hotel uma menina francesa, cujo aspecto não era mau, mas superior e distante: quero dizer que, desde o primeiro momento se colocou acima de mim, no sentido vertical, e muito longe, no horizontal. Pôs como condição, antes de aceitar o compromisso, conversar um bocado comigo, para ver até onde chegavam os meus conhecimentos. Examinou-me escrupulosamente, e, no final, disse-me:

— O senhor está em condições de assistir a uma representação de Racine, mas não de entrar num restaurante e pedir uma refeição. O francês que o senhor conhece é pura arqueologia, a língua viva é outra coisa. Como é que o senhor se pode dirigir a uma rapariga e manter com ela uma conversa? O que eu lhe posso ensinar é a língua viva.

Justifiquei a minha ignorância dizendo-lhe que tinha pedido ao meu anterior professor que me ensinasse o francês dos livros, e por isso...

— Nem sequer o dos livros modernos o senhor pode entender. Se quiser fazemos uma prova.

Tirou um livrito da mala e entregou-mo. Abri-o, tentei lê-lo. Traduzi muito, mas não tudo.

— Está bem. Aceito o compromisso, mas com a condição de o senhor trabalhar.

Prometi-lhe, voltou no dia seguinte e comecei a aprender, o francês vivo, de uma estátua longínqua. Durante o tempo da nossa convivência, quero dizer até ao fim do ano lectivo, não se cruzou entre nós uma só palavra que não fosse estritamente necessária para o bom andamento da aula. Só uma vez, quando no texto que líamos vinha uma citação em inglês. Li-a correctamente. Olhou para mim:

— O senhor sabe inglês?

— Alguma coisa, um pouco — respondi-lhe timidamente.

Então falou comigo em inglês, dissemo-nos umas quantas frases.

— O senhor tem uma boa pronúncia — e concluiu o inciso.

Pagava-lhe pelas aulas mais do que ao professor Romualdo, e recebia ao dia. Insisto em que o seu aspecto era grato. Vestia, a meu entender, muito bem, embora com simplicidade, e tinha uma bonita voz; mas depressa me convenci de que a minha primeira impressão não fora errada: era inexpugnável até para a amizade mais superficial. Uma vez em que a convidei para almoçar rejeitou educadamente. Mas com ela aprendi a falar francês, não só a ler livros. Era uma excelente professora. Chamava-se Anne. Foi a única coisa que soube dela.

Uma noite, ao entrar na sala de jantar, reparei na presença de um hóspede novo. Tinha-se sentado numa mesa próxima da minha, e, mesmo sentado, parecia corpulento, acima do normal, e muito bem apresentado. Passei o jantar observando a sua maneira de comer, tão simples quanto atractiva, enormemente natural, e todos os seus movimentos o eram. Quando se pôs de pé, calculei que mediria um metro e noventa centímetros, pelo menos. Atravessou a sala de jantar com naturalidade segura, os outros hóspedes contemplaram-no até desaparecer.

Achei que era como um desses tipos que andam pelo mundo como se fosse deles, com a diferença de que, a outros que eu vi, notava-se, e a este não. Seria por humildade ou por indiferença? Ou por uma superioridade real a que estava acostumado? Admiti que gostaria de o conhecer e talvez também ouvi-lo. Perguntei ao senhor Justo quem era.

— Até há poucos dias, diplomata em Lisboa. Trouxeram-no para aqui de castigo.

— De castigo? Porquê?

— Vá-se lá saber! As coisas da diplomacia não estão ao nosso alcance, nem mesmo os segredos de Estado.

Do sorriso do senhor Justo depreendi que sabia mais do que disse. Imagino que disse alguma coisa acerca de mim ao diplomata, pelo menos o meu interesse pela sua pessoa, porque uma noite, quando eu entrava para jantar, e ele se encontrava já na sua mesa, ao ver-me levantou-se e aproximou-se de mim dizendo:

— Quer dar-me a honra de me acompanhar a jantar? Chamo-me (aqui um nome que calo: digamos Federico). Disseram-me que o senhor tem alguma coisa a ver com Portugal. Eu vivi lá vários anos, e podemos falar, ou, pelo menos, eu poderei contar-lhe o que sei, para o caso de um dia lhe ser útil.

Aceitei o convite, e considerei necessário explicar-lhe alguma coisa acerca de quem eu era e do que fazia.

— E as suas relações com Portugal, quais são?

— Uma das minhas avós, a materna, era portuguesa. Chamava-se Margarida de Távora e Alemcastre.

Desatou a rir:

— Nada mal, amigo. Em Portugal, o senhor seria um aristocrata!

Respondi-lhe timidamente que já sabia, mas que Portugal não era Espanha, etc. E não sei como acabou por vir à baila o nome do meu bisavô. O senhor Federico riu-se mais ainda.

— Dom Ademar de Alemcastre! Ainda há em Lisboa velhas senhoras que o recordam como um herói da sua juventude. Suficientemente famoso, mesmo na velhice, para perturbar a fantasia das rapariguinhas.

Vi que sabia mais do que eu do meu bisavô, e instiguei-o a contar-me.

— Pelo que ouvi, foi o que se chama um homem de luxo. Nada mais fez na sua vida do que ser quem era e passear por Lisboa. Bom, também se casou; com uma Távora cujo dinheiro lhe alicerçou a fortuna. Foi um homem inconcebível no nosso tempo. O nosso tempo exige-nos sermos úteis, embora também aceite a mera aparência. Hoje não teriam permitido ao seu bisavô viver como viveu: seria considerado um exemplo de imoralidade, um tipo execrável. No entanto, se alguém tivesse perguntado o que fizera pelos homens, teria podido responder tanto que lhes tinha demonstrado o que não deviam ser como o que, em última análise, deveria ser a aspiração da Humanidade. E teria razão em ambos os casos.

O paradoxo não me foi muito claro, pelo menos naquele momento, mas preferi não o confessar. O senhor Federico convidou-me a jantar na sua mesa todas as noites, talvez por ter descoberto que eu o ouvia com gosto. A conversa recaiu muitas vezes no tema do meu bisavô e no da sociedade lisboeta daquele tempo, que o senhor Federico tinha conhecido por referência e por leituras. Mas também me falava de política e de literatura. Quando eu lhe revelei que já tinha escrito versos, e que tinha em Antero de Quental o meu poeta preferido, o que me disse demonstrava um conhecimento muito superior ao de Benito. Não se limitava aos poetas espanhóis, que não desconhecia, como até me falou de nomes que depois me foram familiares, como Claudel e Saint-John Perse, que conhecia pessoalmente, com os quais privara. Foi a segunda pessoa a referir-se a *Os Cadernos de Malte*.

— Leu esse livro? — perguntou-me.

— Há tempos falou-me dele um amigo, um homem já de uma certa idade.

— Não sei até que ponto será um livro adequado para a sua idade e para os seus conhecimentos. É um livro que pode afundar ou levantar um homem para sempre. Há muitas coisas que lhe é conveniente conhecer antes. Eu dir-lhe-ia mais: que lhe é conveniente estudar. A poesia pode ser um arrebato, mas também é uma ciência. Eu desconfio, por princípio, dos arrebatados, excepto daqueles que sabem submeter o jogo à disciplina. Disciplinar-se é, antes de mais, distanciar-se. Só se pode transmitir a emoção que já não se sente, que se transformou em vivência, em vivência incorporada. Como quem diz, carne de nós próprios. Sem a arte da expressão, essa vivência, por mais pura e elevada que seja, apenas balbuceia. A arte é indispensável e tem a vantagem de poder ser aprendida, e você deve enfrentá-la a sério. Mas, no entanto, não se esqueça de que sem a poesia o saber não produz mais do que frialdades mais ou menos solenes. E a poesia, que não sabemos o que é, parece-se com um inquilino volúvel, que vai e vem, e que às vezes foge para sempre. Há poetas que o foram durante um tempo, e que continuam a viver do rendimento, isto é, da arte adquirida e dominada. Houve aqueles que souberam morrer a tempo, mas a maioria perdeu essa oportunidade, e garanto-lhe que nada há mais penoso do que a casca ambulante de um poeta. Quantos se teriam salvo com uma dose suficiente de ironia! E não lhe digo isto à toa, por o ter lido, mas porque conheci alguns grandes poetas e outros não tão grandes, e conversei com eles acerca da sua poesia e da poesia em geral. Creio ter chegado a distinguir o trigo do joio, embora esta condição me tenha tornado exigente e talvez um pouco rígido na forma de julgar. Poderei, às vezes, exagerar, mas não penso que me engane. Gosto dos poetas cujo olhar penetra até ao miolo da realidade, deixam-me indiferente os que são apenas bons, embora os julge necessários para formar o manto de que surgem os grandes. Mas agora penso que a si não lhe convém ligar muito ao que eu digo. As minhas palavras poderiam desanimá-lo. No entanto, se lhe parece bem, poderemos ler qualquer coisa juntos e comparar as nossas impressões.

Aquele tema da poesia reapareceria sempre nos nossos diálogos, por vezes longos, no salão do hotel. De facto, lemos poemas juntos, e o que me ocorria tornava-se pueril ao lado do que ele me desvendava. Também me perguntou se tinha ido aos museus, e recomendou-me que o fizesse. Um domingo de manhã, andava sozinho no Prado; decidi entrar: de repente, senti-me perdido, estonteado. Passei várias horas a ir de uma sala para a outra. Todas me pareciam bem e não descobria diferenças nem discernia qualidades. Mas de tudo quanto vi, senti-me especialmente atraído pelos retratos, por aqueles quadros em que o rosto humano era tratado como retrato, quero dizer, não procurando a beleza de um rosto, mas a sua realidade. Quando falei a Benito desta visita, não chegou a rir-se de mim, mas quase.

— Estás preparado — disse-me — para contemplar a pintura moderna. Nela não encontrarás nada disso que descobriste por tua conta. Esse género de arte morreu para sempre.

O senhor Federico, no entanto, não foi tão acutilante, embora tenha dito que a minha maneira de ver a pintura era muito limitada, e que, na realidade, eu não procurava a arte, mas apenas o reflexo de uma espécie muito restrita de realidades.

— Tenha em conta que, para um pintor, a cara de uma pessoa tem a mesma importância que uma fruteira cheia de maçãs.

Aceitei isto, mas sem ter percebido. Das caras vistas no museu, algumas tinham-me impressionado. Voltei a vê-las várias vezes, até ao ponto de chegar a traçar um itinerário deste quadro àquele outro, sem ligar aos restantes. Gostava de imaginar as vidas daqueles personagens que me atraíam, como uma certa princesa de luto com tranças loiras e algo de amargo na boca.

— Você não sai da literatura, não sabe sair dela.

Outro dos temas preferidos do senhor Federico era a política, mais a universal do que a nacional.

— Isto aqui tem os dias contados. Vai ver como não dura nem dois anos. Se eu perdi o lugar em Lisboa, foi por ter feito chegar ao rei uma informação neste sentido: uma informação que passou por várias mãos previstas, uma das quais me traiu. A verdade é que estou aqui de castigo, e ainda não sei em que irá parar o meu castigo: se perderei a carreira ou se se limitarão a enviar-me para longe, para um desses desterros em que se apanha a malária. Há muitos anos que sei que não se pode dizer a verdade, mas há ocasiões em que, se não a dissermos, perdemos o respeito por nós próprios. O que eu sei, o que disse, sabem-no muitos outros, mas calam-no. Não os censuro, porque cada um tem a sua moral.

Noutra altura disse-me que a situação do mundo era grave e que, mais ano menos ano, sobreviria uma catástrofe que o transformaria, ninguém podia prever em que sentido.

— Tudo pode acontecer, mas aconteça o que acontecer, o que vier depois será transitório, porque nenhum dos países capaz de arrastar os outros povos para um conflito tem algo de positivo para oferecer à Humanidade. O comunismo chegou a ser uma esperança, e todos nós homens sensatos deste mundo seguimos com paixão, com angústia, a evolução histórica da Rússia. Mas depois do fracasso de Trotski e do triunfo de Estaline, que acontecerá nesse imenso povo? Eu conheço-o, embora não muito bem. Fui adido na corte dos czares, antes da guerra de catorze. Mais do que interessar-me, fascinou-me, e penso que se pode esperar tudo da Rússia, tanto o melhor como o pior. Mas a existência do comunismo oferece ao mundo a novidade de uma ideologia que é como se misturássemos uma teoria política com uma religião. O comunismo tem respostas para tudo, e os homens estão necessitados delas. Porém, face à solução comunista, na qual o menos importante é a sua teoria económica, tão válida como qualquer outra, podem surgir outras ideologias que também tenham respostas para tudo. O fascismo está aí, mas é um sistema de fé inventado por um homem que não acredita em nada do que diz, e dirigido a um povo inteligente e céptico. Aonde chegará o fascismo nas mãos de um grupo de fanáticos?

Noutra altura falou-me dos seus filhos, não me lembro se dois ou três, bem situados em diversos lugares do mundo onde podiam aprender. Perguntei-lhe ingenuamente o que aprendiam.

— A viver, antes de mais; depois, a precaver-se. Os anos vindouros vão ser como um touro quando sai para a praça, e convém aprender a arte da lide, que é uma arte, acima de tudo, de evitar o golpe, de se esquivar. Muito mal vão passar, no futuro, os homens de fé, os apaixonados, os sinceros, que é o mesmo que dizer os insensatos. Estes serão colhidos pelo touro. Eu não o posso evitar, mas ao menos que os meus filhos saibam com o que podem contar. São jovens como você, embora não tanto. Como jovens, tendem a acreditar e a comprometer-se. Eu não os desenganei, tão-pouco os aconselhei, porque os jovens nunca levam a sério os discursos e os conselhos dos mais experientes. Limitei-me, e fi-lo porque pude, a situá-los de modo a que aprendam por sua conta, à custa dos seus choques pessoais contra a realidade, e optem pelo que lhes pareça melhor. Os jovens são atraídos pelas ideias redentoras e pelas mulheres, e acreditam nas mulheres com a mesma paixão que nas ideias. Se não aprenderem, é com eles. Eu terei cumprido com a minha obrigação.

Nunca me atrevi a propor-lhe conversarmos sobre mulheres, nem nunca ele puxou pelo tema. Contou-me, isso sim, em certa ocasião, a razão porque não fazia vida social.

— Convém ter um *smoking*. Eu poderia apresentá-lo a pessoas cujo trato lhe serviria de alguma coisa, mas devo adverti-lo de que tanto se aprende a conhecer os homens nas esferas altas como nas populares, com a diferença de que nas altas vai ter de enfrentar a hipocrisia, e, nas baixas, a sinceridade. Uma e outra são perigosas, mas, como experiência, necessárias. Um homem como o seu bisavô podia andar pelo mundo sem pensar mais do que em si próprio, e até sem pensar podia enfrentar a vida com os seus trajos, os seus modos e o seu valor pessoal. Já lhe disse uma vez que esses tempos já passaram. O que permitiu ao seu bisavô manter-se durante mais de meio século continua a ter valor, mas relativo. Vestir bem e agir com naturalidade é, sem dúvida, indispensável; mas a ingenuidade, diria mais, a candura, com que o seu bisavô andou por Lisboa, hoje tornar-se-ia perigoso.

Mandei fazer, é claro, um *smoking*, a cujo preço o senhor Justo não opôs resistência.

— Claro que acho que lhe faz falta, sobretudo se for para acompanhar o senhor Federico.

Fui a algumas festas, aprendi a não manifestar o meu deslumbramento, a não beber demasiado e a dizer palermices na companhia de gente nova como eu, rapazes e raparigas completamente superficiais, sem o menor interesse por nada deste mundo a não ser cavalos e automóveis. Quando não havia raparigas, eles falavam de mulheres, mas em geral grosseiramente. Meu Deus, quantos *dons juans* de calças largas e chapéus de feltro andavam à solta por Madrid! Se lhes tivesse feito caso, teria chegado a acreditar que nada há mais fácil do que uma mulher quando aquele que a abeira vai bem vestido e tem um carro desportivo. Também ouvi mexericos de alta sociedade. A minha última descoberta foi um grupo de jovens ricos que se diziam comunistas e que falavam de revolução e que a adiavam para quando caísse a ditadura do general, que estava prestes. E, com efeito, caiu, mas não sem antes anular o senhor Federico. Certa noite não apareceu à hora de jantar. Perguntei por ele ao senhor Justo, e revelou-me, muito em segredo, que a Polícia o tinha levado. Mas o mais surpreendente foi que, no outro dia, a Polícia veio à minha procura. Meteram-me num carro, muito discretamente, e submeterem-me a um longo interrogatório acerca do senhor Federico e de não sei que conspiração em que o diplomata, segundo eles, se tinha metido. Creio que compreenderam a sinceridade de todas as minhas respostas, e deixaram-me livre. Algum tempo depois soube que tinham desterrado o senhor Federico, mas não para um lugar remoto, desses onde há perigo de malária, como ele esperava, mas sim para uma aldeia de Castela, perto de Santander e das Vascongadas: uma aldeia fria e provavelmente desconfortável. Mas isto aconteceu bastante tempo depois daquele ano em que o conheci e em que aprendi o francês vivo da boca de *mademoiselle* Anne.

X

Escrevi uma carta ao meu pai dizendo-lhe que pensava convidar uns amigos para passarem o Verão comigo no paço minhoto, e que, se ele não estivesse em Villavieja, que me deixasse o carro com o motorista para fazer a viagem a Portugal. Também escrevi a Sotero propondo-lhe que me acompanhasse todo o tempo que lhe fosse possível e, finalmente, convidei Benito. Este fez-me algumas perguntas, talvez de desconfiança, mas quando lhe falei da biblioteca e do que lá poderia encontrar, pareceu mais animado. Por fim as coisas arranjaram-se, e em meados de Junho, depois de uns exames de resultado medíocre, Benito e eu apanhámos o comboio, e, em Villavieja, esperámos por Sotero. Foi coisa de três ou quatro dias, os suficientes para ir revelando a Benito, pouco a pouco, o que tinha sido o meu mundo, o que ainda ele era. Benito gostou da minha casa, gostou da cidade velha. Percorreu-as, uma e outra, de dia e de noite, comigo e sem mim. Não posso saber se a sua sensibilidade era superior à minha, mas sei que expressava as suas emoções melhor do que eu, e, assim, o que eu transformava em admiração muda, em contemplação silenciosa, era acompanhado por ele com comentários atinados, ideias que jamais me tinham ocorrido, mas que correspondiam à realidade, e até formas de ver igualmente originais, ou que pelo menos assim me pareciam. Os meus amigos estudantes, aqueles com quem durante as férias tinha passado horas a conversar, decepcionaram-no, e eles não simpatizaram com Benito. A estada em Villavieja durou pouco: certo meio--dia apareceu Sotero, carregado com duas grandes malas («Numa trago os livros, como podes calcular»), e na manhã seguinte o carro do meu pai levou-nos para Portugal. Sotero apeou-se indiferente; e foi logo cumprimentar o meu professor e a *miss;* a ela em inglês, é claro, num inglês de que estava muito seguro. Benito ficou mais do que surpreendido, deslumbrado.

— Mas tudo isto é teu? Até parece um castelo!

Tive de explicar-lhe que as ameias não passavam de elementos decorativos, que as havia por todo o lado, até na igreja, e que não acreditava que as torres alguma vez tivessem servido para defender de alguém, nem mesmo de quadrilhas de ladrões, mas tão-só como ostentação e orgulho. Quanto à arquitectura, Sotero encarregou-se de lhe mostrar o que realmente restava da Idade Média, algumas paredes; o que tinha sido aumentado no século XVII e o acrescentado depois. Eu fiquei bastante admirado com esta erudição arqueológica de Sotero, mas não foi mais do que o princípio de uma série quase interminável de admirações. O que aquele rapaz aprendera desde o nosso último encontro! E com que afinco se dedicava ao trabalho! Ainda em Villavieja, me tinha pedido, suplicado que lhe reservasse um quarto onde pudesse estar sozinho, porque costumava trabalhar de noite e porque a companhia de um desconhecido como Benito podia perturbá-lo. Deram-lhe toda uma torre com os seus três pisos, a mais próxima da biblioteca, e a mesa maior que se conseguiu encontrar para que nela coubessem todos os apetrechos, entre os quais uma máquina de escrever portátil que também levava consigo. Só nos juntávamos às horas da refeição, e estas bastavam-lhe para nos esmagar. Foi uma surpresa para mim, reconheço-o, a sua declaração de que pertencia ao Partido Comunista clandestino, e que estava em período de assimilação do pensamento marxista, que pensava aplicar nos seus estudos históricos. Isto do marxismo serviu-lhe para nos tirar todo o valor às nossas aspirações literárias.

— Tudo isso de que vocês falam não é mais do que um produto de ideologias burguesas. A literatura tem de colocar-se ao serviço da revolução proletária. É um dever moral, e, no futuro, será o único critério de valor. Têm de aprender a ver a realidade de outra maneira, e só assim a vossa literatura será positiva.

Ainda bem que não punha em dúvida a nossa capacidade, mas tão-só a nossa orientação! Mas Benito não deixou de ficar chocado com o conhecimento da poesia contemporânea demonstrado por Sotero. Conhecia-a ou, pelo menos, parecia conhecê-la melhor do que qualquer um de nós, e nem mesmo quando eu citei os nomes aprendidos com o senhor Federico mostrou não os conhecer. Meu Deus, já sabia tudo! E, o que era pior, notava-se, fazia-no-lo notar. Benito chegou a sentir-se incomodado perante ele, incomodado e, não obstante, fascinado. Os olhos de Sotero tinham aumentado, a sua palavra parecia mais segura, e falava com o aprumo de quem está na posse da verdade. Agora compreendo que necessitava deslumbrar-nos, mais ainda, esmagar-nos com a sua presença; necessitava porque era mais baixo do que nós e quem sabe se por outras inferioridades não tão manifestas; mas, então, essas subtilezas escapavam-me.

Benito e eu passeávamos pelo jardim e explorávamos a biblioteca. Na verdade, o seu assombro ao vê-la foi inteiramente mudo: tardou uns minutos a dizer qualquer coisa, o mais elementar — que bonito! — ou — que magnífico! Foi na própria tarde da nossa chegada; o sol já débil entrava pelas janelas encostadas, e o tom geral da atmosfera era dourado, como uma poeira difusa, mais escura ou mais clara. Os livros alinhados mostravam o ouro das suas lombadas, e, alguns móveis, o seu ouro velho, solto nalguns sítios onde ficavam à mostra pequenas manchas avermelhadas. De qualquer forma, o mais chamativo foi a esfera armilar, desde sempre instalada no meio da sala. Benito não se cansou de andar à sua volta, de a acariciar. Fez o mesmo com outros objectos bonitos que por ali havia: colecções de borboletas exóticas nas suas vitrinas e séries de gravuras marítimas ou de cenas coloniais. Chamou-lhe a atenção uma em que apareciam todos os reis de Portugal, a partir de Afonso Henriques, na qual estavam incluídos os três Filipes espanhóis. No entanto, a maior emoção de Benito foi a contemplação do estuário do Minho, que lhe mostrei de uma janela. Caía a tarde, e o mar parecia de ouro e sangue.

— O que não entendo — disse-me — é como podendo viver aqui todo o ano, entre tanta beleza, te metes num hotel de Madrid. Aqui pode-se fazer poesia melhor do que em qualquer parte.

Sim, efectivamente: podia-se fazer poesia da paisagem e, porventura, das pedras, mas não da vida.

— É muito possível que, quando conhecer melhor o mundo, me encerre aqui para sempre. É muito possível, mas conhecer o mundo leva muitos anos, e eu ainda mal comecei.

Mas o tipo de poesia que Benito tentava criar não precisava do conhecimento da vida. Inspirava-se, sobretudo, nos livros.

Passeávamos pelo jardim. Nas umbrias frescas, falávamos das nossas aspirações, tão semelhantes, embora parecessem diferentes. Íamos até ao rio, e algumas vezes levei-o no barco: não sabia nadar e aquelas navegações tão modestas metiam-lhe medo. Também percorremos as aldeias próximas e por vezes ficávamos a comer numa tabernita onde serviam bom peixe: nessas ocasiões, Sotero, que nunca nos acompanhava, pedia que lhe servissem o almoço no seu quarto de trabalho. A *miss* disse-me confidencialmente que Sotero bebia muito conhaque, mas que nunca o vira nem sequer alegre. Benito, pelo contrário, à terceira taça de *vinho verde* já não aguentava mais. Fizemos algumas amizades femininas, fomos a festas e bailes, fomos convidados por alguns paços dos arredores: pessoas que tinham conhecido a minha família. Nesses casos mandavam-nos um carro puxado a cavalos, muito sumptuoso, nunca um automóvel. Benito foi-se habituando ao português, e nos últimos tempos já o entendia, ainda que não se atrevesse a dizer mais do que «Obrigado». Mas não lhe cabia na cabeça a sobrevivência de formas de vida arcaicas, quase medievais, com aquelas diferenças, tão visíveis, entre ricos e pobres. Não deixou de falar de injustiças e eu estive de acordo com ele, mas não fui capaz de lhe explicar as razões pelas quais aquele canto do mundo vivia à margem da História. Outra das suas descobertas, talvez a mais surpreendente, foi a de que toda a gente me chamasse Ademar de Alemcastre, e não Filomeno Freijomil, e que, sob aquele nome, eu me comportasse com mais desenvoltura. Como já se começava a falar da múltipla personalidade, e esse tema aparecia em romances e comédias, chegou a perguntar-me se eu tinha uma dupla personalidade. Expliquei-lhe a minha situação como pude: de qualquer forma eu vivia em parte como homem moderno, em parte como sobrevivente retardado. As meninas que nos apresentaram não eram antiquadas, mas delico-doces: passavam o Inverno em Lisboa, todas falavam francês e muitas tinham viajado pela Europa; de certa forma, acontecia-lhes o mesmo que a mim, embora com um nome único. Senti-me obrigado a dar um almoço em minha casa, convidei-os a todos; o professor e a *miss* não regatearam esforços, e revelaram-me que era proprietário de serviços de loiça ingleses e de faqueiros de prata antiga. A mesa, para vinte pessoas, resplandecia esplendorosamente. Sotero negou-se a comparecer, tendo embora aparecido à hora do café e sentou-se com todos. Acabou por ser o centro das atenções, mas não foi isto o que surpreendeu Benito, que já estava habituado, mas o facto de aqueles senhores rurais serem pessoas de cultura moderna, ao corrente do que se passava no mundo. Houve momentos em que Sotero não esteve à altura das circunstâncias: um dos convidados manifestava saber mais de política internacional e de questões sociais do que ele, cuja informação, embora ampla, se limitava ao que diziam os jornais. O seu contendor vivia habitualmente em Londres e estava sempre a par das últimas. Recordando o senhor Federico, eu aproveitei um silêncio para perguntar se ele esperava que os anos vindouros fossem verdadeiramente conflituosos.

— Já o são os que estamos a viver, embora todos os países façam tudo o que está ao seu alcance para retardar o conflito. Que outra coisa se faz em todas essas reuniões internacionais de que se fala todos os dias? Pôr remendos na situação. Mas a qualquer momento rebentarão os remendos.

Sotero aproveitou a ocasião para falar da Rússia e do triunfo eminente da revolução proletária.

— Não tão eminente, cavalheiro — disse-lhe o português. — Há forças muito poderosas no mundo que se opõem ao comunismo e que procurarão destruí-lo, ou, pelo menos, limitar os seus efeitos.

— Mas essas forças — disse Sotero — não têm outra saída senão a guerra, e, mesmo que a ganhem, não conseguirão impedir a revolução nos seus próprios países. É uma lei da História.

O português sorriu:

— Eu não sei se a História se move ou não de acordo com as suas próprias leis, que devem ser muitas, apesar de cada filósofo apenas enumerar algumas. Mas penso que, apesar de ser difícil evitá-las quando se desconhecem, não o é quando estão aí, enunciadas e analisadas. Acontece-lhes como às doenças, que, assim que aparecem, se procura uma vacina para elas. Os princípios básicos do marxismo são conhecidos de toda a gente, e os que se lhes opõem sabem perfeitamente contra o que têm de lutar. Para começar, nos Estados Unidos não há miséria proletária, e onde ela existe, ou se melhoram ou se oprimem os pobres.

Estive quase a perguntar-lhe: «Como na nossa Península?»; e suponho que Benito tenha pensado em algo semelhante ou ainda mais concreto; mas eu calei--me por timidez e Benito por discrição. Continuaram a discutir, Sotero e o português, sem chegarem a acordo, e terminaram quando, a um apelo de Sotero à moral, o português lhe respondeu que tinha tantas morais como interesses, umas de ataque, outras de justificação.

— É como na guerra. Toda a gente leu *Na Frente Nada de Novo,* e toda a gente se arrepiou com o que ali se conta. Acha que essa consciência que todos temos será suficiente para evitar um futuro conflito? Os que governam o mundo não se detêm com ninharias morais que só são graves para nós.

Quando a sós, Sotero referiu-se despeitivamente ao português chamando-lhe fascista. Mas nem Benito nem eu sabíamos ainda o que era o fascismo. Sotero, sim.

XI

JÁ SETEMBRO DECLINAVA, e pensávamos no regresso, quando chegou atrasado um telegrama de Villavieja no qual me comunicavam que o meu pai se encontrava muito doente. Nem Sotero nem Benito quiseram ficar sozinhos no paço minhoto, talvez para não se encontrarem frente a frente: acompanharam-me na viagem, e, de Vigo, um foi para Santiago de Compostela e o outro para Madrid. Quando cheguei a Villavieja o meu pai tinha morrido e o seu enterro fora atrasado, à minha espera. Fui encontrá-lo metido numa urna luxuosa, vestido com o melhor fato, e com a peruca posta: talvez pela mão caridosa da criada. Vi-me, pela primeira vez na vida, dono de uma situação que não tinha provocado e sem saber como resolvê-la. O mínimo foi o enterro, muito sumptuoso e solene: carruagem de cavalos com penachos de luto e muita gente no acompanhamento. Sozinho, recebi as condolências com profusão de abraços e menções das virtudes de meu pai. Puseram-lhe por cima várias coroas de grande tamanho, dedicadas pelo casino «Ao seu ex-presidente» e pela Caixa de Aforros «Ao seu ex-director», e outras de entidades locais e de pessoas desconhecidas, não sei se amigos ou favorecidos. Também veio gente das aldeias, dos lugares em que eu era proprietário de quintas desconhecidas, os velhos paços herdados de minha mãe e reunidos pelo meu avô Taboada não sei por que razões, ou leis, ou quem sabe se falcatruas. E quando fiquei só na enorme casa silenciosa, mais que dor, senti muito vivamente a sensação de pequenez, de insignificância. Tive a consciência obscura de que estivera, até então, protegido e que agora me encontrava desvalido, sem saber por onde desenredar uma teia complicada. Foi no dia seguinte que investiguei o escritório do meu pai: encontrei um montão de papéis perfeitamente ordenados, dispostos para que eu tomasse conhecimento deles. No testamento o meu pai declarava-me maior e seu herdeiro universal. Noutros papéis estavam enumeradas e descritas as minhas propriedades, com notas à margem, escritas pelo seu próprio punho, deste cariz: «Esta quinta deves vendê-la a Fulano por tanto dinheiro, nem uma peseta menos.» «Esta quinta oferece-a a Beltrano e a Sicrano. Querem-na os dois. Têm que pagar, um ou outro, acima de tanto.» E, assim, cada qual era acompanhada por um conselho. Para os meus interesses em Portugal remetia-me para um senhor de Lisboa, ou melhor, para uma firma à qual a minha avó havia confiado a administração de alguns dinheiros depositados em Londres, a parte mais substancial (dizia o meu pai) de todo o meu património. Das suas propriedades pessoais receberia um depósito em dinheiro, colocado já em meu nome num banco de Villavieja. E assim tudo, minuciosamente, sem esquecer como eu deveria organizar a casa da minha mãe em Villavieja, aquela em que vivíamos, para que não ficasse abandonada nem fosse espoliada. Quantas noites de trabalho teria o meu pai consumido a redigir todos aqueles relatórios e instruções? «Dirige-te imediatamente ao senhor Fulano, entrega-lhe estes papéis, e confia-lhe as vendas. É pessoa honrada e foi meu amigo.» Fiquei comovido com o conteúdo de um sobrescrito fechado, que descobri no fim: continha uma breve nota manuscrita: «Não soube como fazer-te gostar de mim, nem soube gostar de ti. Penso no mal que te terei feito, e esqueço o que me fizeste. Perdoa-me.» Quanto teria sofrido nos seus últimos dias, aqueles em que eu me divertia em Portugal e ensaiava a minha entrada no grande mundo! Esperava a morte, dava-a por certa e imediata, a minha imaginação não passava daí, detinha-se em tal certeza. Senti, pela primeira vez, remorsos, embora não soubesse com precisão de quê, porque, na realidade, nunca nos havíamos confrontado com violência, talvez porque ele, mais consciente, o tivesse evitado. Pensei então com gratidão: que teria acontecido, quando se deu aquilo com Belinha, se ele não se tivesse ausentado, ou provocado as minhas recriminações? Certamente que toda a história de Belinha passou pela minha lembrança, como coisa passada que era, como coisa morta. Não me custou muito perdoar ao meu pai, e cheguei mesmo a temer que aquele perdão fosse uma insolência. Teria eu realmente direito a perdoar como ele me pedia? Não seria essa súplica póstuma um ardil para me tranquilizar? Não consegui responder a tais perguntas; do que me apercebi foi de que na minha consciência algo novo tinha surgido, talvez um vazio no qual não me atrevia a penetrar, ou no qual realmente não o podia fazer. Não pude partir imediatamente de Villavieja, tive que adiar o meu regresso à Universidade. Escrevi a Benito, enviei-lhe dinheiro para que me matriculasse e expliquei-lhe as razões que tinha para ficar em Villavieja. Lá passei quase todo o mês de Outubro, bem aconselhado e ajudado por aquele senhor que o meu pai me tinha recomendado: que já me esperava e sabia mais dos meus problemas do que eu. Pressupus que o meu pai o informara previamente. Tinha pensado em tudo, e quase resolvido. Conheci parentes afastados, os Fulanos e Beltranos das instruções, que queriam comprar-me por tuta e meia aquelas quintas que, em justiça, lhes pertenciam (segundo eles; todos usavam o mesmo argumento). Ficaram com elas, mas pagando o seu valor. Quando se liquidaram as coisas de Villavieja, e a minha casa ficou em mãos de gente de confiança, fui até Lisboa. Podia dizer que obscureci Filomeno e iluminei Ademar, porque voltei de novo a ser esse nome, ainda que, juridicamente, em Portugal fosse também Filomeno Freijomil. Para o administrador dos meus bens londrinos era, contudo, Ademar de Alemcastre, e nada mais. Chamava-se Pedro Pereira (dom Pedro, chamava-lhe eu, e ele protestava lisonjeado, dizendo-me que o «dom» só se aplicava aos reis); era um velhinho pulcro, de olhar vivo e inteligente, um pouco irónico, ainda que, desde o primeiro momento, carinhoso. Dedicou a primeira meia hora da nossa conversa a recordar a minha avó Margarida, por quem ainda sentia entusiasmo e respeito. Depois falou-me da minha situação. Ouviu com a maior atenção as minhas dúvidas acerca dos meus estudos e a impossibilidade em que me encontrava de fazer um projecto sério ao qual adaptar a minha vida.

— Não lhe faria mal, querido Ademar, passar um tempo no estrangeiro e ir-se exercitando no mundo dos negócios. Tenha em conta que, sendo como é maior de idade (não há dúvida que legalizar essa situação em Portugal nos levará muito tempo), terá de aprender a ser você a administrar os seus bens. Não me seria difícil conseguir-lhe um trabalho em Londres, num banco, por exemplo: no banco que guarda os bens que eu lhe administro, mas que mais tarde ou mais cedo terá de ser você a governar. Não quero dizer que amanhã mesmo possa enviá-lo para Londres, mas sim, passado algum tempo, não muito, segundo julgo. Entretanto, vá para Madrid e estude ou faça que estuda. Mas não deixe de aprender línguas. Se já se desenvencilha com o inglês que sabe, aperfeiçoe o francês. Falar bem duas línguas, além do castelhano e do português, ser-lhe-á muito mais útil do que esse pouco Direito que se aprende nas universidades. Claro que teria um título, mas os títulos não são indispensáveis. Eu não os tenho, e é como vê. Viver em Londres uma temporada longa e inteirar-se de como vão as finanças do mundo ser-lhe-á útil, sobretudo se pensarmos que, a julgar por certos sintomas, este período de estabilidade em que vivemos ameaça acabar, não sei como nem com que consequências, mas tudo é possível.

O senhor Pereira convidou-me para comer, e levou-me a sua casa, um edifício na Baixa, muito bem mobilado. A mulher e as filhas, umas solteironas maduras, acolheram-me e voltaram a recordar a minha avó Margarida.

De Lisboa fui para Madrid. O senhor Justo, que me tinha enviado um telegrama de condolências para Villavieja, alegrou-se ao ver-me e agradeceu-me o facto de, sendo como era já um homem livre, voltar ao hotel que o meu pai tinha escolhido para mim. Não creio ter mudado muito naqueles quatro meses, mas ele tratava-me com outro tipo de respeito. Não deixou de dizer-me:

— Agora que é dono da sua fortuna, não necessitará de pedir antecipações na caixa, mas já sabe que num momento de aflição, uma tarde de sábado com os bancos fechados ou qualquer coisa do género, me tem à sua disposição.

Eu tinha deixado no hotel, ao sair em Junho, parte dos meus haveres e quase todos os meus livros; mandou que os levassem para o meu antigo quarto, de forma que tudo parecia como se a mesma vida tivesse sido reatada, com um pequeno parêntese sem importância.

O que fui encontrar alterado foi a minha situação na universidade, entre os meus colegas, sobretudo entre as raparigas. Descobri imediatamente que Benito tinha contado as suas férias de Verão e que dera uma versão exagerada da vida no paço, do próprio paço, a que chamava castelo, e da minha «verdadeira» personalidade. Tornou-se voz corrente que eu era muito rico, e vi-me rodeado de rapazes e raparigas que antes não me ligavam nenhuma. As informações de Benito tinham sido tão completas, que algumas das colegas chegaram a perguntar-me como me chamavam em Portugal, e se era verdade que eu descendia de reis. Tudo isto provocou a antipatia, ou melhor a hostilidade, dos grupos extremistas, os que se chamavam comunistas e os que se chamavam republicanos. Como em certo dia que se armou uma barafunda e saímos para a rua aos gritos, e alguém se aproximou e me pediu que me afastasse daquela manifestação, porque não era ali o meu lugar. De forma que se o ano anterior não me tinha corrido bem por umas razões, agora era por outras. Cheguei a sentir que o próprio Benito se mantinha distante, ou, pelo menos, não tão amistoso, como se entre nós existisse alguma diferença secreta e intransponível. Não voltou a sair mais comigo de tarde, e nisso sobretudo consistiu a diferença. Remediava a minha solidão no cinema, pelo qual me sentia atraído e sobre o qual lia tudo quanto encontrava: creio que cheguei a perceber mais de cinema do que de literatura, ou pelo menos acreditei nisso. O azar de um encontro relacionou-me de novo com um daqueles rapazes superficiais que tinha conhecido no ano anterior, pela mão do senhor Federico, e

com ele fui a um baile num hotel de luxo. Essas festas realizavam-se às quintas-
-feiras, e a elas acorriam mães da alta burguesia com as suas filhas casadoiras, e
rapazes como eu. As mães repararam em mim, mas as filhas não me fizeram caso. De qualquer maneira, fiz amizade com uma delas, com quem saí algumas tardes. Era uma rapariga bonita e vestida à moda, mas não tinha de que falar com
ela: os nossos mundos não coincidiam. Como a levava a casa de táxi, uma das vezes perguntou-me por que não tinha automóvel. Lembrei-me do do meu pai, deixado em Villavieja, e pelo qual não tinha sentido nenhum interesse. Aquela
rapariga, que queria que a chamassem Marilú, disse-me que se eu quisesse continuar a sair com ela tinha de aprender a conduzir e trazer o automóvel. Não lhe
disse que não, mas não voltei a procurá-la, nem fui a nenhum lugar onde nos pudéssemos encontrar. De Marilú só me lembro do nome e dos vestidos cingidos
por baixo das mamas.

Outro azar podia ter sido mais importante, mas também não o foi: uma tarde
tropecei, até quase a magoar, numa rapariga que ia muito depressa. Desculpei-
-me como pude, e ao olhá-la, reconheci nela a filha do professor Romualdo, a
actriz. Não sabia o seu nome, mas encontrei palavras para lhe dizer, ou antes,
perguntar, se era a rapariga que tinha caído no teatro alguns meses antes, quase
um ano. Riu-se e disse-me que sim.

— Então você é a filha do professor Romualdo.

Respondeu-me que não, com bastante surpresa.

— Não, não. Nada de professor Romualdo.

Eu insisti, e como ela tivesse pressa, pedi-lhe licença para a acompanhar até
onde fosse e explicar-lhe a razão da minha pergunta. Ouviu o meu relato, inclusivamente com atenção interessada, e no final disse-me:

— Tudo o que me contou é verdade. A minha mãe é aquela actriz, tenho uma
irmã corista no Teatro Pavón, e um irmão que não faz nada. Mas não sei quem é
esse senhor Romualdo.

Fui eu quem ficou admirado, e tão atrapalhado que me despedi dela sem lhe
ter perguntado o nome. Creio que mo teria dito, porque o seu trato tinha sido
simpático, e olhava para mim com uns grandes olhos cheios de franqueza. No dia
seguinte, esperei-a à porta do teatro, e no outro dia a mesma coisa, e dois ou três
dias mais, até me cansar. O que fiz foi procurar Benito e contar-lhe o acontecimento. Benito ouviu-me e definiu a situação:

— Há pessoas que não estão contentes consigo próprias, que precisam de ser
outros. Então inventam uma personagem e vivem-na ou representam-na. A do

professor Romualdo não dava para mais, por isso desapareceu ao acabar a sua representação.

Apresentou em favor da sua teoria várias personagens de teatro e de romance de cujos nomes não me lembro. Talvez tivesse razão.

Naquela altura falava-se do *crack* da Bolsa de Nova Iorque: eu não soubera a tempo porque nesse dia de Outubro encontrava-me em Villavieja atarefado com a organização dos meus assuntos, mas ao chegar a Madrid e ler os jornais, ia conhecendo as consequências, cada vez mais amplas e incalculáveis, daquela surpresa. Temi que afectasse os meus interesses em Londres, e escrevi ao senhor Pedro Pereira de Lisboa. Respondeu-me com uma carta extensa e minuciosa em que me dava conta da minha situação actual: as acções de que era proprietário não tinham sofrido prejuízo nem parecia que viessem a tê-lo a curto prazo. De qualquer forma, não afastava a possibilidade de as vender num momento favorável e trazer o dinheiro para Portugal, onde ainda havia lugar seguro para o dinheiro. Tirando isto, as suas diligências para me enviar a Londres avançavam, e, efectivamente, pouco tempo depois escreveu-me a dizer que estavam à minha espera no banco londrino, e que deveria apresentar-me depois das férias do Natal: teria à minha responsabilidade a correspondência com Portugal e outras tarefas menos importantes, por umas poucas libras, suficientes, no entanto, para viver; mas podia dispor em Londres do mesmo dinheiro que me enviava agora, quer dizer, o suficiente para levar uma vida folgada e permitir-me alguns luxos. Que não me preocupasse com o alojamento, que levasse certo tipo de roupa, e outras recomendações oportunas. Preparei, pois, a minha partida de Madrid, um almoço com Benito e um jantar num restaurante de luxo com o senhor Justo. Parti para Villavieja; ali passei o Natal, solitário como no ano anterior, mas muito mais melancólico, na sala de jantar enorme, lugar de luxo para um só comensal silencioso. Escrevera uma carta a Sotero convidando-o a vir uns dias, e respondeu-me desculpando-se com o seu muito trabalho, que já começava a oprimi-lo, mas que tinha necessariamente de enfrentar. Foi assim com este ânimo que parti para Lisboa, onde deveria embarcar num paquete da Mala Real. O senhor Pedro Pereira acompanhou-me até ao barco, deu-me todo o tipo de conselhos e instruções, quis saber pormenorizadamente a roupa que levava, o dinheiro para os gastos... Proviu-me com as cartas pertinentes. Enfim, ninguém saiu do porto de Lisboa mais bem apetrechado do que eu. No entanto, quando o barco se afastava, senti-me abatido, não sei se pelo que deixava atrás, que nada me retinha, ou pelo que me esperava, que não podia adivinhar e que dava um certo medo.

XII

Cheguei a Londres de comboio, vindo de Southampton. A minha primeira impressão foi de aturdimento. Fiquei no passeio da estação de Victoria, as malas a um lado e uma chuva fina no ar. Sentia-me mais perdido do que em outras vezes, e mais me perdi quando, ao chamar uma carruagem da fila de espera, não consegui fazer-me entender, nem eu entendi o cocheiro. Como se falássemos duas línguas diferentes em que coincidia o pronome *I*. Acabei por escrever num papel a direcção do meu alojamento, e assim consegui sair do meu primeiro impasse. A casa tinha bom aspecto, embora não sendo luxuosa, e a senhora que me recebeu parecia amável e, de certo modo, protectora: entendi-me com ela melhor do que com o auriga, se bem que não perfeitamente. O quarto que me tinha destinado foi do meu agrado (tive de pagá-lo naquele mesmo momento). Dado que na rua estava a chover, dado que não tinha nada que fazer, nem vontade de fazer nada, deitei-me na cama e entretive-me a ver as chamas azuladas do carvão que ardia na lareira. Adormeci, e dormi até a dona da casa vir bater à porta do meu quarto e avisar-me de que, se não me apressasse, ficaria sem jantar, porque os restaurantes fechavam a tal hora. Pus o impermeável e procurei numa rua próxima o lugar que ela me tinha recomendado. Havia muita gente, ninguém falava com ninguém. Jantei, como os demais, só e em silêncio. Não podia adivinhar, naquele momento, que o silêncio e a solidão me acompanhariam inexoravelmente durante quase todo o tempo da minha permanência em Londres. Nem sequer a dona da casa, apesar da sua amabilidade e da ajuda que indubitavelmente me prestou em certas questões práticas, passou disso. Ao entrar em casa via de relance uma sala de estar de aparência confortável, com uma lareira de lenha, não de carvão como a minha. Às vezes havia pessoas sentadas, nunca mais de duas. *Mistress* Radcliffe, que assim se chamava ela, nunca me convidou a fazer vida de família; respeitava a minha liberdade, mas houve momentos em que eu teria gostado que não a respeitasse tanto. O senhor Pedro Pereira, entre as suas muitas recomendações tinha incluído um relatório completo acerca dos costumes ingleses, entre eles a forma de vestir, e tinha resumido os seus conselhos numa frase: «Vista bem, mas sem chamar a atenção.» Escolhi, portanto, um fato discreto, e gastei bastante tempo na escolha da gravata, que foi severa e em harmonia com o fato. Com o exterior não precisava de me preocupar, porque chovia e resolvi qualquer dúvida possível com um impermeável e um guarda-chuva. Tivera a precaução de me agasalhar por dentro, e fiz bem, porque na rua fazia frio. Apanhei um táxi, apesar de *mistress* Radcliffe me ter aconselhado um itinerário que incluía metro e dois autocarros, mas não me considerei capaz de o seguir. Levava comigo uma carta para *mister* Ramsay, que devia ser alguém importante no banco. Quando me encontrei à porta, de uma solenidade que agora posso qualificar de vitoriana, duvidei uns instantes, os que levei a aperceber-me de que qualquer dúvida seria uma estupidez, e de que o meu destino me esperava para lá da porta. De forma que entrei. Mandaram-me entrar para uma sala de espera. Mister Ramsay recebeu-me, por fim: assim que o cumprimentei, apercebi-me de que também falava outra língua, nem a do auriga, nem a de mistress Radcliffe, nem a do restaurante onde tinha jantado. Era um cavalheiro alto e magro, com cara de cavalo, vestido com um príncipe de gales cinzento: pareceu-me elegante e displicente. Reteve-me a seu lado pouco mais de três minutos, porque alguém veio e me levou à presença de mister Moore, que seria meu chefe. Mister Moore, que também não falava como mister Ramsay, teve por bem sorrir-me e dizer-me depois algo que interpretei como um «Venha comigo», ou «Siga-me», visto que se tinha levantado e se dirigia para a porta. Descemos até uns escritórios instalados na cave, e empurrou-me suavemente para o interior de um deles; uma sala pequena, com três secretárias e três assentos altos. Havia também um cabide onde estavam pendurados dois chapéus de coco, dois guarda-chuvas e dois impermeáveis, e um aquecedor aceso. Trabalhavam ali dois sujeitos, cada um à sua secretária, de costas voltadas, e não se moveram até mister Moore os chamar: «Cavalheiros...» Apresentou-mos como sendo mister Pitt, encarregado da correspondência dos países escandinavos e mister Smithson, que ficava com a de França e Itália. Mister Moore informou-me que a mim me correspondiam as cartas em espanhol e em português, desejou-me as boas-vindas e saiu. Os meus colegas tinham voltado ao seu trabalho, silenciosos, quase mecânicos. Não se pareciam em quase nada, salvo no tamanho das cabeças, uma loira, a outra quase morena, e na figura espigada, os dois vestiam de azul marinho, de casacos assertoados e gravatas de tons avermelhados. Naquela manhã não consegui descobrir que inglês falavam, se era inteligível ou não. Às onze trouxeram umas chávenas de chá com uma pinga de leite, que bebemos em silêncio. Em cima da minha secretária não havia nenhum trabalho, mas sim um exemplar do *Times*, que tentei ler, que li com certo êxito. Ainda bem! Pelo menos o inglês escrito não parecia tão misterioso como o falado. Dado que os outros fumavam, fumei também. Num sítio qualquer remoto tocou uma campainha insistente, e mister Smithson dignou-se avisar-me que era a hora do *lunch*, e que dispunha de quarenta e cinco minutos. Mister Pitt, um pouco mais amável, aconselhou-me um restaurante ao virar da esquina, mas não me disse: «Venha comigo» ou «connosco». Saíram juntos, embora sem falar, e depois vi-os a comer silenciosos no restaurante que me tinham recomendado. Quando regressei ao escritório, encontrei sobre a minha mesa um monte de cartas, cada uma com uma indicação à margem, que tinha de despachar. Fi-lo com bastante rapidez. Alguém veio buscá-las. Pouco depois entrou mister Moore, aproximou-se de mim, e felicitou-me secamente pela minha eficácia. Isto tranquilizou-me bastante, de modo que regressei a casa mais do que animado, entusiasmado. Devia ser notório, porque mistress Radcliffe perguntou-me se vinha contente. Respondi-lhe que sim. Fui jantar ao mesmo sítio que no dia anterior, e enquanto jantava, pensei na questão do táxi. Provavelmente não seria bem visto que um empregado bancário chegasse de táxi todos os dias à City. Se eu o fizesse, além de gastar muito dinheiro, mais tarde ou mais cedo receberia uma advertência ou uma discreta reprimenda, qualquer coisa assim como «Não ostente a sua superioridade sobre os seus colegas». Naquela tarde decidi experimentar o itinerário aconselhado pela dona da casa, e de acordo com as suas instruções (desenhara-me um plano), cheguei à entrada do metro, desci infinitas escadas, entrei num comboio, saí para a superfície chuvosa de Londres, apanhei dois autocarros e encontrei-me perante a fachada cinzenta (marmórea) do meu banco. Senti-me tão contente, que para regressar apanhei um *cab* (sabia o que era um *cab* pelos romances policiais) que me deixou em frente da minha casa. Durante o trajecto fui observando imagens fugazes de uma cidade que, de momento, parecia impenetrável. Era cedo. Entretive-me a pôr em ordem as minhas coisas, a colocar os livros numa prateleira que mistress Radcliffe diligenciara, e deitei-me cedo. E assim começou uma rotina da qual só saí algumas semanas depois, quando à força de ler jornais me pude aperceber de que todos os dias se representavam peças, de que havia museus e concertos, e até alguns lugares de divertimento. Comecei pelos teatros, e descobri com prazer que entendia o inglês do palco, como depois o do cinema, que já era falado, mas no cinema só se viam comédias musicais americanas, bastante insípidas, enquanto o teatro me oferecia espectáculos fascinantes. Só ao fim da terceira semana é que aproveitei a manhã de sábado para visitar o Museu Britânico, ao qual voltei no dia seguinte. No museu encontrei-me perante um sem-fim de mundos mortos de que ignorava tudo. Comprei livros, li. E nisso, no teatro, nos museus, na leitura, e em algum concerto se consumia o tempo de um cidadão solitário que se esforçava por ouvir a língua que se falava à sua volta para não se sentir absolutamente só. Mas a solidão, que a princípio suportei com bastante paciência, começou a doer-me. Saía para a rua com verdadeiros desejos de falar com alguém, sobretudo com alguma rapariga, nem que fosse só do tempo e das notícias da imprensa. Os costumes ingleses tornavam inútil qualquer esperança: toda a gente, não apenas mistress Radcliffe, respeitava o meu isolamento. E por muito que a leitura me ajudasse a preencher as horas, chegavam momentos de desespero. Pensei nas prostitutas: estas, pelo menos, por algum dinheiro, responder-me-iam, mas não tinha informações acerca desse mundo, até que descobri o bairro onde se juntavam os latinos, restaurantes italianos onde se falava em voz alta e não era preciso apresentação para as pessoas se relacionarem. Mas eu desconhecia o italiano. Uma noite, depois de jantar, encontrei-me sem dar por isso em Picadilly Circus, rodeado de pornografia impressa em todas as cores e de mulheres mais ou menos acessíveis. A minha primeira intenção foi abordar uma delas, a que eu gostasse mais, mas pensei que, na minha situação, seria suficiente que qualquer uma delas me tratasse com amabilidade para me sentir devotado, porventura enamorado. Além disso, impediam-mo outra espécie de temores. De qualquer maneira, encontrei uma italiana agradável, com quem me relacionei várias vezes durante o tempo da minha permanência em Londres. Era uma mulher de boa presença, conversadora, de cabeça oca, muito interesseira. Estas qualidades estorvaram qualquer tipo de relação sentimental. Felizmente. Chamava-se Bettina, cobrava o seu trabalho antes de o fazer, e da segunda ou terceira vez que estivemos juntos, perguntou-me se eu ia à missa, e por que não ia. Era muito religiosa. Com Bettina aprendi um farto repertório de insolências em língua napolitana. Matriculei-me nuns cursos de inglês na Universidade de Londres, aos quais assistiam toda a espécie de alunos, homens e mulheres, mas nenhum deles, nem delas, me atraiu o suficiente para tentar uma comunicação que fosse além do indispensável entre condiscípulos. No entanto, algum tempo depois de ter começado aquele curso, tive ocasião de falar com um estudante romeno, um pouco mais velho do que eu, de nome Cirilo. Entendíamo-nos melhor em francês do que em inglês. Aquele sujeito estava a par da literatura contemporânea, se bem que os seus estudos fossem de antropologia. Não chegámos a ser íntimos, mas jantámos juntos algumas vezes. Na sua companhia conheci lugares novos, entre eles os alfarrabistas, dos quais me tornei cliente. Navegava desorientado entre tanto livro, comprei alguns clássicos de que tinha ouvido falar, e bastantes romances e poemas de autores que Cirilo me tinha elogiado. Cirilo foi o responsável pela minha descoberta do humor inglês, pelo qual me entusiasmei, até ao ponto de escrever imitando uns e outros. Os resultados foram deploráveis, em Madrid teria dito lamentáveis, mas não desanimei.

Uma manhã mister Moore chamou-me ao seu gabinete, e disse-me que, a partir daquela semana, teria de redigir para o senhor Pedro Pereira, de Lisboa, relatórios sobre certas questões de finanças, para o qual punha à minha disposição um sector dos papéis do banco, e me recomendava a leitura de determinados jornais e revistas. A princípio, aquilo foi como penetrar num mundo ainda mais ininteligível do que o habitual, que tentei explorar e no qual me perdi; até acabei por confessar a mister Moore que não me sentia capaz de enfrentar aquele novo trabalho; mas ele remeteu-me para outro empregado, um economista jovem, proveniente de Cambridge (segundo me disse poucos minutos depois de o conhecer), que iniciou a minha orientação numas poucas manhãs. «Agora já poderá orientar-se sozinho, mas, de qualquer modo, eu estou aqui.» Tenho de reconhecer que toda aquela gente, por muito fria e distante que fosse, sabia trabalhar e fazia-o com consciência, embora sem lhe dar importância; pelo menos aparentemente. Foi uma lição de que tomei bem nota. O economista disse-me, depois de considerar suficiente a minha informação, que lesse estes e aqueles livros. Fi-lo, e o salto da literatura para a economia teórica foi intimamente espectacular; e isso que não eram mais do que livros de divulgação! Rapidamente comecei a navegar num mar de nomes ou siglas, de números, de relatórios sucintos, de previsões. Não só era uma língua nova, como uma nova sintaxe, onde se usavam as palavras com significados muito precisos, sem ambiguidades, das quais o sentido de humor parecia ausente. Não levei muito tempo a concluir que nada havia mais enfadonhamente sério do que a economia, nada mais racional e rigoroso. Às vezes aparecia-me como uma cadeia interminável de números, e outras com a forma quase geométrica de uma rede que abarcasse o mundo inteiro, talvez que o oprimisse, se bem que não com a mesma força em todos os lugares. Naquele mundo, a única realidade era o dinheiro, que se movia, crescia ou minguava segundo as suas próprias leis, sem que nada humano interviesse neste ir e vir, crescer e decrescer. Uma vez em que disse ao meu economista que o desemprego era um factor humano, ele respondeu-me que, naquele mundo, o desemprego não existia senão sob a forma de subsídio, isto é, não fome e dor, mas sim mais números no cálculo geral. A realidade, segundo aquele homem me descrevia, era como se o mundo, por debaixo da sua multiplicidade infinita de acontecimentos, se movesse de acordo com um só e único argumento. Também me deu a entender que, por baixo dos governos, ou por cima, mas sempre com independência, o mundo era conduzido por umas quantas pessoas, na City ou em Wall Street.

— E o *crack?* — perguntei-lhe.

Respondeu-me que faltava experiência aos norte-americanos, que não conseguiam controlar o mundo, e que desta vez se lhes tinha escapado o leme. Aconselhou-me a ler os jornais norte-americanos, se queria conhecer em pormenor as causas e as consequências daquele acontecimento, que, na própria altura, me tinha passado despercebido, e que agora começava a considerar como acontecimento capital na História do mundo, um facto que altera tudo. «A poesia também?», perguntou-me ele uma vez, e tive de reconhecer que também a época em que a poesia era puro jogo tinha terminado. O que agora andava a ler, tanto em inglês como em francês, era lúgubre e dramático. E notava o contraste entre a frieza lógica, inexorável, dos factos económicos, com a carga cada vez mais emocional da poesia. O que não me impedia de fazer todas as noites exercícios poéticos, até adormecer. Não digo que todas estas ideias aparecessem claras, e que me permitissem muito mais do que a redacção de uns relatórios provisórios; mas ainda que obscuramente, comecei a entender o mundo fora do meu umbigo. O mais curioso, porém, foi todos estes conhecimentos não terem influenciado muito a minha vida. Ou antes, nada. Poucas vezes pensava nisso fora do banco, e não me ocorria aplicá-lo a tudo o que via à minha volta, salvo quando na rua me deparava com uma manifestação de grevistas ou de desempregados; faziam-me pensar, mas não me despertavam sentimentos de compreensão ou de solidariedade. Apercebia-me desta insensibilidade (contagiada, talvez?), e cheguei a considerar-me um bicho raro, com um repertório sentimental limitado, e, naquela altura, sem nada à mão em que exercitá-lo, quero dizer, sem uma amiga ou uma amante. Uma vez recebi uma carta do senhor Pedro Pereira a agradecer-me a clareza e o esmero dos meus relatórios. Isso da clareza e do esmero ficou-me muito gravado: eram definições que teria gostado de ver aplicadas a outro tipo de textos.

XIII

UMA MANHÃ ENCONTREI UM EXEMPLAR DO *Times* aberto em cima da minha secretária. Li claramente, antes de me sentar, os títulos sublinhados com a notícia de que em Espanha tinha sido proclamada a República. Mister Pitt e mister Smithson tinham-se virado para mim, e olhavam-me como que à espera de um comentário, talvez de uma exclamação de dor ou de alegria. Como eu não dissesse nada, e me limitasse a dobrar o jornal e a pô-lo de lado, mister Pitt perguntou-me o que é que eu pensava. Respondi-lhe que não podia ajuizar, que não estava a par da política e que, além disso, o meu afastamento de Espanha impedia-me de entender cabalmente a notícia. Mister Pitt ficou com vontade de continuar o interrogatório, mas foi certamente fiel a um qualquer dos princípios da educação inglesa que aconselham a não se meterem na vida dos outros e que vetam como verdadeiros tabus certos temas de conversa. De modo que me pus a trabalhar e não aconteceu mais nada. De qualquer forma, quando saímos para o *lunch* levei o jornal comigo e li com cuidado a informação completa. Narrava-se com bastantes pormenores a partida do rei e da família real; a tomada do poder, pacífica, pelos republicanos, e o júbilo popular. Num artigo de fundo, o editorialista mostrava-se cauteloso, e, por trás daqueles parágrafos perfeitos, podia-se adivinhar o desdém de um povo estável por outro onde ser republicano ultrapassava um mero modo de pensar político e consistia principalmente na destruição de um sistema. No programa dos republicanos ingleses não figurava o derrube da monarquia, mas sim, quando muito, o seu derrube imaginário. Inglaterra e Espanha eram dois países monárquicos, mas cada um a seu modo. Pela minha parte, eu deveria ter sentido qualquer tipo de sentimento, a favor ou contra, mas não tinha sido educado nem na devoção pelo rei, nem na esperança redentora da república. Foi-me impossível adoptar uma atitude interior de aceitação ou de repulsa, e, mais ainda, sentir-me afectado na minha vida pessoal com o que acontecia em Espanha. Talvez nalgum recanto da minha consciência algo me dissesse que semelhante atitude era imprópria, e quem sabe se imoral; mas preciso de confessar que a minha consciência de cidadania era então muito vaga, e que o exercício do meu direito a pensar por minha conta em política nunca me preocupara, talvez por nunca ter entrado em conflito com a atitude de ninguém e por não me ter sentido incomodado ou satisfeito com os deveres que o Estado me exigia. Pressupus que alguém pagaria por mim os impostos das minhas propriedades, dado que nunca ninguém mos reclamara, e aí se acabava a questão. De qualquer forma, nos dias que se seguiram, até à queima dos conventos, fui lendo as notícias e as opiniões que me chegavam, e como toda a gente parecia concordar que Espanha não tinha outra saída, eu aceitei isso como bom, e acabei por me desligar daquelas preocupações. Não entendi a queima de conventos, porque nem sabia a História do meu país nem conhecia o meu povo. Aos ingleses, por se tratar de frades, não lhes pareceu mal de todo. Cheguei vagamente a saber que tinham mudado o embaixador, mas a nossa embaixada era um lugar não sei se inacessível por ser distante ou distante por ser inacessível, onde os cidadãos rasos não tinham entrada.

O anúncio das corridas de cavalos chegou a ter mais importância pessoal, e não por eu ser um apaixonado, pois nunca me tinham interessado e não sabia nada sobre isso, mas porque mister Pitt, numa daquelas manhãs, quando saíamos para o *lunch,* emparceirou-se comigo, suplicou-me que esperássemos a chegada de mister Smithson e que, se não tivesse inconveniente, almoçássemos juntos. Surpreendeu-me, mas não vi qualquer inconveniente. Tratava-se de me informar da importância das corridas na vida social inglesa e da conveniência em que eu assistisse a uma pelo menos, para o qual se punha à minha disposição. Não sei o que me levou a pensar que aquela cortesia não partia deles, mas que alguém mais elevado lhes tinha sugerido que o fizessem... Não vi qualquer inconveniente. Ficaram de me arranjar o bilhete, que valia xis libras (entreguei-lhas), e advertiram-me acerca da obrigação moral de ir ao hipódromo o mais elegante possível, mas sem serem mais precisos. No dia da corrrida vesti o meu melhor fato, um cinzento não muito claro, e, como chuviscava, o impermeável. O momento de entrar na carruagem em que eles me esperavam foi importante e, sobretudo, significativo: vinham vestidos de fraque e chapéu alto cinzentos, de guarda-chuvas fechados, no colo. Com dois olhares entre curiosos e depreciativos mostraram-me, tanto mister Pitt como mister Smithson, a parte que lhes cabia no exercício da superioridade pessoal, geralmente admitida, dos cidadãos britânicos sobre o resto do mundo, simbolizada por aquela indumentária. Em que categoria humana me situaria, irreparavelmente, a minha? Por sorte, apercebi-me a tempo, e creio ter aguentado a minha situação com naturalidade e indiferença. Mantive, além disso, a presença de espírito suficiente para notar, primeiro, que tanto o fraque de mister Pitt como o de mister Smithson deviam ser alugados, tão mal lhes ficavam, a um, nos ombros, e, ao outro, na cintura; segundo, mister Pitt tinha para com mister Smithson um tipo de considerações só perceptíveis nas subtilezas: matizes e pequenos pormenores de que mister Smithson não parecia aperceber-se, ou, pior ainda, agia como se o incomodassem, também com trejeitos e gestos apenas esboçados. Lembrei-me não sei porquê (inesperadamente, como um relâmpago inútil) da ocasião em que, no paço minhoto, presenciara a sedução da fêmea por um pavão real. Aquela permanecia de costas, com a cabeça um pouco virada e a cauda fechada, e o pavão, com a cauda em leque, um pouco curvada para a frente, enviava para a fêmea uma espécie de eflúvios quase audíveis, como descargas eléctricas que fossem, ao mesmo tempo, música; perante o que a fêmea parecia mostrar-se insensível. Retirei-me antes que a fêmea desse o sim ao empertigado macho, deslumbrante com as suas penas desfraldadas. Era criança quando vi isto. Tempos depois compreendi que toda a magnificência do pavão não era mais do que um ardil da natureza para perpetuar a espécie, mas semelhante conclusão não era aplicável ao caso de mister Smithson e mister Pitt, ali presentes. Não parou de chuviscar durante a corrida, mas os meus companheiros mantiveram os guarda-chuvas fechados. Havia pessoas vestidas como eu, as mais insignificantes, e outras, mais numerosas, fardadas como eles, os meus companheiros, se bem que de melhor alfaiate, ou, pelo menos, de melhor loja. Mister Pitt e mister Smithson procuravam, evidentemente, confundir-se com os mais elegantes, serem tomados por congéneres, altos cargos, supunha, ou gente assim — eu sei lá! — que aparecem nas colunas sociais, e quando conseguiam aproximar--se o suficiente de um grupo distinto para poderem parecer misturados com ele, sentiam-se enormemente satisfeitos, a julgar pelos seus sorrisos. Não falavam da mesma coisa que os outros, embora sorrissem da mesma forma. De todas as maneiras, certa classe de público ficava longe de nós, separados por autênticas valas, não havia maneira de chegar até lá, de ali ser mais um. Regra geral, cada cavalheiro acompanhava a sua dama, e esta usava vestidos e chapéus espampanantes, vestidos compridos, chapéus largos, a mala e os sapatos a combinarem com o vestido e com o chapéu, harmonias em rosa, em salmão, em anil. Quando algum destes casais passava ao meu lado, ou eu ao lado deles, ouvia falar um inglês inteiramente novo, que parecia ao mesmo tempo sussurrado e mastigado. Provavelmente esse inglês que falavam era o que os separava de nós, não só a elegância das harmonias; também uma espécie de ar de superioridade como que contida, como que pedindo perdão por ela. Aquela gente, comparada com os meus amigos, estava visivelmente por cima, e o que se lhe notava era o que queriam dissimular, mas que aceitava ironicamente a evidência da superioridade. Enfim, algo muito complicado que a minha inexperiência percebia vagamente, que não conseguia ainda formular em palavras, embora me apercebesse com muito mais clareza que os meus companheiros, ao tentarem imitar os de cima, ficavam a meio do caminho, na mera e enternecedora caricatura. Aconselharam-me a apostar. Fi-lo. Perdi algumas libras. Eles, também. Ah, se tivessem ganho!... Comemos numa tasca muito agradável, nos arredores do hipódromo. Mister Pitt bebia cerveja; mister Smithson, água mineral, e, depois do almoço, um licor. Ofereceram-me o almoço. Caramba! Fiquei comprometido a fazê-lo também, na primeira ocasião.

Não pôde ser, no entanto, e não por minha culpa. Uma manhã, pouco depois da corrida, nem mister Pitt nem mister Smithson compareceram no escritório. Causou-me uma impressão estranha ver os seus cabides vazios, e eu sozinho à minha secretária, sem ouvir as suas respirações, nem o raspar das suas canetas, nem aqueles gritinhos misteriosos que um deles dava e aos quais o outro respondia, gritinhos como uivos moderados, não sei se seriam palavras abreviadas ou mera nostalgia da selva, quem sabe, de algum safari que tivessem feito: mensagens, agora em código, de recordações comuns. Por volta das dez horas da manhã ouvi um certo alvoroço, e pude aperceber-me da ida e vinda de polícias fardados pelos corredores do banco. Havia interrogatórios e chegou a minha hora de prestar declarações. Perguntaram-me se tinha notado algo de estranho nas relações entre mister Pitt e mister Smithson, e respondi que não, que a sua conduta fora sempre invariável. Pediram-me que me lembrasse, e a minha memória não contribuiu com novidades úteis, parecia, porque a única coisa que consegui referir foi a minha ida ao hipódromo, a única vez em que estivera com eles fora dos escritórios. Sim, era verdade que almoçávamos no mesmo restaurante, mas em mesas diferentes. Tive a ideia de descrever aquelas atenções, aquelas delicadezas de mister Pitt para com mister Smithson, e o homem que me interrogava sorriu. Bom. Pouco depois soube que mister Pitt tinha assassinado mister Smithson e se tinha suicidado quase a seguir. Supunha-se que o drama acontecera à meia-noite do dia anterior: os corpos mortos, nus na mesma cama, tinham sido descobertos pela senhora que ia fazer a limpeza. Ah! Viviam na mesma casa? O colega a quem fiz a pergunta também sorriu. «Não sabia que eram marido e mulher? No banco todos sabíamos.» Envergonhei-me da minha pouca perspicácia.

Na manhã seguinte, vinha a fotografia dos meus falecidos colegas de escritório em vários jornais. Nalguns, só os retratos. Noutros, os corpos mortos tal como os tinham encontrado. As informações não acrescentavam grande coisa. Um crime passional, a julgar pelos pormenores. Nenhum dos articulistas mostrava a mínima simpatia para com o casal: antes, desprezo, como se em vez de um crime tivessem cometido uma incorrecção.

Eu andei perplexo e quase obcecado durante algum tempo, e não pelo crime em si, que não chegou a alterar-me mais do que o normal, mas pelo que nele havia de inesperado e súbito, pelo menos para mim. Veio-me à mente a lembrança da minha surpresa quando, pouco tempo antes, certa manhã ficara a saber que a Espanha já não era representada por Afonso XIII, mas por Alcalá-Zamora. Os factos não se pareciam em nada, a não ser coincidirem no surpreendente, e em conhecê-los como factos isolados, sem causas, sem previsões, como algo que cai do céu. E, no entanto, um era a consequência de uma história privada; o outro, de uma história pública. Eu desconhecia as duas histórias e isso impedia-me de compreender o âmago das questões. Acontecia a mesma coisa com a maior parte do que sabia do mundo: factos isolados, súbitos, incompreensíveis e indiferentes. Nem o que ia sabendo de finanças me permitia interpretar na sua verdadeira realidade certos acontecimentos de Xangai, de Buenos Aires ou de Hamburgo. A verdade é que tudo o que nos rodeia é incompreensível; são infinitos cumes de icebergues, quem sabe se de um icebergue único e infinito. Andamos entre esses cumes, que às vezes ferem, sem nos preocuparmos com o que há debaixo porque não nos interessa. Mas um dia mister Pitt assassina mister Smithson, um verdadeiro episódio de Londres, acerca do qual gostaríamos de saber mais.

O alvoroço que provocou no banco, e se digo alvoroço é por não achar palavra melhor para designar o que na realidade não passou de suave ondulação, foi rapidamente esquecido. A minha vida continuou normal e correcta, quer dizer, monótona: teatro, livros, uma ou outra visita à puta napolitana, sempre preocupada com a minha vida religiosa. «Vais-te condenar, o demónio vai-se meter no teu corpo», sem mais novidades que a tarefa que me deram da correspondência em francês, enquanto não apareciam substitutos idóneos dos amantes mortos. O primeiro a chegar foi mister Carr, um cavalheiro cinzento que se encarregou das cartas da Escandinávia, e, pouco depois, monsieur Paquin, um jovem francês que estava mais ou menos na minha situação e que, embora permanecesse em silêncio durante o trabalho, conversava à hora do *lunch* e a qualquer outra hora; fez-se convidado, desde o primeiro dia, a acompanhar-me na mesa, onde se servia à vontade. Vinha de Marselha, falava um francês meridional, muito fácil de entender e muito correcto, que me serviu para desenferrujar o meu, já oxidado. Parecia perito em assuntos de comércio e de finanças, e totalmente indiferente à literatura. Em contrapartida, mostrava-se interessado pelas questões sociais, e estava perfeitamente informado das revoluções do mundo, as em marcha, as previsíveis, as fracassadas. Incluindo a espanhola na segunda categoria; segundo ele, no meu país não tardaria muito a implantar-se um regime socialista radical, próximo do comunismo. Mas ele não comungava do meu género de radicalismo: era um desses tipos sem problemas, conservador por temperamento e por convicção, ainda que curioso. Foi ele quem me levou ao antro (e se o chamo assim é porque se tratava de uma cave bastante escura, mas de modo algum sinistra) onde se reuniam gentes das mais diversas proveniências para ouvir os ensinamentos de um mestre eslavo, propagandista do anarquismo mais extremo: um homem de muito boa figura, nobre de cabeça e de gestos, de falas serenas, totalmente ao contrário do que geralmente se espera de uma pessoa que prega a destruição da sociedade a partir dos seus alicerces, operação indispensável para a criação de um mundo novo, arrancado provavelmente do nada. Tinha um voz viril e acariciante, uma verdadeira voz de barítono, a coisa mais fascinante dos seus muitos atractivos; mas não o era muito menos a clareza com que expunha as suas ideias e a sua contundente estrutura lógica. Monsieur Paquin, couraçado pelas suas convicções, tomava apontamentos. Eu, sem convicções onde me entrincheirar, deixava-me seduzir, não tanto pelas ideias, como pela arte com que as expunha. Admitia no meu coração aquele mundo de justiça, de paz e de beleza que o mestre descrevia com palavras tão precisas como se o tivesse conhecido: eu não sabia então que inventar é um modo de conhecer. Admitia tudo desde que me deixassem o meu paço minhoto; não me importava renunciar ao resto. Ouvia-o com o mesmo êxtase que aos actores que representavam Shakespeare, e chegou a parecer-me um grande actor num grande papel. Nunca duvidei, no entanto, da sua sinceridade. Pelo que vim a saber, a sua conduta estava de acordo com as suas ideias. Vivia pobremente dos donativos que lhe davam os seus ouvintes, nunca mais de um xelim, e embora no seu auditório abundassem mulheres bonitas, de quem sem dúvida teria podido aproveitar-se, tinha reputação de casto. Monsieur Paquin não assistiu muito tempo àquelas conferências; eu fui mais fiel ao mestre; alternei-as com o teatro.

E assim chegou o Verão. Tinha direito a quinze dias de férias. Aproveitei-os para ir até Espanha, uma viagem rápida com paragens em Madrid, Lisboa, Villavieja del Oro e no paço minhoto, onde só pude permanecer dois dias. Em Lisboa, o senhor Pereira mostrou-se muito contente com os meus progressos no conhecimentos das finanças universais. No paço não pude deixar de recordar Belinha e de evitar umas horas de melancolia. De Belinha havia notícias; vivia contente, tinha-lhe nascido um filho e, de vez em quando, era invadida por saudades. A maior surpresa ocorreu em Madrid. Procurei Benito e não me foi difícil encontrá-lo. Encontrei-o muito bem arreado e um pouco mais gordo. Já não fumava. Tinha noiva oficial e estudava Direito com afinco, visando candidatar-se a um concurso, e parecia esquecido da poesia. Fomos comer os três, um almoço seguido de uma longa sobremesa. No princípio era eu quem falava, mas logo me fez perguntas, cada vez mais concretas, como se uma curiosidade enterrada encontrasse agora oportunidade de aflorar. Como era o teatro em Inglaterra? Como era Shakespeare? E de poesia, como ia? As minhas respostas desassossega-vam Beatriz, a noiva; desassossegavam-na como se encerrassem um perigo.

— E de poesia, o quê? Escrevo versos todas as noites, versos perfeitos. Posso dizer em verso o que quiser, mas não tenho nada para dizer.

Se bem que esta confissão bastasse para me pôr num plano inferior, Benito diminuía-se; falava-lhe de pessoas que ele nunca tinha ouvido nomear, ou cuja fama chegara até ele, embora sem os textos. «Muito progrediste só num ano!», dis-se uma vez, com um remoto ressentimento, com um ressentimento de que prova-velmente não se apercebia, algo assim como o que deve sentir aquele que abandonou um campeonato frente ao que o ganhou, e que Beatriz, mais esperta que ele, procurava diluir com carícias furtivas, com olhares de amor, com discre-tas advertências ditas com voz prometedora. Tirei a conclusão que Benito tinha encontrado a felicidade correcta e permitida à custa da sua liberdade, e quem sa-be se da renúncia do seu destino; uma felicidade e uma liberdade relativas, sem dúvida, que eu não cheguei a invejar-lhe, porque Beatriz, embora bonita e cheia provavelmente de excelentes qualidades, acabava por não me agradar. Benito aperceber-se-ia de que ela mandava nele, o dominava, lhe traçava o caminho que lhe apetecia a ela, uma carreira honrosa, um lugar na sociedade decerto mais com esperanças do que com realidades? Sentia-me triste. Teria gostado de encon-trar Benito feito todo um poeta, com versos publicados e uma reputação incipien-te, se bem que solidamente estabelecida, amigo deste e daquele, enfim, o que ele tinha esperado e desejado de si mesmo nada mais nada menos que dois anos an-tes. Não me ocorreu pensar que ele tinha encontrado os alicerces para construir a sua vida sobre eles, uns alicerces, é claro, que não eram do meu agrado e que eu teria recusado, se mos oferecessem. Mas eu, embora não o parecesse, andava à deriva, sem nada sólido onde lançar âncoras, eu creio que sem desejo de as lan-çar. Mas estas ideias desapareciam rapidamente da minha cabeça, sem chegarem ao coração. Pensar sobre mim próprio dava-me uma certa preguiça.

Regressei à rotina londrina. Havia ainda uns restos de Verão que me permiti-ram passear pelos parques públicos e partilhar com toda a gente aquele sol quase sem força que, no entanto, arrancava à relva lindos resplandores e embelezava as árvores ao entardecer, quando perdiam a cor e a forma, quando era diluídas pe-las sombras. Naqueles dias em que o Outono tardou a aparecer creio que revivi a minha velha relação com as árvores e senti o prazer do limitado espelho dos la-gos, tão limpos e tão cuidados, em que sentia a falta dos grandes nenúfares do paço minhoto. É curioso como se descobre às vezes, na memória, a beleza das coisas que não estão, e pelas quais passámos com suposta indiferença. Eu contemplara muitas vezes as alvercas do paço, as suas flores e os seus peixes, e nunca tinha parado a pensar que eram belos, mas certamente vivia-os como tal, pois como tal os recordava.

Num daqueles parques, numa das últimas tardes, estabeleci relação com um sujeito curioso: era um homem mais que maduro, muito direito, muito bem vestido, com ar de militar na reserva ou coisa assim. Tinha um rosto aberto, corado e bigodudo, muito expressivo, e não hesitava sorrir ao olhar para mim. Costumávamos coincidir em bancos próximos. Eu lia um livro; ele, ou um jornal, ou uma revista que me parecia ser o *Punch*. Notava-se-lhe o desejo de conversar comigo, porventura de saber quem eu era, ou de que eu me interessasse por ele, e embora toda a tradição britânica o estorvasse, encontrou a forma de entrar em conversa comigo através de uma artimanha ingénua. Numa das tardes trouxe consigo uma bola de que os ingleses se servem para os seus jogos, não sei se de ténis: uma bola branca e dura, que sem me aperceber vi aos meus pés, detida por um dos meus sapatos. O cavalheiro parara diante de mim, sorridente, e pediu-me licença para a apanhar. Apressei-me a dar-lha. Sem outro pretexto, disse-me mais ou menos:

— Eu não partilho, cavalheiro, desse preconceito tão inglês que impede duas pessoas de se falarem sem terem sido apresentadas. Eu sou o major Thompson, V. C., ex-membro do Parlamento. O senhor é estrangeiro, não é verdade? Latino, evidentemente.

— Sou espanhol e chamo-me Filomeno Freijomil.

— Como disse?

— Freijomil.

Tentou pronunciar o meu apelido, mas não atinava; repetiu-o duas ou três vezes, cada uma pior que a outra. Mostrei-lho escrito na guarda do livro que eu levava, e ainda o pronunciou pior. Isso fê-lo rir.

— Nós ingleses somos bastante desajeitados para as línguas estrangeiras, embora haja de tudo. Mas esse seu nome é endemoninhado.

— Pode chamar-me Filomeno.

— Oh, não, não, ainda não! Chamá-lo pelo seu nome de baptismo é algo a que não me atreveria dc modo algum. Há normas que um cavalheiro pode transgredir, e eu acabo de o fazer numa delas, mas chamá-lo pelo seu nome de baptismo é impossível, pelo menos por agora. Permite-me que me sente a seu lado?

Sentiu-se autorizado pelo meu sorriso, e conseguiu sentar-se depois de uma operação muito complicada a que o obrigavam a sua corpulência e a incipiente torpeza dos seus movimentos. Falava um inglês refinado, segundo eu já podia compreender, e fê-lo sobre si próprio, sem ordem, saltando da Índia para as trincheiras belgas da guerra de catorze, das cargas de cavalaria para os carros de combate, das mulheres indianas para as raparigas de uma Paris em guerra. Até aqui tudo de acordo com o previsto. O livro que descansava em cima do meu colo serviu-lhe para saltar para outro tema de conversa: o socialismo de Bernard Shaw e, sobretudo, a sua figura.

— Nós ingleses temos necessidade de alguém de quem nos rirmos, ou, pelo menos, de quem nos faça rir. É a nossa fraqueza, e mister Shaw, por enquanto, ocupa o lugar invejável de nosso melhor palhaço, um dos melhores, sem dúvida, que jamais existiu nas Ilhas. Fê-lo com verdadeiro engenho, e, além disso, tem a seu favor o ter escrito uma ou outra comédia bonita. Já viu o *Pigmaleão?* Leu-a ao menos? Não deixe de o fazer! É o ataque mais elegante que jamais se fez ao conjunto de trinta e tantas línguas irredutíveis a que chamamos inglês. Está a entender?

— Creio que sim, senhor. Bastante bem.

— Felicito-o, porque a minha forma de falar não é o que se pode dizer um exemplo para os estrangeiros, embora na Inglaterra seja bastante bem visto, talvez pelo que tem de antiquado. No meu clube respeitam-me sobretudo pela minha forma de falar. A Victoria Cross só é admirada em segundo plano, mas eu não estou de acordo com eles. Entre a minha forma de falar e a Victoria Cross interpõe-se a minha colecção de insectos dissecados. Uma colecção verdadeiramente singular, constituída por exemplares únicos! Em momentos de optimismo, considero-a o mais importante dos meus escassos méritos, um mérito, para além do mais, que carece de reconhecimento público. No entanto, ainda não há muitos anos, fizeram-lhe uma referência no terceiro editorial do *Times*. Uma grande honra para mim.

Disse-lhe que não duvidava, e acrescentei que me faltavam valores pessoais para opor aos seus, pois ainda me encontrava numa idade em que é difícil tê-los seja de que tipo, se bem que não perdesse a esperança de algum dia encontrar qualquer coisa rara e subtil para coleccionar.

— É uma resposta muito acertada, cavalheiro. Gostaria que todos os alunos de Oxford partilhassem desse ponto de vista, ainda que aplicado a eles próprios. Realmente é muito difícil arcar com os méritos se não nascemos com eles, e mesmo assim. Frequentemente destroem as pessoas. O importante não é o que se faz, mas quem o faz. O Senhor Jesus Cristo não era Deus por fazer milagres, mas fazia milagres porque era Deus. O capitão Ford, do Quinto de Cavalaria, foi realmente valoroso, embora não a cavalo, mas tão insuportável quanto valente precisamente por o ser. Uma lástima de rapaz. Não fez carreira nas armas, mas na política. Hoje é deputado trabalhista, título que eu não poderia suportar sem morrer umas duas vezes por dia.

E, ao dizer isto, olhou para mim de uma maneira indescritível.

— Portanto, e sem que isto signifique meter-me na sua intimidade (Deus me livre de semelhante ofensa!) mas já morreu alguma vez?

Disse-lhe que não me lembrava, mas que não tinha a certeza.

— Aí está outra resposta atinada. Nunca temos a certeza de nada, nem da própria insegurança; mas permita-me que mude de conversa. Ainda não o conheço o suficiente para tratar de temas que a sociedade rejeita por indecentes. Não obstante, nunca se esqueça, e não se surpreenda se alguma vez voltarmos a falar disso. Porque voltaremos a falar, não é verdade? Não terá qualquer inconveniente? Tenho a impressão de que está só, e a situação de solidão em Londres não é nada fácil de suportar. E que me diz de andar só pela vida? A solidão de um clube é outra coisa, e, bem administrada, pode ser bela. Além disso, sempre temos o criado à mão. Há criados de conversa ilustrativa, verdadeiros historiadores à margem da História oficial, ainda que perigosamente próximos do jornalismo amarelo. Eu devo-lhes uma boa parte do que sei de Londres. Agora, diga-me qualquer coisa de si, algo que se possa perguntar a um cavalheiro sem ter de suicidar-se imediatamente. Por exemplo, conhece o rei de Espanha?

Respondi-lhe que não, que não tivera ainda ocasião, mas que o meu pai sim o tinha conhecido.

— Por alguma razão especial?

— Não, senhor. Por razões, diríamos, profissionais. O meu pai foi senador do reino.

O major fez um gesto de espanto.

— Senador? Isso é como ser lorde em Inglaterra.

— Não é o caso do meu pai, senhor. O meu pai foi eleito.

Pareceu desiludido, ainda que não totalmente.

— Aqui, por sorte, os lordes são só hereditários, como certas classes de loucura ou a propensão para as verrugas. Seria muito triste para qualquer cidadão inglês correr o risco de ser eleito lorde por sufrágio univeral. Não creio que alguém conseguisse suportar isso, sobretudo os democratas. Já nos chega o perigo, em que eu caí uma vez, embora devido à minha inexperiência juvenil, de serem todos elegíveis para a Câmara Baixa. Até as mulheres podem lá entrar! Os lordes são como a minha colecção de coleópteros: aparências sedutoras ou, pelo menos, raras, mas recheadas de palha. Digo-o com conhecimento de causa: o meu irmão mais velho senta-se por direito próprio na Câmara Alta, como se sentou meu pai e se sentaram todos os meus avós desde a Restauração. Os Thompson do século dezassete eram partidários dos Stuarts, e a sua fidelidade foi recompensada. Isso permitir-lhe-á compreender que não somos puritanos, mas conservadores da High Church. Embora talvez lhe esteja a falar de acontecimentos e situações que desconhece. Se os ingleses costumam ignorar a sua História, como irão conhecê--la os continentais? Ainda que, claro, possa haver excepções.

— Eu sou uma delas — respondi-lhe o mais modestamente possível. — Poderia falar-lhe dos Stuarts meia hora seguida e um pouco mais se me interrogassem sobre as suas vidas privadas.

— Pois não deixa de ser estranho. Mas deixemos isto de lado, e permita-me que voltemos ao tema da solidão. Eu aconselhá-lo-ia a tornar-se sócio de um clube, ainda que, para já, não me ocorra de qual. Os clubes costumam ser extravagantes na sua legislação: servem, entre outras coisas, para que alguns grupos de ingleses se ponham de acordo, para chatear os outros, em nome de uns pontos de vista próprios geralmente inadmissíveis. Há clubes em que não se admitem pessoas com bigode, e outros em que só podem entrar os bigodudos. Acho isto razoável, embora não concorde. Prestar-me-ia a apresentá-lo no meu clube como candidato à primeira vaga (é um clube de lugares limitados), mas desconheço se preenche as condições previstas. São muito exigentes quanto à prosápia.

Fingi a seriedade que o caso requeria, embora não pensasse filiar-me em nenhum clube, nem sequer no do major Thompson; mas começava a suspeitar que aquele senhor tão distinto V.C., ex M.P., estava a divertir-se à minha custa. Levantei-me e postei-me diante dele.

— Cavalheiro, vou dizer-lhe algo que costumo calar, sobretudo em Inglaterra. Apesar de ser espanhol, a minha mãe pertencia a uma família portuguesa, e chamava-se, por parte da sua mãe, Alemcastre, que é o nome que em Portugal é usado pelos descendentes de um ramo de Lancaster que se estabeleceu lá durante a Idade Média.

O major Thompson pareceu, mais do que surpreendido, estupefacto. Levantou-se e fez-me uma vénia tirando o chapéu.

— Permita-me que o cumprimente como inimigo, embora não ache necessário matarmo-nos aqui mesmo. A minha família foi sempre partidária da Rosa Branca. — Desatou a rir e estendeu-me a mão. — Nestas condições — acrescentou — o mais natural parece-me ser convidá-lo para jantar, e precisamente no meu clube. Não é um lugar para gente jovem, mas aos jovens não faz mal uma experiência prematura do Inferno, e perdoe a minha nova transgressão. De qualquer forma, o meu clube é bastante mais agradável do que a Câmara dos Comuns, ainda que menos pitoresco, e come-se lá muito melhor. Aceita?

E sem esperar a minha resposta, pegou-me no braço e levou-me até um lugar fora do parque onde um automóvel estava à sua espera. Um motorista fardado tirou o boné e abriu-nos a porta.

— Para o clube — disse o major. — Há um pequeno pormenor de que não o informei. É proibido fumar no clube. Se sentir necessidade de o fazer, fume agora. Assim poderei aproveitar o seu fumo. Usa cachimbo? Ou fuma cigarros? Nesse caso não se preocupe; eu de fumos só distingo o da pólvora.

Contudo, não fumei. E ele continuou a falar, enquanto o carro corria. Começou a chuviscar, e mister Thompson comentou que tinha acabado o Verão, mas talvez ainda viessem alguns dias bons.

— O Outono é belo, ou costuma sê-lo. Claro que o senhor é muito novo para disfrutar das cores do Outono. Digo isto em todos os sentidos. — De repente deu uma palmada na testa. — Tinha-me esquecido de lhe dizer, querido amigo, que no meu clube é preciso vestirmo-nos para jantar. Tem algum inconveniente?

— Não creio, senhor.

— Nesse caso, o carro deixar-me-á no clube e a si deixá-lo-á no seu domicílio. Vista-se sem pressas, mas também sem pausas. O carro esperá-lo-á.

E assim foi. Mister Thompson ficou à porta de um enorme edifício cinzento, da conhecida solenidade vitoriana, numa rua tranquila, de edifícios semelhantes, como a grande decoração de uma grande comédia antiga, e o seu carro levou-me até minha casa, e esperou até eu ter vestido o *smoking*. Mister Thompson aguardava no vestíbulo do clube, já vestido, falando com outro cavalheiro, a quem me apresentou com um certo engasgamento divertido.

— Um verdadeiro Lancaster, meu amigo, o que já não há em Inglaterra! Pensar que a nossa verdadeira História, a que entusiasmou Shakespeare, tenha que ser procurada no continente! Quantos York, quantos Stuart andarão por aí perdidos? Além disso, repare no inglês tão tolerável que este rapaz fala. Para estrangeiro, excelente.

O outro cavalheiro respondia com sorrisos ambíguos e dava a impressão de estar cansado da conversa do major.

A sala de jantar do clube era tão imponente como o resto do edifício: sério e silencioso como um jazigo, razoavelmente antiquado e absolutamente formalista. Compreendo que os ingleses precisassem do sentido de humor para se libertarem daquele pesadelo. Os criados, mesmo os novos, pareciam pertencer à época em que se tinha construído o edifício, ainda que o seu automatismo nos remetesse para fantasias mais recentes, e quanto ao silêncio, nunca estive num lugar fechado em que, como naquele, se ouvisse voar uma mosca, pelo menos uma das grandes; mas não creio que as houvesse, que as tivesse havido ou que viesse a haver. Digo-o com elogio e com certo sentimento, porque no paço minhoto há moscas. O próprio mister Thompson, a partir do momento em que atravessou o umbral, baixou o volume da sua voz, e até me deixar, ao acabar o serão, instalado no seu carro, manteve aquela forma de falar que se parecia com um sussurro que sempre se teme ser demasiado alto, embora de vez em quando parecesse custar-lhe um grande esforço não lançar para pasmo dos seus colegas, do seu implacável julgamento, alguma interjeição estridente das que se proferem no campo de batalha, porque, sem estridência, as interjeições, mesmo as inglesas, perdem dignidade, e, no conjunto da frase, ficam fora de contexto. Concretamente, as de mister Thompson pareciam-se com o que fica de um balão quando desincha. O mais notável foi a ementa que mister Thompson mandou vir para si: começava com ostras com champanhe e acabou com *profiteroles* com chocolate. No meio, salmão e bife em quantidades inusitadas. Comia com verdadeiro prazer, mas com movimentos de liturgia acreditada pelos séculos e usados por um mestre de cerimónias: sem pressa, degustando conscienciosamente tudo o que o garfo depositava entre os seus dentes, depois de ter percorrido elegantemente o trajecto desde o prato até à boca. Mas nem por isso deixou de falar, e o que disse não teve desperdício. Referiu-se principalmente à qualidade e quantidade dos seus manjares.

— O senhor pensará que o que estou a comer é excessivo para um homem da minha idade e que, além disso, não tem o coração muito seguro. À primeira vista tem razão, e tê-la-ia qualquer um que pensasse a mesma coisa. No entanto, nem o criado nem o cozinheiro se terão surpreendido com o meu pedido, porque saboreio este tipo de ementa pelo menos umas duas vezes por semana. Sempre de noite, e faço-o com a segurança de que não me fará mal. Mas, naturalmente, o senhor não pode acreditar em mim. Está assustado com a minha voracidade. O senhor, sendo tão novo, foi muito mais comedido, e fez bem. Todo aquele que não está no segredo deve jantar frugalmente, sobretudo se for tarde, como hoje. E já há algum tempo que estou a pensar se posso ou não revelar-lhe o segredo.

Há razões a favor e razões contra. Que se passará com a razão, que se divide sempre no sim contra o não, um sim que pode ser não, e um não que pode ser sim? A mim agrada-me que assim seja, talvez pela minha natureza belicosa, que ama a contenda, ainda que seja a de razões contrapostas, mas admito que certas pessoas desejem encontrar a paz pelo menos na razão. O senhor é um deles? Por um lado parece-me que não, mas por outro... Enfim, talvez seja imprudente qualquer revelação, por que não escandalosa? Mas como vou permitir que perca o sono tentando perceber como é que um homem da minha idade, com o coração bastante estragado, se atreve a jantar assim na certeza de estar amanhã vivo? Para escolher um desses dois caminhos, o da revelação ou o do silêncio, preciso de me convencer de antemão não só de que não vai surpreender-se, como de que me guardará o segredo. Pode fazer uso da minha revelação; isso sim, sobretudo se lhe apetecer: não sou egoísta. Mas não diga a ninguém, pelo menos se quiser que o respeitem. A razão para manter em segredo o meu segredo é que, se todos estes cavalheiros que nos rodeiam o conhecessem, na primeira reunião geral de direcção do clube teriam apresentado um *bill* assinado por metade e mais um dos seus sócios, pedindo a minha expulsão. E isso, meu amigo, é mais do que a minha dignidade está disposta a suportar. Que faria eu sem o meu clube? Pelo menos nos meses imediatos. Tenho o costume de passar o Outono em Londres. Depois, uma temporada em Itália, ou no sul de França, conforme o tempo que fizer. Não regresso antes da Primavera, e é então que vou para o campo, e, assim, até Setembro, em que volto ao clube. Falta quase um ano, e, nesse tempo, sabe-se lá o que pode acontecer? O naufrágio de um barco, um choque de comboios... A vida moderna é muito insegura!

Estava ocupado com uma boa porção de bife, quase em sangue, acompanhada de hortaliças e de puré. Trabalhou-a em silêncio. Ia a meio quando fez uma interrupção. Tirou do bolso um relógio de tamanho razoável, uma bela peça de ouro, muito lavrada, com esmaltes, que me mostrou com as tampas abertas.

— Está a ver que horas são?

— Sim, naturalmente. Quero dizer, acho que sim...

— Faz bem em duvidar, sobretudo do evidente. É razoável fiar-se em mecanismos como este, ainda que sejam requintadamente enfeitados? Olhe bem para ele. Foi uma prenda de Disraeli a uma das suas amantes, a qual, depois de casado o conde, o foi de um dos meus antepassados. Prenda de amor num caso, prenda de amor no outro. Por esta razão pertence à minha família, e nela continuará, embora isto nunca seja certo.

Passou-me o relógio com as tampas abertas, e eu peguei nele com as mesmas precauções que teria se me entregasse um ser vivo e diminuto. Examinei-o com curiosidade e alguma emoção. No interior de uma das tampas havia um retrato em miniatura de uma mulher formosíssima, embora fria. Interroguei mister Thompson com um olhar.

— Sim — disse ele. — Foi uma mulher terrível, por quem vários homens se suicidaram, embora se tratasse de gente que também se teria suicidado por outra causa qualquer. Há pessoas que só têm essa saída e o que procuram é um pretexto... — Pegou no relógio e manteve-o na mão. — Pois bem: se faço funcionar este mecanismo e o senhor vê que o estou fazendo, os ponteiros retrocedem enquanto eu não os detiver. Mas eu espero que tenham dado vinte e quatro voltas para trás e nos façam retroceder no tempo. Agora, há vinte e quatro horas era ontem, mas, ao atrasar o relógio, hoje volta a ser ontem e desde ontem a estas horas, até hoje, eu não morri. Instalado, pois, neste passado obtido com imaginação e meios mecânicos, estou seguro de não morrer por mais desmesurado que seja o meu jantar. Ora bem: eu adoro os jantares desmesurados. Não os almoços, como vocês dizem, os continentais, mas precisamente os jantares, e precisamente pelos seus riscos. Eu sou um militar sem guerra, acostumado ao perigo, necessitado dele. Já não há trincheiras para assaltar, mas sim jantares pantagruélicos para ingerir. O senhor dirá que se tenho a certeza de não morrer nas próximas vinte e quatro horas, o risco já não existe, pelo menos matematicamente, mas nunca podemos ter a certeza do Destino, sobretudo quando depende de um mecanismo tão antiquado como o meu relógio e tão carregado de emoção sentimental. Nesta leve margem de incerteza reside a emoção. — Mantinha o relógio nas mãos, contemplava-o. — Disraeli ofereceu-o à sua amante; mas, quem o teria oferecido a Disraeli? Existe a lenda de que este relógio pertenceu a uma casa ducal, que se nega reconhecê-lo porque, caso contrário, implicaria admitir como históricas as relações de um hebreu, conservador, embora inteligente e belo, com uma dama de puro sangue normando: por isso o apelido da Casa ainda é francês. E isso, meu amigo, é mais do que é possível tolerar em Londres, ou pelo menos mais do que se pode aceitar que aconteça, ainda que tenha sido verdade. Por isso a história é contada como lenda. Mas aqui está o testemunho mudo do relógio.

Tinha bebido, além do champanhe e das ostras, um branco com o salmão, um tinto com o bife, e não sei que vinho doce com os *profiteroles*. Segundo a minha conta, tinha provado os mesmos vinhos que eu, embora três vezes mais. Quando nos levantámos mantinha-se direito e sem que a sua loquacidade fosse perturbada por uma gaguez previsível. Comecei a sentir por ele uma admiração moderada.

— Quer que nos encontremos amanhã no parque? Temos muito que falar. Revelei-lhe um segredo, mas isso não é mais do que uma pequena parte do que lhe posso revelar. Encontramo-nos amanhã. Se chover, venha ter comigo aqui. E não se sinta obrigado a convidar-me a jantar. As pessoas da sua idade estão eximidas de certas retribuições.

Deixou-me no seu carro. Enquanto me levava a casa, fumei dois ou três cigarros. À medida que avançava, fendendo o nevoeiro, impunha-se-me a convicção de que mister Thompson estava um pouco tolo: não era um raciocínio estritamente pessoal, saído do meu coração ou da minha mente, mas algo que me vinha de fora, como se mo tivessem dito ao ouvido: um meio louco, um louco parcial, que andava no mundo provido de um discernimento divertido e que praticava a sua loucura a sós ou em companhia idónea. Teria revelado o seu segredo a mais alguém, ou não passaria de um acontecimento momentâneo, elemento de um conjunto artístico, algo assim como um modo poético de se conduzir perante a vida e, sobretudo, perante as pessoas? Hoje posso dizer que há uma classe de pessoas lamentavelmente reduzida que caminha sobre o fio da navalha, com a qual nunca sabemos o que contar, se são loucos ou meros brincalhões: com a minha idade e a experiência dos anos, atrevo-me a considerá-los a realização perfeita de um ideal de vida, precisamente dos que perderam toda a fé nos ideais e não consideram indispensável suicidar-se. Mas naquela noite londrina, no fundo do automóvel, com um cigarro na mão e a mente inteiramente suspensa da lembrança imediata, e até quase da presença de mister Thompson, também da esperança no encontro da tarde seguinte, não me podiam ocorrer tais reflexões. Louco, sim, mas com dúvidas e sem matizes. Adormeci a pensar em mister Thompson e sonhei com ele.

As tarefas do banco distraíram-me, sobretudo a presença de uma rapariga alemã que andava a fazer uns estudos e de cuja companhia me encarregaram. Chamava-se Ursula, e falarei dela, claro que falarei! Quando regressei a casa, vi que o motorista de mister Thompson estava à minha espera. Muito sério, quase solene, sem me dizer palavra, estendeu-me um sobrescrito e esperou. Li a carta. Dizia textualmente (conservo-a): «Querido amigo: deve ter havido um erro nos meus cálculos, talvez não tenha contado bem as vinte e quatro horas do relógio, mas apenas vinte e uma. Quem se lembrará? A verdade é que por esse vazio se infiltrou a morte, que está comigo, a meu lado, e que não tardará em levar-me. Dito esta carta ao meu motorista, porque eu já não posso escrever. Peço-lhe perdão, mas hoje à tarde não comparecerei ao nosso encontro. Embora recomendando-lhe que, em caso de necessidade, atrase o seu relógio vinte e quatro horas, peço-lhe encarecidamente que o faça com cuidado, não vá acontecer-lhe o mesmo que a mim. Receba os meus cumprimentos póstumos, e essa pequena recordação que Simón lhe entregará. No limiar do mistério, se bem que por mero descuido. Archibald Thompson, V. C.» Perguntei a Simón:

— Então, morreu?

— Sem a menor dúvida, senhor. Completamente morto.

— Aqui diz que tem de me entregar uma coisa.

Simón encontrava-se de pé diante de mim, com o boné na mão. Nunca tinha reparado nele, e não por desprezo, Deus bem sabe, rnas por falta de ocasião. No entanto, tinha-me parecido, no dia anterior, de raspão, um criado inglês como todos, incluídos os de comédia, que são a sua quinta-essência; sem mais diferença em relação aos criados do clube do que o uniforme. Mas agora tinha perdido a seriedade. Não é que se risse, mas olhava com uns olhos saltitantes, e aquela maneira de olhar fazia-me lembrar a de um pícaro.

— Disso temos que falar — respondeu-me.

— O que tem a dizer-me é segredo? Parece-lhe oportuno sairmos à rua e entrarmos num *pub?* Precisamente, há um aqui muito perto.

Ele sorriu.

— Não, senhor, não é necessário. O que tenho a dizer-lhe não requer um lugar especial. É muito simples, e o senhor entenderá facilmente. Eu fui, até hoje, o motorista de mister Thompson. Mister Thompson era um *gentleman* irrepreensível, e eu não podia desmerecê-lo ao seu lado. Fui também irrepreensível durante mais de vinte anos, mas isso acabou esta madrugada, ao expirar nos meus braços o melhor cavalheiro do mundo. Se para ele a morte foi a liberdade (ouvi dizer, ou li nalgum jornal, que o é para toda a gente, embora tenha as minhas dúvidas), a morte dele, precisamente a dele, deixa-me livre. Já não tenho por que ser irrepreensível, e esta é a razão... — olhou para mim de soslaio, e deu voltas ao boné com as mãos. — Perdoe-me se me exprimo com embaraço: não tenho educação, e, o que sei, aprendi-o ao lado do defunto. Compreenderá as minhas dificuldades em ser franco, mas se não o for, teremos perdido o tempo, tanto o senhor como eu. — Meteu a mão no bolso e tirou um invólucro. — É isto o que o meu senhor me deu para que lhe entregasse com a carta. Vale muito dinheiro, compreende? Muito dinheiro.

Desembrulhou-o lentamente: era o relógio de mister Thompson, o relógio de ouro com esmaltes... Pegou-lhe com os dedos e ergueu-o, até o deixar entre o seu olhar e o meu.

— Muito dinheiro, mas se me lembrasse de o vender, levantaria suspeitas, e não poderia justificar a sua posse. É um relógio muito conhecido. Meter-me-iam na prisão.

— E que quer, que me metam a mim?

— Não, cavalheiro. O senhor pode em qualquer momento provar o seu direito. Em primeiro lugar, esta carta, cujo conteúdo conheço, porque a escrevi eu. Em segundo lugar, o meu testemunho. Eu posso ficar com o relógio e destruir a carta: confesso-lhe que estive tentado a fazê-lo, mas pesou mais o raciocínio do que a tentação. A prova é que estou aqui e que lhe faço entrega do relógio, por mais que me custe. Espero de si, contudo, um donativo de vinte libras. Pouco dinheiro. Quem não daria vinte libras por uma jóia que vale mil? Reconheça que sou modesto nas minhas aspirações, e que, embora o senhor não me considere inteiramente honrado, não lhe reste dúvidas de que o sou, pelo menos parcialmente. — Estendeu a mão: — Vinte libras, senhor. E um compromisso de cavalheiros.

Pedi-lhe que esperasse.

— Seria melhor que mas desse agora mesmo, sem se ausentar, eu não posso, neste transe, evitar a desconfiança. Compreende, não é verdade?

Eu tinha no bolso sete libras e alguns *pence*. Ofereci-lhos como garantia.

— Dou-lhe a minha palavra de honra de que voltarei já com o resto.

— Nesse caso, cavalheiro... Posso sentar-me enquanto o senhor não regressa?

Foram estes os trâmites pelos que, uns minutos depois, tive nas minhas mãos o relógio oferecido ao senhor Disraeli, conde de Beaconsfield e primeiro-ministro da imperatriz Vitória, por uma das suas amantes, uma mulher bela e fria, do melhor sangue normando, cujo nome, no entanto, ignoro.

No dia seguinte, procurei e encontrei, nas notícias necrológicas, o nome de mister Thompson. Dedicavam-lhe elogios pessoais e profissionais. Acontece que na sua juventude tinha cometido vários heroísmos. Estaria arrependido deles? Tê-los-ia esquecido?

XIV

NA NECROLOGIA DO MAJOR THOMPSON, lida em vários jornais, destacada em todos, constava a direcção do seu irmão, o lorde a quem se tinha referido de passagem na nossa conversa do parque. Depois de dar muitas voltas ao assunto decidi escrever-lhe, e fi-lo: uma carta breve, mais ou menos assim: «Recebi do falecido major Thompson, em circunstâncias extraordinárias, ou pelo menos não frequentes, um legado de cuja legitimidade duvido, ou, pelo menos, não creio nela na medida necessária para sentir-me sossegado. Gostaria de saber com o que contar e ninguém melhor do que o senhor para me esclarecer. Agradecer-lhe-ia alguma notícia a esse respeito.» Assinava com o meu nome muito legível, e enviei a mensagem para um clube que vim a saber ser um dos mais exclusivos e requintados do país. A resposta chegou uns dias mais tarde: tantos, que já tinha chegado a pensar que a minha carta não merecia resposta. Dera a direcção do banco, e no banco a recebi. O irmão do major Thompson pedia-me perdão pelo atraso e marcava encontro comigo no seu clube que incluía almoço. Pedi licença para sair do trabalho antes da hora, e quando respondi a mister Moore aonde e com quem ia almoçar, não pareceu surpreender-se. Deu-me licença e lá fui. O porteiro do clube tinha sido, sem dúvida, avisado: nem se deu ao trabalho de me examinar, pelo que deduzi que o meu aspecto, cuidado para aquele caso, não chamava a atenção. Conduziram-me até um cavalheiro de idade, visivelmente mais velho que o major, ainda que bastante parecido com ele: sem a sua expressão bonacheirona e em certos traços, rabelaisiana, mas seca e melancólica, com muito de altivez e de distância: como a de um homem que já estivesse noutro mundo e o incomodassem com bagatelas deste. Contudo, não posso queixar-me da sua recepção: tentou sorrir-me e ser amável, e conseguiu-o, segundo creio, na medida das suas possibilidades. Mandou-me sentar.

— Dentro em pouco almoçaremos, mas seria melhor falarmos antes.

E fizemo-lo; melhor dizendo, fi-lo eu: limitei-me a relatar-lhe o meu encontro com o irmão, o jantar e a chegada a minha casa, no dia seguinte, do motorista, com a carta e o relógio.

— Traz consigo o papel? — Respondi-lhe entregando-lho. — Evidentemente, a letra não é do meu irmão, menos ainda a ortografia, mas o estilo sim. Dou-a por válida.

Então, tirei o relógio da algibeira e deixei-o em cima da mesa que nos separava. Ele não pegou nele, nem sequer olhou.

— Sim, o relógio de Disraeli, lembro-me dele perfeitamente.

Esperava que ele acrescentasse um «Fique com ele» ou «Obrigado por tê-lo devolvido». Não o fez. Começou a falar do major, embora sem se referir à sua carreira militar, mas a um casamento infeliz por morte prematura da esposa, e por morte acidental, aos vinte anos de idade, do único descendente.

— Estes acontecimentos afectaram-no muito. Tenha em conta que a nós, aos Ingleses, não nos é permitido desabafar a dor com gritos ou com prantos, nem mesmo com lamentos, como a vocês Latinos, com grandes lamentos trágicos. Sim, é verdade que no teatro de Shakespeare se grita e se lamenta, mas há séculos que aquele mundo apenas existe no teatro. O meu irmão não pôde chorar a sua mulher nem, anos depois, o seu filho. Em consequência, começou a comportar-se de uma maneira estranha. Não muito, entenda-me, não tanto que chamasse a atenção, sempre sem sair dos limites permitidos a um *gentleman*, o que parentes e amigos lhe agradecemos, embora, na nossa intimidade, chegássemos a lamentá-lo.

Permiti-me interrompê-lo para lhe perguntar se entendera integralmente o conteúdo da carta escrita e trazida pelo motorista.

— No conjunto, sim, embora haja algumas frases...

Então referi-lhe a operação de atrasar o relógio e as consequências que o major dela tirava. O lorde quase sorriu:

— Pobre Archibald! As matemáticas não eram o seu forte. Certamente enganou-se ao contar as voltas...

E deu a questão por terminada. Pensei que tínhamos acabado e que passaríamos à sala de jantar, mas o cavalheiro fez-me algumas perguntas indirectas acerca de mim, às quais respondi com franqueza, mas de uma forma limitada, o essencial no meu entender.

— O senhor é muito modesto. Estou perfeitamente informado da sua posição não só no banco em que trabalha, mas também na sociedade, assim como de muitos outros pormenores. Não ignoro, por exemplo, que o senhor é um Lancaster.

Julgo ter corado.

— Velhas lendas, senhor, nem mais nem menos. Quem lhes poderá agora fazer caso? Estão tão distantes os reis da Rosa Vermelha!

— Muito mais distantes são para mim quaisquer tipos de reis, e aqui estou. Se o senhor não fosse um Lancaster, não me teria encontrado consigo neste clube, mas num restaurante mais ou menos distinto. Se o senhor não fosse um Lancaster, eu ficaria com este relógio que veio devolver-me e que lhe restituo porque o considero o seu proprietário legal. E não se surpreenda com o que lhe digo. Pelo tempo que já vive em Inglaterra ter-se-á dado conta de uma coisa que os continentais têm dificuldade em admitir: que em Inglaterra as classes sociais são uma realidade viva e injusta, que este é um país de injustiças, e que nisso radica a força que nos resta. Graças a Deus, os nossos políticos, incluindo os radicais, conseguiram que o povo inglês aceitasse como naturais, até mesmo como lógicas, estas diferenças que vão da opulência à miséria. Só alguns intelectuais as rejeitam, mas por razões estéticas. É certo que de vez em quando fazemos de um mineiro um lorde, mas isso faz parte do engano. — Pôs-se de pé e solicitou uma bengala. — Pegue no relógio e vamos almoçar. Suponho que gostará de vinho francês, não é verdade?

Por certas palavras que lhe escaparam, por certos dados que recolhi no banco e por certas conjecturas, convenci-me de que aquele cavalheiro antes de me receber, tinha investigado a fundo a minha situação pessoal; mais a fundo do que parecia à primeira vista, não só com perguntas ao banco, mas quem sabe se com telegramas para Portugal. Caso contrário, donde teria obtido a informação sobre o Alemcastre, ausente dos meus papéis? Não sei se me pareceu então natural e satisfatório, porque as minhas relações com aquele cavalheiro, de cujo nome ou título me esqueci, começaram e terminaram no mesmo dia com um bom almoço pelo meio e uma conversa sobre Shakespeare em que eu já sabia tudo o que ele disse, e na qual ele sabia, é claro, tudo o que eu disse. Uma conversa inútil, embora acompanhada de vinhos excelentes, e num lugar que não pude deixar de observar: menos ostensivo do que o clube do major Thompson, certamente mais antigo; elegante, sólido na sua elegância, o clube do primogénito face ao clube do mais novo.

Naquela noite tive nas minhas mãos durante muito tempo o relógio de Disraeli, não sei se para me habituar à sua posse ou para me sentir seu proprietário. Era uma peça indubitavelmente bela, além de curiosa, e o seu valor histórico acrescentar-lhe-ia atractivos para quem se sentisse, de algum modo ou nalguma medida, interessado no famoso político. A sua posse teria feito feliz vários conhecidos meus, daqueles a quem a leitura da vida de Disraeli por Maurois servira para descobrir e encaminhar uma vocação ou para a imaginar. Alguns deles, que depois foram políticos ou pretenderam sê-lo, partiram daquele deslumbramento quase adolescente: é um livro que também eu tinha lido e, embora tivesse gostado, creio recordar-me de que sim, nem me abriu caminhos nem mos iluminou. Falho desta auréola, ou insensível, eu, a semelhantes recordações, o relógio estava ali como um objecto belo, embora sem um significado particular. Nem sequer como se o tivesse comprado, porque quem compra fá-lo em virtude de alguma espécie de interesse ou de desejo. As minhas relações com o major também não tinham sido tão prolongadas, ou tão íntimas e cordiais, que pudesse considerar o relógio um testemunho de amizade. Pergunto-me se, no caso de eu me importar, se teria escrito ao lorde, com o risco (ou a decisão) de o perder. Talvez tenha sido uma pergunta sem resposta como tantas outras. Lembro-me de que guardei o relógio e me pus a ler um livro.

E agora tenho de falar de Ursula. Não digo recordá-la, porque o seu nome e a sua pessoa estiveram desde então presentes na minha memória, como os de Belinha, e olhem que já lá vão anos! Foi numa daquelas manhãs, entre a morte do major e o meu almoço com o irmão. Chamaram-me do gabinete de mister Moore; estava ele com outro empregado superior do banco que eu não costumava ver e uma menina loira. Aquele empregado foi-me apresentado como mister Brenan, e a menina, como Ursula Braun. Aparentemente, os dois ingleses pelo seu porte e atitude, pareciam iguais em categoria, mas, reparando bem, e eu reparei, determinados matizes da conduta de mister Moore revelavam uma posição inferior, embora talvez não demasiado. Por exemplo, quando mister Moore falava, o seu olhar procurava no de mister Brenan aprovação ou concordância. Informaram-me que Ursula Braun pertencia a uma importante firma de Hamburgo, muito bem relacionada com o meu banco, e estava ali, em Londres, para fazer um estudo, qualquer coisa como uma tese de doutoramento, sobre a organização bancária inglesa, e de como havia evoluído desde as suas longínquas origens, lá pelos anos em que a rainha Isabel ainda não era rainha. Ou talvez um pouco antes. Já tinha investigado noutros bancos: agora calhava ao nosso. A minha missão consistia em acompanhar a menina Braun quando ela o solicitasse, para lhe facilitar os encontros necessários, os acessos ao arquivo, e tudo o que considerasse indispensável e estivesse ao meu alcance. Era óbvio que enquanto a presença da menina Braun o exigisse, ficava isento do meu trabalho diário, etc. Até aqui, tudo bem. Despediram-se dela e deixaram-nos sozinhos. A primeira pergunta de Ursula Braun foi se podíamos começar a trabalhar. Respondi-lhe que estava às suas ordens.

— Às minhas ordens, não. Eu não dou ordens. Nem posso nem gosto de o fazer. Espero que as nossas relações, mais do que de colaboração, sejam de amizade.

Agradeci-lhe. O trabalho começou ali mesmo, ela provida de um caderno e de uma caneta que tirou da mala, e eu sentado em frente dela. Explicou-me que sc eu era o objecto do seu primeiro interrogatório, isso devia-se ao facto de poder receber de mim a «impressão» (a palavra que usou só pode traduzir-se assim) de como estava organizado o banco do ponto de vista de um empregado de categoria não elevada. Desatei a tremer, porque nunca me tinha preocupado com a forma como se organizavam ali as coisas, tinha-as por bem feitas; mas ela foi tão hábil, que os meus conhecimentos e a minha experiência acabaram por ser maiores do que eu esperava e não tão sem valor como eu temia. A minha posição em frente dela (eu um pouco mais baixo, sentado numa poltrona; ela, numa cadeira) permitiu-me observá-la sem impertinência, aproveitando os movimentos e mudanças de postura possibilitados pela minha obrigação de responder. Devia ter a mesma altura que eu, mais centímetro menos centímetro. Era loira, de um loiro quase branco: usava um penteado muito simples e muito colado à cabeça, com carrapito, de forma que as orelhas ficavam à mostra. Tinha as maçãs do rosto largas, mais do que a testa; o esquema do seu rosto aproximava-se de um pentágono, cujas linhas fossem ligeiramente curvas. Os olhos, muito azuis, e tão ingénuos (na aparência, pelo menos) que dissipavam o ar felino que o seu rosto causava ao primeiro olhar. Se gata, sê-lo-ia com unhas pintadas. O resto do corpo era satisfatório, pelo menos para mim, não muito experiente nem muito exigente. Como todos os homens da minha geração, o meu ideal feminino chegara-me através de actrizes de cinema: Greta Garbo, principalmente, também Marlene Dietrich e algumas posteriores, que foram criando em nós uma figura à qual eu, no entanto, não tinha sido totalmente fiel, antes pelo contrário. Não coincidia com Belinha, é claro — estava no extremo oposto! — nem mesmo com Florita, tão castiça nas suas formas, mas o ideal mantinha-se, mesmo que só em sonhos. Não posso dizer que Ursula se parecesse com nenhum dos dois arquétipos, faltava-lhe o que já então definia a «mulher fatal», mas estava mais perto deles do que outras mulheres que me haviam deslumbrado ou simplesmente agradado. Era, isso sim, atraente, embora parecesse não se aperceber: não era das que rebolam as ancas ou fazem ondular o corpo como uma serpente ou uma sílfide. Mas não faltava graça aos seus movimentos, uma graça menos insinuante. Apesar disso, seduziu-me progressivamente, conforme a ia descobrindo, conforme calibrava os seus evidentes encantos. Entre estes ressaltava a sua voz, muito suave, harmoniosa, uma voz de contralto habilmente modulada. Falava um inglês melhor que o meu, gramaticalmente, mas isto era o menos, pois, na verdade, não me dediquei a verificar em especial, ou pelos menos unicamente, o bom uso que fazia das preposições.

O aviso da hora do *lunch* apanhou-nos a meio do trabalho. Expliquei-lhe a razão daqueles toques de campainha, olhou para as horas, e eu aproveitei a ocasião para a convidar, com o pretexto da proximidade do restaurante, e caso não tivesse outro programa. Quase nem hesitou.

— Está bem — respondeu-me.

Vestiu um impermeável por cima do fato e esperou que eu fosse buscar o meu, pendurado no cabide do meu gabinete, entre um chapéu de coco e um de feltro. Saímos, pois, juntos, e, para começar, agarrou-se ao meu braço com toda a naturalidade. Disse-me:

— Temos três quartos de hora para falarmos de outras coisas, não lhe parece? Não há razão para prolongar o trabalho fora de horas.

Pareceu-me que nem ginjas, embora não vislumbrasse qual o tema de conversa que poderia ter com aquela desconhecida que já me tinha subjugado. Ofereci-lhe um bom vinho, e aceitou-o. A verdade é que no restaurante, entre empregados de banco e de outros negócios da City, se distinguia, não por nada em especial, mas unicamento pelo facto de ser diferente. Eu procurava uma explicação, e não me foi fácil encontrá-la, porque Ursula não parecia uma aristocrata, nem pelo apelido nem pelo seu ar, pelo menos segundo o que eu entendia como tal; talvez fosse a sua forma de vestir, tão simples e, no entanto, tão elegante e tão moderna. Usava saias curtas (que renasceram depois das saias compridas que se seguiram, como mais uma consequência, ao *crack* de 1929), e deixava ver umas lindas pernas que, no entanto, os clientes do restaurante não podiam ver, porque a toalha as tapava. Tínhamos escolhido uma mesa de dois lugares, coisa estranha naquele lugar tão frequentado, e não tínhamos testemunhas próximas. Fez-me algumas perguntas triviais:

— Ah! O senhor é espanhol? Disseram-me que era português.

Tive de esclarecer a razão do equívoco.

— Mas o senhor conhece Portugal, não é verdade? Fale-me dele.

Fi-lo com o entusiasmo que a saudade favorece. Escutou-me com atenção, não me perguntou por Espanha.

Este primeiro dia pautou os que se seguiram, pelos menos os imediatos: ajudava-a no que era preciso, almoçávamos juntos, regressávamos ao banco e, ao terminarmos, cada qual seguia o seu caminho, a sua vida. A minha começou a ser preenchida por Ursula, ao princípio só como pessoa em quem pensar, melhor, imaginar. Ou antes, tê-la presente na recordação dos pequenos pormenores de cada dia, ou um mero estar na minha consciência como figura imóvel, uma espécie de ícone ali instalado, que eu via fechando apenas os olhos. Fomo-nos, pouco a pouco, aproximando. No segundo dia de trabalho em comum, propus que voltássemos ao mesmo restaurante, mas cada um pagaria a despesa alternadamente. No quarto ou quinto dia propôs-me que nos tratássemos pelo nome próprio e foi então que ela soube o meu, depois de ter gasto uns minutos a ensinar-lhe a pronunciar o meu apelido.

— Filomelo. Que bonito! Em grego quer dizer amigo da música.

Observei que não era Filomelo, mas Filomeno.

— Tanto faz. É bonito na mesma.

Meu Deus! Era a primeira vez que alguém me dizia semelhante coisa do meu nome, aquele fardo que tanto me pesava; desde então, até me reconciliei com ele e decidi enterrar Ademar juntamente com o passado. Bom, não o esqueceria totalmente, porque, nas minhas recordações de Belinha, continuava a ser Ademar. «Meu menino, meu pequeno Ademar!» Aquela frase que me pertencia tanto como os meus ossos, que estaria ali para sempre, como as pedras nos alicerces... Mas, tal como os alicerces, podia permanecer oculto. Ursula pronunciava muito bem o nome de Filomeno, pronunciou-o desde o primeiro momento. Não lhe procurou um diminutivo nem nada. Filomeno, nada mais. Isso permitiu sentir-me mais seguro, como quem regressa de um apoio vacilante a terra firme. Filomeno, por fim, para alguém que o dizia, sem troça, como um nome qualquer! Porque, no banco, embora não o dessem a perceber, eu era o herdeiro de Margarida Távora de Alemcastre, uma dama portuguesa de reconhecida alcúrnia, e estava ali por ser seu neto e por ter no banco os bens que dela herdara. Com Ursula sentia-me desligado daquele amontoado de pequenos pormenores que tanto me tinham feito sofrer: zombarias de Sotero, admirações de Benito. Não me tinha referido a este passado, ou tratei-o sumariamente, quando contei a minha vida a Ursula, e fi-lo não porque ela mo perguntasse, mas porque ela me tinha contado a sua, pelo menos o que se pode contar a um amigo recente: «Sou filha de um comerciante de Hamburgo, estudei arte antes da economia, tenho vinte e oito anos, sou solteira.» Não sei porquê, talvez por vir a talhe de foice, ou porque o nosso desconhecimento recíproco carecesse de outro terreno comum, as nossas primeiras conversas longas versaram sobre finanças. Cedo me apercebi de que ela sabia mais do que eu, sobretudo quando me disse:

— Tudo o que conheces está ao alcance de quem quer que seja, de um profissional ou de um curioso. Mas a economia do mundo é muito mais complexa. Existe essa zona inferior, a das greves e dos operários desempregados, para a qual qualquer profissional dá uma explicação geralmente falsa; porque não é verdade, como se diz, que a culpa da situação actual seja só da imbecilidade ianque. Isso é um factor, mas a causa está no próprio sistema. Os de cima sabem isso perfeitamente, os que estão na zona obscura, impenetrável, salvo para eles, os que a habitam, os que a possuem, os que a governam, e só a partir dela se pode ver a verdadeira realidade, que deve ser fascinante e terrível, porque é mais do que o jogo das riquezas e abarca o futuro do mundo. Não podemos adivinhar o que lá se trama. Não é só mandarem, como tu pensas, mas o modo como mandam, e o que projectam, ou o que lhes acontece, porque, às vezes, a realidade escapa-se-lhes das mãos. Se continuares nisto, verás como renascem as indústrias de guerra, única solução para o desemprego, e as indústrias de guerra conduzem à guerra.

— Entre quem? — perguntei-lhe ingenuamente.

— Sei lá! Mas é quase certo o meu país ser um dos contendores. No meu país, sob pretexto de certos erros, cresce e impõe-se um movimento que me mete medo; mais do que medo, espanto. Que será de nós, se triunfar? O pior que pode acontecer é o demónio ter uma parte de razão, e eles têm essa pequena parte.

Eu nunca concedera qualquer importância aos movimentos políticos a que Ursula se referia, para mim não passavam de um folclore mais ou menos militar, e a terribilidade que ela lhes atribuía não me entrava na cabeça.

— Mas, por que os temes?

Pela primeira vez nas nossas relações deu-me a mão, a sua direita na minha esquerda, e reparei que tremia.

— O apelido Stein diz-te alguma coisa?

— Não. Bom, acho que me lembro de alguém com esse nome ter tido a ver com Goethe, ou coisa que o valha.

— Stein é um apelido judeu, e a minha avó materna chama-se Stein, compreendes agora? — Percebeu pelo meu olhar que não compreendia. — No mundo que eles projectam fundar, a que chamam o Grande Reich, não têm cabimento os judeus.

— Mas tu só o és em parte. Que seria de nós, espanhóis? Próxima ou afastada todos temos uma avó judia. O apelido Azevedo, que é judeu, figura entre os meus, não me lembro agora em que lugar.

Ursula largou-me a mão.

— Ninguém sabe, ninguém pode suspeitar, porque ninguém acredita nisso, o que se passa no meu país. A minha avó emigrou para a Dinamarca, a minha mãe talvez o faça também. Não são judias de religião, só de raça, mas isso é suficiente. E na empresa onde trabalho há dinheiro judeu... Compreendes agora?

Aquela conversa, contra a minha vontade, introduziu nas nossas relações um não sei quê de patético que ambos procurávamos dissimular, mas que estava entre nós, vivo. Não faltavam fundamentos às previsões de guerra de Ursula, em-

bora não se pudesse prever uma deflagração imediata: estava mais bem informada do que eu, o que eu sabia das finanças universais (assim mo disse ela)
podia ler-se nas revistas da especialidade; e quando lhe contei que todas as semanas redigia um relatório para uns homens de finanças de Lisboa, desatou a rir-se.

— Por que não me mostras esses relatórios?

Fi-lo, leu-o de cabo a rabo, devolveu-mo.

— Isto, querido Filomeno, é um exercício escolar. A sua única finalidade é
familiarizar-te com o mundo do dinheiro. Se esses senhores de Lisboa só soubessem o que tu lhes comunicas, estavam feitos. Podes considerar essas páginas como o teu exame semanal, através do qual mostras o que vais conhecendo, que
não é muito. Se continuares nesta profissão, verás como, conforme passa o tempo, se te vão abrindo outros horizontes. Aqui sobe-se por graus, como na maço-
naria, e a cada grau corresponde um crescimento no saber.

— E tu estás muito no cimo?

Desatou-se a rir.

— Não tanto como pensas, embora um pouco mais do que tu.

Numa dessas tardes, na de sexta-feira, ela tinha ficado no arquivo, e eu despa-
chava umas cartas urgentes no meu gabinete. Apareceu à hora de sair, um pouco
apressada.

— Estava com medo que te tivesses ido embora. Queres sair?

Era a primeira vez que entrava no meu refúgio, e tanto monsieur Paquin como
o tradutor das cartas escandinavas olharam demoradamente para ela: podiam
fazê-lo sem insolência, porque se tinham levantado e vestiam os impermeáveis.
Já na rua, disse-me:

— Queria propor-te passarmos juntos o fim-de-semana. Tinha projectado percorrer alguns sítios dos arredores de Londres, onde há coisas para ver, e pensei
que talvez te interessasse.

Respondi-lhe que sim. Disse-lhe que sim sem a mínima pausa, sem o mínimo
silêncio entre a proposta e a resposta.

— Pois então irei buscar-te amanhã. Vai preparado para pernoitar fora de casa.

Foi pontual. Vinha num carrito de dois lugares, dos que então se usavam, com
um porta-bagagens grande, saliente, atrás. Não sabia se o carro era dela, nem lhe
perguntei; mas, a julgar pela forma como o conhecia, deduzi que pelo menos o
utilizava havia bastante tempo. Conduzia com destreza e com cordura por estra-
das secundárias, sob árvores antigas, passando ao largo, ou entrando em aldeiazi-

nhas que pareciam ilustrações de um conto de fadas. Aqui havia uma igreja normanda, mais além as ruínas de uma abadia gótica, em tal povoação a rua principal valia a pena ser vista. Levava tudo estudado, e, uma vez ou outra, consultou um caderninho. Mas na minha presença não ostentou o seu saber, nem disse nada que fosse pedante. Em vez disso encerrava-se no seu silêncio, deixando-me a mim com o meu. Vi-a especialmente calada, se bem que não metida consigo, mas sim alerta, dentro das igrejas normandas; mais ou menos a partir do centro, olhava para os lados, como se de cada um deles lhe viesse uma voz que só ela ouvisse, porque eu não ia além de um prazer elementar: eram bonitas e agradavam-me.

Mas nas ruínas góticas esteve mais conversadora, quase eloquente. Mantinham-se de pé a abside e as paredes da igreja abacial, e um ou outro arco despido. O chão e o espaço em volta eram de relva cuidada. Caía uma chuva fina, e movíamo-nos metidos nos impermeáveis com as carapuças postas. O fumo do meu cigarro misturava-se com a chuva, fundia-se nela.

— Serias capaz — perguntou-me — de imaginar esta igreja quando estava viva?

Respondi-lhe que não. Então começou a reconstruí-la com a palavra, completando muros, restaurando abóbadas, cobrindo de vitrais as janelas partidas, até ter o interior completo, embora desprovido de ritos e de músicas. Era tão plástico o que ela dizia, saíam da sua boca tão claras e precisas as imagens, que chegou um momento em que me julguei no centro da igreja, magicamente encerrado nela, e que a luz cinzenta que nos envolvia se tingia de cores ao atravessar as janelas. E Ursula movia-se então como se aquele espaço imaginário fosse real, como se as suas palavras o tivessem criado e estivéssemos nele, mais do que metidos, submersos. Um espaço que lhe provocou entusiasmo, que lhe arrancou ais de prazer, ou assim pelo menos me pareceu; que me arrastou também a mim, participante das suas mesmas sensações. E durou até ela dizer: «Vamos», e toda a magia levantada com as suas palavras se desvaneceu na chuva. Sentia-me anulado. Perguntava-me como era possível que aquela mulher, perita em finanças, encerrasse por trás da sua fronte (ou quem sabe se dentro do seu coração) aquela capacidade poética. No carro, enquanto nos dirigíamos a uma tasca para almoçar, falou das mesmas coisas, mas já noutro tom. Referiu-se a alguns dos seus professores da universidade, que lhe tinham ensinado que o essencial da arquitectura era a criação de espaços interiores, que neles residia o scu poder de comunicação: fazer com que Deus falasse do ar encerrado entre umas pedras. Então percebi o seu silêncio e o seu entusiasmo. Mas não me sentia capaz de os compartilhar. Se ali estava a voz de Deus, eu não a ouvia.

Naquela tarde levou-me a Windsor. Passámos antes por Eton, o colégio estava aberto, demos uma vista de olhos à sua entrada e aos pátios. O que então me disse já não tinha a ver com a arte, embora surgisse da sensação opressiva daqueles claustros, que, a princípio, e sem rectificação posterior, me pareceram sinistros. Fez-me estremecer a lembrança de que, bastantes anos antes, a minha avó Margarida tinha projectado mandar-me para ali. Disse-o a Ursula, e desatou a rir-se.

— Perdeste a ocasião de entrar pelo caminho dos que mandam no mundo; estás a ver, não estarias no banco na posição em que estás, mas sim mesmo à porta dos grandes segredos, que se te abririam no momento oportuno. Os homens fortes deste país forjaram-se aqui, como os do meu nas escolas militares. — Fez um silêncio que eu não interrompi. — Não deixa de ser curioso que não se pareçam em nada, estes e os prussianos, a não ser na dureza e em que tanto daqui como de lá saem bastantes maricas.

Continuou a falar de uns e de outros, mas eu prestei-lhe menos atenção, porque pela primeira vez se tinha pronunciado entre nós uma palavra que não se referia à vida correcta, ou, se se quiser, convencional. Ela, além disso, não tinha usado nenhum subterfúgio culto, homossexuais ou qualquer coisa assim, mas sim o termo inglês que só se pode traduzir por maricas. E também foi curioso não se ter detido no tema, mas que a continuação da sua conversa tratasse apenas das semelhanças e das diferenças entre os *gentlemen* ingleses e os *junkers* alemães. Já tínhamos passado o rio e chegado a Windsor. Deixámos o carro em frente da entrada, perto de um *pub* muito visível, e entrámos num castelo com um grupo de visitantes, com guarda-chuvas e impermeáveis como nós, mas depressa nos afastámos deles. Conforme avançávamos, as imagens que eu via suscitavam do meu esquecimento outras semelhantes, se não as mesmas. Provavelmente Windsor tinha sido um dos locais visitados com a minha avó, havia treze ou catorze anos, em busca de reis da casa de Lancaster. Não me consigo recordar se algum deles está enterrado na Capela de S. Jorge, embora ache que não. Tomei muito cuidado em não contar nada disto a Ursula. O interior da igreja, tão luminosa, tão cuidada, não lhe despertou o entusiasmo de que ela tinha imaginado. Percorrêmo-la com visível prazer, mas uma frase dela, apenas uma frase, revelou-me não só o que pensava, como algo do que sentia.

— Aqui não se consegue alcançar a emoção religiosa. Isto não é mais do que a apoteose de uma monarquia.

Ao sair metêmo-nos no *pub* para tomar café. Não sei do que é que começámos a falar, nem se continuámos o diálogo iniciado na Capela de S. Jorge, mas a conversa (ou antes, o monólogo de Ursula, que eu escutava como um concerto de câmara) voltou ao tema dos Ingleses e dos Alemães; primeiro de uma maneira estética, a característica do Prussiano era a rigidez; do Britânico, a flexibilidade.

— Na Alemanha — disse — não sabemos resistir ao toque de uma trombeta, pômo-nos logo em formação e desfilamos. Até os comunistas aprenderam a disciplina prussiana. — E depois de um daqueles silêncios em que parecia que o seu olhar se perdia: — Alguma vez te falei da minha irmã Ethel? Somos gémeas, tivemos a mesma educação, mas ela é comunista, não dos mais ou menos platónicos, mas de acção. Mataram o amigo dela, e ela tem uma bala alojada na anca. Morrerá nas ruas. — E depois: — Eu simpatizei com o comunismo: senti-me atraída por ele quando tinha vinte anos, e teria seguido o caminho da minha irmã; mas o estalinismo separou-nos, ou pelo menos a mim serviu-me de pretexto. Ela encontra razões para o justificar, eu não.

Além disso, o comunismo na Alemanha seria esmagado, e nisso estavam de acordo, com os nazis, muitos outros alemães.

— Até no ramo judeu da minha família há alguns ferozmente anticomunistas.

O tema ficou esquecido quando saímos do *pub* e entrámos no carro. Chovia cada vez mais, e era difícil percorrer o caminho previsto, de povoação em povoação e de igreja em igreja. Íamos em silêncio, eu contemplando como a chuva batia no pára-brisas, quando de repente me perguntou:

— Tu és religioso? Quero dizer se tens uma crença católica, por exemplo. No teu país são todos católicos.

Respondi-lhe que a minha educação religiosa tinha sido muito descuidada e que não podia dizer que tivesse crenças concretas, mas umas vagas ideias que também podiam ser recordações vagas.

— Não rezas?

Desatei a rir-me, perguntou-me porquê, e repeti-lhe a oração que a minha avó nos obrigava a dizer, todas as noites, antes de nos deitarmos: «Que Deus Todo--Poderoso mantenha nos infernos o marquês de Pombal pelos séculos dos séculos, amen». Não se riu, em vez disso olhou para mim seriamente.

— Quem foi esse marquês?

Contei-lhe a velha história da conspiração do duque de Aveiro e as terríveis represálias do marquês, as pessoas torturadas, esfoladas vivas.

— A esposa do duque de Aveiro era uma Távora, e não só a matou a ela, como a todos os Távoras que conseguiu encontrar, sem sequer deixar vivos os criados. A minha avó descendia de uns Távoras que se tinham salvado por milagre, creio que por estarem em Espanha.

Continuou sem se rir, mas sorriu ligeiramente.

— É um maneira curiosa de entender a oração — disse, e não falámos mais.

Deteve-se numa povoação do caminho, em frente de um hotel ou pousada que se chamava «As Armas do Condado», conforme pude ler no letreiro pendurado por cima da porta, naquele momento batido pelo vento. Tinha caído a tarde, e não havia mais nada para fazer na estrada. Pôs o carro debaixo de um telheiro, onde havia uma carruagem velha, de cavalos, se bem que sem tiro; tirei a bagagem exígua, uma maleta de cada um. Ursula, ao entrar, foi direita ao balcão da recepção, onde estava uma mulher de meia idade. Cumprimentaram-se como conhecidas, com bastante entusiasmo de ambos os lados. «Há muito tempo que não vem por aqui, menina», e coisas dessas, e não sei se beijoquices. Eu esperava atrás carregado com as maletas. Ouvi como Ursula pedia dois quartos: deu-me a chave que me correspondia e eu a ela a sua maleta. A senhora de meia idade foi à nossa frente e levou-nos ao primeiro andar. «A senhora aqui, o senhor aqui.» Marcou-nos o jantar para vinte minutos mais tarde, e jantámos numa sala pequenina, seis ou oito mesas apenas, com ar antigo: muita madeira, vidros de chumbo em janelinhas Tudor, uma grande lareira acesa, o habitual, mas agradável de ver e de estar ali. A criada também cumprimentou Ursula com alegria e recomendou-nos uma ementa. Não dissemos, durante o jantar, nada de importante. A dada altura, dei por mim distraído, pensando em Ursula sem olhar para ela; creio que nem sequer pensando, mas sentindo-a. Para lá de tudo o que tínhamos falado e feito, fluía dela uma espécie de feitiço cauteloso, como uma aura envolvente que me havia penetrado e à qual eu tinha respondido só com pequenas cortesias, as poucas a que a viagem dera lugar, como agora, durante o jantar, ocupar-me do seu vinho e perguntar-lhe se gostava daquele rosbife. Já estávamos há muitas horas juntos, tínhamos compartilhado o mesmo assento no carro, ou, pelo menos, dois assentos próximos, mas os nossos corpos quase nem se tinham tocado, embora o meu tendesse para o dela movido por um cego impulso. Pensei nisso, temi cometer em algum momento alguma inconveniência, mas tranquilizou-me a consciência da minha timidez. Quando o jantar terminou, levou-me até ao vestíbulo, onde, disse-me, costumavam reunir-se algumas pessoas da aldeia, que conhecia de outras vezes. E assim foi. Sentámo-nos num lugar não muito visível, pedimos um vinho doce. À medida que chegavam os clientes para beber as suas cervejas, a maior parte deles, sobretudo casais, aproximaram-se para cumprimentar Ursula, e, de passagem, a mim, mas nenhum deles ficou connosco, como se respeitassem o nosso isolamento. Só passado já um bom bocado de conversas em voz bai-

xa e alguns risos, depois de umas idas e vindas de alguns deles ao balcão, é que
se aproximou de nós a governanta, ou encarregada, já que devia ser isso aquela
senhora de meia idade, e, dirigindo-se a mim, disse-me que a menina, doutras vezes que ali estivera, costumava tocar acordeão, e aqueles amigos a tinham encarregado de me pedir que o permitisse desta vez. Fiquei um pouco confuso. Ursula
riu-se e respondeu por mim, que sim, que tocaria. Foi buscar o acordeão, que estava no porta-bagagens do carro, trouxe-o e começou a tocar. Os clientes fizeram
uma roda, por vezes cantaram em coro, e quando Ursula tocou uma valsa, dois
casais puseram-se a dançar. A novidade do serão, segundo Ursula me disse depois, foi um daqueles cavalheiros ter pedido a Ursula que lhe emprestasse o acordeão para que nós também pudéssemos dançar. Assim se fez. Tive o corpo de
Ursula mais perto do que nunca, tive a sua cintura rodeada pelo meu braço, o
seu peito junto ao meu, e o roçar alternado das suas coxas. Houve um momento
em que me senti embriagado, e ela certamente que se apercebeu, porque teve o
cuidado de que não nos aproximássemos demasiado. Obrigaram-nos a dançar
três valsas diferentes, e, no final, aplaudiram-nos. Depois, a reunião tornou-se
geral; eu tive de explicar quem era, muito por alto, claro, e dizer qualquer coisa
de que pudessem deduzir que não era amante de Ursula, nem mesmo o seu namorado. É muito provável que os tenha decepcionado.

XV

HAVIA BASTANTE DIFERENÇA entre a minha situação senti-
mental quando vivia com Belinha e a de agora. Não sei se seria porque Belinha
estava lá, segura, e não tinha por que questioná-la, e também não me encontrava
em idade de o fazer; estava enquanto esteve, eu podia viver sem pensar nela
constantemente, como quem tem uma mãe e não precisa de repetir a toda a hora
que a tem. O caso de Ursula também não podia comparar-se com o de Flora,
porque não costumava pensar em Flora enquanto uma picada num recanto obscuro não ma fizesse necessária: depois de estar com ela recuperava a independência e a minha mente ficava livre para pensar noutras coisas, ou para não pensar
em nada. Ursula, sentia-a ao mesmo tempo dentro e fora; como o ar e como uma
dessas sensações sem nome que saem das entranhas. Nem um só dos meus actos,
nem um só pensamento, deixavam de se referir a ela, tivesse-a ou não à

minha frente. Quando não me dominava o sentimento, às vezes a sensação, mais do que da sua presença, da sua existência, perguntava a mim próprio as razões daquele anelo incessante: fazia a pergunta, talvez por hábito, talvez por necessidade, não como pergunta angustiante, ou pelo menos preocupada, mas da forma como aquele que é feliz se pergunta o porquê. A resposta mais fácil, a que me satisfazia, era que, embora nunca me tivesse apaixonado, apaixonar-se tinha de ser algo assim. Houve, no entanto, momentos de secura transitória no fim de uma insónia consagrada a ela, em que logrei sobrepor-me e levar mais longe as minhas interrogações, por outro lado inúteis. Porquê? Inevitavelmente recordava, em jeito de refrão, os meus sofrimentos no paço minhoto. Quando esperava todas as noites a chegada de Belinha, era uma espera física, a necessidade de abraçá-la, de sentir juntos os corpos, como tantas vezes antes, ainda que agora de outro modo. Não sei se o caso de Ursula era mais ou menos agudo, mas o apetite do seu corpo misturava-se, como mais um ingrediente, ao da sua pessoa inteira; que haveria nela que assim tinha criado aquela necessidade? Toda a ansiedade, todo o medo da solidão, recordações daquele tempo em que ela não estava, também o temor de a perder, desapareciam quando nos encontrávamos e passeávamos juntos. Estar com ela colmatava as minhas apetências; às vezes, indo os dois, em qualquer circunstância, pela rua, no restaurante, ou em qualquer dos lugares aonde íamos. A necessidade do seu corpo passava como uma lufada escassamente duradoura, mais do que lufada, a manifestação súbita de algo que estava dentro, escondido, e que só me pressionava durante uns segundos. Tinha chegado a certas conclusões em relação a Ursula: todas elas incluíam a suspeita da minha inferioridade e o temor de que ela a descobrisse. Se procurasse explicação, bastava-me aceitar o facto de ter recebido uma educação superior à minha, da sua experiência ser maior, numa palavra, de ela já ser uma mulher e eu ainda não ser um homem. Tinha pensado sê-lo depois da aventura com Flora, e pensei-o até ao encontro com Ursula; Flora esteve sempre abaixo de mim, embora tivesse mais anos. O meu mundo era mais amplo do que o dela, muito mais rico, e, nas nossas relações, eu tinha mantido uma espécie de superioridade que ela me dava como adquirida. O que ela me ensinara reduzia-se a coisas de alcova, que tinham feito rir a puta napolitana: ela aprendera depressa e, além disso, ao apaixonar-se por mim, tinha-se colocado voluntariamente numa posição semelhante à de uma criada com acesso à cama do senhor. Agora dou-me de conta; nessa altura vivia isso sem lhe dar importância. Aqueles seus projectos de vivermos juntos! Nem sequer tinha mencionado a possibilidade de nos casarmos, nem tal me tinha ocorrido a mim. Bom. O resumo é que o meu passado não me chegava para entender o caso de Ursula, mas no fundo não me pressionava. Sentia-me contente, leve, uma forma de me sentir completamente nova.

A investigação dela no banco terminou. Não nos deixámos de ver por isso e a iniciativa foi dela. Eu não me teria atrevido! Não almoçávamos juntos porque o seu local de trabalho ficava longe do meu, mas encontrávamo-nos ao cair da tarde, geralmente esperava por mim no seu carro num local próximo da City, íamos jantar, e, depois, levava-me a sítios desconhecidos para mim: salas de concertos ou lugares de clientela com pouco ar inglês, pelo menos da forma habitual, gente boémia, artistas, pessoas indefinidas ou singulares, com as quais era fácil falar e divertir-se. Conheci estúdios de pintores e andares de raparigas independentes, festas com decote e amanheceres fatigados. Também me levou a um local onde tocavam música de *jazz*, que para mim foi uma grata descoberta, uma revelação, e a outro onde se juntavam latino-americanos a ouvir tangos. Agora penso que aquelas visitas, parecendo casuais, faziam parte de uma prevista pedagogia amável, onde eu ia perdendo o preconceito que ainda me restava na alma. Ursula tinha uma ideia muito clara do que eu devia conhecer, punha-mo à frente e falávamos depois; mas sem que eu me apercebesse de que as suas palavras faziam parte de uma lição. Com o que, a minha submissão interior para com ela crescia: cheguei a emular a desenvoltura com que se movia naquele mundo; eu vivia há anos no meu sem me aperceber de como era. A realidade era mais, muito mais, do que as finanças universais. Havia a vida, da qual eu sabia pouco.

Também falávamos de livros. Numa dessas tardes revelei-lhe a minha duvidosa vocação de poeta, os meus exercícios nocturnos de versificação. Ela ouviu-me e disse:

— Tinha de ser assim. Como é que eu não dei conta?

E, pela primeira vez, acariciou-me, senti na minha cara a suavidade, um pouco trémula, da sua mão. Deu-me azo a que lhe relatasse as minhas dificuldades. Sabia escrever versos, julgava escrevê-los de forma impecável, mas não tinha sobre o que escrever, sobre o que confiar às palavras. Então perguntou-me se nunca estivera apaixonado. Contei-lhe com bastantes pormenores a história de Belinha; ouviu-a e fez-me algumas perguntas. No final disse-me:

— Sabes que o teu amor por essa rapariga foi como uma metáfora de incesto?

Devo ter feito cara de espantado. Continuou a falar. À medida que a ouvia, lembrei-me das palavras do professor Romualdo ditas depois do meu relato: «Essa história faria feliz um destes freudianos.» Ursula estava a dar-me a explicação freudiana do meu amor por Belinha.

— Não tiveste mãe, e procura-la em cada mulher — resumiu.

Atrevi-me a dizer-lhe:

— Também a procuro em ti?

Respondeu em surdina, com uma alteração súbita de expressão, como se de repente tivesse emergido do seu interior uma tristeza contida.

— Eu não posso ser mãe.

Tentei rir e resolver a situação com algumas frases fáceis, mas creio que nem sequer as ouviu. Uma pessoa que oculta uma chaga em qualquer lugar recôndito, e lhe tocam nela, não se porta de outra maneira, mas isto digo-o agora; naquela altura não o podia adivinhar, e a única coisa que me ocorreu foi que a tinha ofendido, ao dar-lhe a entender com a minha pergunta um pouco dos meus sentimentos para com ela. Mas não foi assim. Não se levantou de onde estávamos, uma cafetaria do Soho em que tínhamos comido, nem se foi embora sem dizer «Até amanhã», como sempre. Permaneceu silenciosa, sem olhar para mim e creio que sem olhar. E quando passado algum tempo, apertou a minha mão, que descansava na toalha, apertou-a longamente e disse:

— Perdoa-me. Às vezes vêm-me estes silêncios.

Pediu um café, bebeu-o sem voltar a falar comigo, e, coisa inusitada nela, pediu-me um cigarro. Não era hábil a fumar: começou a tossir e deixou-o no cinzeiro. Então ficou a olhar para mim, pegou-me suavemente no braço e perguntou-me:

— Queres vir comigo? Quero dizer, a minha casa.

Nunca me tinha levado lá. Nem sequer sabia a sua direcção. Aquela maneira de me convidar apanhou-me desprevenido, não entrava nas suposições imediatas; mas pus-me de pé e disse-lhe:

— Vamos.

Vivia num bairro afastado, levámos bastante tempo a chegar, e, durante o trajecto, não falámos, ou, antes, eu respeitei o seu silêncio. Era um edifício de vários andares, o bairro parecia agradável, se bem que moderno, de prédios uniformes, cinco ou seis andares, tijolo vermelho escuro. Ela vivia num rés-do-chão, um apartamento perto da porta de entrada, com duas janelas para a rua. O que eu vi, logo ao princípio, foi um corredorzinho quase despido, e uma pequena sala bem mobilada, onde havia livros e gravuras inglesas pelas paredes. Ursula acendeu dois candeeiros situados em cantos opostos, em cima de umas mesinhas com algumas velharias e retratos. Disse que me sentasse.

— Vou buscar umas bebidas.

Durante a sua ausência, bisbilhotei o que pude: os retratos estavam perto de mim, pareciam ser de família, homens, mulheres, algumas crianças; de boa aparência. Pelo que podia inferir, alta burguesia, ou, pelo menos, burguesia bem instalada, dessa que já domina as formas. As gravuras eram-me familiares, cenas de caça e diligências. Algumas, as mais afastadas, pareciam-me de barcos: estavam na sombra e não as via bem. Uma, muito grande e bem encaixilhada, por cima do sofá, representava uma cena pagã num cenário barroco. Os livros também estavam longe. O conjunto era muito agradável. Mas não creio que expressasse a personalidade de Ursula. O cadeirão onde me tinha sentado pertencia ao modelo dos pensados para a mais perfeita lassidão; quando me sentei, o corpo ficou como um Z, e os joelhos à altura do queixo. Quando ela deixou em cima da mesa uma bandeja com copos e uma garrafa de uísque, e se sentou, as suas pernas esplêndidas ficaram à minha frente, e os joelhos quase me ocultaram a sua cara. Tinha deixado os copos já servidos. Eu sentia-me bastante atrapalhado, e, para fazer qualquer coisa, estendi a mão para pegar no meu. Ela fez o mesmo, mas, antes de o levar aos lábios, brindou:

— A nós.

A minha habitual confusão tinha chegado ao máximo, e a minha inexperiência não podia tirar-me da aflição. Que tinha de fazer? O mais provável seria que não coincidissem os nossos pensamentos, menos ainda os nossos projectos (os meus eram vagas esperanças reprimidas). Optei por ficar quieto, com o copo na mão, olhando para ela. E ela olhou para mim também, não sei o que queria dizer aquele olhar. Por fim deixou o copo na mesa, levantou-se, passou por trás de mim e, do conjunto de fotografias que eu tinha visto, pegou numa e mostrou-ma.

— É a minha mãe.

E depois mostrou-me outra, de um rapaz:

— Este é o meu irmão Klaus.

Bem, e depois? Voltou a sentar-se, as pernas sempre juntas, mas inteiras à minha vista, desde os joelhos, umas pernas longas, talvez o pé um pouco grande.

— O meu irmão Klaus está encerrado num manicómio. Tenho outro irmão, este que estás a ver vestido de marinheiro, Richard. Até agora parece um homem normal, embora o seu empenho em ser marinheiro mercante e não continuar os negócios da família se tenha interpretado, pelo menos, como uma coisa estranha. Nem a minha irmã Ethel nem eu somos loucas. A minhã mãe também não o é, nem qualquer mulher das conhecidas ou lembradas. A loucura é contraída pelos homens e transmitimo-la nós mulheres. Disso, pelo menos, nos convenceram ou tentaram convencer-nos, sobretudo alguns médicos. Eu nunca acreditei nisso. Não saberia explicar-te as razões.

Foi então que se levantou e se aproximou da janela. De costas para mim, continuou a falar:

— A minha mãe ficou fora de si quando se comprovou a insanidade de Klaus, que era o mais pequeno, aquele de quem ela mais gostava. Pareceu enlouquecer, mas não era mais do que a dor o que a fazia desvairar. Eu era uma criança, oito ou nove anos, e nem Ethel nem eu entendíamos o que se passava à nossa volta, o porquê daquela estranha conduta da minha mãe, a tristeza invencível do meu pai, a casa sempre sombria. Ethel e eu vivíamos como que esmagadas. Proibiam-nos sermos alegres, obrigavam-nos ao silêncio e à mágoa. Algum tempo depois já foi necessário internar Klaus sem esperança: seria mais um louco dos da família, a marca negra da vontade de Deus. A minha mãe deixou de chorar, mas endureceu. Não voltámos a vê-la sorrir, não voltou a beijar-nos, parecia odiar-nos. Richard evadira-se já daquele lar sem palavras amáveis, sem doçura; fazia os seus estudos, navegava. Enviava-nos postais, à minha irmã e a mim, de todos os portos e em todos nos desejava felicidade. Mas cada vez que um deles chegava, o olhar da minha mãe endurecia mais, enchia-se de mais ódio, um ódio que tanto a levava a partir furiosamente um copo como a descarregar em cima de uma de nós, a quem dava sem motivo uma bofetada, ou afastava da sua presença. Ethel e eu ansiávamos pelo momento de sair para o liceu; ali, apesar da disciplina, sentíamo-nos livres, e temíamos o momento de regressar. O meu pai escondia-se, evitava-nos, evitava a minha mãe, fazia longas viagens sob pretexto dos negócios. Numa delas, permaneceu algum tempo na América do Sul, quase dois meses. Foi um tempo em que a minha mãe manteve longas conversas com o médico da família, um homem novo, estranho, que também não sorria; a nós não nos despertava a atenção, porque aquele médico era como se fosse da casa, era como que propriedade da minha mãe, com a qual estava de acordo, a quem quase obedecia. Era um desses médicos com escassa clientela, por ser demasiado moderno, tinha fama de perigosamente avançado. Pode dizer-se que vivia de nós, e que a minha mãe era uma das poucas pessoas, senão a única, que partilhava das suas teorias: eu penso que as partilhava com fé apaixonada, furiosa; é possível que visse nele um redentor da Humanidade; como redentor, incompreendido. Uma manhã, em vez de irmos para o liceu, levaram-nos, a Ethel e a mim, a uma clínica privada. Das explicações que nos deram, não me lembro, nem creio que fossem explicações, mas sim ordens. Tão-pouco do que nos fizeram lá: até nem nos demos conta de que nos tinham anestesiado. Acordámos nas nossas camas uma ao lado da outra; havia uma enfermeira que cuidava de nós dia e noite, e o médico, que vinha ver-nos. Tínhamos de estar quietas, mas podíamos falar e ler. Algures havia umas ligaduras: pensávamos que nos tinham tirado o apêndice. A nossa vida, depois daquele incidente, continuou igual. E o facto das nossas colegas começarem a ter menstruação, e nós não, não demorou muito a surpreender-nos; mas esse momento tinha de chegar. Concordámos em perguntar à minha mãe o porquê daquele atraso: não éramos tão ignorantes que não soubéssemos que podia ser fruto de uma deformação, de algum defeito, comum a ambas por sermos gémeas. A minha mãe não nos deu uma resposta, mas sim longas e vagas explicações. «Há-de chegar-vos, como a todas as mulheres, há-de chegar-vos.» Mas não nos chegou, e não tinha chegado quando entrámos na universidade. Quanto ao mais éramos duas raparigas sãs e cheias de vida. De vez em quando falávamos daquela singularidade, porque já nos parecia tal, porque tínhamos a informação necessária, e causava-nos inquietação. Dezassete anos! Os rapazes já nos rondavam. Éramos bonitas... Ethel preocupava-se mais do que eu. Um dia disse-me que iria a uma consulta de um ginecologista. «Sem a mamã saber?» Também não era preciso contar com ela: estava em Hamburgo e nós em Heidelberga. Não apoiei Ethel, mas também não a dissuadi. Fê-lo. O médico revelou-lhe que estava vazia, que lhe tinham extirpado os ovários, o útero... Quando mo disse, levei as mãos ao ventre. «Mas, meu Deus, quando?! E porquê?» Não podes imaginar como foi espantosa aquela tarde, as duas fechadas no nosso quarto, a pensar em suicidarmo-nos! E não tínhamos ninguém em quem confiar, a quem acudir à procura de uma explicação que, por outro lado, ninguém podia dar, além da minha mãe. Decidimos ir a Hamburgo, enfrentá-la, exigir-lhe uma resposta. Fizemo-lo. Arrancámos-lhe uma só frase: «Evitei que, como eu, fosseis mães de loucos.» Esterilizara-nos para isso. Falámos com o nosso pai. Não sabia de nada, surpreendeu-se como nós, sentiu a nossa dor à sua maneira, mas também não nos podia dar o remédio, porque não o havia. Foi Ethel quem lhe disse que não voltaríamos a casa. Ele compreendeu e assegurou-nos a vida. Vinha ver-nos às vezes.

Ursula tinha falado sem interrupção, com voz monótona, sem inflexões, sem dramatismo, como quem relata uma história sabida. E depois das suas últimas palavras pegou no copo de uísque, bebeu um grande gole e pediu-me, segunda vez no dia, um cigarro. Levantei-me para lho dar, e, ao aceitá-lo, pegou também na minha mão, pegando-lhe e apertando-a apenas, sem a reter. Foi então que se pôs de pé e me empurrou suavemente para a minha poltrona.

— Senta-te. Os espectadores de um drama costumam estar sentados.

Ela também se sentou, já não no cadeirão, mas no braço, com a perna em cima, o cigarro na mão e a cabeça baixa. Um cabelo solto teria completado a imagem de dor, mas tinha-o, como sempre, esticado e apertado em carrapito.

— Talvez um homem castrado me pudesse compreender, mas não gostaria de encontrar essa espécie de compreensão. Há coisas, no entanto, difíceis de explicar. Já não se trata só da impossibilidade de ter filhos; isso é o mais fácil, o mais evidente. Tanto Ethel como eu teríamos podido ficar por aí, na maternidade frustrada, ou dar-lhe a volta e alegrarmo-nos com a impossibilidade de uma maternidade involuntária. Parece que até me lembro de alguém nos ter dado essa saída. Não a aceitámos por uma qualquer razão de que não me lembro, talvez por não ter existido. Aquela amiga disse-nos: «O que é que vocês querem mais?» Teríamos podido responder-lhe e se calhar respondemos-lhe que queríamos mais, embora não soubéssemos o quê, mas viemos a sabê-lo, falando Ethel e eu, rasgando a nossa alma. Essas entranhas de que nos despojaram teriam, a partir da sua obscuridade, encaminhado as nossas vidas de outra maneira. Fomo-nos apercebendo ao vermo-nos diferentes das outras, diferentes de uma maneira profunda. Já não se tratava de que os nossos projectos fossem diferentes, mas de que a nossa maneira de estar no mundo o era, tão-pouco como homens. Ocupávamos um lugar intermédio entre eles e elas e os meus sentimentos só se pareciam com os da minha irmã. Compartilhávamos uma raiva surda contra tudo o que às vezes se manifestava em desejos de sermos más, de fazer mal, e, outras, numa exigência de justiça para lá do possível, na necessidade de mudar o mundo, sem nos darmos conta de que num mundo diferente teríamos sido igualmente incompatíveis com ele. A minha irmã encontrou então um rapaz por quem se apaixonou, e que lhe deu uma solução, a de lutar por esse mundo justo. Foi esta a razão da sua entrada no Partido Comunista e da sua entrega a ele de corpo e alma. Eu não fui além da tentação, talvez porque na universidade os nossos estudos diferentes rompessem, ou pelo menos abalassem, aquela semelhança de sempre, aquela coincidência que muitas vezes nos fazia sentir uma só como se tivéssemos o mesmo coração. O facto é que Ethel estudou Matemáticas e eu Arte. As Matemáticas tornaram Ethel dogmática; a mim, a Arte tornou-me céptica. Não tanto o seu estudo, mas a sua realidade, foi num princípio uma espécie de consolação, ou uma espécie de engano. Foi assim até ter compreendido que a arte também tem sexo, e que uma mulher castrada não a podia sentir nem viver até à medula, como eu desejava. Se abandonei a Arte e estudei Economia foi porque o dinheiro não tem humanidade, não tem sexo, nem alma, rege-se por umas leis sem sangue: pelo menos nessa zona intermédia em que nós nos movemos. Mais abaixo está a miséria; desconheço o que há mais acima, embora o suspeite, mas sei que nunca chegarei a ser iniciada nos seus mistérios.

Ficou mais uma vez em silêncio. O cigarro consumira-se entre os seus dedos, e a cinza caía-lhe na saia. Sacudiu-a e voltou a levantar-se. Ficou um momento como que vacilante. E então eu fiz algo que não tinha pensado, que não tinha nada a ver com as palavras ditas, que nem sei como o fiz nem porquê. Levantei-me, aproximei-me dela e disse-lhe:

— Queres soltar o cabelo?

E ela, talvez admirada com o olhar de quem está perante o incompreensível e o absurdo, levou as mãos ao carrapito e desprendeu-o. Caíram-lhe sobre os ombros uns cabelos compridos e finos. E eu acariciei-lhos. Não sei se, então, ela tal como eu, compreendemos que havia uma razão para o que eu fizera, embora não fosse muito clara (ainda hoje não o é para mim). Mas as minhas mãos a acariciá--la pareciam a justificação, ou talvez uma resposta de quem não compreende perfeitamente, mas precisa de mostrar a sua adesão. Um beijo teria significado a mesma coisa, mas era mais ambíguo. Sim. Fiz bem em não a beijar. Terminei a carícia deixando que as minhas mãos ficassem sobre os seus ombros.

— O que sinto é tão novo que não sei como dizê-lo.

Ela sorriu com doçura. Tornei a sentar-me.

— A minha irmã serviu-me de espelho para me entender a mim mesma na medida em que isso era possível. Deixámos de viver juntas, mas durante muito tempo víamo-nos, falávamos de nós, sempre de nós. Eu era a única coisa que Ethel conservava do seu passado, a única coisa que ela amava, porque o meu pai tinha rompido com ela quando se juntou com um homem sem se casar. Vinha ver-me, contava-me as suas coisas, nunca as de ser feliz ou não com o seu amigo, mas as suas aventuras, riscos, façanhas. Não era evidentemente a única rapariga revolucionária que eu conhecia: naquele tempo havia muitas na universidade e fora dela, e foi isso que me permitiu compará-las com a minha irmã. A elas, o afã de luta, a ânsia de justiça ou, simplesmente, o desejo de vingar o camarada morto saíam-lhes das entranhas; à minha irmã, pelo contrário, saíam-lhe da cabeça. E quando mataram o seu amigo, a sua dor e o seu furor eram mentais. Então, não antes, compreendi que havia um modo feminino de viver, um modo que abarcava tudo, não só o amor e as outras paixões, e era disso que nos tinham privado. Depois, a minha própria experiência permitiu-me completar aquelas convicções. Tive amores, mas nunca soube entregar-me com essa totalidade com que outras se entregam, esse modo que compromete toda a pessoa; e os homens com quem fui sincera afastaram-se de mim. Um deles disse-me algo que nunca esquecerei: «Para seres uma mulher completa falta-te o instinto maternal. Há um momento em todo o amor em que a mulher tem de ser um pouco mãe.» Eu já tinha lido isso em Freud, mas não é a mesma coisa o que lemos e o que nos diz um homem que já não voltará para o nosso lado.

Algumas vezes, não sei se muitas ou poucas, as grandes decisões, aquelas em que nos jogamos a nós próprios numa só cartada, não são meditadas, mas emergem, como uma labareda de fogo que não se espera, de algum lugar (lugar?) obscuro, dos que escapam à nossa vontade deliberada. Aparecem de súbito e só nos damos conta do seu alcance. Então assustamo-nos, ou alegramo-nos por não termos pensado nisso antes, por não termos reflectido. Foi algo assim que me deve ter ocorrido naquele momento, quando me levantei, me aproximei de Ursula e lhe disse simplesmente:

— Por que não te casas comigo?

Olhou para mim, não me respondeu, mas pegou na minha mão. Pude continuar a falar, embora o olhar dela continuasse fixo no meu, um olhar em que à surpresa se seguira a simpatia, ou porventura a ternura: o que vinha até mim pela pressão da sua mão.

— Sou um homem livre e estou só no mundo. Sou, pois, senhor de mim. O que te ofereço é mais do que uma resposta sentimental ou a manifestação de um desejo que tu ignoras. Ofereço-te um casamento sério, o que se entende por sério neste mundo em que ainda vivemos, tanto tu como eu. Sou medianamente rico, tenho uma casa em Espanha outra em Portugal, ambas bonitas, embora muito diferentes. Tenho a certeza de que gostarias delas e de que nelas te sentirias bem. O que lá podias fazer!... Poderemos viver em Espanha ou em Portugal, como tu quiseres, em Villavieja, nas margens do Minho, em Madrid ou em Lisboa. Já te disse antes que me faltam palavras para te responder, mas isto é uma oferta que vale mais do que as palavras. Acho que serias feliz.

— E tu? — disse ela.

— Eu, qual a dúvida? Que mais posso desejar?

Não me largou, e não disse mais palavras, mas aproximou a sua face e manteve-a colada à minha mão não sei quanto tempo. Quem seria capaz, nessas condições, de o medir? Porventura terá medida um tempo assim? Passou o que passou, tanto faz. Então pediu-me que me sentasse. Fi-lo. Ela saiu do seu cadeirão, aproximou-se do meu, não pela frente, por um lado, e ali ficou, não sei se ajoelhada ou sentada sobre as pernas. Via-lhe a cara e os ombros. As suas mãos moviam-se, à medida que falava comigo, quase à altura dos meus olhos, um pouco afastadas deles.

— Eu sei que nunca censurarias a minha esterilidade, por muito que desejasses um filho, e sei também que estes poucos anos que nos separam tardariam em ser um inconveniente: disso me encarregaria eu. Se as dificuldades só fossem essas, dir-te-ia que sim, com entusiasmo, com esperança. Mas, o que é que pode sair de mim? Já te falei dos meus terrores. De alguns deles libertar-me-ia na tua companhia. Muitas coisas teriam que acontecer no mundo para que me fossem perseguir por judia em Espanha ou em Portugal! Não. É a mim mesma que eu temo, porque não sei o que posso chegar a ser, o que posso querer, o que posso fazer. Deste meu corpo vazio podem sair as coisas mais terríveis porque, onde estavam as minhas entranhas, há um demónio que escapa à minha vontade e que às vezes se manifesta. Por muito que te ame há coisas que não posso prometer-te sem nos enganarmos aos dois. Não seria pior construir uma vida em comum, confiar nela, e ver como um dia, inesperadamente, sem uma razão válida, eu mesma a destruía? Não sei como explicar-te... Pensa que estou destroçada, que entre os pedaços que me constituem há abismos cujo fundo desconheço, mas que me metem medo. Se um dia a sua maldade emergir e me dominar, de que serei capaz? No dia em que isso acontecer, não quero que ninguém do meu amor esteja a meu lado e sofra. E tu és o meu pequeno amor.

Talvez então se tenha escondido para que não lhe visse uma lágrima ou para ocultar um soluço. Deixei de ver a sua cara e as suas mãos, mas sentia o seu cabelo numa das minhas, que pendia fora da poltrona.

— Há dois anos — continuou — tive uma dessas crises, sem bem que não terrível. Simplesmente achei que o mundo não tinha sentido, e eu também não. Entende-me bem: não foi uma experiência dessas que se seguem a uma leitura que nos diz isso mesmo, e que depois a sentimos, mas algo espontâneo, sem razão aparente; algo que suponho terá acontecido a muita gente: numa tarde qualquer, num anoitecer, sob umas árvores, num passeio, ou no meio de uma festa, salta essa pergunta do fundo de nós mesmos. «Porquê e para quê?» Geralmente são momentos transitórios: esquecem-se, são sensações que vão tal como vieram, e continuamos a viver. Mas por essa causa que me move sem que eu o queira, por esse vazio, insisti nas perguntas, porque insistia em não sentir-me necessária, nem mesmo justificada, e não te surpreenda esta palavra que para nós protestantes é mais grave do que para os católicos, é uma chave de vida, ainda que já não acreditemos em Deus. É preciso que nos justifiquemos! Como? Porquê? Um ser sem sentido não tem justificação, e é estúpido procurá-la. Só podia falar com a minha irmã, e falámos. A minha irmã tem a mesma solução para tudo: «Une-te a nós, luta connosco.» Entre as pessoas com quem a minha irmã se dá há algumas, talvez muitas, que sabem porque e para que lutam, têm uns objectivos e uns fins muito claros, mas não acredito que a minha irmã seja como eles. Ethel luta pela própria luta, resume-se na luta o porquê e o para quê. E não basta pensar nisso, nem sequer é preciso pensar, basta sentir. Eu não o sentia e por isso não me uni a ela. Uma vez ouvi falar de certas qualidades excelentes de um mosteiro católico, um mosteiro de monjas e fui lá. Também não sei porquê, talvez uma esperança. Eu sou presbiteriana calvinista. Não o escondi às monjas, mas mesmo assim admitiram-me na sua companhia como uma mais, embora sem compromisso. Desapareci inteiramente do mundo, entrei naquele de mulheres sós, fiz o que faziam: ao que parecia, uma rotina muito bem regulamentada que incluía algumas satisfações estéticas, mas que não o era, e essa foi a minha primeira descoberta, não o era porque, para elas, os ritos, as rezas, o trabalho, o descanso, tinham um sentido que abarcava tudo e o excedia, que ia para lá do presente e do visível, não sabia, a princípio, para onde. Bom, acabei por saber: para Deus. Quase todas as semanas vinha um monge falar connosco, e digo falar, porque não eram sermões, mas conversas. Não me custa reconhecer que era um homem extraordinário, fora ele quem as tirara da vulgaridade, da trivialidade, e criara a alma daquela comunidade. Entende o que te digo: não actuava como varão entre fêmeas, mas como possuidor de uma palavra que comunicava e engendrava santidade. O que ele fazia com a sua palavra era construir e suster uma espécie de escada entre o coração de cada uma daquelas mulheres, ou do coração unânime de todas, e Deus. Mas, no meu caso, nessa escada faltavam alguns degraus, e o meu coração ficava de fora. Para mim, a santidade não queria dizer nada, ou era, pelo menos, um estado inacessível. Entende-me bem: nada me chamava do exterior, nem mesmo as urgências do sexo. Teria sido capaz de manter-me casta por um tempo indefinido, de renunciar ao mundo, na condição de sentir o que elas sentiam, o amor, uma espécie de amor cuja natureza viviam, compreendendo-o ou não, mas que a mim me faltava. Quando decidi vir-me embora, pedi àquele monge uma entrevista privada. Falámos durante muito tempo, soube tudo de mim, creio que me entendeu e se compadeceu de mim. O único remédio que ele conseguia vislumbrar era o que eu tinha visto e vivido, e infelizmente, infundir-me o amor que me faltava não estava nas suas mãos. Terminou prometendo rezar por mim. E o mais curioso foi que quando o referi à minha irmã, ela respondeu-me: «Tudo isso é pura imaginação, pura irrealidade. Se tivesses de manter um lar e não tivesses o necessário, dar-te-ias conta do que é importante e do que é frívolo.» A minha irmã não se dá conta de que a sua entrega à redenção do proletariado, pelo qual talvez dê a vida, tem a mesma raiz das minhas angústias. Ela também é uma burguesita descontente, mais ou menos intelectual, que não pode dar à luz.

Aproveitei uma pausa que ela fez para lhe perguntar se era religiosa.

— Não sei. Provavelmente não; mas, quem sabe o que há no fundo de cada um? Eu fui educada no calvinismo, já te disse, e ensinaram-me que Deus é terrível, e que o Seu dedo inexorável nos marca desde o nascimento para o bem ou para o mal. Soube que havia outros deuses: o dos luteranos, não menos terrível que o meu, o dos católicos, um pouco mais benévolo. Quando cheguei à idade em que se pode escolher, não o fiz porque, no meu coração, considerava Deus responsável pela minha desgraça. E preferi esquecê-lo, se bem que...

Levantou-se donde estava sentada ou ajoelhada e pareceu vacilar uma vez mais. Eu fiz menção de levantar-me também, mas deteve-me com um gesto. Olhou em volta. Procurava um assento, ou uma postura? Ou simplesmente resolvia em movimentos sem sentido a sua vacilação interior? Não sei se perguntava aquilo a mim próprio ou se me limitava a olhar para ela, sem me preocupar se ela se movia com um propósito ou um fim; prelúdio de novas confissões, ou ponto final. No facto de olhar para ela eu encontrava algo assim como a conclusão de que não havia perguntas nem respostas, mas apenas uma mulher que, de pé diante de mim, parecia duvidar, mas que, entretanto, contemplá-la me dava todas as soluções, e um apaziguamento íntimo, como uma escuridão. De repente, parou:

— Ou saberás só isto de mim, ou mais algumas coisas. Depende de quereres que te leve a tua casa ou de preferires ficar. Previno-te que não sou uma amante cómoda.

Demorei tempo a responder-lhe:

— Sou um amante inexperiente.

— E isso que importa?

Eu permanecia no cadeirão. Deixou-se cair no meu colo, abraçou-me, escondeu a cara no meu ombro e ficou assim, quieta, bastante tempo. Por fim, beijou-me. Eu limitara-me a acariciá-la.

XVI

Recordo o que começou naquela noite, em parte, como trâmites ordenados, efeitos em cadeia, da mesma causa: dois que se amam num mundo que não se importa que se amem, também como tumulto ou reviravolta em que alguns factos reaparecem claros ou em penumbra; foi assim, talvez tenha sido assim, sem um antes e um agora. Salvo o começo, que já contei, e o incerto final, diluído em distanciadas intermitências.

Hoje atrevo-me a dizer que acabou, como eu próprio um dia destes; quem sabe? A data incerta não se pressente. Estas recordações, assim, emaranhadas, não surgem quietas; vêm e vão, parecem girar, misturar-se, perseguir-se, furiosas ou frenéticas, nem uma só tranquila nem duradoura. As que aparecem iluminadas, embora nunca inteiramente, são quaisquer momentos em que culminou o amor: aquela tarde em que ela escorregou e esteve quase a cair do barco ao rio, ou aquela outra de chuva, em que quando ia a pedir-lhe que parasse o carro, porque precisava de a beijar, ela parou de repente e me beijou. Mas depois perdem a luz e perdem-se elas próprias no esquecimento geral, e são outras que ocupam o seu lugar e se iluminam, para em seguida também se desvanecerem: os medos, as esperanças irracionais, um gemido. Contá-las é difícil por não existir na memória essa ordem que o relato requer. Também não é fácil descrevê-las, pela imprecisão dos seus contornos ao recordá-las, pela sua fugacidade. Distanciaram-se, ou coincidiram, esta carícia com a outra, ou será que a memória duplica o que foi uno? Aconteceram, sem dúvida, um dia após outro, e com o seu ritmo. A ordem perdeu-se no esquecimento: do ritmo, fica-me a sensação, antes chamei-lhe frenética, real como os próprios acontecimentos. Ursula impunha-a, não no exercício do amor, precisamente, ainda que às vezes também, mas na vida em comum que tivemos durante algum tempo, o pouco que nos durou; um instante na minha recordação, talvez dois ou três meses na realidade de Londres daquele ano. Mas, o tempo quer dizer algo? Todo aquele que alguma vez amou sabe que o seu sentido se perde, que o amor tem durações próprias nunca uniformes, às vezes agitado, outras tranquilo. Celeridades e demoras houve-as também no nosso, lentidões como eternidades, vertigens furiosas que não são nada na recordação, porque a memória também tem o seu tempo e uma lei que se esconde debaixo do seu capricho, traz-nos a imagem como quer, não como foi. Quantas vezes me recreei, ao longo de todos estes anos, a dilatar os instantes. Mas, sempre os mesmos? Também nestes deve haver a sua lei ou o seu capricho, na reaparição inesperada, involuntária, de sequências inteiras que fogem como vieram, que não se deixam reter e que diferem em cada uma das suas aparições, porque o que aconteceu foi sempre mais complexo e mais rico do que o que aparece e não cabe de uma só vez na recordação: agora vemo-lo assim, depois de outra maneira, as mil caras da realidade, cintilantes, e inacessíveis. E, depois, a memória é condicionada pelas circunstâncias do momento real, e as deste em que recordo. Por exemplo, o que busco nesse *mare magnum* do corpo de Ursula: não é visual, mas táctil. Deixava-se acariciar na escuridão, mas algo mais forte do que ela a impedia de mostrar o seu corpo à luz. Desculpava-se com a sua educação puritana, talvez fosse verdade. No entanto, a impressão que a carícia deixa é mais intensa que a do olhar. Ver precede o tocar, o que os olhos percebem reconhecem-no as mãos, percorrem-no, remexem-no, apreendem-no. E para isso não faz falta luz. Quando tento recordar o corpo de Ursula tenho de pôr a memória nos dedos, nas palmas das mãos, e perguntar pelos caminhos inacabáveis que criaram. Foram tantos que se confundem e por último ficam num só, o corpo inteiro quieto na escuridão, a não ser a sua mão, que me procura. Mas isto impede-me de saber se amava com os olhos abertos ou fechados, e se ao amar os seus olhos resplandeciam. Provavelmente, sim, porque é o costume; mas não gosto de imaginar como próprios de Ursula os olhos de outras mulheres que vi, efectivamente, embelezados. Prefiro deixar em mera incerteza o que foi luz visível. Recordo, em contrapartida (muitas imagens fundidas) que depois do amor ficava silenciosa, deitada sobre o ventre e a cabeça entre os braços, como se dormisse, um pouco afastada de mim, digamos que só. Pensei assim uma vez, talvez a primeira, e julguei prudente retirar-me; mas ela sentiu que me afastava, segurou-me com a mão e disse:

— Espera.

Aquela espécie de ausência durava pouco ou muito, nunca tanto que me desesperasse; depois voltava parcimoniosamente à proximidade e à ternura, como quem passa de um tempo a outro, de um tempo quase imóvel à palpitação do jogo renovado. Uma vez pareceu-me que durante aquelas quietudes assistia a uma espécie de rito pessoal que permitisse a Ursula reviver os sentimentos e as sensações imediatas, que os prolongava: uma espécie de técnica ao alcance de experientes e de sábios, a que eu não tinha acesso, e por isso me causava uma amorosa inveja, se assim posso chamar ao desejo incumprido de participação, ou talvez como quem fica a meio do caminho, enquanto o companheiro progride. O que podia adivinhar na penumbra, aquilo a que assistia, não me dava para imaginações sublimes: só um corpo em silêncio, impenetrável. Hoje já consigo compreender, ou pelo menos imaginar, que a mutilação de Ursula a tenha obrigado a construir a sua vida em torno do sexo, entendido, não como qualquer rapariga da sua idade e educação, mas de maneira pessoal e sem comparação possível, um modo que a conduzisse precisamente a um determinado limiar de misticismo erótico que se me tornava, mais do que inalcançável, alheio. Não procuraria inutilmente, não esperaria chegar a essa comunicação profunda com a realidade que algumas mulheres alcançam através do sexo? Agora vejo-o assim, mas nunca se tem a certeza de ter chegado ao fundo do coração do outro.

Falei de frenesim. Não partia de mim, mas de Ursula. Dava a sensação de que o nosso tempo era escasso, que ela sabia a que horas chegaria o fim, e de que era preciso preenchê-lo sem deixar um recanto vazio. Fizemos naquele tempo (dois ou três meses?) o que poderia fazer-se num ano. Não só as confidências que revelavam, a cada um de nós, a intimidade do outro (e como é fácil enganar com a verdade, e, sem querer, como é possível que um conjunto de revelações verdadeiras construam fora de uma pessoa uma imagem fictícia!), como se a nossa necessidade de posse recíproca pretendesse alcançar a totalidade das pessoas, como tentámos acumular factos que chegassem a constituir o sucedâneo enganoso do «toda uma vida» a que aspiram, pela natureza do amor, os que se amam. Salvo naquelas horas em que os nossos trabalhos nos mantinham separados, tudo o resto se fazia em comum, tanto o quotidiano como o extraordinário. Mas preciso de destacar um matiz que talvez nos tenha conferido singularidade: era como se Ursula quisesse mostrar-me tudo o que eu ignorava, ou antes pôr-me na situação de o aprender, mesmo quando ela não estivesse; o que se diz deixar-me encaminhado, e isto era tão evidente, que um dia lho perguntei. Não se esquivou à resposta (não costumava fazê-lo), e agora posso resumir com palavras minhas o que então me respondeu: obedecia à sua necessidade inelutável de justificação. Perante quem? Não perante mim, obviamente, mas talvez perante algo que, sem querer, jazesse no fundo dela própria. Embora estivesse convencida de que o nosso amor se bastava e se esgotava também em nós, sem relação com nada nem com ninguém, não podia furtar-se àquela espécie de mandato que surgia da sua consciência, a convicção de que o amor era pecado se se reduzisse aos nossos limites, por imensos que fossem.

— Não podemos ter um filho, há tantas coisas em que posso ajudar-te!

Assim reaparecia nela, transmutada em pedagogia, a maternidade impossível. E doutra vez disse-me que eu tinha chegado aos seus braços quase adolescente, e que queria que saísse deles pisando o mundo com segurança. E foi naquela ocasião, agora recordo-o bem, que, a uma pergunta minha («Tens medo que isto não dure?»), me respondeu que sim, que tinha medo, que não conseguia evitar um pressentimento de que algo nos ia separar. E era este medo, talvez certeza, o que a impelia a consumir os instantes, a viver em pouco tempo o possível e uma boa parte do imaginável.

Nada disto quer dizer que não fosse capaz de ser carinhosa. Costumava chamar-me em inglês «meu pequeno poeta», mas uma vez pediu-me que lhe ensinasse a dizer em português «meu pequeno Filomeno». Tive que dissimular o sorriso que aquele desejo me provocou, e não pude evitar lembrar-me de Belinha, quando lhe disse: «Meu pequeno Filomeno», que corrigi logo para «Meu menino Filomeno», e melhor ainda, «Meu menino». Treinou várias vezes, corrigi-a até pronunciar como uma garota das margens do Minho, e enquanto brincávamos a ensinar e a aprender, eu apercebia-me de que sempre lhe tinha ocultado o nome Ademar, e toda a faramalha de Alemcastre, de que perante ela me envergonhava só de pensar. Cheguei a acreditar-me livre daquele passado. No mundo criado por Ursula e por mim, Ademar ficava flutuando como uma noção remota, nem sequer uma imagem. Ursula tinha-me reconciliado com o meu nome, e não sentia necessidade de renunciar a ele. Certa tarde, já muito tempo depois de iniciadas as nossas relações, chamei-lhe «Minha menina Ursula», e então encheu-se-lhe de resplendor o rosto, como se tivesse triunfado, e disse-me:

— Estou muito contente por me chamares assim e, sobretudo, por o sentires.

E tinha-o sentido verdadeiramente; considerara-me verdadeiramente, naqueles instantes, não sei em que sentido, acima dela, se mais forte, ou mais velho, ou simplesmente mais seguro. Deveu-se a tê-la nos meus braços como a uma criança.

De qualquer forma não posso assegurar que aquele amor tenha decorrido com naturalidade, porque esteve, desde o princípio, marcado por essa inquietação que referi, que era como que a sua base secreta. Muitas vezes, acordado a meio da noite e ouvindo, ao meu lado, a respiração de Ursula, sentindo no meu ombro a carícia do dela, ou os seus cabelos na minha mão, senti temores súbitos de que a nossa relação se rompesse, de que ela partisse um dia qualquer depois de me explicar, com as suas melhores palavras, que tudo é efémero e o amor acima de tudo. Voltei a propor-lhe várias vezes, durante aquele tempo, que nos casássemos e embora não recusasse, adiava com um sorriso ou um beijo, para uma data incerta, depois de determinados acontecimentos a que aludia, mas que nunca disse com clareza quais eram:

— Deixa, não falemos disso.

Nunca pensei que um passado secreto fosse o impedimento; tratava-se, pelo que consegui inferir, de secretos futuros. Tinha sonhos ingratos. Costumava ouvi--la dormir e a sua placidez era frequentemente interrompida por um grito débil ou por um soluço.

Conservo fotografias daqueles meses. Ursula tinha uma máquina fotográfica alemã que trazia na mala, e da mesma forma que gostava de captar imagens de edifícios, de paisagens, de recantos, também o fazia de momentos da nossa vida em comum, de objectos triviais que alguma vez tiveram um sentido pessoal para nós, ou então uma atitude, uma postura. Essas fotografias não constituem teste-munhos ordenados de uma história de amor, mas tão-só momentos desconexos, muitos dos quais, ao contemplá-los, deslocam as minhas recordações: a imagem de uma catedral no meio de prados ou perto de um rio, de um castelo, quando não de um rebanho de carneiros no meio de um caminho. Dificilmente se asso-ciam com as imagens de uma noite numa pousada, ou de um jantar feliz numa tasca. Mas tudo envelheceu, perdeu o calor. Amarelece como as próprias foto-grafias.

A placidez aparente das nossas relações alterou-se numa tarde em que me leu, num jornal, notícias da Alemanha: a luta nas ruas recrudescera, as organizações nazis tinham conseguido praticamente cercar os grupos comunistas e cantavam vitória.

— A minha irmã é uma dos que estão cercados.

A partir daquele momento, a dor e o receio pela sorte de Ethel estiveram pre-sentes, deram ao amor uma subtil e indubitável amargura. Não alterou a aparên-cia, o que já era costume, mas sim o seu sabor. Foi então que comecei a pensar verdadeiramente que aquilo se acabava. Ficámos tristes e não dissimulávamos a tristeza. Eu tentava partilhá-la, mas, ainda que aparentemente iguais, não era a mesma. Eu não conhecia Ethel, não a amava, não podia recear por ela. O meu receio poderia resumir-se numa afirmação grotesca: Filomeno ia morrer.

Foi uma agonia intensa e breve; começou quando Ursula me telefonou para me pedir que, ao sair do trabalho, fosse directamente para sua casa. Não quis di-zer-me mais, mas reparei na angústia da sua voz. Ao abrir-me a porta, vi no seu rosto a dor: o olhar, fixo; ela, desanimada. Pressenti a morte de Ethel e limitei--me a abraçá-la sem palavras. Havia uma certa desordem na casa, e na sala, três malas meio feitas. Foi ali que me disse:

— Tenho que ir para junto do meu pai: sente-se culpado.

— Vais ficar com ele?

— Vou acompanhá-lo o tempo necessário até que compreenda, sem que eu lho diga, que estou do lado da minha irmã.

— E depois?

Fitou-me com um olhar demorado e triste.

— Quem sabe? A minha irmã deixou um lugar vazio que, de algum modo, me cabe preencher.

— Mas tu não és comunista.

— Não, e por isso para onde quer que vá não será um lugar de luta. Sei lá! Ainda estou confusa. O que sei é que chegou o que eu temia. Já não sou dona de mim. Amanhã apanho em Folkstone um barco para França. Não quero ir directamente para Hamburgo; tenho medo de que me confundam e me matem também. Sou igual a Ethel. Prefiro ir por terra, com tempo para meditar e precaver-me. Gostarias de vir comigo? Até Folkstone, quero dizer.

— Sim, claro.

— Vai a tua casa buscar o que for necessário. Penso sair com o carro dentro de hora e meia. Chegaremos a tempo de jantar lá.

Fui a casa, preparei uma maleta. Ia a sair quando me lembrei que não havia destino melhor para o relógio do major Thompson do que oferecê-lo a Ursula. Meti-o no bolso. Quando cheguei a casa dela tinha fechado as malas e estava tudo preparado.

— Toma, leva isto também — disse-lhe, oferecendo-lhe o relógio.

Pegou nele, olhou para ele, beijou-me.

— Obrigada.

Falámos pouco durante o caminho. Estava uma tarde de chuva fina e quase não havia carros na estrada. Em Folkstone procurámos um hotel. Durante o jantar disse-lhe que, já que ela se ia embora, pouco me restava para fazer em Londres, e que também me iria embora. Combinámos que me enviaria notícias para Villavieja. Foi uma noite intensa de amor e de mágoa, uma noite quase sem palavras. Tínhamos conseguido entender-nos tão bem no silêncio! De manhã distraímo-nos com o embarque do carro e com o dela. Dissemos adeus como tantos amantes: ela na amurada, eu na beira do cais, olhando um para o outro, só olhando. Quando o barco zarpou, apanhei um comboio para Londres. Naquela mesma manhã, embora já tarde, pedi uma reunião com mister Ramsey e apresentei-lhe a minha demissão. Não me pediu explicações, mas solicitou-me que esperasse uns dias. Mistress Radcliffe mostrou alguma pena ao saber que me ia embora. Fi-lo de Southampton para Lisboa. O senhor Pereira recebeu-me com regozijo:

— Meu querido Ademar.

Capítulo Três

Os trâmites da espera

I

AQUELES DIAS EM LISBOA, poucos, passei-os como um barco desgarrado quase perdido. Perseguiam-me as recordações, as recordações amargas sem esperança, e fazia um grande esforço por me acomodar a uma vida que ainda não sabia como ia ser, que ia ser como cinza. O senhor Pereira reteve-me com a história dos meus interesses, e o tempo alongou-se o indispensável para que recebesse uma carta de Londres em que o próprio mister Ramsey lhe dava conhecimento da minha demissão e o tranquilizava acerca do meu comportamento.

— Diz que o senhor é mesmo um *gentleman*.

E os olhos bailavam-lhe de complacência. Mas teve a discrição de não me perguntar o porquê do meu regresso: provavelmente bastou-lhe saber que não obedecia a nenhum erro profissional. Interrogou-me acerca do destino que eu pensava dar ao dinheiro depositado em Inglaterra, a parte mais sólida da minha herança.

— Pergunto-lhe isto porque a situação internacional não é muito tranquilizadora, e é muito possível que aqui, em Lisboa, esteja um pouco mais seguro. Já lho disse da outra vez.

Respondi que sempre tinha confiado nele e que continuava a confiar.

— Avizinham-se tempos difíceis, mais tarde ou mais cedo.

Também me perguntou o que pensava fazer.

— Para já, ir a Villavieja, não sei ainda por quanto tempo. Depois tomarei uma decisão.

Para que não me julgasse frívolo ou caprichoso, acrescentei que também possuía um património em Espanha, pelo qual me tinha de interessar. Perguntou-me se estava em boas mãos: respondi-lhe que sim. Voltei a Espanha por Madrid. Os empregados do hotel ficaram contentes de me ver.

— O senhor parece outro, mas vê-se bem quem é.

Mas o maior júbilo, verdadeiro ou gentil, demonstrou-o o director: não me senti lisonjeado. Procurei Benito, ficámos de jantar juntos, pedi-lhe que levasse a namorada. Se eu tinha mudado de aspecto ele também: muito sério, muito inchado, auto-suficiente, sem uma nota de alegria no trajar: já parecia um magistrado em funções. Estava prestes a terminar a carreira, com evidente brilho, e esperava-se muito dele, embora não estivesse muito de acordo com a namorada acerca do seu futuro: ele preferia uma cátedra; ela, algo de maior *prestígio* na sociedade: insistia muito no *prestígio*. Em qualquer dos casos, o seu futuro passava por Bolonha, para onde esperava ir no ano lectivo seguinte.

— Os bolonheses são a aristocracia da advocacia — dizia ela.

Mas eu não estava muito informado acerca dos bolonheses, o que certamente me fez descer na consideração daquela menina.

— E tu continuas metido nisso da poesia? — perguntou-me Benito.

Não quis defraudá-lo; respondi-lhe que, depois de ter passado todo aquele tempo num banco, pensava dedicar-me às finanças.

— Para isso também te convinha acabar a carreira.

Concordámos que o faria. Benito mais do que curiosidade pelo que me tinha acontecido, sentia necessidade de falar de si mesmo: deixei que o fizesse. Verifiquei que aquele tempo tinha bastado para fazer dele um conformista; o mundo parecia-lhe bom se não fosse a política, a sua grande preocupação. Ouvi-o atentamente, porque eu ignorava tudo acerca daquele tema, e qualquer acontecimento apanhar-me-ia tão de surpresa como me tinha apanhado a República. O resumo do que Benito me explicou, que tinha informações «de muito boa fonte», era de que as coisas iam mal, de que as direitas se enganavam tanto como as esquerdas, e de que renascia em muita gente a mais antiga esperança espanhola, a do homem forte, com espada ou sem ela.

— E tu estás de acordo?

Não me respondeu nem que sim nem que não, mas com rodeios teóricos e referências ao passado de Espanha e ao nosso mau costume de repetir as situações. Com a agravante, agora, de que existia um partido comunista forte e bem organizado.

— Tu não te tornaste comunista, não é verdade? Tu és um homem rico. Respondi-lhe com o mesmo rodeio com que ele o fizera um pouco antes.

— E agora, o que vais fazer? Vais ficar em Madrid?

Também não sabia, mas não era provável que voltasse para uma cidade onde nada me atraía. Acompanhámos Beatriz a sua casa. Benito veio comigo até ao hotel; no caminho perguntou-me se tinha namorada. Disse-lhe que não.

— Então será melhor procurar uma quanto antes. Na tua idade não se está bem sem uma namorada.

A dele telefonou-me na manhã seguinte, marcou-me um encontro num café. Parecia vir da missa, com véu e terço. As explicações que me deu foram tão prolixas como vagas, interrompidas constantemente por um «Ai, meu Deus, se alguém me vê contigo!». Escondia o rosto com o véu, mas tirou o casaco para que eu visse a opulência do seu peito. Ela queria que Benito fosse diplomata, mas não o achava suficientemente distinto, com a falta de jeito dos intelectuais.

— Ai, se fosse como tu, um homem com experiência! Basta olhar para a tua gravata.

Também tentou convencer-me de que uma mulher tem de olhar pelo seu futuro. Depois deu-lhe uma pressa repentina, deu-me a sua direcção e foi-se embora.

— Devias vir para Madrid. O que faz na província um homem como tu?

Villavieja del Oro não se emocionou com a minha chegada. A verdade é que eu não fiz nada para que se emocionasse. Não tardei a aperceber-me de que as pessoas viviam para a política, de que não se falava de outra coisa, de que se prognosticavam catástrofes. E foi em Villavieja que fui apanhado pela notícia do triunfo eleitoral dos nacional-socialistas da Alemanha. Se em alguns momentos decidira, não sei se para me enganar a mim próprio, que Ursula tinha conseguido a melhor forma de escapar ao perigo, a partir daquele momento não consegui evitar a inquietação, que chegou, em poucos momentos, à angústia. Esperava todos os dias pela chegada do carteiro como um apaixonado de primeira água que espera a carta em que o amor se decide. Depois ia ao café, onde os antigos Quatro Grandes, bastante envelhecidos, mas ainda rijos, mantinham à sua volta um círculo de curiosos ou de sequazes. Eu sentava-me um pouco afastado, e entretinha-me com a leitura dos jornais; tentei esquecer-me de que estavam ali e de que discutiam em voz alta questões vitais, mas não o faziam desacertadamente: cheguei até a ouvi-los, dissimulando a minha atenção com a suposta leitura, e graças a eles consegui entender um pouco melhor o que se estava a passar no mundo, e as catástrofes previstas pelo senhor Pereira começavam a tomar forma.

— Isto dos alemães é como o do Mussolini — disse um certa tarde.

— O senhor está enganado, e basta olhar para o mapa. A Itália é um país periférico, o seu lugar de expansão é a África, e o mundo interessa-se por África de uma maneira secundária. Não haverá uma guerra por Mussolini se apoderar ou deixar de se apoderar da Abissínia. Mas os nazis são pangermanistas; o seu lugar de expansão é toda a Europa; se não, o tempo o dirá.

— De qualquer forma, o que é que isso nos importa? Estamos longe.

— O senhor parece esquecer-se que, em catorze, mais de meia Espanha era germanófila e que muitos desses ainda estão vivos.

— O senhor não vai comparar Hitler com Guilherme II!

— Não, mas a Alemanha é a mesma.

Sim. Mas, para mim, era só o lugar, um lugar enorme e perigoso, onde estava Ursula. Aquela gente acabou por se aperceber de que eu os escutava; um dia um deles aproximou-se de mim, disse-me que era amigo do meu pai, e convidou-me a unir-me ao grupo. Fui, durante a primeira hora, objecto de curiosidade. Vir de Londres, ter passado lá tanto tempo, conferia-me uma espécie de auréola e dava-me direito à palavra naquele local em que se repercutia a História do mundo. Foi a minha presença que alterou a monotonia das discussões, embora sem as fazer desaparecer. Não faltava mais nada! Mas as antigas preocupações intelectuais, as que eu recordava, surgiram do esquecimento. Interessavam-se por teatro, e tive a oportunidade de lhes falar largamente do teatro inglês. Também gostavam de se certificar com testemunhas do que sabiam de Inglaterra pelas leituras, embora eu pudesse acrescentar aos seus conhecimentos alguns pormenores que só se descobrem com a experiência. Algumas daquelas consciências sublevaram-se ao saberem como funcionava o regime de propriedade urbana em Inglaterra, e mais ainda quando os informei de que a Igreja anglicana possuía estas e aquelas terras e casas, e que à maior parte dos ingleses isso lhes parecia bem.

— E queixamo-nos nós disto aqui! — disse um.

E outro replicou:

— Por em Inglaterra sobreviver a injustiça medieval, não vamos tolerá-la na Galiza.

De qualquer forma, depois de participar várias vezes naquelas reuniões, concluí que, se bem que todos fossem republicanos não tendiam para a esquerda radical, a não ser o indispensável para não se envergonharem de si próprios. De qualquer forma, quando eu lhes falava de poesia eram os momentos em que à minha volta se fazia silêncio e bebiam as minhas palavras. Havia entre eles quem tivesse traduzido e publicado poemas irlandeses, mas os seus conhecimentos acabavam mais ou menos em Lady Gregory e Lord Dunsany.

— O senhor viu Chesterton? E viu Bernard Shaw?

Sim, mas vira também, ou, pelo menos lera, outros que eles não conheciam. A base da minha reputação posterior, de que falarei quando chegar o momento, foi estabelecida durante aqueles dias: os que levei até receber uma carta de Ursula, em francês, enviada de Paris, na qual em poucas linhas me comunicava que estava bem e me dava uma direcção para onde lhe escrever. «Je pense à toi. Je t'aime toujours», como numa canção. Não podia imaginar o que faria ela em França, e, apesar disso, sabê-la fora do seu país tranquilizava-me, embora me acusasse a mim próprio daquela tranquilidade. Escrevi-lhe dizendo que ia para Portugal. Juntava a direcção do paço minhoto. Tinha de passar por Lisboa para levar os meus livros, que tinham chegado ao cuidado do senhor Pereira, e com os livros, alguns utensílios. Trouxera comigo o que tinha algum valor e algumas ninharias carregadas de recordações. Tardei, no entanto, alguns dias até fazer a viagem; o advogado de Villavieja que se encarregava dos meus assuntos recomendou-me que vendesse alguns imóveis, restos da herança da minha mãe, e que não deixasse de visitar o paço dos Taboada; um casarão bastante estragado, com poucos móveis e uma quinta abandonada. Requeria a minha presença e bastantes gastos, se quisesse deixá-lo habitável, mas não me senti capaz de me lançar a isso sozinho, de modo que o advogado se encarregou de o fazer no meu lugar. Havia dinheiro suficiente na minha conta e aquilo era a melhor coisa em que o podia gastar. Só quando estes assuntos ficaram em andamento é que fui para Lisboa, desta vez de comboio pela costa, depois de ter permanecido uma noite no paço minhoto; só uma noite, jantar ali, dormir, e sair de manhã muito cedo para apanhar o comboio. O meu professor e a *miss* pareciam um casal feliz, tinham dois filhos num colégio interno do Porto, e comportavam-se como senhores do paço; estavam nesse direito, por o cuidarem tão bem e pela forma escrupulosa e pormenorizada das suas contas, que o meu professor pretendeu mostrar-me naquela noite e que eu declinei para mais tarde, quando regressasse. Anunciei que passaria ali uma temporada. Como tinha medo de tropeçar no meu passado, naquela noite limitei-me aos espaços indispensáveis, com a consciência de que o reencontro me esperava inexoravelmente. Sem que eu lhes perguntasse, deram-me notícias de Belinha, que não tinha regressado de Angola, mas que mandava novas de vez em quando. Para já, tivera outra filha. Calculei que, embora não me tendo esquecido, a minha recordação estivesse desvanecida, seria como um sol sem força que pugna por se pôr e nunca se oculta.

Permaneci em Lisboa o tempo indispensável para juntar os meus pertences e enviá-los para o Norte. Deixei para mais tarde a resposta às insinuações do senhor Pereira, de quem compreendi que, por trás da aparente modéstia do seu gabinete, se mascarava um verdadeiro e, para mim, inexplicável poder. Pôs-me ao corrente das suas relações com a banca mais rica de Portugal, mas isso quase não me dizia nada. Mas, compreendi tudo quando me declarou:

— Posso fazer muito por si, e fá-lo-ei assim que mo pedir.

Seria pela recordação da minha avó Margarida que o coração daquele velho pendia para mim? Foi-me suficiente supô-lo. Respondi-lhe que precisava de algum tempo de solidão e meditação antes de me decidir, e parti para casa.

Já não consegui evitar então o reencontro com aqueles espaços em que tinham decorrido tantas horas da minha vida, que estavam dentro de mim com todo o meu passado, mas dos quais me aproximava agora sem nostalgia, porventura sem recordações. Foi o primeiro indicador da minha mudança. Elas já não me falavam dos meus avós, nem sequer podia recuperar, no silêncio, a voz da avó Margarida. A recordação de Belinha, inevitável, passava sem me perturbar, embora não me fosse indiferente. A minha atitude era — como diríamos? — mais estética. Ursula ensinara-me a sentir os espaços como formas significativas em si mesmas, e era isso o que eu fazia nos meus longos passeios, senti-los como espaço: habitações, salões, corredores, passadiços. Não me sentia alheio a eles, mas descobria-os como uma realidade nova, pela qual transitara sem a perceber, ou, pelo menos, sem perceber além da sua aparência. A própria biblioteca me parecia nova, se bem que não diferente; mais rica, isso sim, em matizes de cor, nas formas do ar e da luz. Passei alguns dias ocupado a procurar sítio para os livros, a ordená-los, e como ainda não tinha lido alguns deles, dediquei-lhes as manhãs. Também renunciei ao meu quarto de criança, e escolhi outro, um aposento de pomposo leito com uma salinha, dos quais nem se precisa de sair. Na salinha havia uma bonita lareira de pedra, muito trabalhada. Acendiam-ma todas as manhãs. Se o dia estava bom, ia ler num recanto qualquer dos jardins, se não, ficava na salinha, ao pé da lareira. Almoçávamos juntos, falava-se do tempo, das colheitas, de como se tinha vendido o vinho. O meu professor costumava procurar-me quando eu estava sozinho, para falar de política internacional. Estava preocupado com a situação da Europa. Pelo que consegui aperceber-me estava mais bem informado do que eu, e, graças a ele, pude melhorar a minha ideia de como iam as coisas. A Alemanha obcecava-o especialmente; não podia supor que eu o acompanhava naquela preocupação, embora a minha se limitasse a um nome de mulher, a quem talvez a História tivesse agarrado, enquanto eu me empenhava em permanecer à margem da História; como sempre, desde o meu nascimento. Quanto à *miss*, perguntou-me uma vez se entrava nos meus propósitos casar-me, que já me ia chegando a idade, e que em lugares próximos havia meninas bonitas e bem dotadas nas quais talvez me conviesse pensar. Como eu não fora muito explícito nas respostas, perguntou-me uma vez se tinha deixado algum amor em Inglaterra. Respondi-lhe resolutamente que não. E, assim, nestas trivialidades, se passaram os primeiros tempos. Não recebi mais notícias de Ursula.

A novidade daquela vida distraiu-me de mim mesmo. Sentia-me tranquilo, ainda que por baixo da minha tranquilidade houvesse algo assim como o presságio de um vendaval. Cheguei até a entreter-me com averiguações inúteis em que nunca tinha pensado e que não me haviam preocupado, que eu me lembrasse, desde os anos da minha adolescência. A contemplação do retrato do meu bisavô Ademar, aquele que Margarida me tinha imposto como modelo e ao qual tinha sido infiel, foi o arranque para uns dias de procura e recordações. Era um bom retrato anónimo de um homem de boa figura, ainda que um pouco rebuscado no vestir. Vestimentas como aquelas vira-as em Inglaterra, quadros de museus locais ou de casas nobres que se visitam nos fins-de-semana: reminiscência indubitável do dandismo, mais duradouro em Portugal do que na própria Inglaterra, talvez por mais tardio. Ademar fora um dandi, e o seu esmero parecia-me antiquado, ainda que não antipático; não lhe faltava graça. Ter-me-ia desinteressado dele se não tivesse encontrado, rebuscando nas gavetas de um móvel, montes de cartas suas, desordenadas, algumas incompletas, como se tivessem sido mutiladas de propósito. Muitas eram de negócios, geralmente maus; outras, bastantes, de amor. Permitiram-me reconstruir uma parte da história daquele moço frívolo, e fi-lo sem emoção, por pura curiosidade. Nunca até então me interessara pelo destino das cartas amorosas, que, pela sua natureza, e segundo a minha maneira de pensar, deveriam ser destruídas; e que se alguém as tivesse legado como herança ao primeiro leitor incerto, seria por pura vaidade. O meu avô Ademar não tinha queimado aqueles testemunhos da sua ocupação mais deleitosa para que alguém imprevisível os conhecesse e subindo assim na estima de leitores imprevisíveis. Interroguei-me se a sua filha Margarida teria chegado a conhecê-las, e se no seu coração aprovaria os deslizes de seu pai. Seriam eles a causa da admiração que teve por ele? Ao tomá-lo como modelo, teria eu desejado ser um mulherengo? Não podia, logicamente, achar uma resposta; mas, colocando-me no lugar da minha avó, e com o mesmo direito que ela, julguei Ademar como um homem leviano, ao fim e ao cabo do seu tempo, quem sabe se dançarino de *can-can,* para quem a fama de conquistador afortunado valia tanto como a flor que punha na lapela. Hoje compreendo que fui demasiado severo com o dandi Ademar; mas, naquela altura, encontrava-me dominado pela minha paixão por Ursula, e não admitia que as relações com uma mulher pudessem ser tomadas levianamente. A maior parte daquelas cartas eram queixas. O bisavô Ademar tinha sido infiel às suas amantes, penso que organizava ao mesmo tempo a conquista e a infidelidade, como se fossem a mesma operação. Mas também é possível que elas não merecessem outra coisa. Não deixa de ser curioso ter tropeçado naquela altura com o *Amor de Perdição,* o primeiro romance que lera na minha vida, aquele que provavelmente tinha configurado as minhas esperanças amorosas de adolescente. Que diferente, aquela paixão, da frivolidade do meu avô! É claro que comparava sem raciocinar o que tinha sido real com o meramente literário. Mas eu, mesmo então, sentia-me mais perto da literatura, e a julgar por mim mesmo, acreditava na realidade daqueles modos extremos do amor.

A tempestade pressentida insinuou-se cautamente, como se um sistema defensivo de que eu era consciente a estorvasse: de súbito encontrei-me no meio dela, e não me desagradava. Consistiu no reaparecimento tumultuoso das minhas recordações, de Ursula, quero dizer, e não do que foi mais aparente e continuado, a nossa vida em comum, aquilo que relatei, mas do que a tinha acompanhado talvez como acidente ou coisa de pouca monta, escondido nas dobras da memória. Muitas destas recordações eram de ninharias transitórias que, recordadas, me causavam prazer ou surpresa, nunca desgosto. As outras eram pormenores da vida corrente que eu tinha deixado passar, por não encontrar nelas relação com o amor que vivia, mas que agora, muitas delas, a maior parte, acumuladas e patentes, me deixavam perplexo. Como tinha pensado, como tinha sentido aquilo que, no entanto, estava ali, sentido por mim e pensado, quer dizer, vivido? Não se tratava só dos ensinamentos de Ursula, perante os quais sorri algumas vezes (injustamente), mas de respostas pessoais e insuspeitadas à minha situação junto dela, na sociedade, no mundo. Suponho que todos podemos extrair do fundo da alma recordações como aquelas, importantes ou triviais, tanto faz, porque resultam da experiência. O que aconteceu naqueles dias foi que tive consciência da minha. Sentava-me diante das chamas, deixava fluir a memória, e assim, horas e horas. Até que uma daquelas noites me levantei e me pus a escrever; não deliberadamente, mas como uma consequência necessária de tantas revivescências. Um acto, no entanto, não inteiramente pessoal, porque algo de exterior me empurrou e me ditou as palavras que ia escrevendo; possuído, embora não arrebatado. Não sei quanto tempo, daquela noite, empreguei a escrever os meus primeiros poemas, cuja forma não tinha sido prevista nem estudada, cujo ritmo me saía do sangue. Deixei de escrever e fui dormir como um sonâmbulo que recupera o leito: era muito tarde.

Nem o sono nem o descanso me libertaram daquele feitiço. Foram uns dias de viver ausente da realidade, concentrado em mim mesmo, e, ao mesmo tempo, quase imponderável, ou pelo menos sentindo uma sensação geral como se o fosse. Pouca diferença havia entre a vigília e o sono; nem sei se este a continuava, ou ao invés. Antes do umbral do despertar, já passara um longo tempo a sentir como um poema novo se balanceava na minha consciência; não ouvia as palavras, mas o ritmo, um ritmo abstracto, pura música. Assim ficava todo o dia e todos os dias: embalado por aquele vaivém, até que, de noite, voltava a escrever. E esta situação, a que chamei feitiço, durou o tempo necessário, se isso era tempo, para escrever uma data de poemas, a maior parte deles extensos, em que me ia esvaziando. Durante o dia andava como que apatetado; só ao cair da tarde, com o crepúsculo, é que as palavras começavam a encaixar na música. Surgiam versos aqui e ali, autónomos, que depois reunia no poema; mas cada um deles crescia, criava antecedentes e consequentes, até formarem corpos que se juntavam uns com os outros, como se soubessem de antemão qual era o seu lugar. Utilizei o termo feitiço para sair do impasse. Percebo agora, tanto tempo depois, que se tenha chamado vates aos poetas, e que se tenha entendido o exercício da poesia como um processo de possessão divina (ou diabólica); mas o mais curioso é que, pela minha educação e as minhas convicções, eu entendia então o poema mais como um exercício mental do que emocional, e estava a fazer o contrário. Enquanto durou, não me encontrava em estado de reflectir, nem me teria apetecido fazê-lo. Usei a palavra vendaval, também tempestade. Talvez seja um pouco exagerado, porque se um vento me fustigava, não me desnorteava nem sacudia, apenas me empurrava, delicadamente, ainda que inexoravelmente também, como uma convicção. Tanto os vendavais como as tempestades amainam, e suponho que os casos de possessão divina (ou diabólica) desaparecem também, levados pela mesma causa que os trouxe, fora de toda a lógica, ou, pelo menos, com a sua própria lógica. Sucedeu que uma manhã acordei tranquilo, com a mente clara e a consciência aguda da realidade mais imediata, que contemplei como o viajante que regressa aos costumes e aos objectos de cada dia, os que o tranquilizam e asseguram de que se está vivo: a minha cama, a minha casa, a árvore que via mover-se através da minha janela. Tinha, no entanto, a impressão, quase o convencimento, de ter deixado algo atrás de mim, algo que se afastava, irrecuperável, e que, no entanto, era eu. Naquela manhã levantei-me como o réptil que abandona a sua pele porque está revestido com a nova, que, no entanto, é igual, pelo menos na aparência. O espelho não me devolveu um rosto novo, mas o do costume, e as minhas mãos eram as mesmas. Não me tinha esquecido dos poemas, mas quando os tive à frente, monte nutrido de folhas, o interesse que senti por eles foi como o de quem se aproxima de textos desconhecidos: li uns quantos, escritos ao correr da pena, sem rasuras. Compreendi logo que era preciso retocá-los ou talvez refazê-los. E dediquei a essa tarefa o tempo que se seguiu, mas, coisa normal se pensarmos bem, durante o dia, não à noite: lúcido, senhor de mim, ainda que também surpreendido pela qualidade dos poemas e pelo homem que neles se revelava. Se era eu mesmo, quase não me reconhecia: todo aquele mundo de emoções, de pensamentos, de imagens, vivera-o eu, fazia parte de mim, já não como actual, mas como passado. Estava unido à pessoa e ao nome de Ursula, pertencia-lhe mais a ela do que a mim, com ela se afastava. Se o escrevi ao longo de um mês, levei dois a corrigi-lo, a dar-lhe a forma definitiva, a que considerei adequada, atento ao como estava dito, metido em questões de palavras. Apliquei naquela tarefa o que tinha aprendido em tantos exercícios de versificação vazia, em tantas leituras. E no dia em que acabei, contemplei a minha obra como se fosse de outrem, e lembrei-me daquele soneto que tinha dado a ler ao meu professor, o soneto de que uma menina bonita e estúpida se rira, que também já não me parecia meu. Guardei os versos. Descansaram. Reli-os. Gostei deles, mas achei-os impublicáveis, por excessivamente íntimos. Não sei se o que eu escrevera ali outro o poderia sentir; mas sentia que a ninguém interessava a minha intimidade. Tê-los-ia lido a Ursula se ela estivesse ao meu lado e os pudesse entender; mas nem tal esperança me restava. Contudo, passei-os à máquina, semiencadernei-os e guardei-os, não sem ter deliberado comigo mesmo se devia destruí-los. Se não o fiz foi talvez pelas mesmas razões que levaram o meu bisavô Ademar a não ter queimado os testemunhos das suas andanças eróticas. Quero dizer com isto que acabei por lhe perdoar a sua decisão de as conservar.

Mas não acredito que o meu bisavô Ademar se tenha encontrado alguma vez diferente de si mesmo.

II

E EU NÃO SÓ ME SABIA OUTRO, como me ia descobrindo dia a dia, hoje um pormenor, amanhã uma surpresa, depois um susto. Não há muitas linhas, comparei-me com o viajante que regressa; agora tenho de corrigir a imagem: regressei, sim, mas de umas alturas onde tinha deixado a minha pele a arder. A de agora, a nova, parecia mais vulgar e provavelmente era-o. Descobri a minha vulgaridade no facto de começar a rir-me de mim próprio, embora não totalmente, e sim suavemente, mais ironia do que riso: mas ria-me de uma posição vulgar, a de qualquer um. Fazia-me sorrir o facto de ter escrito os poemas, convencido de que nunca voltaria a escrevê-los: invejoso de mim próprio e um pouco ressentido contra mim. Foi uma ironia inexperiente, acumulada, que me preocupou, que cresceu, que se alimentou do meu passado imediato. A ironia, se exercida com sinceridade, é como a serpente que morde a sua cauda: temos de rir da própria ironia, temos de submetê-la a essa prova difícil. E isso é como entrar num interminável círculo de gelo. Para nos ficarmos na primeira ironia, para nos instalarmos nela e usá-la como método universal de julgamento, convém deixarmos de ser sinceros; é muito possível que então tenha deixado de o ser.

Uma das conclusões a que cheguei, ou talvez tenha sido uma convicção que me veio de fora, suscitada por qualquer advertência ou comentário do meu professor ou da *miss* («E não se aborrece de não fazer nada? É novo de mais para não pensar noutra coisa senão viver aqui, encerrado»), foi a de que tinha de fazer alguma coisa, não sabia o quê, nem me ocorria nada. Teria sido lógica a decisão de me dedicar à literatura, mas nem me passou pela cabeça, vazio como me encontrava de imagens e de emoções. A única coisa que fiz foi ir para Lisboa e visitar o senhor Pereira. De certo modo, por outro lado bastante justificado, o velho financeiro ocupava o lugar do meu pai; penso-o agora, apesar de então não o sentir assim. Fui ter com ele sem lhe propor nada, sem lhe pedir conselho: como quem diz, limitei-me a apresentar-me, a estar sentado diante dele, a manter uma conversa cheia de trivialidades que deve ter desesperado uma pessoa como ele, que não usava mais do que palavras precisas para questões concretas. Foi ele quem me tirou do labirinto do palavreado:

— O senhor pensa fazer alguma coisa da sua vida? Tem algum projecto?

Quando lhe disse que não, ficou a olhar para mim como se pode olhar para alguém cuja vida se rege por leis inaceitáveis, ou não se rege por leis mas por solavancos. Tive o bom senso de lhe responder:

— Venho para que o senhor me aconselhe.

Aquilo já lhe pareceu mais natural. Fez-me uma série de perguntas, e a muitas delas foi-me difícil responder-lhe; por exemplo, quando me perguntou por que é que tinha deixado o meu trabalho em Londres. O mais provável era que o senhor Pereira não tivesse partilhado das minhas razões, que não o foram, mas sim impulsos; mais ainda, que tivesse desaprovado. Não sei se acreditou em mim quando lhe disse que o clima de Londres não me fazia bem, que tivera princípios de asma. Será que havia tanta diferença entre a humidade londrina e a do paço minhoto? O ar era mais puro, sem dúvida, e nisto esteve de acordo. Pediu-me que voltasse a ir vê-lo no dia seguinte. E fi-lo, pontual. Tive de esperar um pouco, e, antes de mim, entrou no seu gabinete um cavalheiro desconhecido, que, mais tarde, o senhor Pereira me apresentou como seu filho. Ocupava um lugar de importância em tal banco, etc. Chamava-se Simão e convidou-me para almoçar.

Era um homem bem educado, dos que se impõem e sabem dissimular por cortesia, ou talvez por hábito: sabia fazê-lo, e sem humilhar, a mim pelo menos, embora pense que nas suas deferências para comigo terá influenciado não tanto a devoção do pai pela minha avó, como o facto de eu ser cliente do seu banco. Não é uma condição que se traga impressa nos cartões de visita, mas a sua comprovação não deixou de me abrir algumas portas e livrar-me de alguns apuros.

Levou-me a um restaurante de se lhe tirar o chapéu, onde toda a gente o conhecia; onde, ao pedir o almoço, o *maître* se limitou a indicar:

— Os vinhos, os de sempre, não é verdade, senhor?

Coisa que Simão Pereira confirmou depois de me ter (inutilmente) consultado. A conversa começou pelos vinhos. Perante a evidência do meu desconhecimento, Simão Pereira alongou-se bastante no tema, embora focalizado no aspecto do que um cavalheiro deve conhecer de antemão, quais e que marcas correspondem às ementas bem concebidas, para o que é conveniente saber, de uma forma não superficial, mas sim especializada, as possibilidades reais da ocasião e do país. Deduzi da exposição, que durou até à sobremesa, que a sua sabedoria a esse respeito era imensa, talvez tão grande quanto a sua habilidade financeira, e que nisso como em tantas coisas eu não chegava sequer ao grau de aprendiz. Prometeu enviar-me o mais rapidamente possível alguns livros em que me podia iniciar, e depois disto, de repente, perguntou-me:

— E, o senhor, o que pensa fazer? Quais são os seus projectos, ou, pelo menos, as suas aspirações?

Respondi-lhe que não dava por terminada a minha aprendizagem mundana, e que embora a temporada em Londres me tivesse permitido não só aperfeiçoar o inglês, como também iniciar-me no mundo dos negócios, no literário e também no da rua, agora seria melhor para mim alcançar do francês um saber semelhante.

— Paris? Paris interessa-lhe?

Respondi-lhe que sim, e ele ficou silencioso, como quem recorda ou medita.

— Em Paris há um lugar vago de correspondente suplente de um jornal. Que eu saiba, há pelo menos dois candidatos, gente com longa prática jornalística, mas, dado que esse jornal é propriedade do meu banco, não seria difícil conseguir esse lugar para si, no caso de lhe interessar. Sabe escrever português tão bem como fala?

Respondi-lhe que sim. Um pouco levianamente, reconheço-o, sem pensar que podia meter-me num bom sarilho.

— Então falarei de si onde tenho de falar. Espere uns dias. O meu pai conhece a sua direcção, não é verdade?

Eu vivia num hotel de segunda numa rua central. Disse-lho.

— Parece-me um bom lugar para si. Os hotéis de luxo são para outro género de cavalheiros — e sorriu.

Depois começou a falar-me de política portuguesa. As coisas apresentavam-se boas para os bancos. O novo regime tinha muitos projectos, precisava de dinheiro. Havia que modernizar o país.

— Eu, no seu caso — disse-me a dada altura —, ficaria por cá. O senhor tem uma grande quinta no norte que poderia explorar..., mas também é certo que pode esperar que isto assente um pouco mais, assente definitivamente.

— Isto — perguntei-lhe — é uma ditadura?

— De certo modo sim, uma ditadura, mas com limitações.

Não sei porquê, interpretei aquela resposta no sentido de que os ditadores fariam o que os bancos quisessem.

As coisas correram bem, mas suponho que, ao dar-me o lugar de correspondente suplente em Paris, se cometia uma injustiça. Incluí na minha bagagem os volumes de crónicas de Eça de Queirós, que eu tinha lido uma vez com evidente entusiasmo. Durante o tempo que durou a minha dedicação ao jornalismo, tive--os como modelo, cuja perfeição, evidentemente, nunca cheguei a atingir.

Antes de ir para Paris tive de passar por Villavieja, onde tinha ficado pendente a questão do serviço militar. Era uma ameaça que pesava sobre mim há algum tempo e na qual nunca tinha pensado. Falei com o meu advogado, e este solucionou-me o assunto em pouco mais de uma semana: depois de um exame mais ou menos regulamentar, declararam-me inapto por tórax enfezado e propensão para a asma. Era tudo falso, mas suficiente para que me passassem um passaporte sem dificuldades e uns papéis onde me declaravam livre de qualquer serviço. Tinha de passar por Madrid; fi-lo sem me deter e sem ver ninguém, nem sequer Benito. Madrid estava triste, como sob uma nuvem escura. Apanhei um comboio da noite. Tínhamos combinado que o correspondente titular do jornal me esperaria na estação. Pelas indicações, tratava-se de um homem corpulento e de bigode, o senhor Magalhães. Reconheci-o facilmente. Teria bem à volta de trinta e cinco anos, e a sua voz era tão forte como os bigodes. Falava um português do sul. Disse-me logo que tinha nascido no Alentejo, mas que fora criado em Lisboa. Não me recebeu mal, embora, isso sim, desde o primeiro momento, desde o cumprimento, tenha demarcado a sua dupla superioridade: a dos seus anos (de experiência) e a da sua hierarquia profissional. Não me custou muito ficar no lugar que me indicava; mais ainda, era-me vantajoso.

Tinha-me arranjado alojamento num hotel modesto da Rive Gauche, onde poderia viver com uma certa comodidade até que encontrássemos um apartamento conveniente. Não me senti mal, na altura, naquele quarto pequeno e bastante antiquado, mas alegre, com uma janela grande para a rua e uma casa de banho para uso pessoal.

— Isto é muito difícil de encontrar em Paris — fez-me notar ele. — Aqui continuam a usar-se as casas de banho colectivas, uma por andar. Se o senhor é um amante da água, o chuveiro chega-lhe.

Não deixei, no entanto, de recordar as comodidades da casa de mistress Radcliffe, quase esquecidas, e os seus banhos quentes.

— A vantagem deste hotel é que está situado na parte de Paris que lhe interessa. Como pode compreender, o mais importante da delegação, está a meu cargo. Isto quer dizer que os temas políticos e económicos me pertencem, mais exactamente, que eu terei à minha responsabilidade tudo o que não seja a vida cultural, que é o que lhe cabe a si. A França atravessa um momento muito delicado, que só nós os especialistas entendemos. Daladier diz-lhe alguma coisa? Está a par da questão do desarmamento? São coisas para gente madura, há que reconhecer. A cultura é uma questão mais fácil e de menor risco. São pessoas que brincam a dar-se ares de importância nos cafés da moda. Loucos na sua maioria, mas essa espécie de loucura tem público em Paris e em todo o mundo. A cultura de Paris encerra-se entre quatro ruas, nuns limites bastantes estreitos que depressa aprenderá. Claro que, de momento, se encontrará perdido entre tantos nomes e tantos grupos, mas eu apresentá-lo-ei a alguém que o oriente e o possa introduzir. Entretanto, recomendo-lhe que dê um passeio por certos cafés. Le Dôme, La Coupole, La Rotonde, que não ficam longe daqui, até estão perto. Olhe, vou mostrar-lhe o caminho.

Tirou da pasta um mapa de Paris e abriu-o em cima da cama.

— Repare bem. Nós estamos aqui — e traçou uma cruz —, e esses cafés estão aqui — e apontou-me dois locais de uma rua. — Apenas consultando um mapa, poderá escolher um itinerário entre os muitos possíveis. Será melhor aprender quanto antes a desenvencilhar-se no metro e nos autocarros. Traz dinheiro? Pelo menos para fazer frente aos gastos de um mês. O pagamento costuma chegar por volta do dia dez... Os restaurantes baratos ficam nesta zona, e nesta. Recomendo-lhe estes para almoçar e estes para jantar. Se passear à noite e alguém tentar detê-lo, não lhe faça caso e siga o seu caminho. Em Paris não há guardas-nocturnos, como em Madrid; abrir-lhe-ão a porta do hotel se tocar a campainha e disser o seu nome. Cuidado com as putas. Nunca leve demasiado dinheiro consigo. Tem experiência de uma grande cidade? Não me refiro a Madrid ou a Lisboa.

Quando lhe disse que tinha passado tanto tempo em Londres, começou a olhar para mim de outra maneira.

— Ah, então já saberá como caminhar no asfalto! Londres é maior do que Paris. Eu estive lá uma vez, pouco tempo; creio que foi por ocasião de uma conferência internacional, ou coisa parecida. Mas, naturalmente, Paris deve interessar-lhe mais. No aspecto cultural, Paris é a capital do mundo, até dos ingleses. Os ingleses vêm muito por aqui, e sem falar dos americanos. De toda a América, acredite, incluindo os brasileiros. Não há dúvida. Paris é Paris.

Naquela noite convidou-me para jantar, e marcámos encontro para o dia seguinte. Levou-me ao gabinete dele, onde havia um cantinho para mim. Deu-me instruções acerca do tamanho das crónicas, de como as deveria enviar, e de que seria bom que eu inventasse um pseudónimo, já que Freijomil não era muito português.

— Que lhe parece Ademar de Alemcastre?

Ficou a olhar para mim.

— Por que escolheu esse nome?

— Era o do meu bisavô.

— Ah! Isso vem alterar as coisas...

E, de repente, em vez de se sentir acima de mim, como até àquele momento, sentiu-se involuntariamente apoucado.

— Um Alemcastre — disse em português — é um Alemcastre!

As coisas mudaram muito mais quando, durante o almoço, e como resposta a uma pergunta dele («Em Londres também se dedicou ao jornalismo?»), lhe falei da minha experiência como empregado da banca.

— Ah! De modo que o mundo das finanças não lhe é estranho?

Não exibi os meus conhecimentos, mas, pelo que lhe contei, deduziu que sabia mais do que ele, embora não o declarasse assim, mas com uma espécie de admiração súbita que se manifestou em perguntas concretas acerca disto e daquilo. Inferiorizei as minhas respostas dizendo-lhe que já se tinha passado algum tempo desde a minha estada em Londres, e que o panorama da economia mundial teria mudado.

— Sim, mudou, é claro, mas para quem tem um hábito, pôr-se em dia não é difícil.

Comecei a tremer por dentro perante o medo de que, além da cultura, me espetasse também com as notícias económicas, mas limitou-se a anunciar-me que uma vez ou outra me teria de consultar, pois no que era verdadeiramente especialista era em questões de política. Então perguntei-lhe o que esperava dos nazis. Ficou com os olhinhos a brilhar.

— Ah, o nacional-socialismo! É o futuro do mundo. O medo do comunismo acabou-se: Hitler dará conta dele.

É possível que o senhor Magalhães tivesse bebido um pouco mais de *beaujolais* do que a conta, porque falou durante um bom bocado com grande eloquência e traçou com um entusiasmo que não excluía a precisão o quadro da Europa dominada pelo fascismo.

— A França está nas últimas, meu amigo. Empenha-se em ser de esquerda quando o mundo caminha para a direita. É a justiça de Deus. Todo o mal do mundo sai de França.

Ao contemplá-lo assim entusiasmado, não deixei de considerar certos traços faciais que denunciavam pelo menos um antepassado dos importados de África pelo Marquês de Pombal. Não deixei de lhe dizer, enquanto tomava fôlego:

— Mas isso do racismo não lhe deve ser muito simpático. Nós Ibéricos não somos precisamente uma raça pura.

— O racismo de Hitler é uma questão de política interna, que não nos afecta a nós.

— E o anti-semitismo? O senhor não pode ignorar que o banco proprietário do jornal para o qual trabalhamos conta com muito capital judeu.

— Também não penso que isso tenha valor fora da Alemanha.

— Então o que espera dos nazis?

— Que ponham as coisas em ordem, meu amigo. Que acabem com a subversão. Assim que o senhor se meter no mundo da cultura, verá que está dominado pelos comunistas. E não só em França; pelas notícias que tenho, no seu país também são uma ameaça.

Respondi-lhe que não estava bem informado sobre a política interna espanhola.

Dediquei uma tarde, a daquele dia, a andar pelas ruas, sem sair dos limites do meu bairro, que eram bastante amplos. A verdade é que percorri as proximidades da Sorbonne e o *boulevard* Saint-Germain. Suportava a solidão percorrendo as ruas. Pude comprovar que, embora eu não entendesse muito bem o francês falado depressa, a mim entendiam-me. Acertei com o restaurante, em que entrei para jantar. Quando me achei na rua, com a noite em cima, lembrei-me de apanhar um táxi e ir a Montparnasse, aos famosos cafés que o senhor Magalhães me tinha indicado como a coutada em que devia caçar. Dei-lhes uma vista de olhos. Havia muita gente, falava-se muito, mas eu não conhecia ninguém, ainda que o mais provável fosse a maior parte daquelas fisionomias, umas sérias e herméticas, outras gesticulantes, serem familiares aos curiosos e aos inquietos de todo o mundo. Observei uma certa tendência para o desalinho no vestir, e tomei nota. O táxi que apanhei de regresso deixou-me em frente da Sorbonne. O resto do caminho fi-lo a pé. Chovia um pouco, o ar estava azulado e não frio. Passei além do meu hotel, com tal sorte que fui abordado por uma prostituta, da qual me foi difícil ver-me livre, apesar de responder em inglês às suas propostas. Quando se separou de mim despediu-se com um insulto. No hotel encontrei um recado do senhor Magalhães: «Não deixe de vir cedo ao escritório. Interessa-lhe.»

Fi-lo. O senhor Magalhães encontrara-me, disse que por acaso, um apartamento vago. Tínhamos de ir vê-lo depressa, não fosse alguém adiantar-se-nos. Ficava numa rua próxima do Teatro Odeón, e para lá chegar tivémos de subir cinco andares num elevador e mais um a pé. A porteira acompanhava-nos. Não me desagradou: tinha luz, estava bem mobilado, se bem que de forma mais funcional do que pessoal, e das janelas via-se um bonito panorama de telhados reluzentes de chuva e uma ou outra mansarda.

— Não sei se o acha um pouco caro, mas aqui não há nada barato.

Calculei mentalmente as minhas disponibilidades, e ali mesmo fiz o contrato com a porteira. Havia, porém, que assinar uns papéis e entregar uma caução, mas tudo ficou resolvido naquela mesma manhã, depois de uma ida ao banco para onde o senhor Pereira tinha transferido o meu dinheiro: um banco da Praça Vendôme. Suponho que o pronto pagamento me granjeou o respeito da porteira, que se chamava Claudine, e que tinha um ar de alcoviteira simpática. Magalhães recomendou-me que lhe desse a primeira gorjeta, e ela recebeu com toda a naturalidade o meu punhado de francos. Avisou-me que evitasse trazer para casa amigos barulhentos, porque a vizinhança era muito respeitável. Fiz a mudança naquela mesma manhã, e na seguinte o senhor Magalhães deixou-me livre para que pudesse comprar algumas coisas suplementares e também comestíveis. As primeiras encontrei-as nuns armazéns de escadas rolantes muito ruidosas; para os segundos tive de me informar com Madame Claudine, que se ofereceu para me fazer as compras diárias, caso confiasse nela.

— Sempre lhe custará menos do que se o senhor o fizer directamente.

Muito bem.

Já tinha uma direcção fixa e uma casa franca. Então dediquei-me a procurar a livraria para onde eu enviara as cartas para Ursula. Era numa rua perto da Igreja de S. Severino, e anunciava-se como livraria marxista. Vi, de fora, as pessoas que atendiam, e não me decidi a entrar: escrevi uma carta a Ursula, dando-lhe a minha morada, o telefone do escritório (de tais a tais horas) e enviei-a pelo correio, ainda que sem muita esperança de resposta, não saberia dizer porquê. Na manhã seguinte começou, por fim, a minha rotina de correspondente suplente, com as notícias culturais a meu cargo. Tive de submeter-me a certos trâmites burocráticos para poder circular por Paris como residente e jornalista em exercício. O senhor Magalhães adiou para uma data incerta a minha introdução no mundo dos artistas e dos escritores: alguém que ele conhecia e podia fazê-lo encontrava-se ausente. Mas deu-me uma pilha de jornais e de revistas para que, da sua leitura, extraísse o que, segundo o meu parecer, pudesse interessar em Lisboa. Foi como se numa floresta onde todos os pinheiros são iguais, me dissessem: «Escolha um.» Eu fiz o que pude: dei muito colorido à notícia, muitas considerações sobre a chuva que escorria pelas copas dos castanheiros e um pouco dos cafés que tinha visto. O senhor Magalhães aprovou, até com entusiasmo.

— O senhor escreve português muito bem.

Respondi-lhe que tivera bons mestres, e, para citar um, referi Eça de Queirós.

— Bela pena, mas de pensamento perigoso — respondeu-me Magalhães. — Não é escritor cuja leitura convenha a um jovem como o senhor.

O conselho já vinha tarde.

Receei começar em Paris uma etapa de solidão semelhante à de Londres: trabalho de manhã, passeio pelas ruas, ou cinema, ou teatro à tarde, e ninguém com quem falar. Podia, isso sim, matricular-me num curso da Sorbonne, e fi-lo: um de literatura francesa e outro de arte renascentista. Ocupavam-me quatro tardes por semana, e não fiquei defraudado. Havia raparigas bonitas entre as colegas, mas não me sentia com vontade de me ligar a nenhuma delas, esperançado como estava em que Ursula acabasse por aparecer. Fiz, no entanto, algumas amizades superficiais, pessoas com quem jantar num restaurante próximo ou com quem ir ver um clássico à Comédie Française. Consegui passar os dias entretido, mas, à noite, dava-me a melancolia, cada dia mais longe a esperança de que Ursula voltasse.

Numa daquelas manhãs, fria como todos os infernos, ao sair à rua e caminhar um pouco, dei com as avenidas cheias de gente e de gritos, a Polícia à frente, a bater forte, fugas pelas ruas laterais escapando à repressão, mas para se reagruparem um pouco mais abaixo e continuarem os gritos e as canções. Eu tinha assistido, em Londres, a manifestações de rua, mas ordeiras, quase processionais. Os polícias pareciam estar ali para não se descomporem, para continuarem a ser exemplares e até respeitáveis. O que via agora era outra coisa, obediente a outra estética e certamente a outra política. Consegui chegar ao escritório, embora com muito atraso. O senhor Magalhães estava fora de si entre a indignação e o medo.

— O senhor está a ver? O comunismo já chegou aqui, a França, o país mais estável da Europa! Que vai ser de nós se o comunismo se apoderar de França?

— Suponho — respondi-lhe — que não haverá dificuldades para regressar a Lisboa.

— Sim, mas, está a ver, as coisas precipitam-se e os nazis ainda não tiveram tempo de se organizar! Lembre-se da Revolução Francesa. De que valeu então a intervenção alemã?

Eu não sabia o suficiente de História para lhe poder responder, de modo que o deixei falar, e queixar-se, e traçar as linhas gerais de um futuro imediato bastante negro, dominada a França pela foice e o martelo. E enquanto o ouvia, olhava de viés para a janela. Na rua, as pessoas continuavam a correr e a gritar, mas não me pareciam operários, menos ainda populaça: havia até grupos fardados cuja filiação eu desconhecia. Além de polícias, guardas, com os seus capacetes e não sei se alguma força militar. O senhor Magalhães, depois de desabafar, agarrou-se ao telefone e começou a interessar-se pelos pormenores, e ia-me dizendo o que lhe diziam a ele: que alguns ministros se demitiam, que era preciso proteger os deputados, que as pessoas não se atreviam a sair à rua. Mas afinal, as desordens tinham sido provocadas por grupos de extrema direita reunidos em La Concorde para protestar contra o Governo.

— E onde almoçamos hoje? Os restaurantes fecharam!

— Hoje à tarde eu pensava ir à Ópera Cómica. Está em cena *O Barbeiro de Sevilha.*

— Nem pense nisso! Precisamente nessa zona de Paris é onde os confrontos são mais violentos. Acabam de mo dizer. Há mortos.

Talvez tenha sido então que passámos um bom bocado em silêncio, ele com a sua crónica política, eu com a crítica de uma exposição de pintura onde meia dúzia de artistas, parecia que conhecidos, apresentavam uma colecção de quadros a óleo que não me interessavam nada, mas de que os jornais diziam bem. Limitei--me a descrever a exposição como acontecimento social («Estava toda a Paris menos Picasso») e a transcrever os elogios, sem tomar partido. Já tinha acabado a crónica, já a tinha corrigido, quando o senhor Magalhães se aproximou da minha secretária.

— Vou dizer-lhe uma coisa em segredo.

Levantei a cabeça, expectante.

— Olhe, já ouviu falar d'*A Minha Luta?*

Devo ter feito cara de parvo.

— Então ouça o que lhe vou dizer, senhor Freijomil: é o livro mais importante do mundo, depois dos Evangelhos.

E começou a contar-me que *A Minha Luta* tinha sido traduzida para francês aparentemente sem a autorização do autor e que dentro de muito poucos dias estaria nas montras, se não estivesse já.

— E quem é esse autor? — perguntei-lhe ingenuamente.

— Mas, não sabe? Em que mundo vive, homem de Deus? *A Minha Luta* é o livro de Hitler.

— Ah!

Não comentei mais. Podia ter-lhe dito que Hitler era a causa remota de Ursula me ter abandonado, mas o que é que isso podia interessar ao senhor Magalhães?

— Hei-de trazer-lhe um exemplar. Um rapaz novo como o senhor não pode prescindir dessa leitura. O futuro do mundo encerra-se nas suas páginas.

Compreendi que, pelo facto de terem sido os Cruzes de Fogo e não os comunistas os autores da agitação, o senhor Magalhães via mais claramente o futuro do mundo.

Retardámos, naquela manhã, a saída do escritório até parecer que as ruas próximas já não tinham gritos. Podia ter dito ao senhor Magalhães que eu, na minha casa, tinha vitualhas para os dois e que podíamos almoçar juntos. Não me decidi com medo da sua verborreia política, dos seus temores universais, das suas descrições dos possíveis cataclismos. Não sei se a sua oratória era ineficaz, ou se eu tinha falta de sensibilidade ou da consciência indispensável para que aquelas profecias me comovessem. Lembro-me que, ao despedir-se, me disse:

— Estão a representar ou vão representar, não sei em que teatro, uma comédia anticomunista, chama-se *Tovarich*. Diga-me quando é que pode ir, para que eu lhe arranje as entradas. A propósito, vai sozinho?

— Espero que sim.

Sorriu paternalmente e pôs-me a mão no ombro.

— Não é bom o homem estar só, disse o Senhor numa ocasião memorável. Eu transmito-lho. E ainda mais em Paris, onde é tão fácil encontrar companhia.

Não consegui dominar a tentação de lhe perguntar se ele também a tinha. Em vez de me responder, riu-se. Em seguida disse:

— Depois falaremos disso, depois falaremos.

Consegui chegar a minha casa com bastante dificuldade. Corri duas ou três vezes com os polícias atrás de mim. As pancadas não me atingiram. Ao chegar a casa, madame Claudine estava à porta, muito sorridente.

— O senhor vem sem fôlego?

— É como vê.

— Fico contente por o senhor também ter corrido, porque isso quer dizer que é dos nossos. Deixei-lhe as compras desta manhã lá em cima. Apesar das manifestações fui ao mercado.

Não me atrevi a perguntar-lhe em que equipa de corredores ela estava.

III

Vieram depois dias de greve geral e agitação, desta vez proletária. Pouco havia que fazer na rua, e o senhor Magalhães mantinha-me preso à secretária com a sua versão pessoal do que se estava a passar: uma mistura de medo e de alegria que deformava as informações fidedignas (mais ou menos) que eu podia ler; as suas longas conversas serviram para me ir pondo ao corrente da situação internacional, o que, se por um lado me ajudava a entender o mundo em que vivia, por outro contribuía para suportar melhor o aborrecimento. Mas as coisas foram-se acalmando. O senhor Doumergue organizou um Governo em que figurava o marechal Pétain, com outros generais, e eu pude, por fim, assistir à representação de *Tovarich,* sem medo de ser espancado pela Polícia. O senhor Magalhães mandou-me ao teatro como se fosse a um comício: não conhecia os meus gostos, despertos e cultivados em Londres. Eu estava acostumado a julgar o teatro enquanto tal, não como um panfleto, e assim que a comédia começou senti-me incomodado: era fraca e muito pouco convincente. Assim o disse na minha crónica da maneira mais inocente possível, mas o senhor Magalhães não gostou.

— O senhor não é suficientemente anticomunista — chegou a dizer-me.

— A existência de um comunista mau não quer dizer que todos o sejam. Como se costuma dizer, uma andorinha não faz a Primavera.

— Mas o senhor está de acordo com os horrores de Estaline?

— Claro que não.

— Pois o comunismo é isso.

— Os horrores de Estaline nem sequer se vislumbram na comédia. O que eu fui julgar foi uma peça dramática. Enquanto tal, *Tovarich* é uma mediocridade.

— O senhor podia ao menos calar isso. Penso, pelo menos, que nem toda a gente será da sua opinião.

— Efectivamente, os espectadores de ontem à tarde aplaudiram freneticamente, como sempre acontece quando os bons triunfam sobre os maus, ainda que, neste caso, tenha tido influência a recordação dos dias de greve.

— E isso não lhe parece suficiente?

— Permito-me recordar-lhe que o êxito da comédia não está oculto na minha crónica, digo-o expressamente: o público aplaudiu freneticamente.

— Mas dá a entender que o senhor não aplaudiu.

— Efectivamente, senhor Magalhães, não aplaudi, mas por razões de bom gosto.

O senhor Magalhães ficou a resmungar, e foi então que tocou o telefone. Atendeu-o.

— Alguém a perguntar por si. Uma mulher estrangeira.

Dei um salto e peguei no auscultador.

— *Ursula I am.*

O senhor Magalhães ficou visivelmente incomodado por a minha conversa com Ursula ser em inglês.

— Temos menina, hein, dom Filomeno?

— Não estava tão preocupado com a minha solidão?

Foi muito concisa, Ursula, como se falasse ao pé de testemunhas. Combinámos encontrar-nos no Café Procope. Cheguei antes dela e, enquanto durou a espera, dominou-me a impaciência. Duvidei até a ver entrar. Vi-a chegar, olhou em volta, descobriu-me logo. Abraçámo-nos no meio do corredor, diante de uns clientes indiferentes ao nosso abraço, indiferentes também nós à presença deles.

— Meu menino, meu menino... — repetia.

Sentámo-nos de mãos dadas, olhando-nos em silêncio. Ela tinha mudado, o rosto endurecera, e a roupa que vestia, embora elegante, parecia usada. Mas continuava linda. Disse-me com alegria:

— Estás mais homem.

O criado esperava pelo fim das nossas efusividades para registar o pedido.

— Meu menino, meu pequeno poeta...

Voltei muitas vezes àquele café e fiquei na mesa em que nos tínhamos sentado, mas fi-lo sempre só. Então, o meu olhar, vago, pôde ver e examinar. Mas naquela manhã não cheguei a saber em que lugar do mundo eu estava, nem consigo recordar-me do que comemos nem que palavras dissemos. Apenas de que, quando enchi o copo de vinho e o ergui para brindar «A nós!», ela rogou:

— Não brindes.

E a sua voz era triste. Compreendi que tinha chegado para partir, que aquelas horas eram excepcionais. Não obstante, a minha alegria por estar com ela superava a esperança de tristezas. Fomos depois a minha casa, o meu braço apertando-a contra mim, como nos melhores dias de Londres, quando caminhávamos pelas ruas entre o nevoeiro. Agora estava um dia cinzento azulado, muito de Paris. Madame Claudine, ao ver-nos juntos murmurou qualquer coisa assim como: «Já não era sem tempo!», e sorriu para Ursula. A casa estava quente, e na penumbra reluzia, como um olho imenso, o fogo da salamandra. Acendi a luz e ela não me mandou apagá-la.

— Passaremos aqui a tarde, jantarei contigo, e depois vou-me embora. Não sei até quando, nem mesmo se voltarei, ainda que o deseje ardentemente.

Tirou o casaco comprido e o casaco e, pela primeira vez, despiu-se com a luz acesa. Pude ver então, totalmente, o que tantas vezes tinha acariciado. E achei que a carícia era superior ao olhar.

Eram seis horas da tarde quando me levantei para preparar uma chávena de chá. Enquanto o fazia, ela vestiu-se. Tinha algumas bolachas, que pus em cima da mesa, com o bule. Agradeceu-me — ela fizera-o tantas vezes por mim! — e não falámos durante um bom bocado, o tempo que demorámos a tomar o chá e a fumar um cigarro. Reparei que ela tirava um maço da mala: antes não costumava fumar.

— Achas estranho? — perguntou-me, e acrescentou sem esperar que eu lhe respondesse: — Mudaram muitas coisas, e eu com elas. Há longas esperas que só se suportam fumando. Consegues imaginar o que é estar no fundo de um carro, no meio da escuridão, tempos e tempos, até que a luz de uma lanterna te diz que tudo correu bem? Nessas longas angústias, nessas aflições, jogam-se vidas.

Perguntei-lhe o que fazia, porque tinha de partir. Durante muito tempo, só falou ela, fumou vários cigarros, e até me perguntou se tinha álcool, uísque ou algo semelhante.

Fazia parte de uma organização que tirava clandestinamente da Alemanha gente perseguida, católicos, judeus, comunistas, sem distinção de credo religioso ou filiação política. A perseguição eliminava as diferenças, unia-os a todos no mesmo terror. E a ela cabia-lhe esperar, junto das fronteiras, que o labor de outros tivesse sido bem sucedido. Mas as fronteiras não eram só as da França, mas também as da Suíça, as da Checoslováquia, as da Dinamarca. À Polónia era difícil chegar; passar alguém através da da Áustria, demasiado incerto. Tinha a missão («Não temas por mim, o meu trabalho é o de menos risco») de levar as pessoas num automóvel, de as conduzir a um país livre. Algumas vezes atiraram sobre ela, mas era preciso contar com isso, com isso e com a sorte. O mal estava na contraorganização, nos espiões espalhados fora da Alemanha, com ordem para matar se o pudessem fazer.

— Aqui mesmo, em Paris.

Tinha medo que a tivessem seguido, tinha medo que, diante da porta da minha casa, alguém esperasse a sua saída. Depois disse que aquele trabalho a anulava, que nunca era ela própria, mas um número num conjunto, nem sequer um nome. Como eu lhe falasse de heroísmo, respondeu-me:

— Sim. Um heroísmo que embrutece, que aniquila, como todos os heroísmos. Mas é necessário.

Então perguntou-me pela minha vida. Referi-lhe as minhas andanças, descrevi-lhe a minha solidão em Paris.

— Não tens uma mulher? Mas assim não podes viver, meu amor!

Algo que pensou e me disse, fê-la desfalecer: quando aquilo terminasse, se terminasse, ela teria envelhecido.

— Não deves pensar em mim, não deves esperar-me. Este encontro não é mais do que uma fraqueza minha. Não consegui resistir ao desejo de estar contigo, não me arrependo de o ter feito, apesar de te converteres em suspeito para certa gente devido a estas poucas horas juntos. Mas ninguém sabe se voltarei; é possível que eu não volte. Hoje não corro perigo, mas, quem sabe, amanhã? É uma loucura esperares por mim, é um sacrifício inútil, não posso permiti-lo. Se algo mais forte do que eu me afastou de ti, para quê consumires a tua vida numa incerteza? Promete-me que procurarás uma mulher, promete-me que me esquecerás!

— E tu, conseguirás esquecer-me?

— Eu não conto, eu não me pertenço! Ao unir-me aos meus camaradas, comprometi-me com a morte. De qualquer forma, renunciei à minha vida pessoal. Não sei se algum dia poderei recuperá-la. Isto hoje é um pecado.

— Entre vocês também há pecado?

— Chama-lhe, se quiseres, fraqueza, embora também possa chamar-se traição. Claro que passar estas horas contigo não o foi. É o repouso do guerreiro.

Estava sentada ao pé de mim, a cabeça repousava no meu braço. Reparei que trazia pendurado ao pescoço o relógio do major Thompson. Apercebeu-se do que eu vira, de que os meus dedos brincavam com a corrente.

— Quando temo cair nas mãos deles, lembro-me de que mo podem tirar e dá--lo a outra mulher. Então, desejo ter tempo para o atirar para longe ou destruí--lo. Mas quando estou só, no fundo do carro, no meio da escuridão, como te disse, vejo as horas à luz do isqueiro, e lembro-me de ti. Lembro-me durante todo o tempo que leva a aparecer o sinal. A partir desse momento deixo outra vez de me pertencer, e tu desvaneces-te. Mas estás no fundo como um sentimento oculto que espera o momento de surgir.

Encolheu-se contra mim e entrou num dos seus silêncios. Não muito longo, daquela vez.

— Gostaria que me chamasses «minha menina». Lembras-te?

Tínhamos ainda algum tempo para nós e nada nos reclamava lá fora. Mas desta vez não se despiu. Curiosamente, não se referira a Deus.

Levei-a a jantar a um *bistrot* perto da minha casa, um sítio onde, àquela hora, todas as mesas estavam ocupadas por casais que falavam em voz baixa e que às vezes riam. Nós não o fizemos: só palavras soltas que bastavam para traduzir os nossos sentimentos.

— Agora tenho de me ir embora. Não me acompanhes. Não te levantes sequer. Vou dar-te um beijo.

Fê-lo, vestiu o casaco sem a minha ajuda e partiu. Não chorava. Sorriu-me da porta. Eu esperei só, um bom bocado. Ao sair, caminhei por caminhar. A noite de Paris estava bela, ou pelo menos assim me parecia. Cheguei a um sítio desconhecido, levei tempo a encontrar o meu rumo. Quando entrei em casa atirei-me para cima da cama desfeita, procurando o que ainda restava do seu cheiro e não sei quanto tempo estive com a cara afundada nas roupas. Estas emoções têm a vantagem de suscitarem o sono. Quando acordei a luz assomava pela minha janela.

IV

Os TEMPOS VIERAM TURVOS, como as águas depois da tempestade, mas a urbe é muito grande, e o que se passa num bairro pode repercutir-se noutro, nem sempre em todos. As pessoas escondem-se quando há barulho, mas saem à rua assim que sossega, a gozar o sol, a ouvir os cantores populares e os seus acordeões. E há sempre pares enlaçados pela cintura indiferentes a Hitler, a Estaline e a Daladier. Paris é a cidade mais livre do mundo, e todos podem viver à sua maneira. A minha, então, não foi feliz. Andava como que ausente, escrevia as minhas crónicas de uma maneira mecânica, ouvia o senhor Magalhães como se ouve alguém que fala sozinho na casa ao lado. Tardei a recuperar, e fi-lo de repente, ao ler uma carta enviada por Simão Pereira, uma carta muito amável da qual deduzi que o senhor Magalhães se tinha queixado da minha falta de entusiasmo anticomunista. Aquilo foi como se transitasse pelas estrelas e, de repente, alguém me puxasse pelos sapatos para me trazer ao mundo real. Pensei em renunciar imediatamente ao meu lugar, mas, ao imaginar como seria a minha vida solitária no paço minhoto, tive mais medo. Pelo menos tinha uma ocupação para me distrair durante o dia; podia chegar cansado a casa e dormir; podia até encontrar companhia. Respondi a Simão Pereira que, com efeito, nunca manifestara o menor entusiasmo anticomunista, mas o contrário também não, e que se me tinham destinado a crónica do mundo da cultura, a isso me limitava. A carta era eloquente, e dedicava umas linhas a descrever a propensão excessiva do senhor Magalhães para o nazismo, coisa que também não me parecia muito defensável, e que certamente não agradaria aos senhores Pereira (tão suspeitos de ascendência judia como qualquer um). O senhor Magalhães, com o seu trombil de zulu importado!... Tinha graça. As coisas ficaram por aí, o assunto do dia era o problema das reparações. Os países europeus não podiam pagar as suas dívidas aos Estados Unidos, e estes encontravam-se em apuros. Até que tinha aumentado em vários milhões o número de desempregados, e já se sabe que quando há pessoas que passam fome, ninguém se preocupa; mas se os famintos forem norte-americanos, o problema pode ser universal. Era uma questão que não cabia na cabeça do senhor Magalhães, de modo que recorreu a mim para que lho explicasse. Respondi-lhe que o faria de bom grado se me fornecesse informação recente. Fê-lo: a partir do dia seguinte, ao chegar ao escritório, tinha em cima da mesa três ou quatro revistas especializadas, em francês e em inglês. Redigia para o senhor Magalhães um resumo da situação diária, e ele encarregava-se depois de a relacionar com a evolução da política. Umas vezes acertava, outras não. Custou-lhe bastante entender a tramóia financeira dos nazis, que montavam uma economia sem divisas nem reservas de ouro.

— Olhe, senhor Magalhães: isso não é novo na História da Alemanha. Já no tempo do império guilhermino aconteceu a mesma coisa. O pior é que essas tramóias acabam em guerra.

A ideia de uma contenda aterrava o senhor Magalhães: ele esperava a implantação do império nazi, antes de mais, pelo convencimento dos cidadãos; depois, por meio da acção directa exercida contra os dissidentes, comunistas e demais ralé. Mas nada de canhões nem de bombardeamentos aéreos.

— Destruir-se-ia a Europa, não está a compreender?

— Compreendo, e eles também, mas não devem importar-se muito.

O senhor Magalhães, quando lia uma má notícia, ou quando ouvia da minha boca uma ideia que considerava subversiva, tinha o costume de benzer-se.

Permaneci em Paris até bem entrado o ano de mil novecentos e trinta e sete. Já irei contar as razões da minha partida e o como. Foram quase três anos inesquecíveis, mas dificilmente recordáveis se se quiser impor uma ordem à narrativa. As velhinhas que apanhavam sol no Parque de Luxemburgo não pareciam estar a par de que Hitler tentava ampliar o território alemão, de que Mussolini se apoderava da Abissínia, de que os ingleses se abstinham, e de que sobre França e a sua política recaíam as consequências mais visíveis. Havia greves, algumas delas originais, pois consistiam em os empregados de uma fábrica, ou de uns grandes armazéns, se encerrarem no local de trabalho depois de terem comprado todas as vitualhas dos arredores. Os parisienses aprenderam a desagradável tarefa de irem à padaria em busca da sua dourada barra e darem por que não havia pão, ou, o que era quase tão incómodo, que era preciso fazer bicha. Uma vez um amigo disse-me que, naquela manhã, uns pedreiros tinham colocado uma bandeira verme-lha no alto do Ministério dos Negócios Estrangeiros, mas que fora rapidamente retirada. Que iriam dizer no estrangeiro? Daladier procurava umas alianças, La-val outras, e o senhor Blum, com os seus amigos, preconizava a *Front Populaire*, que já tinha triunfado em Espanha. Tenho bem presente o catorze de Julho de mil novecentos e trinta e seis: a esquerda tinha organizado uma manifestação nos Campos Elíseos; a direita, também. Uma manifestação ia de cima para baixo; a outra de baixo para cima. Os de esquerda cantavam *A Internacional;* os de di-reita, *A Marselhesa.* Que solenes, que belos, se tornavam os dois hinos cantados por tanta gente!... Como receberiam no céu solenidades tão contraditórias? Em-bora também seja possível que os céus se limitassem a sorrir. Chegaram a ficar frente a frente: nem cem metros separavam a cabeça de uma manifestação da ca-beça da outra. Eu andava por ali, com o meu cartão de jornalista na algibeira, para o que desse e viesse. Nas proximidades houve um ou outro sopapo. Mas o grosso dos manifestantes de um dos lados limitou-se a contemplar o grosso dos manifestantes do outro, e a darem mais entusiasmo aos hinos respectivos. Por aqueles mesmos dias, segundo a imprensa, no meu país andavam à pancada e, quase com a mesma frequência, aos tiros. Depois dizem que não há Pirenéus.

O senhor Magalhães andava muito atarefado. Tinha de informar os leitores lisboetas de acontecimentos que não entendia. O senhor Hitler apoderou-se do Sarre. Quem se importa com o que é o Sarre, a não ser os que lá vivem? O se-nhor Hitler rondava os Sudetas. Mas quem é que na Rua do Alecrim sabe quem são esses senhores? O senhor Hitler, com a cumplicidade de um tal Seys-Inquart, entrou na Áustria. Quem é esse senhor, donde saiu? As notícias diárias traziam nomes novos, ou que pelo menos o eram para nós. Não dávamos vazão às consul-tas do «Quem é quem?». Mas ou o nosso exemplar não era actualizado, ou não havia tempo de meter nas suas páginas os heróis emergentes. Quando o protago-nismo do dia recaía em Laval ou em Daladier, até em Léon Blum, o senhor Ma-galhães sentia-se mais tranquilo: eram nomes conhecidos, figuras familiares, co-mo quem diz vizinhos do mesmo pátio. As suas caricaturas apareciam diariamente nos jornais. O *Action Française* chamava ao senhor Blum «A came-la», para grande regozijo de Magalhães:

— «A camela», olha que chamarem-lhe «A camela», não deixa de ter graça.

Magalhães invejava a pena de Maurras. Mas apesar da sua devoção aos perso-nagens nazis, não estava bem informado. Todos os dias surgia um caso novo. E quando chegaram as notícias da purga de Munique, «A Noite dos Facas Lon-gas», abriu os olhos de espanto.

— Mas havia maricas dentro das SS?

— Maricas, meu querido Magalhães, há-os em todo o lado.

Não conseguia acreditar. A princípio aferrou-se à tendenciosidade das informações, que só tinham sido rumores.

— Não pode ser, não pode ser!

O senhor Magalhães tinha em muita consideração o exercício correcto da virilidade como parte da sua própria consideração, e nas suas divagações, mais ou menos utópicas, propunha os nazis como modelo supremo a oferecer ao mundo: atletas aparatosos aparatosamente dotados.

— Não posso acreditar, não posso acreditar, maricas nas SS!

Concluiu por si e como explicação lógica, quando por fim as notícias foram fidedignas, que o nazismo, como todo o corpo vivo, tinha engendrado podridão e libertava-se dela. Quanto às rivalidades internas, às lutas pelo poder, atribuía-o aos jornalistas pagos pelo ouro de Moscovo. Segundo a sua maneira de ver, o nazismo era um bloco onde não cabiam fissuras.

Com um texto de História contemporânea à frente seria fácil dar uma ordem, não só cronológica, a estes acontecimentos, mas isso seria atraiçoar a espontaneidade das minhas recordações e a sua maior ou menor riqueza. Por outro lado, escrevo muitos anos depois, já quando as questões suscitadas naquele período se resolveram com uma guerra que ainda rabeia. A guerra foi o cerne de todos os conflitos, e é natural que a minha mente, educada nos princípios da estética literária mais exigente, tenda a organizá-los à maneira de um drama ou, no caso de tal sublimidade me ser dada, à de uma epopeia triste. Mas sei que não é legítimo, nem me apetece. Em qualquer dos casos, teria falsificado a realidade. O certo foi que a História da Europa se repercutia não em sequências organizadas, mas sim em sustos, naquele escritório modesto, onde dois homens como quaisquer outros, profissionalmente deformados, examinavam as notícias, escolhiam-nas e redigiam-nas, tendo em conta o modo de pensar e de sentir dos previsíveis leitores, mas ao meio-dia e meia hora, de chapéu e casaco, cada um de nós recuperava a sua vida privada, sentia-se na quotidianeidade de Paris até ao dia seguinte. E, em Paris, as velhinhas do Luxemburgo continuavam indiferentes aos grandes alardes e aos nomes que enchiam o universo, e tiravam das suas malinhas punhados de milho para alimentar as pombas. Também, nos entardeceres, acabados o trabalho e o tédio, se juntavam os amantes, percorriam abraçados as veredas obscuras, jantavam em restaurantes pequenitos e íntimos, e depois iam para a cama, se a tivessem, em busca de uma compensação, que umas vezes consistia em encontrarem-se a si mesmos, e outras em perderem-se. Antes, não há muito tempo, mencionei os cantores populares: foram uma das minhas grandes predilecções. Ouvia--os e divertia-me com as suas sátiras em verso e musicais contra quase tudo, se bem que por vezes, no seu repertório, aparecesse uma ou outra canção de amor que o público acompanhava em coro, e eu também.

Ocorreu-me, não sei quando, que já sabia bastante de literatura. Ou talvez fosse ter-me apercebido de que não era bom em História. Frequentemente, a Magalhães e a mim faltavam-nos dados difíceis de encontrar para quem não tinha ideias claras do que se estava a passar em função do que se tinha passado. Matriculei-me em cursos, mudei de leituras, e foi como que uma descoberta ou uma revelação. O que mais me entusiasmou foi o empenho posto por pessoas inteligentes e sabedoras em dar uma ordem e um sentido a tudo o que os homens tinham feito e desfeito desde o começo dos tempos. Nessa altura ainda se lia e discutia Spengler. Um dos meus professores disse uma vez que era uma pena que uma síntese tão brilhante fosse radicalmente falsa, sobretudo ao profetizar o futuro do prussianismo; mas o mesmo professor dissera outro tanto de Hegel e de Marx, na medida em que cada um deles, a seu modo, preconizava o Estado absoluto. Aprendi muita História durante aquele tempo, mas nunca soube que carta escolher, nem o sei ainda. De qualquer forma, aqueles estudos foram-me úteis. Cheguei a perceber mais solidamente o que acontecia à frente do meu nariz, e chegou um momento em que o senhor Magalhães me confessou as ignorâncias que eu já conhecia, e pediu-me que de vez em quando lhe redigisse uma síntese do que devia contar nas suas crónicas, e, sobretudo, como devia contá-lo. Aquele «de vez em quando» converteu-se em todos os dias. Chegava ao escritório, lia a imprensa francesa e também a inglesa. Isto levava-me tempo. Escrevia uma folha, entregava-a ao meu chefe e ia almoçar. Suponho que estes serviços me valeram os dois ou três aumentos de ordenado que recebi durante a minha estada em Paris. Isto quer dizer que as minhas relações com Magalhães, que no fundo era um bom homem, sem mais medo do que o normal, e com a dose de estupidez vulgar, acabaram por ser de amizade.

— Desengane-se, amigo. Se houver guerra, ganhá-la-ão os militares, como sempre.

Os nossos pontos de vista, porém, voltaram a chocar-se, se bem que apenas incidentalmente, quando um escritor não muito famoso, mas até mesmo dos repudiados, publicou um romance que provocou muito alarido. *Voyage au bout de la nuit*. Elogiei-o na minha crónica. Magalhães ficou furioso, mas quando o informei de que o autor tinha fama de fascista, ou que pelo menos se afirmava isso pelos cafés de Paris, procurou uma explicação para a crueza do texto.

— Claro, a podridão da sociedade tanto pode ver-se da esquerda como da direita. No fundo esse senhor tem razão.

Ficou muito surpreendido quando lhe revelei a sua coincidência com certas opiniões de Karl Marx; surpreendeu-se e assustou-se:

— Sim, homem, mas não se espante. Karl Marx gostava dos romances de Balzac, apesar de este ser reaccionário. Mas, como o senhor diz, a podridão da sociedade pode ver-se de qualquer lado. O mal é que é sempre a mesma, nos tempos de Balzac e nos nossos.

A saída de Magalhães foi dizer que o nazismo imporia ao mundo uma moral incorruptível.

Recordava Ursula — isso sempre! — em muitas ocasiões, com grande intensidade, com fortes repercussões sentimentais. Mas no fundo do meu espírito estava convencido de que não a veria mais, ainda que não chegasse a admitir, sem mais dados do que a ausência, a certeza da sua morte. Mas o certo é que a recordava como um viúvo a sua amada morta; isto é, submetendo a recordação a um processo de enfraquecimento que só se reforçava, e, mesmo assim, temporalmente, quando uma razão externa fazia ressurgir as imagens mais vivas da nossa vida em comum. Nem sempre eróticas, e, com o passar do tempo, cada vez menos eróticas. Não tinha seguido o conselho de Ursula de procurar uma mulher, embora me fosse difícil passar tanto tempo sem mulheres. Vieram várias a minha casa durante aquele tempo; umas duraram mais do que outras, nenhuma demasiado. Se me pusesse a evocá-las uma a uma, não conseguiria imaginar agora não só as suas figuras ou o seu carácter, como nem sequer os seus rostos e os seus nomes; elas e outras constituem, na minha recordação, algo tão vago como uma nuvem cujos contornos adquirem por acaso uma forma reconhecida e fugaz. Talvez algumas tivessem merecido mais atenção do que aquela que lhes prestei, mas inevitavelmente, talvez sem eu próprio querer, comparava-as com Ursula e achava-as inferiores. Não sei se isto acontecerá a todos os homens que, numa idade prematura, se encontraram com uma mulher excepcional que os deixou marcados para sempre. Se antes de Ursula tinha procurado Belinha nas mulheres, e, nela, a minha mãe, depois procurei Ursula, a mãe já esquecida. O que não poderia dizer com palavras claras é em que é que consiste isto de procurar uma mulher noutra. É algo de que se fala, que alguns afirmam ter vivido, eu um deles. Procura-se uma recordação? Mas que espécie de recordações? Uma parecença física, um modo de comportar-se, um traço de carácter? Não será (não o terá sido no meu caso) o pretexto ou a justificação de uma volubilidade não aceite? O curioso foi que, durante todo este tempo, conforme as aventuras transitórias se iam sucedendo, eu pensava a sério, ou julgava pensar, no amor, e cheguei a elaborar uma teoria que, por sorte, se ficou pelo mero exercício mental, e como tal se esqueceu. Não passava de uma reflexão algo pedante sobre as minhas relações com Ursula, que tentava, sem saber, elevar a categoria universal, como quem tenha esgotado numa só aventura, toda a experiência do amor. O que posso realmente reconhecer é a falta de coincidência entre a teoria e a prática. Eu justificava-me dizendo que elas não teriam aceite o meu modo de entender o amor, tão retorcido e tão complexo; no fundo, tão literário. Mas Ursula teria participado?

Também devo dizer, em honra da verdade, que a maior parte daquelas aventuras vieram de mão beijada, sem grande esforço pela minha parte, quase sem iniciativa. Não creio que, a este respeito, eu me distinguisse muito dos homens da minha idade que andavam à minha volta, estudantes, jornalistas, aspirantes a escritores. Se pudéssemos chamar a algum deles, à francesa, *coureur de femmes*, os restantes não o éramos, mas apenas amantes de assalto, sem grandes aspirações, sem grandes escrúpulos, também sem grandes remorsos. No entanto, as relações estáveis, ou pelo menos duradouras, eram mais frequentes do que se esperava. De alguém muito conhecido dizia-se: «Tem a mesma amante há quarenta anos e não sabe como se desfazer dela.» Cheguei a pensar que era um bom tema de romance; cruel, é claro.

Contarei, porque o devo contar, que uma noite cheguei a casa um pouco tarde. Não andava nessa altura enredado com nenhum rapariga. Ia a entrar quando se aproximou de mim uma mulher com uma criança ao colo e, num braço, uma espécie de gaiola coberta com um pano grosso.

— Paulette não vive aqui? Não é neste número?

Respondi-lhe que não conhecia Paulette nem nunca tinha ouvido falar dela.

— Pois Paulette deu-me esta direcção e não me pode ter mentido. Paulette sabia que eu saía hoje do hospital e tinha-me oferecido a casa dela para dormir. Há cinco dias que eu dei à luz esta criança e o meu pintassilgo está a morrer de frio. Eu não posso andar pelo bairro à procura da casa de Paulette. Além disso, a estas horas, a quem vou perguntar?

Embora a minha rua não estivesse muito iluminada, podia ver perfeitamente aquela mulher, que não estava mal vestida, que não tinha aspecto de galdéria nem de boémia, ainda menos de mendiga. Trazia também uma mala muito grande, quase uma maleta, não tinha reparado nela à primeira vista. Interpretei que nas suas palavras havia um pedido de socorro, embora tivesse sido feito sem o menor patetismo, e hesitei por instantes em convidá-la a subir ou a deixá-la à sua sorte, com a criança e o pássaro. Decidi-me, num abrir e fechar de olhos, a socorrê-la. Por piedade ou para iniciar um jogo?

— Quer vir para minha casa? É tudo quanto posso fazer por si.

Olhou para mim muito fixamente.

— O senhor é de confiança?

— Seja ou não seja, de qualquer forma dir-lhe-ia que sim. A senhora verá o que quer fazer.

A decisão dela também foi rápida.

— Abra a porta.

Entrou atrás de mim, esperou que acendesse a luz, subimos juntos no elevador, sem dizer palavra; só ao sair é que a avisei que faltavam uns quantos degraus. Não me respondeu. Quando se achou no meio da minha sala, sem largar a gaiola nem a criança, olhou em volta e disse para si mesma:

— Um estrangeiro de classe média, não muito rico, com interesses intelectuais. Talvez não seja má pessoa.

Perguntei-lhe a brincar se era detective. Ela, antes de me responder, deixou a gaiola perto da salamandra, e a criança no sofá.

— Não, não é necessário sê-lo. Basta olhar. O senhor tem livros e gravuras nas paredes. O andar é vulgar. Também não deve ser mulherengo, porque não vejo nus em lado nenhum. Claro que ainda não entrei no seu quarto.

Abri a porta e mostrei-lho.

— O que pensa agora?

— Um pequeno burguês de costumes brandos.

— Donde é?

— Espanhol.

— Os espanhóis ou são quixotes ou *donjuanes*.

— Também os há intermédios e misturados. Classifique-me como lhe apetecer. Quer comer alguma coisa?

— Devia ter-se lembrado disso assim que entrámos. É à tarde que se sai do hospital. Desde o meio-dia que não como nada.

— Então sente-se e aqueça-se.

Ia a entrar na cozinha, mas retrocedi.

— E o menino? Precisará de leite?

Voltou a cabeça irritada.

— Sou eu que o crio. Ou o que é que pensa? Não sou uma mãe qualquer, nem ele um filho qualquer. Mas para lhe dar do meu leite preciso de comer.

Entrei na cozinha, preparei-lhe uma sandes e aqueci o leite. Lembrei-me de uma vez ter ouvido que a cerveja era boa para as mulheres lactantes, de forma que pus mais uma garrafa de cerveja na bandeja. Coloquei-lha à frente. Ela agradeceu-me e começou a comer vorazmente. Bebeu a cerveja e, no fim, o leite. Eu desligara-me dela e preparava a cama.

— Senhor!

Corri para a sala com um cobertor na mão.

— Onde vou dormir?

— Onde quiser.

— Na sua cama?

— Aconselhava-lhe isso.

— Espero que compreenda que sou uma mulher que deu recentemente à luz e que tenho de dormir sozinha.

— Já tinha compreendido isso, menina.

— Senhora! — disse muito orgulhosa.

— Ah! E o seu marido? Abandonou-a?

— Sim, há muito tempo. Morreu.

— Sinto muito!

— E eu não sinto mesmo nada. Grande *cochon!* Engravida-me e morre. Acha isto correcto? Acha que é uma demonstração de carinho?

— Desconheço as circunstâncias do caso, não posso julgar.

— Primeiro abandonou-me; depois morreu. Abandonou-me às cinco da tarde, morreu por volta das dez, sem me dar tempo a que me habituasse. Abandonada às cinco, viúva às dez. Muito pouco tempo para tantas emoções.

Eu não sabia o que responder. Ocorreu-me perguntar-lhe se não desejava dar de comer ao menino, pois, nesse caso, eu esperaria no quarto.

— Para quê? O senhor é dos que pensam que o seio de uma mulher lactante é um objecto erótico?

— De modo algum, minha senhora! Além disso, mesmo estando presente, sei virar a cabeça no momento oportuno.

Levantou-se.

— Faça o que quiser.

Pegou no menino e foi com ele até à salamandra.

— Se o senhor tivesse uma cadeira baixinha!... Estaria mais confortável.

Trouxe-lhe a coisa mais parecida com uma cadeira baixa que pude encontrar. Sentou-se, tirou a mama e meteu-a na boca da criança.

— Estou a pensar no meu pobre passarinhó. Morto de frio e de fome. Além disso, acaba de passar uns tempos maus: nos hospitais tratam mal as pessoas, e os pássaros ainda pior. O senhor não terá umas migalhinhas de pão?

Dei as migalhas ao pássaro, que não pareceu entusiasmar-se, mas que acabou por aproximar-se delas e debicá-las. Afastei-me do grupo e sentei-me de costas voltadas. Ouvia-se o chuchar do mamão e, de quando em quando, o adejar do pássaro.

— Ainda não adormeceu? — disse ela de repente.

— Não, *madame*.

— Estou a pensar que seguramente interpretou mal o que acabo de lhe contar. É claro que recebemos as coisas como no-las dão. Refiro-me ao abandono e à viuvez. Não é que tenha mentido, mas ocultei alguns pormenores. A falta de confiança! A verdade é que, todas as tardes, o meu marido e eu discutíamos, e ele se ia embora às cinco dizendo que não voltaria mais, e eu passava umas horas com a birra do abandono. Mas ele voltava sempre e reconciliávamo-nos. Naquela noite não voltou, não por vontade dele. Morreu atropelado. Mas como eu não sabia, nem podia esperar, antes de chorar a viuvez, chorei também a solidão pressentida e a humilhação que se sente ao pensar que existe outra mulher. Como fui injusta com o meu marido naquela noite horrível! Poderá, pois, compreender que não o enganei totalmente. Mas as coisas não são iguais contadas de uma maneira ou de outra.

— Estou de acordo, minha senhora; mas antes chamou *cochon* ao seu marido.

— Foi um repente, acredite, e fi-lo com a melhor das intenções. A verdade é que, na nossa intimidade, costumava chamar-lhe *mon petit cochon*, embora não o fosse mesmo nada. E não é que eu seja mal educada; uma vez ouvi uma criada dizer isto, dirigindo-se a uma criança, e achei graça. É como se agora chamasse isso à minha.

Eu estava perplexo, e no fundo da minha consciência insinuava-se o arrependimento por a ter socorrido, mas, na verdade, não me causava qualquer terror. Certamente que eu ignorava o que ela trazia naquela enorme mala; podia esconder uma pistola ou uma faca grande, dessas que fazem estremecer até à medula. Mas para quê? Na minha casa havia pouco para roubar. Não sei se instintivamente ao entrar, tinha deixado a carteira em cima da mesa, um lugar muito visível, e ela tinha reparado. Fizera isso como prova de confiança, mas também para facilitar, se fosse o caso.

— O senhor é professor? — perguntou-me de repente.

— Não, jornalista.

— Ah, jornalista! Gente superficial, os jornalistas, não é verdade?

— Eu, pelo menos, sou, minha senhora.

— A vida deve ser muito aborrecida para as pessoas superficiais.

— Às vezes temos a sorte de nos encontrarmos numa situação como a minha neste momento. Concordará comigo que não é nada aborrecida.

— Para mim, claro que não. Estou muito bem e começo a sentir-me verdadeiramente agradecida, sobretudo se o senhor continuar a ser educado como até agora.

— Teme que não o seja?

Voltou a cara para mim, olhou-me fixamente.

— Não. O senhor não é capaz de abusar de uma mulher que acabou de dar à luz e indefesa. Porque eu estou indefesa.

Levou a mão à mala e começou a remexer.

— Agora é que tem mesmo de se ir embora. — Tirou da mala umas fraldas e umas roupas de criança. — Perceberá porquê.

Sorri, levantei-me e fui para o quarto, e ali estive até que ela gritou que já podia voltar. Tinha o menino no colo, mudado e compostinho.

— Está a ver? Já está que nem uma rosa.

Beijou-o e deixou-o a um lado, bem aconchegado na envolta. Depois mostrou--me o embrulho que tinha feito com as coisas sujas.

— O que faço a isto?

— Na cozinha há um balde. Amanhã, madame Claudine encarregar-se-á dele.

Talvez devesse ter-me levantado e levá-lo eu mesmo ao caixote do lixo, mas lembrei-me tarde, quando ela já o fizera. A viagem até à cozinha, ida e volta, permitiu-me observá-la melhor. Vestia um fato simples, de bom corte, provavelmente comprado nuns grandes armazéns, que não me esclarecia em nada a sua condição social, menos ainda a pessoal. Era de bom gosto, mas isso, em Paris, apenas pode servir para uma caracterização muito geral. Não consegui identificar a qualidade do tecido, um pouco afastado como estava, desconhecedor de tais avaliações. Tinha uma cara simpática, muito expressiva, nada feia, mas também não muito bonita, salvo uns grandes olhos cinzentos. Podia ser uma normanda ou uma bretã, mas também ter nascido em Paris. Pareceu-me assim devido ao seu sotaque, mas o sotaque também se adquire.

— Estou cansada! Foi um dia de muitas emoções.

— Pode ir deitar-se quando quiser.

— E o senhor?

Limitei-me a apontar para o divã a um canto. Dirigiu o olhar para lá.

— Eu também podia dormir ali.

— Penso que se sentirá mais à vontade num quarto. Se de noite o menino a obrigasse a levantar-se, teria de entrar lá.

— E acordá-lo, não é?

— Isso seria o menos.

Três ou quatro frases mais, todas triviais, e as boas-noites. Avisei-a de que a porta podia fechar-se por dentro. Sorriu.

— Não creio que seja necessário.

Voltou a desejar-me boa noite e meteu-se no quarto com o menino. Cá fora ficava a mala: saiu para a vir buscar passados uns instantes.

— Tinha-me esquecido disto. Desculpe, é que estão aqui as fraldas.

Bom... Junto à salamandra ficava o pássaro engaiolado.

Tentei desligar-me da sua proximidade e pus-me a escrever qualquer coisa, não consigo lembrar-me do quê. O sono tardou a chegar. Deitei-me. Mal consegui dormir. O divã era incómodo, um desses objectos que só servem para as primeiras tentativas com uma rapariga. Dei voltas e voltas. Já se viu a mesma cena em muitos filmes norte-americanos, mas neles o homem costuma dormir melhor do que eu naquela noite. Foi uma dessas noites de insónia, em que o passado de uma pessoa acode à mente, não o que gostamos de recordar, mas ninharias sem interesse, imagens que vão e vêm, misturadas com canções que se julgavam no esquecimento e que não se recordam completas. Uma que Belinha me cantava! Ou estados anteriores que revivem: por exemplo, o daquelas noites, no paço minhoto, em que os meus poemas me obcecavam. Não se tratava de um novo, inesperado, que estivesse a ponto de emergir, de se impor, longe disso. A minha convidada não me tinha causado uma emoção assim tão profunda, nem mesmo desejo, mas apenas curiosidade, que também reapareceu ao longo daquelas horas. Quem será? Porque está aqui? Mas sem demasiada insistência. Em momento nenhum a achei misteriosa, provavelmente porque não o era, ainda que interessante, sim. Pelo menos a situação era-o. Não havia, no entanto, por que inquietar-se: não me preocupava grande coisa quem pudesse ser; e a reiteração com que me interrogava atribuía-a à insónia. A uma certa hora da madrugada, ouvi a criança chorar, e a ela, depois, a cirandar sigilosamente. Depois voltou o silêncio.

Quando ela saiu do quarto, já vestida e pronta, eu tinha o pequeno-almoço preparado. Ofereci-lhe uma chávena de café e uns bolos do dia anterior. Aceitou e comeu em silêncio. Perguntei-lhe se lhe parecia bem almoçar comigo: respondeu-me que sim, com a condição de ser ela a preparar a comida.

— Há-de cá vir a porteira. Está encarregada das compras. Ela traz-lhe o que lhe pedir, e não se preocupe com o dinheiro, porque me há-de apresentar a conta.

Disse que sim com toda a naturalidade. Quando saí procurei madame Claudine e expliquei-lhe a situação.

— Mas como é que meteu uma desconhecida na sua casa? Pode ser uma anarquista!

— De qualquer forma, uma anarquista que em vez de uma bomba traz uma criança.

Ficou a resmungar por causa da insensatez dos homens. Aquela manhã não foi importante, nem havia notícias que me retivessem no escritório. Pedi licença ao senhor Magalhães para sair um pouco antes. Como me agradeceu aquele reconhecimento da sua superior hierarquia, embora fosse num âmbito tão modesto como o do nosso escritório! Lembrei-me de levar um raminho de flores à desconhecida, apenas umas quantas violetas. Tive a preocupação de as ocultar da curiosidade da porteira, que me esperava muito pasmada.

— Olhe, aquela senhora não é uma qualquer. Deu-me o dinheiro para as compras e ainda tinha muito mais. As roupas do bebé são do mais fino que há, e não acabou nada de dar à luz; o menino já tem mais de um mês. Os modos da mãe são de senhora. Eu se fosse a si andaria com cuidado: pode meter-se num sarilho. Sabe Deus qual.

— Ela disse-lhe como se chama?

— Quando lhe perguntei, indirectamente, como se averiguam essas coisas, fez-se desentendida.

Deixei-a rapidamente com medo de que as violetas se machucassem debaixo do sobretudo. Toquei à porta em vez de abrir com a minha chave. Ela fê-lo com a maior tranquilidade e um sorriso. Na casa havia um cheiro a comida suculenta que me fez lembrar os tempos em que não comia em restaurantes multitudinários e baratos. Antes de tirar o sobretudo ofereci-lhe as violetas.

— São para o seu menino, é claro.

Desatou a rir.

— *Que vous êtes gentil.*

Recebeu-as e voltou a sorrir. Comentei com ela que pela primeira vez desde que eu a ocupava, a minha casa cheirava agradavelmente.

— Sou boa cozinheira, podia ganhar a vida em qualquer restaurante de luxo.

Tinha posto a mesa, com os dois pratos frente a frente. Procurou um copo, colocou nele as violetas, juntamente com água, e enfeitou a mesa com elas.

— O meu filho, como o senhor deve compreender, ainda não está para receber gentilezas.

Tinha preparado uma sopa, uma carne assada, e uns bolinhos de chocolate: calculei que passara a maior parte da manhã na cozinha.

Quando nos íamos sentar, disse-lhe:

— Seria conveniente que me dissesse um nome com o qual me possa dirigir a si. O meu é Filomeno.

— Oh, Filomeno, que bonito! Chame-me Clelia.

— É um nome de Stendhal.

— Eu sou uma personagem de Stendhal.

Fiz-lhe uma vénia.

— É uma honra com que não contava. Não posso dizer-lhe que eu o seja de Balzac, menos ainda de Proust. Na realidade não tenho o mais indispensável para ser uma personagem.

— O que é que considera indispensável?

— Uma personalidade definida.

— Também há personagens indecisas.

— Então eu sou uma delas.

Largou-se a rir.

— Metemo-nos sem querer na literatura, mas garanto-lhe que a sopa e o assado são reais. Talvez os *profiterolli* sejam algo fantásticos, mas isso está na sua natureza.

Sentou-se e pediu-me que o fizesse. Tinha servido a sopa, que fumegava. Provei-a. Estava deliciosa, e dei-lhe os parabéns.

— Já lhe disse que é feita com ingredientes reais e que sou uma boa cozinheira. Espero que o *rôti* lhe agrade mais.

Quando acabou a sopa, trouxe o assado e ela própria o serviu. Cortou a carne com habilidade. Só então, e como que não lhe dando importância, disse-me:

— Já vi no seu quarto o retrato da sua namorada. Porque suponho que será isso, sua namorada, aquela menina loira da fotografia. Diga-me sinceramente se necessita o campo livre das cinco às nove. É a hora de dar um longo passeio com o menino.

Teria podido, talvez devido, perguntar-lhe naquele momento quanto tempo tencionava ficar, mas o que fiz foi esclarecê-la de que não esperava ninguém naquela tarde.

— Essa menina loira da fotografia pertence ao passado.

— *C'est dommage!* Tem todo o ar de uma rapariga agradável, *très comme il faut,* embora a sua beleza seja perturbada por um não-sei-quê de dramático. E não há outra mulher na sua vida? Quero dizer, agora.

— Não.

— Não é nada bom um homem da sua idade estar só! E mais em Paris! Paris é uma cidade para ser vivida a dois, o senhor já o deve saber.

— Sim, é uma cidade feita para o amor, mas nem sempre o amor aparece, embora seja muito possível que eu não deseje a sua chegada.

— Ainda a ama? Quero dizer, a do retrato.

— O mais provável é que tenha morrido. De qualquer forma, já não a espero.

Não me respondeu. Entreteve-se com a carne um bom bocado. Eu examinava-a durante aquele silêncio, ou, mais exactamente, olhava para as suas mãos: comia de uma maneira refinada, com calma e com essa forma de segurança (ou naturalidade) que o hábito cria. Estive quase a perguntar-lhe: Quem é você? Por que está aqui? A educação foi mais forte. Mentira-me ao dizer que tinha dado à luz há pouco tempo, isto era evidente, mas interpretei-o como medida de precaução. Também tinha mentido, como consequência, ao dizer que vinha do hospital. E o nome que me tinha dado também era falso. Mas todas essas mentiras, tão evidentes, não faziam mais do que amontoar curiosidades sobre curiosidades.

— Já vi — disse de repente — que fala várias línguas. Reconheci, naturalmente, o francês e o inglês entre os seus livros; das outras, suponho que uma será o espanhol.

— A outra é o português.

Pareceu ficar perplexa.

— O português. Nunca ouvi falar português.

— Pode ouvi-lo agora, se desejar.

Levantei-me, tirei um livro ao acaso (saiu, é claro, um volume de Eça) e li-lhe alguns parágrafos.

— Soa muito bem — disse ela —, parece música.

— Pois o autor desta página que acabo de lhe ler viveu e morreu em Paris há já bastantes anos. Chamava-se...

— Nunca ouvi falar dele.

— É que a França costuma ser ingrata com os estrangeiros que mais a amam.

— Diz isso por si?

— Não. Eu não tenho queixas dos Franceses, mas também não sou um escritor ilustre.

A que propósito vinha aquilo? Dei-me conta de que a nossa conversa não ia mais além das puras trivialidades e de que aquela mulher, fosse quem fosse, ficaria com uma pobre ideia daquele que a tinha acolhido em sua casa. Senti, de repente, necessidade de me mostrar de outra maneira, mesmo que fosse forçando a situação.

— Interessa-se por versos?

— Como toda a gente.

— Quer dizer, não se interessa.

— Dei-lhe a entender que sim.

— Então, se me permite... — Levantei-me, peguei no velho caderno onde estavam os meus. — Vou ler-lhe um poema escrito em espanhol. Melhor do que para francês, poderia traduzi-lo para inglês, mas espero fazê-lo razoavelmente na sua língua.

— E por que não em inglês?

Não lhe pedi explicações. Escolhi um dos poemas que considero mais intensos, e fui traduzindo-o para inglês, cuidando a dicção. Como exercício escolar foi irrepreensível. Ela ouviu atenta. Pediu-me umas duas vezes para repetir; no fim perguntou-me:

— Esse poema é seu?

— Sim.

— Você não é um jornalista superficial. Esse poema é muito bonito, e suponho que, em espanhol, o seja ainda mais. O seu inglês é bastante perfeito.

— Trabalhei em Londres durante três anos.

Ficou a olhar para mim fixamente durante um bocado.

— Você ainda não está na idade de ser um homem interessante, mas já o é. Lamento ter-me enganado.

Levantou-se, foi à cozinha e trouxe os *profiterolles* de chocolate.

— Fico contente por lhe ter oferecido uma boa comida. Foi a melhor maneira de o compensar, embora mereça mais.

Levantou a mesa em silêncio. Ouvi a sua azáfama na cozinha.

— Deixe os pratos para mim! — supliquei, mas não me fez caso.

Sentei-me num cadeirão e ouvi-a. Ia e vinha como uma sombra. De repente apareceu à minha frente com o casaco vestido, e o menino ao colo, a mala pendurada, a gaiola em difícil equilíbrio.

— Foi muito amável comigo. Agradeço-lhe, mas vou-me embora.

Levantei-me.

— Tem para onde ir? Pode ficar aqui todo o tempo que quiser.

— Obrigada, mas não acho prudente. E não se preocupe comigo. Tenho muito para onde ir.

— Não precisa de nada? Posso ajudá-la?

— Fez tudo o que podia, e eu também. Quando se lembrar de mim, faça-o com o nome de Clelia, que não é o meu, mas uma das muitas mentiras que lhe contei. Mas não devo permanecer aqui nem mais um minuto. Tem de compreender. Lamento deveras que vá ficar sozinho. Uma mulher pode fazer companhia, mas uma mulher com uma criança é sempre um estorvo. Obrigada.

Deu-me um beijo na cara, mas não me ofereceu a dela. Ela própria abriu a porta e foi-se embora.

Quando entrei no quarto vi o retrato de Ursula deitado, a cara oculta.

V

NÃO REAPARECEU AQUELA MULHER que disse chamar-se Clelia, não esperei saber dela nunca mais. Inevitavelmente foi tema de conversa, durante alguns dias, com madame Claudine, cuja mente melodramática imaginou toda a espécie de histórias, ofereceu-me toda a espécie de soluções e de enigmas: de manhã, ao sair, de tarde, ao regressar. Eu precisava realmente delas? Quando pensava naquele episódio, isto é, todos os dias, e tentava entendê-lo, só encontrava uma solução, de ordem puramente intelectual, para mim suficiente: tratava-se de um acontecimento absurdo, que o era pura e simplesmente porque eu não possuía mais do que metade dos dados, os meus; aqueles pelos quais acolhi Clelia em minha casa durante umas horas, contemplei-a, escutei-a, vi-a partir. Mas o outro sistema de dados, o dela, ignorava-o, e, o que ainda piorava mais, desconhecia a sua natureza e não era capaz de a imaginar. Pode ter sido uma brincadeira, mas porquê e para quê? Por muitas voltas que desse na minha cabeça às razões de Clelia para se comportar como se comportou, não encontrei nenhuma convincente, e até cheguei a pensar que tivesse agido sem razões: mero capricho, por uma aposta. Quem poderá saber? Eu não, é claro. Se contei aqui aquele acontecimento, deve-se à sua estranheza, à sua irracionalidade, à sua inexplicabilidade, ao facto de, tempos depois, ter tido uma sequela. Mesmo que tivesse partido de um princípio caprichoso ou, como preferia madame Claudine, melodramático (uma criança recém-nascida pelo meio faz sempre tender para o melodrama), podia ter-se desenvolvido de outra maneira, podia até ter continuado. Se Clelia me tivesse dito que desejava permanecer na minha casa, tê-la-ia acolhido sem limite de tempo. Teríamos acabado por nos apaixonarmos ou, pelo menos, por termos relações maritais. Ou talvez não, quem sabe? Mas não considero legítima nenhuma destas considerações. Chegou, foi-se, não voltou, não tinha por que voltar. Também podia ser uma louca: esta ideia não ocorreu a madame Claudine.

Do que me lembro é de por aqueles dias aproximadamente ter triunfado a Frente Popular nas eleições espanholas. Uma manhã, ao chegar ao escritório, encontrei o senhor Magalhães muito preocupado. Mostrou-me os jornais, os grandes títulos com a notícia.

— Bom, e depois? Era uma possibilidade entre outras. Não se esqueça que aqui pode acontecer a mesma coisa.

— Sim — respondeu-me, compungido. — Mas a França não é limítrofe de Portugal. Que podemos nós fazer se o comunismo se instalar em Espanha?

— Lembre-se, querido Magalhães, de que Espanha foi até anteontem uma monarquia, e nem por isso vocês se contagiaram.

— Isto é diferente, muito diferente. Isto é a garra moscovita que aprisiona a parte maior da península, e que acabará por se apoderar de toda ela.

— Bom, o senhor para já está em Paris, e não acredito que essa garra chegue até aqui. Está a ver como as coisas estão.

— As coisas aqui correm igualmente mal, senhor Freijomil! Só nos resta a Alemanha!

— Pois então peça que o mandem como correspondente para Berlim. Assim poderá entrar em Lisboa com os libertadores cantando a *Hortsvessertlied*.

— Ria-se, ria-se! Vai ver o que será do seu paço e do seu dinheiro se os comunistas entrarem em Portugal!

— O meu paço e o meu dinheiro? Quem lhe disse semelhante coisa?

— Tudo se sabe, senhor Freijomil! Se alguém tem que temer o comunismo é o senhor. Eu não possuo mais do que a minha profissão e o meu ordenado. Mas o senhor!... O senhor tem um nome, um património!... O senhor é um *señorito*. — (Disse-o em espanhol.)

A partir daquele dia, todas as manhãs, ao chegar ao escritório, encontrava em

cima da minha mesa os jornais com as notícias de Espanha sublinhadas a vermelho. As coisas corriam mal, efectivamente; por alguma razão ignorada, eu lia-as
como se não me afectassem, como se fossem notícias de um país estranho ao
meu. Não tinha família em Espanha nem em lado nenhum, nem sequer amigos.
Que me podia acontecer? Ficar sem o meu património espanhol? E mesmo que
perdesse também o português? Não deixei de dar voltas a semelhante hipótese, e
creio tê-la considerado com liberdade de espírito. Cheguei até a concluir que, do
meu ponto de vista pessoal, as duas perdas me favoreceriam no caso (que não devia descartar) da pobreza súbita me servir de incentivo. O senhor Magalhães tinha-me chamado *señorito*, em espanhol, e efectivamente era-o, sobretudo se o
entendermos como designação de um parasita. Era verdade que, de certa forma,
trabalhava; era-o também, de outra certa forma, que vivia do trabalho alheio.
Via esta situação não como uma imoralidade mas como uma realidade da qual
não me sentia responsável. Se, de repente, aquelas circunstâncias em que eu não
era tido nem achado me obrigassem a seguir em frente por minha conta, tinha
nas minhas mãos instrumentos suficientes para enfrentar a pobreza, para viver do
meu esforço pessoal, como tantos outros. E era possível que, assim, achasse outro gosto à vida, lhe encontrasse algum sentido. Seria então capaz de algum compromisso, de algum sacrifício? De alguma ambição, pelo menos? Não me faltavam ideias, mas, a julgar pelo que via à minha volta, as pessoas não se moviam
por ideias, mas sim por paixões, mais ou menos ocultas ou dissimuladas, quando
não francas e agressivas. Podia chegar a ser dono do meu destino e não, como
então e agora, sujeito passivo da História, joguete do triunfo de uns ou de outros, indiferente a eles. Comecei a pensar em ir para a América. Não era uma solução original, poderia ser conveniente, mas a América não me atraía nem sequer
imaginativamente. Claro está que aquele modo de pensar, e de esperar, partia da
convicção de que a História era a Europa, e de que, emigrando, qualquer homem podia esquivar-se às suas consequências. Depois compreendi que também
nisso estava enganado. Se eu tivesse decidido emigrar, a História também me teria apanhado lá, de uma forma ou de outra. Sempre fui lesto a fantasiar e a imaginar soluções, lento a tomar decisões. Não me preocupava nem com umas nem
com outras. E a mais cómoda, a que exigia menos esforço, era ficar em Paris, como estava, sem a menor modificação do meu estilo de vida, sem me dar a trabalhos face às circunstâncias. Devido a não sei que espécie de insensibilidade, provavelmente a alguma falta de fé, o que acontecia no mundo interessava-me, não
me angustiava, como ao senhor Magalhães. Claro que as angústias do meu chefe

se esqueciam ao sair do escritório, se adiavam até às notícias do dia seguinte. Entretanto aproveitava as facilidades que Paris dá. Uma vez convidou-me para uma festa em sua casa. Foi a primeira vez, depois de todo aquele tempo que tinha estado ao seu lado, que pude vislumbrar alguma coisa da sua vida privada. Vivia numa mansarda muito confortável, mais do que a minha. Estava rodeado de objectos portugueses com os quais tinha construído uma espécie de sucursal da sua pátria, o necessário para se curar da *saudade* no caso de ser acometido por ela. Tinha um gramofone com discos de fados e de sambas, e quando lá entrei tive a oportunidade de ouvir um deles, que tinha irradiado os efeitos da sua melancolia aos presentes, senhoras e cavalheiros. Seriam oito ou dez, um número par, de qualquer modo: eu ficava fora de jogo. Numa mesa havia comidas e vinho do Porto. Magalhães apresentou-me não como seu subordinado, mas como um cavalheiro português; deixou transparecer que de alto coturno, mas, a esta parte da apresentação, ninguém fez caso. Não consegui saber, nas horas que ali permaneci, qual era o carácter dos seus amigos e amigas, se coincidiam só no modo de se divertirem ou também nas ideias políticas. Comeu-se, dançou-se, contaram-se histórias e anedotas. Entre as raparigas havia duas brasileiras, mulatas e bonitas; estudavam uma espécie de arte e não me ligaram muito. A verdade é que nenhum dos presentes me deu mais importância do que aos móveis da mansarda. Quando cheguei, já estavam aos pares. Quando acabou a festa cada qual foi com o seu par, salvo o de Magalhães, uma holandesa opulenta, que ficou com ele. Dei comigo sozinho na rua, como sempre. Tinha gasto três horas da minha vida num divertimento estúpido. Nem nas festas de Londres, nem em outras de Paris, se falava de literatura, de arte ou de política. Dei comigo sozinho na rua, senti-me tão estúpido como eles. Naquela noite fui a La Rotonde, onde costumava encontrar-me com dois ou três conhecidos sem importância, gente que, como eu, errava em volta dos protagonistas do momento: via-os de longe e comentava o que os jornais diziam acerca deles. Encontrei-os como esperava, os meus amigos, dando-se ares de importância como se fossem o umbigo do mundo. Ao juntar-me a eles, ao participar na sua conversa, convertia-me em mais um iludido, num comparsa que dissimula sê-lo. Eram estrangeiros como eu, provincianos também. Quando voltassem às suas pequenas pátrias, contariam enfatuados: «Certa noite, encontrando-me em La Rotonde...» A única coisa positiva que tirava daquela forma de viver era o que ia aprendendo nos cursos da universidade. Possivelmente não me valeria de nada para viver no mundo, mas ao menos ajudava-me a entendê-lo. Pode-se estar no mundo metido nele, comprometido com ele: o que tem uma família, o que luta pelo seu trabalho, o que tenta modificá-lo; mas há outro modo de estar: situar-se de fora, contemplá-lo e fazer uma ideia do que se passa. Esta ideia não tem por que ser certa, basta que o pareça. Se se tiver talento, acaba-se por se ser filósofo, das muitas maneiras que a realidade oferece a este exercício; se não se tiver, tanto faz, porque a ninguém interessa nem ninguém o impede de ter ilusões. Há-os que escrevem as suas reflexões em jornais e revistas, letra morta que se esquece. Se o fazem em verso, e o verso é bom, podem durar um pouco mais. De uns e de outros conheci vários exemplares. Mostravam o seu poema ou o seu artigo como solução do mundo e seguiam pelas ruas como iluminados: uma luz que só eles viam. Eu tinha sobre muitos a vantagem de não me levar a sério, de considerar as minhas ideias como erros ou meras fantasias sem consistência, sem nunca esperar que acertassem em cheio. Nos meus estudos literários tinha aprendido o que é uma função: as minhas ideias cumpriam a sua, que não era a de me enganar a mim próprio porque nem mesmo isso me era dado, o enganar-me.

Devíamos andar pelo mês de Abril de trinta e seis quando, certa tarde, ao passar por entre os grupos de estudantes nos corredores da Sorbonne, ouvi uma voz muito conhecida que falava numa língua ininteligível. Voltei atrás, aproximei-me: era a voz de Sotero Montes, que falava em voz bastante alta com uma rapariga hindu, uma jovem bela, vestida com um *sarong* tão bonito como ela; uma rapariga de tez escura, de grandes olhos negros, com uma gota de sangue no meio da testa (supus que era isso, uma gota de sangue, aquele círculo de um vermelho chocolate, símbolo de algo ou sinal de identidade). Aproximei-me deles e escutei: situei-me atrás de Sotero, olhando para a rapariga. Foi inevitável ela olhar para mim também, com atenção suficiente para que Sotero virasse a cabeça e me descobrisse. Disse um palavrão.

— Donde é que saíste? Que estás aqui a fazer?

Não havia cordialidade no tom da sua voz, mas a habitual superioridade misturada com a surpresa, e talvez também com o desagrado que o meu aparecimento lhe causava. Respondi-lhe que a perder tempo.

— Como sempre, como sempre. Não fizeste outra coisa na tua vida; mas se sabes falar francês, fala para que esta menina perceba o que dizes.

Fi-lo, embora fingindo atrapalhação.

— Estou aqui, como vês. Faço umas cadeiras de História.

— Para quê?

— Eu sei lá! Para fazer qualquer coisa.

Largou-se a rir e disse umas palavras à hindu numa língua que devia ser a dela. A rapariga sorriu e olhou para mim com uma certa ironia.

— E tu, que fazes aqui? — perguntei-lhe e arrependi-me imediatamente de o ter feito.

— Acabei o meu curso de línguas indostânicas, e agora estou prestes a ir para Berlim, onde tenho coisas para aprender, a não ser que essas bestas dos nazis tornem a minha viagem desnecessária.

Sotero andava vestido de uma forma frangalheira, mas chamativa. A sua grande cabeça inteligente, os seus olhos negros, superavam qualquer mau efeito que pudesse causar aquele sobretudo puído, aquele chapéu debotado e às três pancadas. Quando eu olhava para o seu preparo, ele reparava no meu.

— Continuas tão janota como sempre, não é? Fazes bem. É a única coisa que te justifica no mundo.

Curiosa a coincidência de Sotero com a minha avó Margarida! O meu bisavô Ademar não tinha passado daquilo, de janota, embora seja verdade que a ele os telhados o cumprimentavam, e a mim não. Felizmente a rapariga hindu não nos tinha percebido, porque Sotero voltara ao espanhol. Quiçá deliberadamente. Acabou por apresentar-ma. Chamava-se Madanika. Disse-lhe que o nome dela era lindo como os seus olhos, disse-lho em francês, e Sotero respondeu-me por ela:

— Não sejas imbecil.

Madanika não parecia partilhar o ponto de vista dele, a julgar pelo seu olhar.

— Já que apareceste como que caído do céu, como um bólide, por que não nos convidas para jantar? Costumavas ser rico.

— Não sou tanto como julgas, mas posso convidar-vos, e faço-o com muito gosto. Aonde querem ir?

Consultou Madanika. A ela não pareceu desagradar-lhe.

— Aqui, à saída, há três ou quatro restaurantes. Vamos ao que preferires.

Em frente à Sorbonne, ao sairmos, vimos um fotógrafo ambulante sem clientela. Senti por ele, abandonado pelo interesse citadino, uma certa piedade inesperada.

— Ofereço-vos também uma fotografia, se acharem bem.

— Queres perpetuar o momento? — perguntou Sotero com certo gozo.

— Por que não?

Não esperava aquilo, mas aceitou. Tirámos a fotografia, a rapariga no meio, e o fotógrafo deu-nos uma prova a cada um. Paguei-as. E a refeição, num daqueles restaurantes, não teve nada de especial. Sotero informou-me dos seus imensos saberes, e do muito que ainda lhe faltava aprender, não sei se para alcançar o saber universal. Tinha apresentado em Madrid uma tese de doutoramento sobre Filosofia da História, e já tinha como certa uma cátedra. Mais do que isso, pressionavam-no, apressavam-no a apresentar-se, mas ele não tinha pressa.

— Acima de tudo quero passar uns meses em Berlim antes de regressar a Espanha.

— E tu achas que tens tempo? — perguntei-lhe.

— Que queres dizer?

Olhou para mim carrancudo.

— Não sei. As coisas lá por baixo andam mal.

— Não acontece nada, vais ver. Não sei dizer-te se feliz ou infelizmente. Em Espanha sempre houve duas facções, as mesmas com nomes diferentes, e nunca foi duradouro o triunfo de qualquer delas. Agora somos nós, amanhã podem mudar as coisas, mas com uns ou com outros, o saber é sempre o saber. Não me preocupo absolutamente nada com o que vier a acontecer.

Falávamos em francês. Eu, da mesma forma que a princípio, fingia atrapalhação. O de Sotero era correcto, mas de sotaque claramente espanhol.

— E aquele palácio que tinhas em Portugal?

— Vendi-o.

— Vives em Villavieja?

— Não vivo em lado nenhum. Quero dizer, vivo em Paris, não sei por quanto tempo.

Sotero pareceu alarmado.

— Mas, e aquela biblioteca?...

— Já não é minha.

— Nunca soubeste viver...

Não me atrevi a perguntar-lhe quais as suas relações com Madanika. Pela forma como se tratavam, sobretudo pela forma como ele a tratava, não pareciam amantes, mas não era sensato esperar de Sotero uma conduta como a de qualquer outro, nem sequer a de se mostrar amável para com a mulher cujo leito se partilha. Era evidente que Madanika o admirava; talvez o admirasse também na cama e sentisse o desdém como uma qualidade inalianável do génio amado. Não sei. Foram conjecturas minhas. Foram-se embora juntos: foram-se embora a pé, claro, depois de uma despedida que não implicava voltarmo-nos a ver.

Era evidente que Sotero não desejava relacionar-se comigo. Algumas vezes, nos dias seguintes, pareceu-me vê-lo, ou ouvi-lo, nos corredores da universidade. Procurei evitá-lo. Também não vi Madanika, embora tivesse gostado de contemplar os seus olhos inesquecíveis, acariciar a textura do seu *sarong*. Como seria o amor entre seres tão díspares? Imaginava Sotero deitando-se com ela como mero trâmite, depois de uma sessão proveitosa de línguas indo-europeias, como um vampiro da sabedoria que, de certo modo, acaba por recompensar a sua vítima. De caminho libertava-se de empecilhos sexuais.

Este encontro com Sotero deve ter sido, aproximadamente, pelos dias do triunfo da *Front Populaire*. A recordação do encontro vem-me acompanhada de um certo burburinho. Foram dias em que o senhor Magalhães se refugiava num canto do escritório, os telegramas fortemente agarrados e murmurando:

— O que vai ser de nós?

— Mas, homem de Deus, você não vê que a vida segue o seu curso e que a de Paris quase que nem mudou?

— O senhor diz que não é mudar a presença de Blum à frente do Governo? Acha até isso aceitável?

— Acho-o real, querido Magalhães, e além disso previsível. Vai ver que é maior a nau do que a tormenta.

— E o exemplo? Que me diz do exemplo? Começou por Espanha. Agora, é como vê... Amanhã será a Inglaterra e os países escandinavos, e a Bélgica... A Bélgica também, Freijomil, um dia destes!

— Então, iremos festejar a Bruxelas!

VI

NAQUELA MANHÃ SOALHEIRA E QUENTE, as vendedeiras de jornais apregoavam os acontecimentos de Espanha. Não achei necessário comprar nenhum jornal, dado que os tinha todos no escritório e estava seguro de que o senhor Magalhães se teria dado ao trabalho de marcar com lápis vermelho o que me interessava saber. Mas encontrei-o alvoroçado, quase fora de si.

— Já sabe, Freijomil? Leu a imprensa? Olhe, olhe!

Mostrou-me um monte de títulos. Com caracteres de tamanho invulgar davam a notícia de que em Espanha os militares se tinham sublevado contra a Frente Popular.

— Os de África, Freijomil, os militares de África! E em todas as capitais importantes, também em Madrid! Olhe, olhe para os mapas!

A coisa tinha-me apanhado tão de surpresa que não sabia o que responder. Li avidamente as notícias, de cuja confusão só podia deduzir-se como coisa certa que havia um levantamento, não de todo o Exército, mas sim em todo o lado. Penso que, pela primeira vez em todo aquele tempo das nossas relações, ergui o olhar para o senhor Magalhães, um olhar interrogativo.

— E que posso eu dizer-lhe, Freijomil? Sei o mesmo que o senhor.

— Se me permite, gostaria de dar uma volta pela embaixada. Por que não me acompanha? Apesar de tudo, não há nada para fazer. A notícia do dia é essa, e o centro das informações é em Madrid.

— Temos, pelo menos, de contar aos portugueses como as coisas são vistas aqui.

— Mais ou menos como em Lisboa e em qualquer parte do mundo. O que se diz nesses jornais, pode ser resumido por si de uma penada, ou, se preferir, resumo-o eu.

— Mas nas ruas... É preciso dizer alguma coisa do que se passa nas ruas.

— Mas aqui metidos não podemos averiguar o que se passa nas ruas. Vamos embora.

Convenceu-se e veio comigo. Fomos directamente à Rua Jorge V. Havia gente em frente da embaixada, gente que dava vivas à República espanhola, cuja bandeira estava içada numa varanda. Tentámos entrar, mas não nos foi permitido, nem mesmo depois de termos mostrado os nossos documentos de jornalistas. Metemo-nos num café ali perto, nos Campos Elíseos, e de lá pudemos ver grupos de jovens, alguns com bandeiras espanholas, que gritavam e cantavam. Quando saímos, alguém com aspecto de líder, ou, pelo menos, acostumado a dirigir-se às massas, saltara para um banco, tinha congregado gente à sua volta, e dizia gritando que a França não podia permitir que o fascismo se instalasse nos Pirenéus. Propus a Magalhães que o ouvíssemos. Era um bom demagogo: discorria por meio de afirmações e negações absolutas, com intervalos apocalípticos.

— O que será de França e da liberdade, acossadas por três países fascistas?

— Já que não pudemos entrar na embaixada, vamos ao consulado.

Fomos de táxi; paguei eu. No consulado era mais fácil entrar. As pessoas não estavam fora, mas dentro. Não vociferavam fora, mas dentro; não gritavam em francês, mas sim em espanhol. Não falava um só orador, mas todos ao mesmo tempo, cada qual auditor de si mesmo, embora na verdade todos estivessem de acordo que a República estava em perigo e que era preciso defendê-la. Eu não conhecia ninguém no consulado que pudesse dar-me alguma informação, de modo que regressámos ao escritório para redigir umas linhas. O senhor Magalhães concedeu-me essa honra, dado que o maior interesse era meu. Limitei-me a descrever o que tinha visto.

Os jornais da tarde repetiam as notícias da manhã, mas acrescentavam declarações de alguns políticos, tirando importância à sublevação, falando com desdém do «pronunciamento». Um dos jornais chegava a dizer que já estava praticamente dominado; outro, que se tinha circunscrito às guarnições de Marrocos, quase sem repercussão na península. Muito mais interesse tinham algumas crónicas em que se descrevia o povo nas ruas, as manifestações espontâneas, a intervenção dos sindicatos, a colaboração popular no ataque aos sublevados, pelo menos em Madrid e Barcelona.

— O senhor acha que serão capazes de levar a melhor? O senhor acha que os militares serão mais fortes que a populaça?

O senhor Magalhães estava muito mais preocupado do que eu, e não porque me sentisse alheio ao que acontecia, mas porque tentava encará-lo com serenidade. Nunca deplorei tanto como naqueles dias o meu desconhecimento da vida espanhola, da sua política e dos seus problemas, mesmo que fosse apenas por, de repente, as coisas parecerem graves, embora naquele mesmo dia, nas últimas edições dos jornais se dissesse que o Governo da República tinha dominado a situação. Curiosamente, todos os jornais que líamos eram de esquerda e de centro, todos eles simpatizantes do Governo da República. Sugeria Magalhães que, no dia seguinte, trouxesse também os de direita, cuja leitura seguramente tranquilizaria. Mas os jornais de direita limitavam-se a apregoar o que sempre tinham apregoado, desta vez a propósito de Espanha, e a afirmar e a negar o que neles era habitual. Esperei a chegada dos jornais ingleses. Mais moderados, pelo menos não apregoavam, mas não negavam a gravidade da situação. O estado de espírito de Magalhães flutuava entre a imaginação de uma Espanha fascista, sem perigo para Portugal, e uma Espanha comunista, ameaçadora. O seu raciocínio era o mesmo dos demagogos franceses, se bem que ao invés.

Iniciou-se assim um período que durou vários meses, durante o qual consumíamos a maior parte do tempo no escritório a seguir a evolução dos acontecimentos e a registá-los num mapa de Espanha um pouco antiquado que Magalhães desencantara não sei onde. Devo dizer que cedo começou a usar-se a expressão Guerra Civil, embora as notícias provenientes de Espanha, e muitos dos comentários franceses, lhe dessem ainda outro nome. Fosse o que fosse, no nosso mapa figuravam, num princípio, poucos e exíguos redutos «azuis» de uniformidade duvidosa, que se foram ampliando dia a dia, umas vezes com segurança, outras com incerteza. A paixão de Magalhães era manifesta até na grossura dos traços que fazia no mapa, mais ténues os vermelhos, mais poderosos e afirmativos os azuis. Assim foram ficando marcadas naquele papel a passagem das tropas africanas pelo estreito e as conquistas sucessivas, que imaginávamos sob um sol ardente, quase como combates primitivos, soldados com a espingarda na mão e a faca na boca. Quando toda a fronteira portuguesa ficou livre de tropas governamentais, Magalhães considerou isso um triunfo definitivo e convidou-me para almoçar.

— Vão ganhar, vão, vai ver que ganham!

A minha curiosidade inicial, o meu desconcerto tinham-se transformado pouco a pouco numa espécie de remorso difuso, em algo que, vindo não sei de que lugar, me acusava de não sentir com a devida dor o destino da minha pátria. Discutia comigo próprio, respondia (às vezes com sofismas) às minhas próprias objecções. Não é que começasse a inclinar-me para alguma das facções, mas sentia a contenda como tragédia e como disparate. Perguntava a mim próprio que razões históricas havia para que nós os espanhóis não soubéssemos dirimir as nossas diferenças a não ser matando-nos uns aos outros e destruindo o país. Essa mesma pergunta faziam-na, tanto em França como em Inglaterra, alguns comentadores desapaixonados, e as respostas que ofereciam fundamentavam-se certamente num conhecimento da História de Espanha superior ao meu. Ao menos davam respostas; eu ficava-me pela perplexidade, pela estupefacção, e quando, na rua, tropeçava numa manifestação popular pedindo aviões e canhões para a República, um sentimento desconhecido constrangia-me o coração. Disse que não pendia para nenhum dos lados em contenda, e devo acrescentar que a imediata participação dos italianos e dos alemães no conflito pesava muito no meu estado de espírito. Não só considerava os nazis responsáveis pela minha solidão sentimental, como estava suficientemente informado acerca dos seus métodos repressivos para não sentir para com eles uma hostilidade irreversível. Será possível, perguntava a mim próprio, que alguma vez em Espanha se chegue a usar esses métodos? Ao partilhar com Magalhães as minhas angústias, este tentava convencer-me de que toda a notícia referente aos campos de concentração e à perseguição dos Judeus era pura propaganda comunista. Mas eu sabia que não. Encontrava-me, pois, na pior das indecisões. Aquele foi um Verão espantoso. Com sol ou com chuva, eu andava por Paris obcecado e, ao mesmo tempo, alerta a qualquer notícia nova, comparador de todas as edições dos jornais vespertinos, leitor ávido de todas as suas verdades e de todas as suas mentiras. Nos escassos momentos de lucidez e de frieza de espírito, propunha-me adoptar a minha habitual postura de contemplador da realidade; mas a descrição de qualquer barbaridade cometida por uma ou outra facção devolver-me-ia à inquietude, à obsessão, à angústia. O senhor Magalhães chegou a ter pena de mim.

— E eu que o tinha a si por um não-te-rales!

Não o disse assim, exactamente, mas é a melhor tradução que posso dar do que ele disse.

Foi pelos dias em que as tropas sublevadas tinham chegado a Toledo. Nos jornais falava-se de heroísmo e evocavam-se a propósito recordações históricas. Eu ficava chocado com a destruição do Alcázar, as torres destruídas, os arcos desmoronados. O senhor Magalhães, mais humano do que eu, insistia nos matizes épicos do acontecimento, se bem que na História de Portugal não encontrasse nada comparável, dado que o cerco de Viseu não lhe parecia suficientemente semelhante. O telefone tocou. Atendeu-o Magalhães, ouviu, e passou-mo.

— É a sua porteira.

Madame la concièrge comunicou-me com voz alterada que «ela tinha estado ali».

— Ela, quem?

— A do menino, senhor. Deixou um bilhete para si.

Pedi-lhe que mo lesse: Clelia rogava-me que comparecesse a um encontro, precisamente na escadaria da Madeleine, à uma em ponto da tarde.

— Diz também que o convida para comer.

Sendo coisa de mulheres, Magalhães autorizou-me a sair, com um sorriso aprovador.

— Faz bem. No estado em que está, o melhor que pode acontecer-lhe é um sarilho de saias. Isso sempre ajuda a esquecer ou, pelo menos, distrai.

Passei, no entanto, por minha casa para mudar de roupa, e cheguei à Madeleine um pouco antes da uma hora. Clelia ainda não tinha chegado ou, pelo menos, não a vi. Esperei por ela ao sol, vários minutos. Fumei dois cigarros e passeei de cabo a rabo pela escadaria: exactamente no penúltimo lanço, se se contar de baixo para cima, Clelia apareceu, à uma e dez. Havia uma certa aglomeração de tráfego, e ela chegou num carrito de dois lugares, cor de corinto, não o último modelo, mas de boa marca. Vestia um fato de Verão estampado e um chapelinho que não consigo descrever nem definir: uma dessas «coisas» simultaneamente apertadas e desapertadas, informes e ao mesmo tempo tremendamente formais, que só as mulheres de Paris são capazes de enfiar em cima do penteado. O de Clelia vinha desapertado; caía-lhe ousadamente até meio das costas, e à medida que se aproximava eu perguntava a mim próprio em virtude de que paradoxo estético aquele chapéu combinava tão bem com aqueles cabelos. Parou diante de mim.

— Não vai perguntar-me nada?

— Apenas o que me permitir.

As razões que teve para mudar de repente o tratamento ignoro-as:

— Lembraste-te de mim?

— Não é fácil esquecer-te.

Então aproximou-se de mim e deu-me um beijo.

— Acho-te abatido. É por causa da tua guerra?

— Talvez seja por causa da guerra.

— Que pena, não é?! As coisas de que não temos culpa intrometem-se na vida e estragam-na.

Pegou-me no braço.

— Vamos almoçar aqui perto. Estás muito bonito; agradeço-te. — Depois de uns segundos acrescentou: — Confesso-te que quando bisbilhotei no teu armário, naquela noite, gostei muito desse fato.

Como sempre, começava a acontecer algo imprevisível cuja iniciativa não me pertencia. Como sempre, deixei-me levar. Metemo-nos no carro, parado em frente da escadaria, e levou-me não sei a que lugar, não muito longe, creio que ao Chausée d'Antin, ou por ali. Um restaurante pequeno, mas elegante, onde as pessoas sussurravam. O *maître* chamou-lhe «Madame», e ela a ele, Pierre. Na altura de escolher os vinhos, pedi-lhe que fosse ela a fazê-lo; lembrei-me dos conselhos de Simão Pereira. Dissemos algumas bagatelas, adiando um e outro o que tínhamos de dizer e o que tínhamos de calar. Foi ela quem o fez.

— Desde que começou a tua guerra, ando preocupada contigo. Cheguei a temer que tivesses ido para Espanha e fico contente por ainda estares aqui. — E um pouco mais tarde: — Se tivesse seguido os meus impulsos, ter-te-ia procurado ao terceiro ou quarto dia da guerra. Mas tive a serenidade suficiente para compreender que, se o tivesse feito, já não nos separaríamos, e isto podia fazer-te mal. Agora já não importa: amanhã vou para os Estados Unidos. Só poderemos estar juntos umas horas. — E ainda um pouco mais à frente: — Sei acerca de mim própria que sou uma mulher perigosa. Ninguém me pode convencer de que o meu marido não se tenha suicidado por minha culpa, e isso basta. Alguma coisa se passa comigo, não sei o que é. Vou aos Estados Unidos à procura de cura. Se regressar satisfeita comigo própria, voltarei a procurar-te.

Falou implacavelmente do seu carácter instável, insuportável. E num aparte da conversa deixou cair que era judia; então olhou fixamente para mim, e lembrei-me de Ursula quando me disse que o era também em parte. A minha resposta foi parecida.

— Pouca gente haverá na Península Ibérica que não tenha algum sangue hebreu. Eu, para já, tenho.

Isto pareceu tranquilizá-la, e talvez lhe tivesse facilitado o que veio depois: que os seus pais eram ortodoxos praticantes e que ela, embora já não o fosse, mas sim absolutamente agnóstica, sentia um certo receio pelas maldições paternas.

— O meu pai amaldiçoou-me quando me casei com um cristão, e porventura terão sido as suas palavras terríveis as culpadas daquele fracasso.

Não acrescentou que também a horrorizaria fracassar comigo, mas deu-o a entender.

Falava de si própria fazendo rodeios como quem receia e deseja aproximar-se da revelação final.

— Tenho um emaranhado na cabeça — como quem diz que tem o cabelo embaraçado. — Às vezes não é uma confusão, mas um vazio, algo espantoso, porque é um vazio gelado.

Tinha o café à frente quando se decidiu a dizer:

— Na realidade, estou endemoninhada. Não creio em Deus, mas no demónio, sim, porque o vi. Foi num entardecer, lá na minha aldeia, saiu da neblina, olhou pra mim, apoderou-se de mim. Desde então está cá dentro e domina-me. Eu luto contra ele, não penses que me deixo levar; mas quem ganha é ele. Às vezes oculta-se, fica em silêncio; se nessa altura me atrevo a olhar para o meu interior, descubro-o acaçapado, rindo. É um velho demónio muito nosso conhecido, dos judeus. Está na Bíblia, e de lá sai para nos atormentar, para nos dominar. — E como eu me limitasse a olhar, a ouvir, continuou: — Já sei que ninguém acredita no diabo, nem mesmo os padres católicos. Eu fui a um deles para que me exorcizasse, e rejeitou-o. Dizem que agora são os psicanalistas que tiram os demónios. Por isso vou a um deles.

Quando o almoço acabou o céu encobrira-se, e o ar estava cinzento.

— Queres dar um passeio pelo bosque?

— O de Bolonha?

— Oh, não, esse está muito visto! Vamos ao de Vincennes.

Eu não conhecia, e fiquei contente com o convite. Não demorámos muito tempo a chegar. Deixámos o carro num canto, e percorremos umas quantas veredas, até nos embrenharmos na parte mais cerrada. Clelia tinha-me pedido que não lhe perguntasse nada, mas ela não parava de perguntar, e mostrou-se muito hábil. A sua obsessão era Ursula, e até me arrancou aquela parte da história que quase tocava a pura intimidade e mesmo desta tentou saber alguma coisa. Perguntou com tal destreza, sabia de tal maneira meter-se nos vazios que as respostas deixavam, que eu sentia como Ursula se ia despegando de mim, suavemente, até ficar numa recordação longínqua, recordação de uma recordação. O presente e a vida eram Clelia e aquela tarde de Outono prematuro em que as folhas amarelas das árvores e os seixos das veredas pareciam sussurrar o mesmo convite. Também me falou outra vez dela, de uma infância difícil numa aldeia polaca, da emigração dos seus pais para Paris, da sorte que tinham tido até enriquecerem e poderem dar-lhe uma boa educação. Tinha estudado num liceu e na universidade, especializara-se em matemática, tinha trabalhado com mestres distintos cujos nomes eu desconhecia e já esqueci.

— Foi o meu carácter que me afastou dos estudos. Não sei o que há dentro de mim que permite coexistir o mais racional com o puramente irracional, quase com a loucura, uma loucura lúcida, no entanto. Quando me fartava da matemática, fechava o livro ou afastava o caderno, e elocubrava sobre o amor e o sexo, porque eram a coisa mais fácil de que ouvia falar; mas eu procurava algo mais, nunca soube o quê, não o sei ainda. Mas afundei-me em verdadeiros abismos, abismos desconhecidos, dos quais não sei como saí. Também era, e continua a ser, como se me dividisse em duas, e pudesse passar de uma para a outra como se muda de casa. Encontrei um homem, casei-me sem pensar, não fomos felizes (já to disse, por minha culpa), mas não estou arrependida. Agora já sei que tenho de pôr em ordem a outra casa, a desarrumada, essa em que habita o diabo; depois de o fazer serei uma mulher como qualquer outra e poderei esperar *le bonheur*.

Aconteceu também que fizera investigações acerca de mim e que tinha averiguado bastantes coisas, embora não as suficientes.

— Agora, depois do que me contaste de Ursula, sei pelo menos que és capaz de amar.

Todo aquele palavreado decorreu como um mero jogo. Saltava dos temas importantes para os triviais, e interessava-se, por exemplo, pelas minhas preferências literárias ou pela minha opinião sobre a moda daquele ano. Em dado momento tirou o chapéu e deixou que o vento lhe soltasse os cabelos; chegaram a enredar-se num arbusto, deu uns gritos, mais fictícios do que reais, talvez mera coqueteria. Também lhe caiu à água o chapelito, e deixou que a água lho levasse.

— Que pena; tinha-o prometido à minha criada. Que vai dizer quando souber?

À medida que a tarde caía, o bosque ensombrecia, uma sombra que não vinha de fora, mas que parecia surgir do próprio bosque, emanada das copas das árvores. Perguntou-me se não me causava medo, e sem esperar a minha resposta agarrou-se a mim.

— Não creio em Deus — disse-me —, mas nos bosques, mesmo nos mais civilizados, como este, existe algo de mistério, algo que nos intimida e não conseguimos explicar. Não sentes agora mesmo?

Era verdade que uma aura subtil, ainda que fosse apenas de penumbra, nos ia envolvendo, nos penetrava; mais ainda, nos aproximava.

— Embora não acredite em Deus — continuou ela —, é indubitável que existe uma força superior ao indivíduo, isto que nos invade agora, o que nos aproxima cada vez mais, e expulsa o demónio de mim, se bem que regresse depois. E eu não conheço mais do que uma maneira de entrar mais profundamente no desconhecido, de participar no que nos rodeia. Amar é perder-se noutro e perder-se no todo. Mas civilizámos isto demasiado. Não é a mesma coisa amar no quarto de um andar de Paris que aqui, na relva. A civilização isola-nos, incomunica-nos; gostaria de fazer amor contigo numa praia, debaixo de chuva, envolvidos pelo furacão. A relva permite derramarmo-nos, sair de nós, perdermo-nos nisso que sentimos cada vez com mais força. Eu pelo menos. E tu?

Depois também me disse:

— É possível que chova, podemos escolher entre a relva e o automóvel. Eu prefiro a relva.

Conseguiu o que queria. Só começou a chover, e não muito, quando regressávamos. Anoitecera. Chegámo-nos a perder, mas não nos apercebemos.

VII

MADAME CLAUDINE CENSUROU-ME de nenhuma rapariga me durar mais de um dia, ou no máximo dois, e deitou as culpas à minha preferência por mulheres de uma certa classe, como o eram evidentemente Ursula e Clelia. Desta chegou a dizer-me como é que uma mulher que usava um cha-pelito como o que ela trouxera da última vez podia ser duradoura, porque esse género de mulheres muda de homem como quem muda de chapéu.

— O que tem de arranjar é uma rapariga vulgar, como tantas que há à espera de um amor, e não de complicações. Há raparigas excelentes em Paris para um homem como o senhor, como esposas ou como amantes. Vá por mim.

Não teria entendido as minhas razões, não que a minha porteira não fosse esperta, mas porque me veria em grande apuros para explicar. Recebi um postal de Clelia do porto inglês até onde fora para embarcar, e vários dias depois, um cabograma de chegada vindo de Nova Iorque. Ambos diziam o mesmo: «Estou bem. Não me esqueças.» Como podia esquecê-la? Nunca mulher alguma me fize-ra dar mais voltas à cabeça numa tentativa de a entender, até ao ponto de as notí-cias de guerra ficarem longe da minha preocupação constante. O senhor Maga-lhães deu por isso.

— Está apaixonado?

— Mais a desapaixonar-me, embora com dificuldade.

— A mordedura de um cão trata-se com o pêlo do mesmo cão, amigo. Procure uma rapariga qualquer.

Creio ter dito que Clelia não era misteriosa, mas sim incompreensível. Tentava entendê-la com os poucos dados que tinha dela, dados inseguros, carregados de conjecturas e de suposições, porque, da mesma forma como me tinha mentido no primeiro dia, podia ter-me mentido desta vez, podia ter representado um papel, ou simplesmente podia ter-se divertido à minha custa, embora o meu orgulho e a recordação de certas ternuras que houve no bosque me fizessem rejeitar a hipó-tese. Não tinha deixado de pensar nela, quando recebi uma longa carta, escrita em Nova Iorque nas horas imediatamente anteriores, segundo ela, à sua entrada no sanatório. Era uma longa carta cuja essência podia resumir-se na recordação da acalmia, da paz interior que as horas passadas comigo lhe tinham causado, e reforçava a afirmação acrescentando que eu «tinha agrilhoado o seu demónio», embora a minha ausência em breve lhe permitisse, suponho que ao demónio, desfazer-se das grilhetas e ficar outra vez dono da sua alma. Também se interro-gava se, querendo fugir do Inferno, não teria caído nele, pois a impressão que ti-vera do sanatório, durante a visita preliminar, era a de uma prisão perfeita e fria. No entanto, ela escolhera-o; agora aceitava as consequências. Dedicava umas li-nhas a revelar-me a Nova Iorque onde passeara nas últimas horas da sua liberda-de. «Gostaria de ir de braço dado contigo e contemplarmos juntos o que vi. Não deixa de ser fascinante, mas não penso que seja uma cidade feita para o amor: aqui, os que se amam têm de criar tudo menos a cama, que essa não te a negam. As pessoas têm muita pressa, e o amor requer calma e, sobretudo, silêncio, esse que nos acolheu no bosque naquela tarde que nunca esquecerei. No inferno em que vou entrar sei que existe, mas de outra espécie. Adivinha-se que algo que está nas paredes não deixa passar os ruídos, mas recordamos os que ficam lá fora, e continuamos a ouvi-los. Não sei como será a tua Lisboa; de qualquer forma nunca lá irei se não for para me encontrar contigo.» Não voltaria a escrever-me porque, no sanatório, era proibido. «Também não saberei como vai a tua guerra, mas manter-me-á a esperança se me prometeres que não vais para lá. Fá-lo em voz alta, e eu ouvirei, por muita terra e muito mar que nos separem. Não vais para lá. Estão todos loucos no mundo, ninguém tem razão; para viver é preciso escondermo-nos.» Despedia-se: «Espero no meu coração que nos voltaremos a ver.» O *post scriptum* vinha em francês: «*C'est possible que je soie enceinte. Je ne le sais pas encore. N'est ce pas merveilleux?*» Assim, secamente, sem mais precisões, sem me tornar responsável, sem aludir sequer à tarde de Vincennes. Aquelas poucas palavras deixaram-me de repente frio e com um sentimento novo, embora de temor. Consegui dominar-me e atribuí-lo ao capricho, à imaginação, ao desejo — que sei eu! — de Clelia. A realidade indiscutível era que a História me tinha arrebatado uma mulher que eu amava e, agora a loucura levava consigo uma que poderia ter amado. Clelia deixara-me um retrato diminuto, uma foto burocrática arrancada da sua carta de condução. Coloquei-a num canto muito visível do retrato de Ursula. E não creio ter traído com isto nem Ursula nem Clelia; se de certo modo se pareciam, ou nelas coincidiam alguns caracteres, inclusivamente físicos, no meu espírito continuava a ser uma só e única mulher. Explicá-lo é difícil, pelo menos para mim. Não sou desses que procuram «a mulher», menos ainda «a mulher ideal», mas é inevitável que as figuras, quando se afastam, se confundam.

«A minha guerra», como Clelia lhe chamava, ia-se esclarecendo e complicando ao mesmo tempo. Tinha ultrapassado, tempos atrás, a condição de levantamento; a meia Espanha rebelde convertia-se, por etapas, em Estado. Pelas notícias que nos chegavam, eles também tinham desencantado uma ideologia, de certo modo improvisada e de segunda mão; uma ideologia ambígua, embora geralmente lhe chamassem facção fascista. Tanto a Alemanha como a Itália ajudavam os rebeldes, os quais ofereciam ao mundo, para maior complicação, a realidade das duas Espanhas, ou mais exactamente, as duas Espanhas de sempre tornadas realidade visível e combativa. Se a princípio as cabeças da rebelião eram duvidosas, havia meses que o general Franco as capitaneava e as simbolizava. O seu retrato costumava aparecer acompanhado de bispos e generais, e, se sozinho, de maus adjectivos. Poucos eram os comentários que mantinham uma atitude objectiva e séria, e quanto aos correspondentes de guerra, prestavam mais atenção aos pormenores pitorescos ou dramáticos do que à contenda. Para desespero de Magalhães, as simpatias populares eram para com os republicanos, espontâneas ou provocadas. Nunca, nem durante a guerra universal que se seguiu, cheguei a presenciar tão grande acumulação de propaganda. Nem sequer nos momentos mais perigosos da política de Hitler clamaram tanto os jornais, clamaram tanto as pessoas. Houve até um momento em que compreendi que o problema do meu país tinha excedido as fronteiras, era um problema do mundo, mas não exactamente o dilema que, em anos anteriores, se nos tinha posto: ou Roma ou Moscovo, por muito que o senhor Magalhães continuasse a acreditar nisso. Viam-se frequentemente no cinema cenas de combate: perante elas não conseguia manter a minha desejada frieza; ter-me-ia envergonhado de mim próprio se não me sentisse arrepiado quando saltavam no ar os corpos sem culpa dos soldados ao rebentar uma granada. Tanbém abundavam as fotografias horríveis, os mortos abandonados nas valetas, as cidades destruídas. Creio que se algum entusiasmo político, alguma espécie de fé, me tivesse levado a lutar por um ou outro lado, o fogo da participação, a embriaguez do perigo, ter-me-iam impedido de sentir como sentia todos aqueles horrores. Mas estragava a espontaneidade do meu coração ao perguntar a mim próprio se agia como um mero sentimental, ou se as minhas repulsas nasciam de uma consciência moral adquirida sem querer, sem me aperceber. Mesmo hoje não conseguiria dizê-lo com clareza, mas inclino-me para a solução da mistura.

Começava a sentir-me incomodado em Paris. Não faltava entre as poucas pessoas que conhecia quem me perguntasse com insistência se não pensava regressar a Espanha para defender a liberdade; outros, menos conhecidos, davam por certo que eu era um fugitivo do lado azul, em trânsito para a zona vermelha. Eu não simpatizava com os franceses partidários de Franco, embora reconhecesse a excelente prosa de Maurras e o seu engenho acutilante. Madame Claudine não me fazia dessas perguntas, mas de outro teor:

— Não está preocupado com a guerra do seu país? Não tem lá família? Recebe notícias? — E também: — Não estarão preocupados por não saberem nada de si?

Não sei o que teria pensado de mim se chegasse a conhecer a realidade profunda dos meus sentimentos. *Madame* Claudine era uma boa patriota francesa, uma patriota sem contradições, como deve ser, e não entendia que alguém pudesse ter dúvidas acerca da própria pátria; mas a França não estava em guerra civil. Os franceses resolviam as suas diferenças de modo bastante menos ruidoso, e, é claro, menos trágico. São cartesianos até esse ponto! Houve momentos em que pensei que a guerra espanhola lhes servia de vacina, e digo isso como elogio. Ficava tão perto do mau exemplo! No entanto, tempos depois também passaram por uma experiência semelhante. Então, e relativamente à França, eu também podia ver os touros da barreira, embora não muito seguro de que o touro não a saltasse. Mas isto é adiantar-se nas considerações.

Comecei a preparar o meu regresso com uma carta a Simão Pereira: uma carta bastante sincera na qual eu perguntava francamente se achava Lisboa um bom lugar para mim. Não levou muito tempo a responder; garantia que tinha pensado várias vezes na minha situação, e que, é claro, não me aconselhava o regresso a Espanha, onde inevitavelmente a guerra me apanharia de uma forma ou de outra, mas sempre com perigo. «Mas não creia que a situação em Lisboa lhe seja fácil. A atitude oficial é favorável ao general Franco, a cuja facção pertence o embaixador. No entanto, em Lisboa há gente de ambas as partes, e de certo modo é também um campo de batalha, ainda que de palavras e de intrigas. Aqui teria de se definir, mesmo que só na aparência, salvo no caso, nada difícil de preferir tornar-se cidadão português; mas é também uma forma de se comprometer. Quando o mundo anda tão dividido como agora, se não se pende para um lado, pende-se inevitavelmente para o outro. Embora sempre nos reste o recurso à hipocrisia e à dissimulação, para o qual se precisa de algum talento. O que me leva a supor que o senhor o tem? Se não me engano, se o senhor está seguro de si mesmo, então aconselho-o a vir. Nós faremos por si o que for necessário.» Nós? Ele e o pai? O banco onde tinha o meu dinheiro? Ao ler aquela carta renasceu em mim a velha sensação de me sentir protegido como uma criança a quem se deixou sair para o mundo com as devidas precauções, uma criança sem a experiência indispensável para saber o que quer e procurar por sua conta. Só perante mim mesmo, naquela breve sala onde tinham estado Ursula e Clelia, mas onde também passara longas horas de solidão, onde tinha estudado porque não tinha outra coisa que fazer, nada me ocorria; naquela sala, digo, encontrei-me aos vinte e seis anos bem entrados sem uma única aspiração, sem um desejo concreto que não fosse ir vivendo, não digo que a trancas e barrancas porque tinha a vida assegurada, mas sim bastante ao acaso do que pudesse aparecer ao dobrar uma esquina. O meu desejo repentino de me ir embora de Paris podia justificar-se (ninguém pedia uma justificação, nem mesmo o senhor Pereira, júnior) pelas pequenas incomodidades que a minha condição de espanhol me causavam e às quais já me referi; mas também é certo que podia evitá-las sem necessidade de sair de Paris, que é suficientemente grande para se passar inadvertido se se desejar. Ou havia uma razão profunda e desconhecida, ou tratava-se unicamente de uma mudança de direcção do vento. Respondi ao senhor Pereira dizendo-lhe que o avisaria da minha partida, e uma manhã disse a Magalhães, como quem não dá importância, que começava a ficar cansado de Paris.

— Mas para onde é que o senhor pode ir que esteja melhor do que aqui? Para já, aqui ninguém o chama para o serviço militar. E, no fim de contas, Paris é Paris.

Poucos dias depois comuniquei-lhe a minha decisão definitiva: partiria no mês seguinte. Ficou triste com a notícia, tenho de ser sincero; e começou a dar-me conselhos políticos:

— O senhor não se meta nisto, o senhor não se meta naquilo, olhe que da vida eu sei bastante mais do que o senhor.

Mas o facto de a minha partida ser para Lisboa deu-lhe alguma satisfação.

— E sei que a sua escrita é apreciada por lá, e que Ademar de Alemcastre tem leitores. O senhor poderia aproveitar isso.

Aquilo não me tinha ocorrido; menos ainda recuperar, a sério, o Alemcastre. Ursula e Clelia tinham-me amado como Filomeno.

Contudo, antes de partir de Paris faltava-me ainda passar pela última emoção. Certa manhã recebi a chamada de uma mulher de sotaque estrangeiro que precisava de me ver e que me marcou um encontro precisamente no Café Procope.

— Sou muito alta, de aspecto alemão. Levarei uma boina escura. Quer dar-me algum sinal seu?

O meu chapéu verde, o meu sobretudo, um guarda-chuva de pega curva. Magalhães perguntou-me se era a última aventura. Respondi-lhe que ignorava quem era aquela mulher.

Fui ao Café Procope. Foi fácil reconhecer aquela Valquíria, um pouco taciturna, mais alta do que eu, de cabelo muito loiro e escorrido. Não muito nova, mas ainda de boa aparência. Alguns modos masculinos ocultavam uma feminilidade meiga e em retirada que aparecia por vezes nos seus olhos. Estendeu-me a mão quando me identifiquei.

— Chamo-me Deborah.

Pediu-me que me sentasse ao seu lado e não em frente, porque não queria falar em voz alta.

— Sou amiga de Ursula. Mais do que amiga, camarada. Entende-me, não é verdade?

Olhava muito em volta, examinava os que entravam e os que estavam sentados.

— Espera mais alguém? Procura alguém?

— Desconfio — respondeu-me.

Mas levou tempo a ir directa ao assunto. Falámos primeiro da guerra de Espanha: ela estivera em Barcelona, não estava muito optimista acerca da vitória dos republicanos.

— Vocês os espanhóis são incapazes de disciplina. Lá, cada um é o seu próprio partido e crê que a guerra é coisa sua, e pensam que se ganha com valor; eles dizem-no de outra maneira, enquanto o inimigo procura canhões e aviões e obedece a um só comando. Ouvi dizer que no campo rebelde acontece qualquer coisa parecida, mas que esse general que eles têm actua com mão firme e meteu-os a todos na linha. Do meu ponto de vista, não é uma boa notícia. Fora isso, os Espanhóis são gente estupenda, mas jamais serão bons comunistas. Espanhol é o anarquismo, mas a hora do anarquismo ainda não chegou.

— Acaba de chegar de Barcelona? Vem de Espanha?

Olhou para mim e ficou um momento em silêncio.

— Venho da Checoslováquia.

— Traz-me notícias de Ursula? Morreu?

— Não. Ainda não. Pelo menos há três dias estava viva, em Praga.

Abriu a mala e tirou um embrulhinho.

— Deu-me isto para si. Não quero entregar-lho muito à vista das pessoas, porque pode haver alguém a vigiar-me; de certeza que há, e dar-lhe um embrulho seria comprometê-lo. Vou deixá-lo em cima do banco para que você, dissimuladamente, o apanhe. É um relógio.

Não lhe fiz nenhuma pergunta. De repente fiquei triste. Comecei a comer em silêncio, e ela também. Bebeu bastante vinho, mas não parecia fazer-lhe efeito; pelo menos, não lhe modificava o olhar. De repente começou a falar, como num sussurro, quase ao meu ouvido.

— Surgiu, sem ser esperada, uma missão perigosa e importante. Ursula ofereceu-se. Havia que entrar na Alemanha, recolher alguém, sair. Se o risco fosse só de morte, não tinha importância; estamos acostumados a senti-la a pairar dia após dia. Mas há uma coisa pior: os riscos de ser metido num campo de concentração. Então, Ursula deu-me o relógio e pediu-me que lho trouxesse, com o seu último beijo. — Repetiu: — Disse-o assim, o seu último beijo.

A mão grande e forte de Deborah apertou a minha.

— Quando pensar em Ursula, pense com orgulho. É tudo quanto tinha para lhe dizer.

Tínhamos acabado a sobremesa; pediu um conhaque com café.

— Eu também posso cair em qualquer momento. Estou muito vigiada. Nunca sei se chegarei a amanhã, e hoje precisamente tenho o pressentimento de que estou a viver o meu último dia. Vi de longe alguém muito perigoso, um judeu traidor ao seu sangue que actua como espião, como delactor, como assassino. Vi-o e sei que me viu. Não está aqui, é demasiado prudente, mas alguém entre os presentes ocupa o seu lugar. Quando o deixar, irei a casa de um amigo, com quem passarei a tarde e talvez a noite. Tenho necessidade de o fazer: não é que mo peça o corpo, pede-mo este momento da minha vida. Quando sair da casa dele, quem sabe se esse ou outro no seu lugar me matará? Imagino-o com a maior frieza, e até possivelmente com alegria íntima. Estou cansada.

Saímos do restaurante separados. Eu apertava no bolso das calças a encomenda de Ursula e sentia-me triste. Em tais estados de depressão preferia deambular a encerrar-me na minha casa. Caminhei muito, e quando dei por mim encontrava-me nos Campos Elíseos, muito perto da embaixada espanhola. Lembrei-me de me aproximar. Fazia tempo que conhecia, e era quase amigo, de um funcionário que não pertencia à carreira: um sujeito simpático, interessado pela literatura e pela música, mas profissionalmente muito discreto, tanto que até nunca me dera uma notícia que não tivesse saído já nos jornais. Não me lembrei de perguntar a mim próprio quais as razões que me levaram até ele, quem sabe se unicamente o desejo de me despedir. Na embaixada havia a confusão habitual; mas o meu amigo, que se chamava Carlos, mantinha-se num canto do escritório, indiferente à azáfama das pessoas, às vozes, às conversas ou discussões em duas ou três línguas. Estendeu-me a mão e disse-me que me sentasse e esperasse. Por muito que falassem e gritassem não consegui captar nada. Num momento especialmente ruidoso, Carlos disse-me:

— Aceita um convite para jantar? Está aqui alguém que vai gostar de conhecer e de ouvir.

Passou-me um monte de jornais republicanos para que me entretivesse. Cada jornal era um conjunto de gritos tipográficos, alguns patéticos e belos. Auguravam a vitória, mas percebia-se o oculto temor da derrota. Pareciam ser escritos por grupos de exasperados carregados de razão a quem a História lha tira. Estive muito tempo a lê-los, foi a minha primeira experiência relativamente directa do que era a Espanha republicana, e penso tê-lo percebido com bastante clareza. Teria continuado horas e horas mergulhado naquela leitura. Carlos tirou-me dela.

— Olha, quero apresentar-te o comandante Alzaga, que jantará connosco.

O comandante Alzaga estava à civil, e, mais que um militar parecia um intelectual. Até tinha óculos bastante grossos de míope. Saímos juntos. Carlos escolheu o restaurante e os vinhos. Não tinha deixado de falar de trivialidades mais ou menos corriqueiras, coisa não habitual nele. Sempre ponderado e discreto, dava a impressão de que com aquela tagarelice consumia o tempo vazio até à chegada das palavras certas. Só depois de acabar a sopa é que o comandante me perguntou:

— E o senhor, que faz aqui?

— Espero — respondi-lhe.

— Que a guerra acabe?

— Não penso aguentar tanto.

— O senhor é um fugitivo da zona rebelde? O senhor está do nosso lado?

— Confesso-lhe, comandante, que estou perplexo. Nunca tive uma ideologia política muito clara, para não dizer nenhuma, que é o mais certo.

Carlos interveio:

— O senhor Freijomil vem ver-me com frequência, mas não creio que faça o mesmo com alguém do outro lado.

— A verdade — acrescentei — é que não os conheço. Salvo o meu chefe, que é decididamente franquista, mas não é espanhol.

— O seu chefe?

— Trabalho para um jornal de Lisboa.

O comandante Alzaga sorriu:

— Por aquelas bandas, pelo Tejo, não estamos muito bem vistos.

— Já sei.

Esta conversa foi interrompida pela chegada da criada. Era uma rapariga bonita e desembaraçada que servia o comandante e que nos ignorava, a Carlos e a mim.

— O senhor agradou à rapariga — comentou Carlos.

Alzaga acolheu isto sem muito entusiasmo. A verdade é que a situação não dava para falar de raparigas.

— Pela primeira vez — disse eu — consegui ler os jornais republicanos. Estava a fazê-lo quando o senhor chegou, comandante.

— Que lhe parecem?

Fui sincero e ele respondeu-me também sinceramente:

— Não se engana. A convicção do triunfo durou muito pouco. Não duvido de que ainda haja gente do povo à espera dele, embora muitos confundam a esperança com o desejo. Mas nós temos mais dúvidas do que certezas.

— Vocês? Quem são vocês?

— Eu pertenço ao Estado Maior Central. Dentro do Exército, sou o que eles chamam um intelectual; quer dizer, um tipo incómodo tanto para um lado como para o outro. Os exércitos, como qualquer outra classe de instituição, regem-se por lugares-comuns, mais fortes que os estatutos e os regulamentos. E nós os intelectuais somos os encarregados de os destruir, de colocar a verdade no seu lugar, um ofício muito duro, um trabalho que ninguém agradece. No meu caso, lutei contra os lugares-comuns dos políticos que prejudicaram a guerra.

Perguntei-lhe, ingenuamente, se tinha abandonado os republicanos.

— Não. Nunca os abandonaremos, porque eu sou republicano e não posso deixar de o ser. Permanecerei em Espanha até ao fim, até que Franco me fuzile. Se agora estou em Paris, é porque faço parte de uma comissão secreta que tenta convencer os da Frente que chegou a hora da paz. Um esforço inútil. Franco não aceita condições, só aceita a rendição total, ou, pelo menos, é o que ele diz, ciente de que nós não nos vamos render, isto é, ciente de que a guerra vai continuar até nos esmagar. Mas ele necessita de nos esmagar não por razões estratégicas, nem políticas, nem sequer morais, mas sim pessoais. Conheço muito bem o general: trabalhei com ele.

— Mas as coisas estão assim tão mal? — perguntou Carlos.

— De momento não. Teoricamente, a guerra não está perdida, mas também não está ganha. Se as partes em confronto tivessem sido apenas republicanos e rebeldes, nós desenvencilhávamo-nos. O mal foi a internacionalização da guerra. Vem daí o desequilíbrio actual, mas também é possível que venha a ser maior, e, neste sentido, nada se pode prever, a não ser o risco de que a guerra de Espanha se converta em guerra de Europa. É isso o que alguns políticos, alguns militares queremos evitar; queremos evitar isso acima de tudo por Espanha, que vai sair maltratada desta guerra, mas que ficaria inteiramente destruída se a guerra se generalizasse. É o que tento fazer ver a essa gente com quem lido, alguns deles antigos colegas da Escola de Estado Maior. Eles compreendem-no, mas o seu general não.

— Mas a ele também não lhe convém uma guerra europeia.

— Naturalmente, e sabe-o. O general não é nada tonto, nem nada apaixonado. Mas tenta antecipar-se.

— De qualquer forma — disse eu —, está bastante comprometido. Ser-lhe-ia difícil manter-se neutral numa guerra europeia.

— Ser-lhe-ia impossível, mas só teoricamente. Na História, muitas coisas impossíveis chegaram a ser reais.

A conversa recaiu em mim. O comandante perguntou-me se alguma vez tinha pensado na América.

— Para pessoas como você, entre dois fogos, não é um mau lugar. Tem uma carreira, algo que lá lhe possa servir?

— Uns quantos diplomas da Sorbonne, cursos de Literatura e de História; quero dizer, nada.

— Pois eu não o aconselho a voltar a Espanha. Lá será apenas um soldado, destinado à morte, tanto num lado como no outro. E se conseguir esperar, e Franco triunfar, também não lhe será fácil viver lá. Você, para já, deve ser refractário.

— Fui declarado inapto para o serviço militar.

— Estas circunstâncias não se têm em conta quando são precisos homens nas trincheiras.

Tive a coragem de lhe perguntar:

— O senhor despreza-me, comandante, pela minha indecisão?

— Não. O meu entendimento da liberdade dos indivíduos vai até esse ponto. Se lá você pudesse ser algo mais que um soldado, recordar-lhe-ia as suas obrigações morais. Mas, de que nos pode servir? Mais um soldado, mais uma boca, mais uma morte. Ou no pior dos casos, mais um derrotado.

Aquele homem fino, inteligente, provavelmente valoroso, que se dispunha a morrer, se bem que o pudesse evitar, causava-me admiração e respeito. Carlos tinha-me falado de pessoas que vinham a Paris com missões mais ou menos imaginárias e que encontravam pretextos para não regressarem. Alguns, e citava-me nomes, tinham sido enviados para isso.

— Comandante — disse-lhe —, não há situação, por dramática que seja, que não admita um parêntese. Conheço bem Paris; podia levá-lo a um lugar qualquer divertido.

O comandante olhou para Carlos; este disse-lhe:

— Sim, homem, anima-te. Com umas taças de champanhe não atraiçoas a República.

Levei-os a um cabaré nada especial, com poucos turistas e não muito caro, onde, no fim do espectáculo, como em muitos outros, dançavam o *can-can*. Devo
confessar a minha fraqueza por aquela dança como por muitas outras coisas de
Paris que cabem dentro da palavra *canaille*, incluindo as casas decrépitas dos
bairros velhos. Um mundo que me interessara, que tinha descoberto a partir de
alguns pintores, e que tinha procurado e percorrido até me empanturrar dele.
Era um mundo em que o mal se mostrava em formas frívolas; um mundo que
ocultava miséria, vício, pecado, degeneração, desespero. Esse mundo existe em
todo o lado, em todas as grandes cidades, mas só Paris soube emprestar-lhe graça, quando não poesia. O comandante e eu falámos acerca dele, enquanto a
orquestra executava peças de Offenbach e as bailarinas mostravam o traseiro.
O comandante Alzaga podia ser compreensivo para com as posições políticas va-
cilantes, como a minha, mas a sua moral era rígida, à maneira espanhola mais
castiça. Não aprovou o espectáculo e fomo-nos embora.

— Seria muito pedir — disse ele no táxi que nos levava — que o mundo deixasse de se divertir enquanto morrem os nossos soldados? Nunca a solidariedade
de uns homens para com outros chegou a tanto. Compreendo-o, mas não consigo
presenciar.

Dois dias depois parti de França, num barco inglês que fazia a travessia da
Inglaterra à Argentina, com escala em Lisboa. Ia sem esperança e no meu coração pesavam as recordações.

Capítulo Quatro

Maria de Fátima

I

Tive uma longa conversa com o senhor Pereira, filho. Convidou-me para um restaurante de luxo, como era seu costume, ou gosto, não sei bem, e como estava há muito tempo fora de Portugal recomendou-me que comesse bacalhau, e não um qualquer, mas precisamente um que não figurava na ementa, mas que cozinhavam para os clientes selectos por pedido especial. Estava bom, mas confesso que o prazer não me desvaneceu, não sei se devido a uma relativa insensibilidade gastronómica ou ao meu hábito de comer qualquer coisa nas tascas e nos pequenos restaurantes do Quartier Latin. O mesmo aconteceu-me com o vinho, mas, perante os espaventos do senhor Pereira tive de fingir entusiasmo e até de beber mais do que o normal. Não sei se o vinho me soltou a língua: o facto foi que naquela conversa me mostrei menos tímido do que noutras, embora igualmente indeciso. O senhor Pereira, filho, via a minha situação com toda a clareza: por um lado, se regressasse a Espanha, corria o perigo de me chamarem para a tropa, apesar da minha suposta inaptidão para as armas; mas se permanecesse no estrangeiro, acabaria por ser declarado refractário, se não o tivesse sido já. Não era uma situação muito cómoda. O senhor Pereira ofereceu-me uma solução viável que, não sei por que razões (certamente foram sentimentais), me pareceu árdua desde o princípio.

— Por que é que não se torna cidadão português? Não lhe será difícil. Tem sangue nosso e bens no país; pela minha parte, não me faltam influências que permitiriam abreviar os trâmites. Como português, o senhor ficaria fora do alcance das leis espanholas, pelo menos assim o espero.

Pedi-lhe um prazo para pensar. Entretanto, calhava-me bem passar uns dias no paço minhoto, a propósito do qual o senhor Pereira também me deu conselhos:

— O senhor possui terras de pouca rendabilidade. Não vou dizer-lhe que as venda, mas sim que aproveite certas facilidades que o Estado Novo dá às empresas económicas. O Norte é boa terra para a criação de gado. Por que não monta um negócio de gado vacum? Multiplicaria o rendimento dos seus prados, e não lhe seria difícil pagar o crédito que o Governo outorga para estes fins. Pode fazê--lo sem mexer no capital, e, tanto neste caso como no outro, nós podemos interceder em seu favor. Aviso-o de antemão que não faz mal que o senhor não seja português, dado que as terras que pretende explorar o são. Se por um lado a mudança de nacionalidade é coisa para meditar, isto que acabo de lhe oferecer pode levá-lo à prática imediatamente e sem grandes compromissos. Nós, naturalmente, garantiríamos o crédito.

A oferta não me parecia má, e ali mesmo comecei a fantasiar e a ver-me convertido em criador de gado moderno, em director de uma exploração modelo, etc., etc...

— Também não lhe fazia mal casar-se — disse-me o senhor Pereira, fingindo não dar muita importância, ao mesmo tempo que o seu olhar tentava escrutinar a sinceridade da minha resposta.

— O senhor tem algum compromisso em Paris?

— Não, não. Nenhum compromisso.

Não era mentira, de certa maneira. De qualquer forma, Clelia estava em Nova Iorque e eu não tinha voltado a ter notícias dela, nem, no fundo do meu coração, as esperava. Seria que eu não as desejava? As razões profundas nunca se podem saber.

O negócio do crédito fez-me gastar alguns dias. Concederam-mo facilmente. Ao partir para o Norte, levava comigo papéis em que se me outorgava uma quantidade considerável de escudos e certas facilidades para a importação de gado estrangeiro: tudo condicionado à apresentação de um projecto, de uns planos, de uns orçamentos, coisas que nem eu entendia, mas que seriam um osso duro de roer para o meu professor. O senhor Pereira oferecera-se para me enviar toda a informação necessária, e fê-lo. A primeira coisa era a construção de estábulos modernos; depois, seria preciso planificar a produção e a comercialização do leite e da carne, e não sei quantas coisas mais. Embora me visse como capitão daquela empresa, não deixava de contar com conselhos e ajudas daqueles que sabiam da quinta mais do que eu. Tivemos uma longa conversa na própria noite da minha chegada, e ficou entusiasmado, mas em nenhum momento da conversa deu como assente que eu fosse colocar-me à frente da exploração. Nunca consegui imaginar quais eram, na realidade, os sentimentos do casal relativamente ao paço e à quinta. Sabia-os suficientemente inteligentes e informados para não se esquecerem de que o proprietário era eu, mas sentiam-se profundamente ligados àquelas pedras e àqueles campos para não me considerarem como uma espécie de intruso, embora com todos os direitos e com o afecto mútuo de permeio. Eu achava naturais aqueles sentimentos, nascidos de uma relação real e continuada com as pedras e com os campos, enquanto os meus, se bem analisados, não passavam de mera literatura. É claro que este conceito, para mim, não é pejorativo. Como poderia sê-lo, se presidia e dava tom a todas as minhas relações com a realidade, tanto com as pedras de Paris como com as mulheres? De qualquer forma, o facto de responder pelos créditos com o meu dinheiro, e não com a quinta, possivelmente fizera abalar, apenas um poucochinho, os sentimentos de propriedade daquele casal irrepreensível. Pela minha parte confesso que esta atitude do meu professor (seguramente compartilhada pela *miss*) me era cómoda. Enquanto fantasiava parecera-me tudo fácil e atractivo; mas ao ver-me em terra firme com a ameaça do empreendimento perante mim e como coisa minha, tive um certo receio pelo cansaço ou pela preguiça. Não o deixei transparecer. O meu professor ficou muito satisfeito quando lhe pedi que fosse pensando nos planos dos estábulos e noutras tarefas imediatas. O olhar alegrou-se-lhe. Combinámos que na manhã seguinte iríamos percorrer juntos os lugares e estudar a melhor utilização. Quando nos encontrámos, à hora do pequeno-almoço, já tinha calculado o número de trabalhadores necessários para cuidar da manada e outros pormenores pelos quais se via o seu entusiasmo. Mas naquela noite também tive uma conversa com a *miss*, se bem que não de negócios. Sussurrou-me que precisava de falar comigo a sós, e que iria ter comigo à minha salinha particular depois do jantar, à hora em que o marido percorria as instalações e organizava o trabalho para o dia seguinte. Aquela conversa permitiu-me descobrir que a *miss*, antes tão franca e tão directa, se tinha contagiado com os modos de falar cautelosos e um pouco sinuosos das gentes daquela região e dos seus vizinhos, os galegos. Começou por se congratular pelo meu regresso, assegurou-me que, durante a minha ausência, e apesar de eu enviar frequentes notícias ao casal, tinha passado muitas noites em branco pensando em mim e nos perigos que a minha juventude corria em Paris. Depois perguntou-me se pensava casar, e até se alargou em certas considerações e conselhos acerca de como está mal um homem só quando já fez vinte e sete anos e não há causa nem razão que o impeça de casar. Julguei eu que era este o fim da sua conversa e que acabaria por me recomendar uma vizinha rica, mas aconteceu justamente o contrário. Contou-me que uma quinta próxima, limítrofe com a minha, embora moderna, uma quinta, por outro lado, onde tinha vivido gente importante e acontecido histórias de recordação sinistra, ou, pelo menos melodramática, fora comprada por uma família riquíssima, um antigo emigrante do Brasil, agora de volta, ali estabelecido com a mulher e a filha. A filha foi imediatamente o tema da *miss;* rapidamente me apercebi também do seu receio: chamava-se Maria de Fátima, era mais nova do que eu, tinha sido educada na Suíça, andava sempre de automóvel ou a cavalo, fumava, e, segundo as criadas da sua casa, amigas das minhas, cantava e dançava cantigas e danças da sua terra, tomava banho nua na piscina e trazia as pessoas alvoroçadas. Mas o pior não era isso, era Maria de Fátima ter aparecido uma manhã à porta do paço, montada no seu cavalo e, sem desmontar, ter pedido para ver o proprietário. Acorreu a *miss.* «O dono da casa está em Paris. Nós, o meu marido e eu, representamo-lo.» Pretendia Maria de Fátima que lhe mostrassem o paço, de cujas maravilhas tinha ouvido falar. A *miss* disse-lhe que viesse tomar café, e que nessa altura seria mais fácil mostrar-lhe o que ela queria. Maria de Fátima voltou naquela tarde, desta vez no seu automóvel.

— Um *Rolls* só para ela, meu filho, vê lá bem!

Trazia bombons para a *miss* e Porto velho para o meu professor. Falou do Brasil e das suas belezas, onde possuía terras como províncias, e um palacete no Rio de Janeiro. Mas quando percorreram a casa, manteve-se muda e admirada. Agradeceu à *miss* e ao meu professor, e despediu-se; mas voltou no dia seguinte, e quase todos os dias, num com um pretexto, no outro dia com outro. Num deles disse: «Gostaria de comprar este paço»; e noutro: «Quero comprar este paço», e chegou a dizer: «Daria tudo o que tenho para ser dona deste paço.» «O meu querido Ademar, é lindo, e importante, mas não a ponto de alguém dar o que tem para o possuir.» E depois Maria de Fátima deixou de falar em comprar, e as suas perguntas recaíram em mim, que idade eu tinha, se era solteiro, se era bonito.

— Meu querido Ademar, essa mulher está disposta a casar-se contigo, desde que seja a dona disto, e eu não acho que seja mulher apropriada para ti.

A razão da conversa, previamente combinada com o meu professor, disso estou seguro, era prevenir-me contra as seduções de Maria de Fátima, que, na verdade, começaram logo no dia seguinte. Encontrávamo-nos, o professor e eu, longe da casa, vendo isto e aquilo, e a imaginar acerca da futura vacaria, quando vimos aparecer uma amazona que vinha em direcção a nós.

— É Maria de Fátima — disse ele. — A minha mulher já te falou dela, não é verdade?

Maria de Fátima vinha num lindo cavalo que montava escarranchada, e não como tinha visto fazer à minha avó, de lado. Antes de falarmos ficámos a olhar um para o outro. Para começar, era a mulher mais bonita que tinha visto na minha vida, de uma beleza não só superior à de Ursula e à de Clelia, como diferente; uma beleza que tinha por trás de si toda a selva brasileira, sensual, provocante, avassaladora. Quando se apeou e se aproximou de mim, todas as cadências do mundo se concentravam no vaivém das suas ancas. O meu professor não olhava para ela, mas para mim, como que espiando o efeito daquela aparição. Trazia um chapeuzinho de formato masculino; tirou-o antes de me estender a mão, e caiu sobre os seus ombros uma cabeleira negra, comprida, profunda, uma cabeleira como um abismo.

— Olá. Sou Maria de Fátima, a tua vizinha.

— Olá. Sou Filomeno.

Ficou um pouco surpreendida.

— Filomeno? Não te chamas Ademar?

— Depende. Umas vezes, Ademar; outras, Filomeno. Podes escolher.

Não tinha desprendido a minha mão, mas olhava para o meu professor, olhava como que ordenando-lhe que se retirasse. E ele obedeceu-lhe, porque a sua idade ainda lhe permitia sentir os efeitos das ancas de Maria de Fátima.

— Também vieste a cavalo?

— Não. Viemos a pé. A casa fica perto.

Pegou nas rédeas do dela.

— Vamos até lá. Visto que somos vizinhos, quero que sejamos amigos.

Não me pediu de repente que lhe vendesse o paço; limitou-se a contar-me parte do que eu já sabia. E enquanto o fazia, mais ou menos a meio do caminho, pegou-me no braço.

— Soube esta manhã que tinhas chegado. E venho oferecer-te a nossa boa vizinhança e convidar-te para comeres connosco.

Falava o português musical e claro do Brasil, falava como se cantasse, com uma voz grave e engraçada, como um ritmo de maracas. Era morena e não vinha pintada; até as unhas trazia ao natural, embora limpas e bem cuidadas, não redondas, mas em bico, como umas garras. Enquanto ela falava, enquanto eu a ouvia, agradecia no meu coração à *miss* o ter-me prevenido contra ela, embora não tivesse pormenorizado os encantos de que devia defender-me. O mais perigoso de Maria de Fátima não eram, porém, os seus atractivos, mas aquele ar de comando de quem está acostumado a que toda a gente lhe faça a vontade. Pressenti que me encontrava ao lado de um furacão, e pensei que a minha única defesa estava na minha condição de junco flexível. Mas às vezes o furacão também arranca os juncos pela raiz, os que não querem submeter-se ao seu império.

Quando eu disse à *miss* que Maria de Fátima me tinha convidado para comer, vi tremular nos seus olhos o receio. Tentei tranquilizá-la com um olhar, mas não sei se chegou a compreendê-lo ou se, mesmo tendo-o entendido, considerou insuficiente a segurança que com ele lhe tinha enviado. A *miss* não era religiosa, mas talvez naquela ocasião se tenha dirigido a um deus ignoto pedindo-lhe protecção para mim.

Tinha deixado Maria de Fátima sozinha no vestíbulo com o pretexto de não estar vestido com a decência necessária. Enquanto eu me mudava, ela esperou, não sei se bisbilhotando ou entretendo a paciência andando de cá para lá, com chicotadas mais ou menos violentas nas botas de montar. Quando desci, encontrei-a postada sob o arco da porta, as pernas um pouco abertas, olhando para a relva e para o jardim.

— Ainda é cedo. Por que não me mostras a tua casa?

E por que não? Peguei-lhe pelo braço e levei-a de salão em salão, pelas partes mais visíveis, pelas mais compostas, embora poupando-a, pelo menos naquele dia, às voltas e reviravoltas, passadiços, câmaras e escadinhas que tinham encantado a minha infância, que me tinham dado uma sabedoria do mistério da qual depois pouco uso fiz. Não fez comentários até chegar à biblioteca. A atmosfera do seu interior estava cinzenta, como aquela manhã, e a penumbra escurecia as estantes.

— Isto é bonito — disse ela. — Que grande salão de baile aqui se podia fazer.

— Mas — disse-lhe eu — é uma biblioteca.

— E tu, para que queres tantos livros?

Desatei a rir.

— Não sabes que sou uma espécie de escritor, ou, pelo menos, aspirante a sê-lo?

— Não. Não sabia nem podia supor. Só se dedicam a isso as pessoas esquisitas e, é claro, pobres. Tu não o és.

— Sabemos lá o que somos!

Virou-se para mim e olhou-me fixamente.

— É uma doença que tem remédio.

Saímos da biblioteca.

— Nunca pensaste que poderias trazer gente, dar festas, numa casa tão linda?

— No que diz respeito a ti, amanhã oferecer-te-ei uma festa a ti e à tua família. Mas, tirando vocês, quem poderei convidar? As pessoas daqui passam o Inverno em Lisboa ou no Porto.

— Uma festa como aquelas que eu imagino, poderia atraí-las.

— Tenho pouca imaginação para essas coisas.

— Outros poderiam tê-la por ti.

Fomos no meu carrito, o cavalo de Maria de Fátima atado à traseira. No caminho lembrei-me de lhe falar do projecto de montar um negócio de vacas. Perguntou-me quantas. Disse-lhe que à volta de cem, para começar. Desatou a rir.

— Numa quinta perto do Uruguai temos duas ou três mil. E não penses que são um bom negócio.

Não obstante, continuámos a falar de vacas. Referiu-se vagamente a uma colega sua, no colégio suíço, cujo pai vendia exemplares de raça e sementais.

— Se seguires em frente poderíamos ir vê-la, à minha amiga.

Oh, meu Deus! Que maneira tão suave de considerar seu o mundo!

A casa em que vivia Maria de Fátima era parecida com ela: abandonada, o jardim invadido pelo matagal, tinha reputação de assombrada ou qualquer coisa assim, porque ali tinham matado alguém, não sei se por amor ou por política. Fiquei surpreendido ao entrar na quinta. Tudo estava cuidado, renovado, e a fachada da casa reluzia de boa conservação, uma casa de estilo modernista, como tantas outras do Norte de Portugal, graciosa, além de sumptuosa. O interior deixou-me deslumbrado, ainda que um pouco sufocado pelo calor e abundância de plantas. Os mognos brilhavam, víamo-nos reflectidos no chão, os vidros impolutos das janelas deixavam ver o jardim e as suas belezas. Um criado negro recebeu-nos, acompanhou-me ao salão, enquanto Maria de Fátima ia mudar de roupa.

— Os meus pais já vêm.

No salão nada destoava, nada estava fora do lugar. Quando muito surpreendiam uns quadros de paisagens, feitos com élitros de borboletas, de um verde intenso e distinto, mas não os tinham pendurado muito à vista. Eram a única recordação colonial. O resto tinha sido arrumado e disposto por alguém conhecedor da decoração que correspondia àquela casa. Senti-me à vontade, excepto o calor, mas com uma sensação de medo indefinida. Baseada em quê? Na personalidade atraente e mandona de Maria de Fátima? Entretinha-me a examinar as bugigangas das vitrinas, quando alguém entrou: os pais de Maria de Fátima. Ela, à frente; ele um pouco recuado. Antes de nos cumprimentarmos, tive tempo para examiná-los. A mãe de Maria de Fátima teria quarenta anos no máximo; era belíssima, de uma beleza tropical e exuberante, como seria a sua filha, certamente, quando atingisse a sua idade. Um pouco mais morena do que Maria de Fátima, com o sangue mulato mais próximo. Os seus olhos grandes e negros olhavam com poder. Atrás dela, o marido parecia insignificante. Talvez por si só pudesse interessar, pois certos traços do seu rosto demonstravam energia e tenacidade; mas a presença da mulher obscurecia-o. Vestia bem, embora vulgarmente. Vestia como alguém que segue obrigatoriamente a moda porque a pode comprar e porque não lhe ocorre outra coisa; embora o seu aspecto rijo e a sua cara rude (de uma rudeza dissimulada pela barba feita todos os dias e por um bom corte de cabelo) ficassem melhor num fato ligeiro. Mas não vi que se sentisse desconfortável dentro daquelas roupas civilizadas. As de Regina eram simples e ousadas: adivinhava-se-lhe o corpo de sábias ondulações, como que calculadas, e o decote deixava ver o nascimento dos seios: não muito grandes, ainda rijos, desafiadores, como se andassem afirmando (ou proclamando) que se sustinham por si. Estendeu-me a mão, estendeu-ma sorrindo, enquanto dizia:

— Bem-vindo à nossa casa, senhor Alemcastre. Chamo-me Regina, e este é o meu marido, Amédio.

Também o marido me estendeu a mão, mas limitou-se a dizer:

— Muito prazer em vê-lo por aqui.

Pareceu-me que pedia com um olhar a aprovação da mulher, mas ela não olhava para ele.

Perdemos vários minutos em volta de uma mesa, lugares-comuns e amabilidades. A voz de Amédio tremia um pouco, tremia imperceptivelmente, e repetia com frequência, abreviando, o que a sua mulher acabava de dizer. A de Regina, pelo contrário, grave, profunda e segura, não tremia, embora vibrasse como a voz de um violoncelo nas notas mais baixas. Não deixava de ser cómico ouvir aquela voz que parecia feita para a tragédia, ou para certa classe de amores, referir-se ao tempo e à chuva que tinha caído naquela madrugada e que lhe estragara não sei que flores! Também disse que eu tinha uma casa muito bonita, se bem que a tivesse visto apenas de longe.

— Se me derem a honra de almoçar comigo amanhã, terão a oportunidade de a ver mais de perto.

Chegou Maria de Fátima.

Chegou pisando com suavidade e ritmo, como se dançasse. Mais do que vê-la, sentia-a, por me encontrar de costas para a entrada do salão. Deu a volta por trás de nós, e ficou em frente a mim, de pé, entre os seus pais sentados, a mão apoiada na cadeira da mãe. Esteve assim um bocadinho, quieta, como que esperando o meu olhar avaliador, e satisfeita. Foi evidente que se sentou ali para que eu a comparasse com a mãe; talvez não o fosse tanto a indecisão do meu olhar, o seu vaivém de uma para a outra. Mas sorri para Maria de Fátima, sorri para ela porque precisava de aceitar a cumplicidade que me oferecera. Vestira um vestido verde, quase transparente, de feitio complicado, rico em folhos e todo o tipo de atavios; flores no cabelo, fios e pulseiras, muitas e muitos, multicolores, fantásticos de formas. Tinha os seios tapados, não como a mãe, mas adivinhava-se-lhe o escuro dos mamilos.

— Não vens muito luxuosa para um almoço numa casa de campo? — perguntou-lhe Regina, com toda a suavidade da sua língua brasileira, com toda a sua cadência.

— Tudo o que nos rodeia, mamã, incluindo o senhor Alemcastre, é demasiado luxuoso para uma casa de campo.

Caramba! Sentou-se ao meu lado, um pouco afastada; só via as suas pernas cruzadas, os joelhos à mostra e o princípio da coxa. A sua mãe não mostrava menos, embora não estivesse tão perto. Maria de Fátima, a alguém que eu não via, pediu que trouxesse os vinhos, e, enquanto não chegavam, acendeu um cigarro.

— Queres? — ofereceu-me.

— Obrigado. Eu fumo tabaco negro.

— Dá-me um? — pediu Amédio, um pouco indeciso e olhou para a mulher.

— Eu não fumo — disse Regina —, mas não me incomoda.

Maria de Fátima levantou-se à procura de um cinzeiro, e o que trouxe, bastante grande, era a carapaça de uma tartaruga em cima de uma ágata. Quanto devia pesar aquele cinzeiro vazio, de interior polido até conseguir reflexos de luz! Devia notar-se a minha surpresa, porque Maria de Fátima disse:

— Apanhei-a eu quando era pequena, e gostava muito dela. Sempre pensei que viveria mais do que eu, mas morreu logo a seguir. O papá foi tão amoroso que, quando comecei a fumar, mandou fazer este cinzeiro.

Quando estamos com gente nova num sítio desconhecido, embora ao princípio sintamos desassossego, há sempre um momento em que já se conseguiu que tudo, as pessoas e as coisas, faça parte de nós mesmos, ainda que só de uma forma provisória. Eu já tinha aceitado, como fazendo parte daquele conjunto luxuoso e deslumbrante, a rivalidade entre a mãe e a filha, e a submissão do pai ao império (só carnal?) da mãe. Uma vez aceite, estabeleceu-se um equilíbrio quase cómodo em que me instalei e me permitiu observar as mulheres enquanto o homem falava: porque Amédio fazia a despesa da conversa para nos mostrar, depois de uma descrição da miséria daquelas terras, os remédios que via e alguns dos que estavam ao seu alcance. Podiam criar-se certas indústrias, podiam modificar-se os sistemas agrícolas, já antiquados, que remontavam à época dos Romanos. A dado momento do seu arrazoado, Maria de Fátima interrompeu-o para lhe dizer que eu projectava estabelecer na minha quinta um negócio de vacarias. *Don* Amédio, eu chamava-o assim, à espanhola, não achou má ideia; não lhe pareceu mal, se bem que feitas as contas um negócio assim daria trabalho a umas dez pessoas, no máximo quinze, e que seriam necessárias outras explorações semelhantes, ou complementares, para levantar o abatimento daquelas terras, de onde ele tivera de emigrar há quarenta anos, quando ainda era uma criança... E nisto estávamos quando se quebrou o equilíbrio, operação de que não tardei a aperceber-me; como o equilíbrio de que se tratava era o meu, creio ter-me apercebido a tempo; tinha entrado alguém com os vinhos. Como eu ouvia o senhor Amédio e olhava para ele ao mesmo tempo, sem outra má intenção que não continuar a olhar para Regina e para Maria de Fátima, não reparei, na altura, que quem trazia os vinhos era uma rapariga. Tocou ao de leve na minha mão quando me serviu o vinho do Porto, mas, embora o toque tivesse sido suave, não lhe dei atenção, conquanto pudesse ter visto de soslaio que quem servia era mulher; mas ao ficar à minha frente, acho que abri desmesuradamente os olhos, e não interrompi as minhas palavras porque era o senhor Amédio quem falava. A rapariga que nos tinha servido era uma adolescente oitavã; usava a farda de maneira pimpante, e as suas ancas moviam-se com um ritmo mais acentuado e sensual do que vira até então nas outras mulheres, e não tivera motivos de queixa. Não me atrevo a garantir que fosse mais bonita do que elas, mas sim que igualmente o era, e, a julgar pelo modo como elas a olhavam e ela olhava para elas, inferi que as relações entre as três iam para além das aparências e até mesmo das conveniências. Era um triângulo de rivalidades, quem sabe se de ódios. Até que ponto profundos, ainda não o sabia, embora pudesse suspeitar. Chamavam-lhe Paulinha. Deduzi pelo seu olhar que me tomara por juiz da comparação, quando ficou entre a mãe e a filha e eu olhava para as três. A mãe e a filha espiavam o meu olhar e o meu sorriso. A criada esperava-os. Foi um desses instantes que duram eternamente, uma dessas situações de que não se sabe o que pode resultar. Peguei na taça do vinho, levei-a aos lábios, olhei para elas; primeiro para Regina, depois, para a criada; por último, para Maria de Fátima. Tentei que cada uma delas julgasse a minha libação à sua beleza. A criada, pelo menos, acreditou, a julgar pelo sorriso fugaz que os seus lábios esboçaram. As outras não pareceram descontentes. De bom grado teria deitado as mãos à cabeça. Entretanto, o senhor Amédio falava com a maior seriedade de piscifactorias, uma indústria que começava a desenvolver-se nos Estados Unidos e que podia muito bem tentar-se no nosso rio, rico em trutas.

Seguiu-se o almoço, que Paulinha serviu, ajudada pelo criado negro, que a comia com os olhos perante a indiferença desdenhosa da rapariga. Não consigo lembrar-me do que se falou, porque eu estava obcecado com o triângulo insólito, do qual surgia uma interrogativa que eu me podia colocar sem dificuldade, mas não responder. Porquê sendo rivais mantinham em casa aquela moça, havendo nos arredores aldeãs rudes, ou pelo menos grosseiras, que não poderiam obscurecer a beleza das senhoras, nem mesmo empalidecê-la? Ocorreu-me a crueldade como solução, mas não a aceitei por simplicidade: talvez a crueldade fosse uma das componentes de sentimentos mais complexos e quem sabe se mais inconfessáveis. Paulinha movia-se com toda a segurança, e às vezes as suas respostas, numa língua musical e não muito clara para mim, pareciam impertinentes. Como se atrasasse a servir o café, a senhora fez-lhe o reparo, e ela respondeu-lhe francamente que Francisco, o criado, não a deixava em paz. Regina ordenou-lhe que trouxesse a viola. Antes de lha entregar, Paulinha fez soar as cordas, como que a mostrar-me que também sabia tocar.

— Leva isto e não voltes — disse-lhe a senhora.

— Já vou.

E, dirigindo-se a mim, perguntou-me se queria tomar um brande. Os olhares de desafio cruzavam-se entre Regina e a criada. Maria de Fátima tinha ficado um pouco à margem. Sentada numa ponta do sofá, com as pernas encolhidas, ainda que generosamente descobertas, dava a impressão não de bater em retirada, mas de retroceder tacticamente, como se a batalha entre a mãe e a criada não a afectasse. Houve uma vez em que olhou para mim. Interpretei-o como se me tivesse dito: «Vais ver do que sou capaz quando estas duas se tiverem destruído.» Quem a quem? Paulinha não voltou a aparecer.

— Importa-se que lhe cante umas cantigas do Brasil? São muito bonitas.

Regina dirigia-se, naturalmente, a mim.

— Faça favor.

Experimentou a viola e começou a cantar. Vêm-me à memória alguns versos:

A gente fria desta terra sem poesia
nem faz caso desta lua nem se importa com o luar.
Enquanto a onça, lá na verde capoeira
leva uma hora inteira vendo a lua a soluçar.

Aquela voz era feita para cantar, não havia dúvida: para cantar a um homem a quem dissesse depois: «Amo-te. Leva-me para a cama.» Ou talvez também: «Mata-me ou mato-te eu.» Admito que a minha experiência a interpretar vozes seja um tanto caprichosa e, sem dúvida, literária. Ao ouvir Regina, vinham à minha lembrança as de Ursula e Clelia: as duas tinham sido apaixonadas, e, contudo, quanta clareza, quanta simplicidade! Não se podia esperar delas paixões elementares. A voz do Mouro de Veneza devia ter sido assim. De qualquer forma, era um género de beleza que conhecia e sentia pela primeira vez: a beleza que acompanha o sexo, que o exprime em toda a sua profundidade, em toda a sua exigência. O senhor Amédio começava a adormecer, e a tarde, cinzenta como estava, já caía. Pela segunda vez senti-me sufocado pelo calor, pelas plantas, pela evidência do sexo, como se me tivessem metido numa estufa em cujo fundo me esperasse uma mulher nua. O tempo que Regina cantou não sei quanto foi. Interrompeu-a Maria de Fátima.

— Bom, mamã. O senhor Alemcastre já está há quatro ou cinco horas connosco. Não achas justo que o devolvamos à liberdade?

E, dirigindo-se a mim:

— Eu levo-te no meu carro. Mandaremos um criado com o teu.

Protestei que a minha casa ficava perto, mas não consegui livrar-me do convite, quase da imposição, de Maria de Fátima. A verdade é que também não forcei muito. Desejava ficar sozinho com ela e ouvi-la, esperando que as suas palavras me servissem de chave. Mas quase não disse nada durante o curto trajecto. Só quando já tínhamos entrado no meu jardim e o carro seguia lentamente pela avenida de eucaliptos é que me disse:

— Eu também sei cantar, mas além disso danço. Um dia hei-de fazê-lo para ti.

Recusou o convite para tomar um chá comigo, deixou-me à porta, quase nos braços da *miss*, receosa de que ela já me tivesse raptado. Tranquilizei-a com um olhar.

II

PROCUREI A SOBRIEDADE no almoço que lhes ofereci, mas não na apresentação.

— Ponha o melhor que houver — pedi à *miss*.

Ela arranjou uma mesa que teria satisfeito qualquer pessoa experiente. Ignoro as razões de tudo ser inglês naquele conjunto: as toalhas, as loiças, as pratas. Tirando os cristais, que mais pareciam do continente, mas que o bom senso da *miss* já tinha aceitado há muitos anos. A ele, a esse bom senso, se devia que a mesa da sala de jantar não deslumbrasse, mas que deixasse a impressão de uma discreta elegância... Convidei-os, à *miss* e ao professor, a receberem comigo, à porta, Maria de Fátima e a sua família, que chegaram num automóvel que eu não conhecia, não o *Rolls* de Maria de Fátima, mas outro maior, de cuja marca nunca tinha ouvido falar. A verdade é que, de tal matéria, nunca cheguei a entender muito, e poucos mais carros usara além dos de Ursula, durante o tempo em que andámos juntos, e o de Clelia, naquela tarde de Outono. Seria o meu destino o de passageiro das minhas namoradas? (Tinha tudo preparado para comprar um, mas não me apetecia.) Vinham muito decentemente vestidas, a mãe e a filha, em todos os sentidos da palavra, pois traziam bons tecidos, com bons cortes e não mostravam demasiado. Não é que eu me tivesse importado que chegassem ataviadas segundo os seus gostos tropicais. Mas fiquei contente pela *miss*, ainda puritana. As formalidades foram breves. Regina começou a manifestar o seu espanto logo à entrada, umas vezes pela casa, outras pelas coisas. O senhor Amédio mantinha-se mudo, mas é possível que, no seu espírito, avaliasse o valor do que a sua mulher elogiava. Maria de Fátima tinha-me dado o braço: fumava e deitava a cinza numa concha de vieira que eu segurava. Quase não falou, porque aquelas novidades não eram para ela, e porque as tinha admirado e elogiado a seu devido tempo. Quando nos reunimos para os vinhos, sentou-se ao meu lado, mas levantou-se a seguir e disse:

— Vou dar uma volta.

Avisei-a de que chamariam para a sala de jantar com um toque de campainha, que poderia ouvir não só em casa, como também no jardim. Não sei se pretendia que eu a acompanhasse, mas deixei-a ir sozinha deliberadamente: a mãe agradeceu-mo.

— Essa menina anda muito histérica. É preciso casá-la.

A *miss* respondeu-lhe que as raparigas novas, por pouca personalidade que tenham, são sempre um pouco esquisitas.

— E Maria de Fátima tem muita personalidade — acrescentou.

— Demasiada — respondeu-lhe Regina.

O senhor Amédio e o professor encontraram logo um longo tema de conversa: falaram do negócio das vacas, e o professor ouvia atento as advertências e os conselhos de quem parecia saber tudo. Regina e eu, silenciosos, olhávamos um para o outro de vez em quando: eu oferecia-lhe um silencioso brinde, ela correspondia. No fim parecia contente, e mais ficou quando viu que Maria de Fátima regressara sem necessidade de toques. Fomos para a sala de jantar.

— Falta-me uma esposa que presida à mesa comigo. Queres ocupar o seu lugar, Maria de Fátima?

Creio que, depois daquelas palavras, começou a sentir-se dona do paço, e a *miss* com medo de que um dia o fosse. Regina, em contrapartida, sentou-se muito contente à minha direita. A mesa era um tanto comprida e os lugares espaçosos. Maria de Fátima, em frente a mim, ficava quase mais próxima que a sua mãe ao meu lado; mas durante todo o almoço, as palavras do senhor Amédio e do professor cruzavam-se diante dela e formavam uma espécie de rede que a envolvia e a manteve quase em silêncio. De vez em quando, a *miss* fazia-lhe uma pergunta ou concedia-lhe o fim de uma conversa. Regina acabou por se aproximar um pouco, contra todo o protocolo, e a comentar em voz baixa a discussão dos homens. Uma das vezes disse-me:

— Compreenderá porque está aborrecida.

Aquele almoço não proporcionou acontecimentos notórios. O que se tinha iniciado em volta da mesa, continuou enquanto tomávamos café. Só num momento de silêncio, talvez o único, é que Maria de Fátima me perguntou se havia um piano em casa, ou pelo menos uma viola. Disse-lhe que não.

— Nem sequer um gramofone?

Tudo o que havia no paço relacionado com a música era um rádio, bastante antigo, que o professor e a *miss* ouviam quando, depois das refeições, se retiravam para os seus aposentos. Maria de Fátima comentou:

— Só na casa de um homem solteiro é que faltam esses pormenores.

Mas a referência ao rádio metera na conversa um ingrediente inesperado que acabou por se converter em tema único e, de certo modo, polémico. O meu professor disse que gostava de ouvir as notícias internacionais pela rádio, e de estar um pouco a par do que se passava pelo mundo; a sua mulher ouvia a BBC, e ele não só o Rádio Clube Português, como também as emissoras espanholas republicanas e, uma vez por outra, a Rádio Salamanca.

— E como vai a guerra? — perguntei eu, talvez ingenuamente.

O senhor Amédio respondeu-me em vez do meu professor; respondeu-me com uma certa alegria no tom e no gesto.

— De vento em popa, como se costuma dizer.

— Para os republicanos?

— Para os nacionais! Como pode pensar outra coisa?

Não só declarou ali mesmo para que lado pendia, como confessou ter dado um importante donativo em dólares.

— Essa gente está a defender-nos a todos, os que temos algo a perder!

— E não será à custa de perder também outros algos que nos são muito importantes? — replicou o meu professor. — Refiro-me à liberdade e à justiça.

— Uns entendêmo-la de uma maneira, outros de outra. Eu estou com o modo de as entender do general Franco.

Não chegaram a discutir, mas ficou claro que não estavam de acordo. Reparei que o meu professor falava em nome de ideais antiquados, mas nobres, os que o meu pai teria defendido, os mesmos pelos quais o general Primo de Rivera o tinha condenado ao ostracismo político. Apercebi-me de que, naquele tempo da guerra civil espanhola, a liberdade e a justiça se defendiam já com outros argumentos e provavelmente não queriam dizer o mesmo. Não deixava de ser possível que o meu pai, se vivesse, fosse também partidário de Franco e tivesse oferecido ao seu «movimento» um importante donativo. De qualquer forma, daquela conversa extraí a generosidade do meu professor e o egoísmo do senhor Amédio. Tinha de haver pelo mundo muita gente como ele, cujos interesses, sem o saber, os soldados espanhóis defendiam com as suas vidas.

— Nunca mais acabam de falar de política? — exclamou, repentina e inesperadamente, Maria de Fátima, e, pelo menos uma vez, a mãe estava de acordo com ela.

Chegou a dizer que aquela conversa tinha estragado um almoço irrepreensível e pediu-me para pôr à entrada da minha casa um cartaz a proibir que se falasse de política. Mas, de que outra coisa se podia ali falar? Encontrei uma saída convidando Regina para ver a parte do paço que ela ainda desconhecia, e, na biblioteca, mostrou a mesma indiferença que a sua filha, embora não chegasse a propô-la para salão de baile. No final do passeio pôs-me a mão no ombro e disse-me:

— O senhor não só tem uma casa lindíssima, como muitas coisas que também o são, mas estão dispostas da mesma maneira que há cem anos. Agora colocam-

-se de outra maneira, mais à vista. É preciso ostentar o que se tem, e é preciso ostentá-lo bem, se se quiser ser alguém.

Estive quase a responder-lhe que eu preferia ser ninguém, ou, pelo menos, que estava satisfeito com o que era, mas receei defraudá-la demasiado cedo. Não deixei de me perguntar donde vem a certa gente esta ânsia de se destacar.

Naquela noite demorei a adormecer. A presença das mulheres não tinha sido excitante como no dia anterior, e além disso não tinha visto Paulinha, a mais atraente de todas. O negócio das vacas, de que também se falou, começava a aborrecer-me, à medida que o meu professor se interessava por ele; mas a referência à guerra civil, e o que se disse, tinha-me afectado. Fazia mais de um mês que as minhas notícias eram vagas, atrasadas e em segunda ou terceira mão. Por outro lado, tornava-se cada vez mais evidente que o senhor Amédio e toda a sua família me haviam tomado como presa, e não pelo que eu era, mas pelo malfadado paço. Ninguém me fizera ainda uma oferta concreta, mas estava no ar, como uma ameaça adiada. E no ar continuou mais uns dias, nos quais Maria de Fátima apertou o seu cerco; vinha buscar-me a casa, mas não me levava à dela, e em vez disso íamos comer a povoações ou aldeias próximas, sendo Viana do Castelo a mais afastada. Numa daquelas manhãs brilhava um sol claro, o ar estava ameno e o mar tranquilo. Passámos perto de uma praia solitária. Parou o carro e disse-me que ia tomar banho.

— Mas, como vou fazê-lo nua, porque não trouxe fato de banho, tu ficas aqui.

Seguiu tranquila para o sítio mais afastado da praia, onde eu só podia ver uma mancha verde que se movia; verde primeiro, cor de areia depois, embora com qualquer coisa negra agitada pelo vento. Quando entrou no mar, perdi-a entre as ondas; saiu um pouco mais perto de mim, a meio da praia; pude ver como se enxugava e como se foi afastando pela beira-mar: vinham as ondas suaves e molhavam-lhe os pés. Suponho que se vestiu lá, e regressou com os cabelos caídos e a roupa interior na mão. O vestido pegara-se ao corpo molhado, cingia-lhe e marcava-lhe as formas, ondulantes ao caminhar. Senti desejos violentos de a receber nos meus braços e de a violar ali mesmo: tê-lo-ia feito se não tivesse compreendido a tempo que talvez fosse o que ela esperava, que para isso tomara banho nua, e não por amor que me tivesse, nem sequer por desejo veemente, mas porque assim chegaria a ser a dona da minha casa. Compreendi isso durante os últimos passos da sua caminhada, e senti a confirmação pela frieza do seu olhar, pela tranquilidade do seu porte, por aquela forma de andar segura, sem o estremecimento de uma esperança. Pensei que teria de assinar um documento de doação no qual lhe outorgava o paço como dote: diante do notário, com todos os requisitos da lei, e em cumprimento de antigos imperativos de compensação à mulher violada. Aqueles quinze ou vinte passos deram-me tempo para me dominar, quase para me tranquilizar. Abri-lhe a porta do carro, não a fechei até ela estar instalada em frente ao volante. Mas nessa altura, quando eu dava a volta para entrar, arrancou e deixou-me no meio da estrada.

Claro que não disse isto a ninguém, nem mesmo a ela: nem uma palavra, nem um olhar que significasse uma reprovação ou uma pergunta. Não deixou de se comportar como sempre o fizera, tanto a sós como diante dos outros. Quase que cheguei a pensar que sonhara a aventura da praia distante, que é o recurso que procuramos quando alguma coisa não tem explicação ou se torna incrível por inverosímil. Eu esperava que um dia qualquer ela explodisse, dissesse alguma coisa, isto acabou-se, não quero ver-te mais. Mas Maria de Fátima manteve-se inalterável. Comecei a admirar a sua frieza, a sua capacidade de fingimento e quem sabe se de desprezo. Mas se me desprezava, também não o mostrava, nem sequer em pormenores ínfimos. A mãe protestou por não almoçarmos lá em casa, chegou a dizer que Maria de Fátima me tinha sequestrado, e Paulinha, atrás dela quando dizia isto, não deixava de sorrir para mim, como quem está dentro do segredo. Voltaram os almoços numa casa e noutra. Organizaram-se passeios a Bragança, ao Bom Jesus, a Coimbra. Contei-lhes com pormenores e interpolações líricas os amores de Inês de Castro, e fomos recordá-la à Quinta das Lágrimas. Regina, a dada altura, disse que não entendia aquela maneira de amar, tão sentimental, que os Portugueses tinham. Ninguém mais a ouvia a não ser eu.

— O amor é algo que acontece na cama — disse —, o desejo que se antecede e o tédio em que tudo acaba.

Respondi-lhe com versos de Antero de Quental.

— São seus esses versos?

— Não, mas gostaria que fossem.

— Você é dos que amam como os Portugueses?

— A minha experiência ainda é escassa, minha senhora.

Olhou para mim com uma certa troça.

— Mas já é crescidinho.

Como o negócio das vacas avançava, e havia que passar dos projectos às obras, o meu professor, que se tinha encarregado de tudo como a coisa mais natural do mundo, teve de ir ao Porto, informar-se de uma série de pormenores, e procurar um arquitecto que fizesse as plantas dos estábulos de acordo com as últimas novidades que a Europa nos tinha enviado, ou, caso fosse possível, com as que ainda não tinham sido enviadas. Tratava-se de estar na crista da onda, e o meu professor repetia, como se fosse uma definição e ao mesmo tempo um ideal, que tinha de ser «vacaria modelo». A *miss* aproveitou a viagem para visitar os filhos, e foi também; o senhor Amédio muito simpático, ofereceu-se para os levar no seu carro. Não deixava de ser natural, mas foi, além disso, oportuno. Maria de Fátima disse-me:

— Amanhã vou comer a tua casa sozinha.

Veio no carro dela, trazia uma mala e um volume como de um gramofone.

— Leva-me para um sítio onde haja espaço e que seja um lugar escondido. Vou dançar para ti.

Procurei uma sala afastada, quase vazia, que dava para um quarto sem utilização.

— Achas este bem?

Percorreu-a, inspeccionou-a.

— Não vai aparecer ninguém, não é verdade?

— Podem-se fechar os ferrolhos.

— Aqui em cima fica o gramofone e o disco. Quando eu te avisar, vais pô-lo a tocar.

Meteu-se no quarto com a mala. Entrava um bocadinho de sol pela janela, e ouviam-se rumores de um bulício longínquo. Quando ela me avisou, liguei o gramofone. Começou a tocar um samba. Maria de Fátima saiu a dançar do quarto. Trazia plumas na cabeça, calotas de missangas brilhantes nas mamas e um cinto rutilante de onde pendia uma espécie de tapa-rabos multicolor que lhe tapava o sexo e parte das nádegas. Pulseiras e colares: não os que já vira, mas outros, reluzentes, sonoros, de muitas cores. Dançava o samba com a sensualidade que sai da terra, como uma serpente erguida ondulando à minha volta, de cujo corpo saíssem chamamentos como chamas. Assim, morena e enfeitada, Maria de Fátima podia ter desfilado por grandes avenidas no meio de uma multidão estridente, e não numa sala ao desbarato perante um único espectador que procura refrear o seu entusiasmo e reduzi-lo aos limites da cortesia, e não por boa educação, mas sim por medo. Maria de Fátima mostrava o corpo, provocava. A dança durou tanto tempo como o disco, qualquer coisa como três minutos; eu voltei a pôr o disco no princípio, e repetiu-se. No fim, ela gritou «Chega!», e entrou no quarto, donde saiu vestida e calma. Eu tinha retirado o disco e fechado o gramofone. Saímos daquela velha sala, ela à frente. Íamos por corredores que não se utilizavam, o chão carcomido e barulhento. E eu pensava como é que era possível que aquela mulher tão nova soubesse manobrar o corpo como um instrumento alheio sem contagiar nem o coração nem o sexo pelo desejo que despertava. Tínhamos percorrido uns quantos passadiços, chegávamos às partes mais novas do edifício, quando ela disse:

— Tinha-te dito naquele dia que sei dançar. Vale mais o que eu danço que todas as canções da minha mãe. — E uns passos mais à frente: — Mas também canto melhor do que ela. Se tivesse uma viola no dia em que almoçámos aqui em casa, terias visto.

No dia em que almoçaram em minha casa trazia projectos que tinham falhado.

Estava uma manhã de nuvens altas, que por vezes se fendiam e deixavam passar um sol fugaz. O ar estava doce e não chovia. Maria de Fátima deteve-se perante uma janela que dava para o jardim. Via-se uma pequena praceta, rodeada de camélias e magnólias, com um lago no meio, a superfície coberta de nenúfares.

— Gostava que comêssemos ali — disse ela.

Mandei que pusessem ali uma mesa e que nos servissem.

— Importavas-te se falássemos em francês? Falaria em espanhol se soubesse.

E antes de eu lhe responder começou a falar em francês, de nada importante nem concreto, de qualquer coisa, enquanto os criados iam e vinham. Até que se deteve e me pegou na mão que lhe ficava mais ao alcance. Pegou-lhe, não como carícia, tão-pouco como domínio.

— Tenho de confessar-te que naquela manhã em que almoçámos todos aqui, quando me afastei de vocês, estive no teu quarto a bisbilhotar.

— Que descobriste? Algum dos meus segredos, ou a morada do dragão?

— Tens dois retratos de mulher junto à tua cama. Um, grande, o da rapariga loira; outro, um desses ridículos dos passaportes ou das cartas de condução. Não se consegue saber se a rapariga retratada é loira ou morena.

— Se a tua curiosidade é essa, posso assegurar-te que a cor do cabelo dela é mais para o matiz: castanho, com madeixas loiras, sobretudo se lhe der o sol ou uma luz forte.

— Foi tua amante? A outra também? Onde estão elas?

— A que tu chamas loira, Ursula Braun, o mais provável é estar morta, e seria um milagre se não o estivesse. À outra chamo-lhe Clelia, mas este não é o seu nome verdadeiro. Não sei como se chama, nem onde está. Foi minha amante durante uma tarde, e ficou grávida.

— Que mau gosto! Como é que permitiste? Deve ter sido uma armadilha!

— Não acho. Por que é que havia de ser? Não pediu nada.

— Vai aparecer um dia com a criança nos braços e alguma coisa há-de reclamar. Oh, não esperes outra coisa! É uma ameaça contra a qual tens de te precaver. — E depois de uma pausa: — Eu julgava que na Europa já não se usavam os melodramas.

Encolhi os ombros.

— Gostaria que lesses a única carta que ela me escreveu na vida. De Nova Iorque, onde talvez esteja. Se tiveres curiosidade, trago-ta, não penso estar a ser-lhe desleal com isso, menos ainda parecer-te vaidoso. Por muito pouco que um homem valha, há sempre no mundo uma mulher para o amar.

Ela não disse que não. Fui à procura da carta, entreguei-lha com o sobrescrito e o selo carimbado em Nova Iorque. Maria de Fátima examinou-o, primeiro, por fora; depois, tirou a folha e leu-a. Ao acabar, olhou para mim e repetiu a leitura. Quando me devolveu a carta limitou-se a dizer:

— É uma louca. Provavelmente isso da gravidez é mentira. É melhor assim.

Tão simples e tão lógico! Como é que não me tinha lembrado disso? E como é que o adivinhara com tanta prontidão uma rapariga que pela sua juventude tinha de ser inexperiente? Eu lera aquela carta muitas vezes, meditara sobre ela, analisara-a, tinha-me recreado nela. Maria de Fátima, em poucos minutos, com duas leituras apenas, tinha chegado a uma conclusão aceitável, àquela que podia tranquilizar a minha consciência se me sentisse culpado. A razão de tais divergências, então, escapava-me; agora, compreendo-a: para Maria de Fátima, a loucura tinha sido uma conclusão; para mim, um ponto de partida. Eu procurava a verdade na loucura manifesta; ela ficava-se pela pura manifestação. Para quê mais? Aquela mulher é uma louca e a gravidez, uma invenção da sua loucura! Havia casos semelhantes aos montes. Para os confins do Inferno Clélia e o seu futuro filho! Embora não tanto para os confins, pois Maria de Fátima dava-me o ensejo de prescindir de um dever até então hipotético: a tarde no bosque de Vincennes não se esquecia facilmente. Se tivesse acontecido numa casa, os dois nus, e com a casa de banho ao lado, talvez. Mas, sobre a erva, enquanto emergia da terra a penumbra vespertina e emudeciam as aves!... Podia ter contado isto a Maria de Fátima, tê-lo-ia feito se não visse no seu olhar aquela frieza perscrutante que me mantinha em guarda perante as suas provocações. Eu via a parede do paço, para lá das magnólias. «É isso o que ela quer.» E decidi responder-lhe:

— Sim, é uma louca, já sei. Mas a criança... quem sabe?

Disse-o num tom suficientemente abstracto para que ela não lhe desse importância. Não lha deu. Eu guardei a carta na algibeira, precisamente no momento em que nos traziam o café.

Não voltou a referir-se nem a Ursula nem a Clelia. Palrou durante um bocado: não sei que histórias me contou da sociedade do Rio, histórias de bastardos, e fê--lo em português, mas voltou ao francês quando apareceram dois criados para levantar a mesa. Eu mantinha a minha guarda sem saber contra o quê, talvez como atitude já habitual perante Maria de Fátima, mas tive de desistir rapidamente. Começou a falar do negócio da vacaria, e, de repente, perguntou-me:

— Sabes por que é que o meu pai também foi ao Porto? Porque está interessado nas tuas vacas. Não me admiro nada que te proponha sociedade. Ou que o proponha ao senhor Rodríguez — o senhor Rodríguez era o nome que todos davam a quem eu sempre chamo meu professor. — E a este irá parecer-lhe muito bem.

— E a ti? Não gostarias de ser também co-proprietária?

Nunca a tinha visto tão séria como no momento em que me disse:

— Foi para te prevenir contra isso, precisamente, que hoje vim almoçar contigo. A sós e em francês, para que nada saia daqui. Quero prevenir-te contra o meu pai, e a primeira coisa que tenho a dizer-te é que não o é. Marido da minha mãe, sim, mas não meu pai. Marido da minha mãe que nunca dormiu com ela, que se deixou comprar para encobrir uma gravidez de solteira e que foi suficientemente esperto para ficar com todo o dinheiro dos que o tinham comprado e de muito mais gente. É muito inteligente, diabolicamente inteligente, para os negócios, mas também é implacável. Só assim consegue alcançar o que quer. Não se conhece ninguém com quem se tenha associado a quem não tenha arruinado, a quem não tenha afundado para sempre. Como nesses filmes norte-americanos de banqueiros sem misericórdia, que acabam por morrer do coração, porque o mau tem de ser castigado. Mas, nesta realidade, o mau tem uma saúde excelente, embora talvez também má consciência, ou a ideia de que a devia ter. Não viemos para Portugal por gosto, mas porque ele começou a ter medo de que o matassem. Suponho que haveria muita gente a desejá-lo, e alguns dispostos a fazê-lo. Que os há, ainda que em Portugal não, pelo menos por agora.

Fez uma pausa, eu ia a responder-lhe, mas pediu-me que esperasse.

— Ainda não acabei. Tenho muitas coisas para te contar, precisamente hoje, que me decidi a fazê-lo. Amanhã talvez já não fosse possível. Queres pedir para mim alguma coisa de beber? Qualquer coisa forte, se a tiveres; um pouco de aguardente da região. Não costumo bebê-la, porque me queima a garganta, mas hoje preciso.

Chamei quem trouxesse a bebida, e bebi eu também. Ofereci-lhe um cigarro, aceitou-o, mesmo sendo do forte. E demorou um bocado a falar outra vez, enquanto fumava e bebia. Continuava bonita e não se preocupava em tapar as pernas, provavelmente por distracção.

— Se calhar um dia peço-te que cases comigo; se calhar és tu que mo pedes, e também pode ser que nos casemos sem que nenhum dos dois o peça, ou que não nos casemos nem nos voltemos a ver. Sei lá! Mas, para o que der e vier, quero que saibas o vespeiro em que te podes meter, onde em parte já te meteste ao aceitar a nossa amizade. Em primeiro lugar, ter-te-ás apercebido de que a minha mãe e eu nos odiamos. Não faças essa cara, porque é assim: nem incompatibilidade nem antipatia, mas ódio. Ódio porque me trouxe ao mundo sem ela o querer, porque teve de passar pela humilhação de casar com o meu pai, por mais que o tivesse comprado, e por muito mais que acabasse por depender dele economicamente, porque ela já não tem um centavo do seu património, nem os meus avós, nem ninguém da família. Pertence-lhe tudo a ele; agora é ele quem compra os mesmos que o compraram, ele quem os mantém, porque os empregou nas suas empresas, bem controlados, isso sim; ali ninguém mexe um dedo sem que ele o saiba e o permita. A minha mãe precisa de muito dinheiro, é muito gastadora, eu também, ainda que não tanto. Saímos-lhe caras, mas permite-se esse luxo, embora nos ponha limites, embora saiba dizer, quando lhe apetece, pronto, nem mais um cruzeiro. E temos de aceitar.

Neste momento interrompi-a com uma pergunta, uma só:

— Observei-os em todas as ocasiões em que estiveram juntos na minha presença, e tirei a conclusão de que a tua mãe manda e ele obedece.

— Sim — respondeu-me Maria de Fátima —, mas só num aspecto. Quando se casaram, ele tinha deixado há pouco tempo de ser campónio, mas ainda não chegou a cavalheiro. O que precisava de aprender foi a minha mãe quem lho ensinou. Ainda hoje, quando há gente, não se sente seguro, e se faz alguma coisa, espera a aprovação da sua mestra.

— Mas a tua mãe prescinde dele, porta-se como se ele não existisse.

— É a única vingança que lhe resta, e costuma pagá-la caro. Há ocasiões em que ele, como desforra, lhe nega o dinheiro. No outro dia, sem ir mais longe...
— Desatou a rir. — Não foi a ela, mas a mim. Castigou-me por ter interrompido aquela conversa chata sobre a guerra de Espanha, lembras-te? No dia seguinte

pedi-lhe dinheiro e negou-mo. O que vale é que eu tenho umas poupanças. E se não as tenho, peço um empréstimo a Paulinha...

Interrompi-a outra vez:

— Mas que raio faz uma mulher tão linda entre duas mulheres lindas? De tudo quanto observei ou suspeitei em vossa casa, isso é o que mais me choca e o que menos percebo.

— Paulinha é a vingança da minha mãe, contra mim, a vingança diária. Pô-la ao meu lado para que todos os dias, ao levantar-me, a primeira cara que eu veja seja mais bonita do que a minha. Também é mais bonita do que ela, ou pelo menos parece-me, mas a minha mãe tem o seu modo particular de se manter por cima, de a humilhar. Paulinha dá-lhe banho todos os dias. Tem de despir-se, tem de meter-se com ela na banheira, ensaboá-la toda e lavar-lhe até a sua cona suja. Tem de lhe cortar as unhas dos pés e perfumar-lhos. E a minha mãe, sabes como a trata? Por preta suja. «Preta suja, faz-me isto, preta suja, faz-me aquilo. Preta suja, se me magoas mato-te.» Mas, sabes, Paulinha ri-se dela. Vem-me contar tudo, e, para me agradar, diz-me que as minhas mamas são mais rijas do que as da minha mãe, ou a minha cintura mais estreita, ou que a minha mãe tem de tomar pastilhas para não ter mau hálito. Quando vivíamos no Rio também me contava quando a minha mãe recebia os seus amantes e quem eram. Eu tinha quinze anos. Paulinha é um pouco mais nova do que eu. A minha mãe fez-nos quase testemunhas da sua lascívia, a ela directamente, a mim por intermédio dela. Porque a minha mãe é isso, uma puta lasciva.

Pela segunda vez naquela tarde, pegou-me na mão, ou, melhor, pôs a dela por cima da minha, até eu sentir o peso.

— Tu agradas-lhe. Agradas-lhe porque és o único homem educado das redondezas. Antes, quando ainda não tinhas chegado, durante o Verão, houve outros. Mas agora só estás tu. E uma noite entrará em tua casa para ir para a cama contigo. Se o fizer, e eu souber, mato-a.

Eu dei um salto na cadeira e olhei para ela com um certo espanto.

— Sim, não te assustes. Matá-la-ei por essa razão ou por outra, mas sei que a matarei. Não me importo se me matarem depois, embora tente tudo para que não o façam. Mas é o meu destino, se alguém ou alguma coisa não lhe der remédio.

Tinha mantido a mão a oprimir a minha. Largou-a, voltou a pôr a dela no colo.

— De qualquer forma, quando o fizer, procurarei que não esteja perto.

Pôs-se de pé tão violentamente que até derrubou a cadeira em que estava sentada, uma cadeira frágil de verga entrelaçada.

— Outro dia continuarei. Hoje fui longe de mais. Não venhas comigo. Atravessou a praceta, seguiu pela vereda. Vi-a arrancar um raminho de mirto antes de desaparecer. Pouco depois ouvi o motor do seu automóvel. Levou tempo até saber dela.

III

FORAM UNS DIAS, dois ou três, nada mais, de manhãs desorientadas, de tardes passadas na biblioteca sentado virado para o céu de nuvens emigrantes, de nuvens quietas, conforme o vento: vinha aos poucos do mar, ou amainava. Eu andava obcecado por Maria de Fátima, e queria esclarecer os meus sentimentos para com ela. Sentia-me atraído, isso era evidente, atraído com força, às vezes até à angústia, mesmo até à beira da inconveniência ou do disparate, e apercebi-me disso desde o princípio, porque era atraente, embora menos do que Paulinha, uma ao pé da outra. Se fosse esta a acompanhar-me, a vir ver-me, a dançar o samba para mim, as coisas teriam sido mais rápidas, talvez. Que sabia eu da personalidade de Paulinha, e de como teria correspondido, e do depois? Ainda que, vendo bem, uma mera hipótese não tinha por que preocupar-me. Em todo o caso, a personalidade de Paulinha parecia simples, mas eu estava perplexo perante a de Maria de Fátima. Não era, como possivelmente Belinha ou Ursula, uma mulher de carácter, fácil de entender, de abarcar na sua totalidade, ou quase: dessas que se vão revelando com o trato, nas quais aprofundamos e chegamos a descobrir que são como os grandes navios, máquinas complicadas que obedecem na sua totalidade a um só movimento. Mais elementar, Belinha, quem duvida, como uma barca de dois remos face a um navio, mas em ambos a unanimidade se cumpre. A metáfora do navio não me servia para entender Maria de Fátima. Também se me ia revelando pouco a pouco, mas cada descoberta, ou revelação não fazia mais do que confundir-me. Eram descobertas ou revelações contraditórias, ou que pelo menos, não casavam bem. O esquema inicial era o mais claro: queria a todo o custo ser dona do paço de Alemcastre e, para isso, o melhor caminho era seduzir o seu proprietário, e não pelos processos usuais, mas pelos da provocação que se nega a si mesma, uma espécie de oferta que se retira mal se insinua, e que há-de durar o tempo necessário parar deixar marcas. Bom. Chega um dia em que as defesas estão frouxas, em que se cai. Depois, para grandes males grandes remédios: se uma menina de vinte anos foi violada, há que reparar o delito com o casamento, etc., e no fim todos muito contentes, e ela mais do que ninguém. Julgado segundo as normas usuais, é uma imoralidade, não do violador, mas da provocadora. Mas agora acontece que Maria de Fátima adopta uma táctica diferente e inesperada: revela-me a roupa suja da sua família, fala de um vespeiro, chega a confessar ser capaz de matar a mãe... E faz tudo isto como se fosse deliberado, com o mesmo olhar frio com que dança nua uma dança quase obscena. E nesta revelação mostra-se enojada com os costumes da mãe, chama-lhe puta lasciva. O que pretendia com as suas últimas confidências? Que eu me sentisse como um cavaleiro andante que se propõe resgatar a princesa, prisioneira de uns monstros? Era esta a sua nova trapaça? Tudo menos pensar que agia movida por uma paixão. Era clara a frieza do seu olhar. Era o dado que impedia compor juntamente com os outros uma figura coerente. Mas uma rapariga de vinte anos poderá olhar assim? Poderá ter aperfeiçoado o seu duplo até esse ponto? Se não me mentiu, há uma parte, pelo menos, da sua confissão, de natureza inteiramente diferente, de natureza apaixonada: sente nojo da mãe e julga que acabará por matá-la. Mas também pode ser um momento de um papel, uma récita que completa uma ária bem cantada. E haverá quem seja capaz de tudo para chegar a ser proprietário de um casarão que um dia qualquer se há-de desmoronar?

No terceiro dia, estava eu na biblioteca quando veio uma criada dizer-me que Paulinha queria falar comigo. Vi-a, da janela, no meio do pátio do lago e dos mirtos, apoiada numa bicicleta em que levava um cesto cheio de embrulhos. Era evidente que vinha de fazer compras na povoação. O paço ficava a meio do caminho.

— Trá-la aqui.

Continuei a olhar pela janela. Vi como arrumava a bicicleta e o cesto, como seguia a minha criada. Apareceu à porta da biblioteca, nem tímida nem descarada.

— O senhor dá-me licença? — disse ela, não sei se irónica ou habitualmente servil.

Mandei-a entrar e sentar-se. Fê-lo sem acanhamento. Primeiro perguntei-lhe se queria tomar alguma coisa; recusou.

— O que te traz aqui?

— Quero pedir ao senhor que ouça duas palavras que tenho para lhe dizer.

— Diz o que quiseres.

Baixou a cabeça, falou com a cabeça baixa, os olhos postos no tapete.

— Quero dizer ao senhor que a menina há dois dias que vai à mata e ao monte buscar ervas.

Então ergueu a cabeça e olhou para mim:

— Ela entende disso. Ensinou-lho a sua ama, que era uma preta bruxa.

Provavelmente sorri, ou fiz algum gesto de incredulidade.

— Garanto-lhe que há ervas que entontecem um homem, que o tornam escravo de uma mulher. Garanto-lhe.

— E que queres que faça?

— Que esteja prevenido. Se lhe der a beberagem no café, terá de passar por mim, e eu tiro-a, mas farei um sinal ao senhor para que finja. As ervas daqui não são como as do Brasil, e não creio que haja por aqui as que têm mais força. Eu também entendo um pouco, senhor. É que eu já vi muitos homens que beberam as ervas e sempre me fizeram pena. Não queria ver o senhor no mesmo estado.

— Só o fazes por isso?

— Juro-lhe por Nosso Senhor. Não lhe peço nenhuma recompensa, nem nada de nada. Unicamente que a menina não suspeite. Se soubesse, matava-me.

— Achas?

— É capaz disso e de muito mais!

— Mas facilmente poderá saber que estiveste aqui. Não o fizeste recatadamente. Falaste com Josefa, a que te trouxe.

Sorriu com uma certa picardia.

— É que a menina deu-me um papel para si. Para que lho desse à ida ou à vinda da povoação.

Tirou um sobrescrito do decote e estendeu-mo. Eu peguei nele com receio.

— Leia. Não deixe de ler por mim.

Maria de Fátima escrevia-me textualmente: «De tudo quanto te disse no outro dia, o mais importante é a questão da vacaria. Não te esqueças, peço-te.» Dobrei a carta e guardei-a.

— Diz à tua senhora que muito obrigado, e muito obrigado também a ti.

Levantámo-nos, ela a seguir a mim, e sem pressa.

— Dê-me ouvidos, senhor. Não lhe menti. E estarei vigilante.

— Obrigado. Mais uma vez, obrigado.

Então lançou um olhar em volta.

— O senhor tem uma casa muito bonita. Aqui dá gosto estar.

— Queres vir para cá?

Voltou a sorrir.

— Quem pudesse, senhor!... Mas eu sou quem sou...

Vá-se lá saber o que queria dizer com aquela tautologia!

Da janela vi-a ir-se embora, na sua bicicleta, fazendo equilíbrios e esses pela estrada fora. Eu estava tão surpreendido com a sua confidência que mal prestei atenção às suas graças, em que tanto me tinha recreado noutras ocasiões. Uma vez tinha ouvido dizer, não sei quando nem a quem, que as oitavãs brasileiras são as mulheres mais bonitas do mundo, embora murchem depressa. Paulinha ainda não tinha começado a murchar, nem nada que se parecesse, mas naquela manhã eu não estava para contemplações. A sua confidência tinha juntado mais uma peça ao quebra-cabeças de Maria de Fátima, outra às minhas cautelas. Se antes estava perplexo, agora sentia-me mais desorientado que nunca, e não me ocorria nada, ainda que talvez no fundo de mim mesmo sentisse, como uma alvorada que se insinua, algo semelhante ao medo. Que devia fazer? Fugir ou enfrentá-lo? Fiquei tão paralisado pela embrulhada dos meus pensamentos e dos meus medos, tão pasmado, que a *miss,* que naquela mesma tarde regressou, com o marido, do Porto, me perguntou se me tinha acontecido alguma coisa. Disse-lhe que não, mas não ficou muito convencida. Suponho que naquele mesmo momento, quero dizer, ao deixar-me, terá iniciado uma investigação cautelosa para averiguar os meus passos durante a sua ausência. Operação acessível, levada a cabo sem necessidade de grandes esforços, pois rapidamente lhe diriam que a menina Maria de Fátima tinha lá ido almoçar, e que a sua criada Paulinha viera naquela mesma manhã. Não sei o que a *miss* terá pensado, nem quais terão sido os seus receios. Nem se referiu às visitas, nem aludiu a elas, embora fosse verdade que o marido não lhe deu tempo nem ocasião, pois até bem entrada a noite, depois de ter jantado, dedicou-se a explicar-me o resultado das suas diligências no Porto. Trazia livros, folhetos, e a direcção de um jovem arquitecto com quem tinha falado. Todas as questões técnicas tinham solução. Mas as despesas, no seu conjunto, ascendiam a muito dinheiro.

— O empréstimo do Estado mal dá para começar. Deitámos contas...

— Quem? — interrompi-o. — Tu e mais quem?

— O senhor Amédio acompanhou-me, ajudou-me, orientou-me. Sabes que entre os seus muitos negócios tem um de gado perto do Uruguai? Percebe disso. Segundo os seus cálculos...

Os cálculos do senhor Amédio tinham concluído que a quantidade necessária para começar era três vezes o empréstimo oficial.

— As vacas de cria são caras; os sementais, mais, se se quiser que sejam de boa raça. Ele falou-me de duas ou três, todas elas estrangeiras, principalmente suíças e holandesas. Percebe do negócio, sabe tudo — reiterou. — Garanto-te que estou espantado com a nossa ignorância. Não sei o que iremos fazer.

— Ele não te disse?

— Não. Ele não me disse nada...

Sabe-se lá! Se calhar era verdade. Se calhar o senhor Amédio procedia também com cautela. Podia reservar a sua oferta até conhecer a quantidade que os bancos me oferecessem pela hipoteca do paço, ou com o paço como garantia... Eu sei lá! Disse ao meu professor que não tínhamos razão para nos precipitarmos, que era preciso reflectir sobre isso e estudar possíveis soluções mais baratas. Mas ele já se entusiasmara com a ideia de uma vacaria em grande, induzido certamente pelo senhor Amédio, que lhe teria descrito as suas instalações, que o teria surpreendido com o número dos seus milhares de vacas...

Na manhã seguinte fomos juntos percorrer as terras, para calcular mais uma vez a extensão dos prados, e quantas vacas poderiam alimentar, segundo os dados trazidos pelo meu professor: umas cento e cinquenta... Uma miséria! O meu professor pensou que, cortando árvores, se poderia pelo menos duplicar a área, mas isso exigia obras de regadio cujo custo não havíamos calculado, nem tínhamos dados para o fazer.

— Mas, ó homem, não te parecem suficientes cento e cinquenta vacas? Ninguém tem tantas por estas redondezas.

— É que cento e cinquenta vacas não são rentáveis. É preciso pensar nos impostos, nos juros do empréstimo, na amortização do capital. Menos de mil vacas, não dá nada!

— Foi isso o que disse o senhor Amédio?

— Sim, ele disse isso, e ele sabe o que diz...

O meu professor, tão esperançado nos dias anteriores, estava agora abatido, como se um grande projecto se fosse desmoronando pouco a pouco perante o seu olhar impotente. Que pensaria de mim, o homem, ao ver-me tão tranquilo, quase indiferente? Se mal, não lhe faltavam razões, de certo modo, dado que o meu entusiasmo pelo projecto tinha durado dois ou três dias, quando muito uma semana. Mas eu não podia restituir-lhe a fé em mim, revelando-lhe as confidências de Maria de Fátima, que, por outro lado, podiam ser falsas. Podiam sê-lo, mas isso iria dizê-lo a conduta do senhor Amédio.

Que não tinha pressa, ficou demonstrado naquela mesma manhã. Ao chegar ao paço, soube que Paulinha tinha passado por lá com o recado de que os seus senhores me convidavam para almoçar.

— Depois contas-me o que te diz o senhor Amédio...

Fui no meu carrito de um só cavalo. Recebeu-me ao portão o criado negro, que se encarregou do veículo. Paulinha estava no alto da escadaria. Ao pegar no meu impermeável sussurrou-me:

— Não tenha medo. Hoje não acontece nada — e desapareceu.

O primeiro a chegar foi o senhor Amédio. Parecia cansado, pegou-me no braço e, enquanto me contava que tinha passado uma noite má, levou-me por umas escadinhas em caracol a um sítio da cave que acabou por ser a adega. Havia ali, ordenadas, vários milhares de garrafas com rótulos. Não deixou de me surpreender tanta abundância e selecção, embora as coisas daquela família já não devessem espantar-me. O senhor Amédio explicou-me que tinha comprado toda a adega ao conde de Montformoso: uma colecção fundada nos princípios do século XVIII e que era considerada das melhores do país. Disse-me também quantos cruzeiros tinha pago por ela, mas esqueci-me. Naquele recinto abobadado havia mesas, cadeiras e alfaias. O próprio senhor Amédio preparou os copos.

— Vamos lá a ver o que acha deste Porto seco que lhe vou dar. Tem mais de cem anos.

Degustei-o e pareceu-me bom, embora me tivesse parecido a mesma coisa se não tivesse atingido a maioridade. O senhor Amédio dava estalinhos com a língua.

— Bem bom, hã? Há por aí outra colheita que ainda não provei... Se for boa, enviar-lhe-ei uma garrafa.

Agradeci-lhe e também dei estalinhos com a língua.

— Bem bom, pode crer, está mesmo bom.

A verdade era (e é) que entre as muitas deficiências da minha cultura, uma das mais lamentáveis e patentes é a da minha ignorância em matéria de vinhos, a minha ignorância total. Fingia entusiasmo com o senhor Amédio, como o fingira e fingiria muitas mais vezes com Simão Pereira. O senhor Amédio tinha carregado num botão, tocou muito longe uma campainha, desceu o criado negro com coisas para petiscar. Eu comecei a inquietar-me. Será isto a preparação de uma proposta de dinheiro, ou de sociedade, para montar em grande escala o meu negócio de vacas? Se assim era, o senhor Amédio levava aquilo com parcimónia, dando estalos com a língua, falando de vinhos; embora do prazer que lhe causava bebê-los e possuí-los, tivesse passado a tratá-los como um negócio: entrara para Associação

de Viticultores da região, entidade decadente que era preciso impulsionar, con-
vertendo-a numa modesta cooperativa. Já nos tínhamos sentado, quando me repetiu como tinha passado mal a noite anterior, uns sufocos que lhe davam de vez
em quando, com pontadas: tinha de ser qualquer coisa do coração.

— E por que é que o senhor não vai ao médico?

Porque o senhor Amédio não era partidário dos médicos. Herdara da sua mãe
a desconfiança. Doente toda a vida, tinha-se aguentado com tisanas e aguarden-
tes, e morrera octogenária.

— O que acontece, meu querido amigo, é que a minha mãe trabalhou toda a
sua vida no campo e na casa, e esse trabalho cansa, mas não gasta. O que gasta,
o que consome, o que estraga o coração, é ter na cabeça vinte ou trinta empresas
diferentes e uma pessoa saber-se responsável por alguns milhares de trabalhadores e de outras tantas famílias, cuja vida depende de que uma pessoa acerte ou
não, bem como de que aguente ou acabe por atirar a toalha ao ringue. E eu atra-
vesso um mau momento. Depois de lutar durante quarenta anos, o que é que
realmente ganhei com isso? Ser rico, ter esta casa, e outras no Brasil, e a que
penso comprar em Lisboa, se chegar a bom porto um negócio que ando a fazer, e
muitas coisas mais? Há aqueles que se sentem felizes por possuir e mandar. Eu
também senti isso, mas estes sufocos que algumas noites me fazem acordar, fizeram-me mudar de opinião. Tenho medo de morrer antes de tempo. E está a ver,
pouco passo dos sessenta, não sou nenhum velho, e as minhas energias permi-
tem-me lutar ainda mais trinta anos. Não é que agora me faltem, é outra coisa
que não consigo explicar, porque nunca o senti até agora. Além disso, se morrer,
o que vai ser das minhas coisas?

A pausa que fez não era objectivamente indispensável. Pode-se picar um bocadinho de presunto e continuar a falar, mas ele precisou, pelo que me pareceu, verificar se o que me estava a contar me causava algum efeito ou me deixava indiferente. Ao sentir-me observado fingi prestar atenção e ele sentiu-se convidado a
continuar. Fê-lo, sorvendo tragos de Porto e dando estalos com a língua. Apre-
ciava-o, segundo dava a entender, e é provável que fosse na realidade o seu único
prazer: imaginei-o refugiando-se na adega e emborcando uns copos, não o suficiente para se embriagar, porque não tinha nariz disso, nem hálito. Reatou o discurso repetindo a última frase:

— O que vai ser das minhas coisas? — embora imediatamente incrementada
com esta outra interrogação: — O que vai ser de tudo o que fiz durante tantos
anos de trabalho?

Pouco a pouco, das interrogações gerais passou às concretas, não só interrogações, como também afirmações. Aquelas mulheres, uma mulher e uma filha que tinham vivido sem se interessarem pelos seus negócios, sem mesmo saberem quais eram, limitavam-se a beneficiar dos lucros. Chegou a colocar a questão se não seria por sua culpa, se deveria tê-las tratado de outra maneira, ligá-las ao seu trabalho, fazer delas outro género de mulheres mais úteis, que assim continuariam a sê-lo, em qualquer caso e em todos.

— E você sabe quanto pode durar a minha fortuna nas mãos delas? Dez anos? Não acredito! Nestas situações, quando o responsável morre, o que se faz é vender, vender pelo que derem. O que interessa é arranjar dinheiro a rodos para continuar a gastar, até ao dia em que já não há o que vender, em que o dinheiro se acaba. E depois? Claro que não deveria preocupar-me com esse depois, porque estarei, além de morto, esquecido. Mas, está a ver, preocupo-me. Em primeiro lugar porque não gostaria que o que realizei com tanto esforço se desbaratasse num abrir e fechar de olhos. Como se aproveitariam então os meus inimigos! E como se iriam rir!

Voltou a fazer outra pausa, com o pretexto de outro bocadinho de presunto. Eu aproveitei e disse-lhe o que provavelmente esperava, com aquelas ou outras palavras.

— Por que não procura um sucessor?

— Um sucessor? Que quer dizer? Eu não tenho filhos varões.

— Poderia encontrá-lo num genro...

Largou-se a rir.

— Um genro? Não precisava de o procurar! No Brasil há candidatos aos montes, depressa os haverá também aqui. Um genro, claro, é lógico. E quem é que encontra o homem adequado, com quem, além disso, a minha filha queira casar? Você já a conhece. Não é uma rapariga fácil de contentar. São muito cabeça no ar. Como todas as meninas ricas: vivem na riqueza sem se preocuparem de onde vem, nem como chega até elas. Você sabe que é assim que se desbaratam as fortunas... — Aqui deu um profundo suspiro. — Eu não posso escolher marido para a minha filha. Essas coisas, neste tempo, já não se fazem. E se a ela lhe dá para casar com algum palerma, que posso eu fazer para salvaguardar a minha fortuna?

Naturalmente, eu não tinha uma resposta para lhe dar. Estas interrogações são formas de falar convencionais, ainda que servissem ao senhor Amédio de ponto de partida para traçar o retrato ideal do seu herdeiro e sucessor, do seu impossível genro: um português como ele, embora também pudesse ser galego; um desses homens humildes e tenazes que sabem aproveitar a arrogância dos nativos para organizarem um negócio sério e, sobretudo, sólido, apesar das dificuldades que a política — «quer dizer, o roubo organizado», esclareceu o senhor Amédio — coloca aos homens honrados para se aproveitar do seu trabalho.

— Esses homens existem. Conheço três ou mais, mas a minha filha não os quereria. — E repetiu a interrogação inicial: — Que posso eu fazer para salvaguardar a minha fortuna? — Mas desta vez incrementada com outra, mais dramática: — Deserdá-la?

Deixou aquilo no ar, mas foi naquele momento que eu compreendi as razões daquele convite privado, daquelas confissões. Interpretei isso como se tivesse dito: «Se por acaso casar com a minha filha, não espere herdar a minha fortuna. Você não me serve...» E senti uma satisfação profunda, senti-me como que libertado de um peso que me tinha ameaçado sem o merecer. Se alguma vez o senhor Amédio tinha projectado vir a ser proprietário do meu paço, não contava com a filha como moeda de troca.

E, quanto às vacas, nada. Talvez preferisse fazer um rodeio, entender-se com o meu professor e que este, mais fácil de deslumbrar, me convencesse a mim. Tinha passado bastante tempo desde a minha chegada àquela casa, desde a minha descida à adega. Bebêramos três cálices cada um: senti as cócegas do vinho no estômago, umas cócegas de clara intenção ascendente. Devia ser muito tarde. Paulinha desceu e pediu-nos que subíssemos para a sala de jantar, que a senhora e a menina estavam à espera. Não foi um almoço especialmente notável. Regina disse que tinham chegado revistas de Paris com a moda da Primavera, que precisava de ir lá a baixo a Lisboa ver o que havia por lá, que o tempo estava bastante bom, pois não chovia muito e não fazia frio, e que se não fosse por na Europa as coisas andarem agitadas e temer que a apanhasse por lá uma guerra, gostaria de dar uma volta por Paris: cabalmente descobrira certas deficiências na decoração da casa, precisava de alguns móveis... Alguns dos olhares que o senhor Amédio me enviou queriam dizer claramente: «Está a ver?» Maria de Fátima, como que posta de lado, não dizia uma palavra, quase nem olhava para mim. Fumava em silêncio. Paulinha ia e vinha, ágil, sorridente, com o ar de quem está acima de tudo, de quem, sem ter aprendido, sabe desprezar...

IV

Numa daquelas tardes recebi o aviso de que, na manhã seguinte, se entregavam os prémios aos melhores vinhos do ano. Quando eu ainda estava em Paris, a Associação de Viticultores lembrou-se de gastar dinheiro em propaganda, e tinham trazido um equipamento de cinema para filmar os trabalhos da vindima e do lagar. Como as minhas adegas eram as mais antigas da comarca, coube-lhes uma parte do protagonismo da operação, em que muita gente tinha participado, em que Maria de Fátima, segundo ele própria me havia contado, cortava cachos na vinha e pisava-os no lagar. Também foi ela quem entregou os prémios, vestida com um traje típico português, aliás muito bonita. Não se atrapalhava perante as câmaras. Por aqueles dias também foram instalados os telefones na comarca, e do paço pudemos falar para a casa de Maria de Fátima. Eu fi-lo para os cumprimentar, mas o meu professor aproveitou o aparelho para manter com o senhor Amédio longas conversas que não escutei, e das quais ele me informou muito superficialmente. Fiquei com a impressão de que ele achava que eu estava enganado acerca do negócio vacum e que considerava o senhor Amédio muito mais bem orientado. Não me meti nas combinações dele porque, no fim de contas, qualquer uma delas, fosse qual fosse, passaria por mim, e eu já sabia com o que podia contar. Um dia decidiram voltar ao Porto, e fizeram-no, sozinhos, avisando que permaneceriam lá dois ou três dias, a não ser que tivessem de viajar até Lisboa, o que lhes prolongaria a ausência. A *miss* achou bem, embora desta vez ficasse em casa, e suponho que nem Regina nem Maria de Fátima terão sido informadas a não ser com um conciso «Vou sair por uns dias», que não lhes provocaria, às mulheres, a menor inquietação, mas provavelmente satisfação e descanso. Eu, pela minha parte, também projectei uma viagem: ir a Viana do Castelo ver quais os livros novos que as livrarias tinham recebido. Para isso tinha de apanhar um comboio em Valença ou em Caminha. A viagem de comboio era bastante aborrecida. Lembrei-me de telefonar a Maria de Fátima e convidá-la: se aceitasse, ofereceria o seu automóvel. Assim foi. Eu insisti, hipocritamente, em que a viagem de comboio podia tornar-se divertida, mas ela decidiu que a fizéssemos no carro dela, o qual, ao chegarmos a Viana, nos converteria em personalidades. Veio buscar-me de manhã, vestida de forma convencional, com um vestido cinzento que não condizia com o seu modo ondulante de caminhar, e uma boina: trazia uma sombrinha muito bonita. Eu vestira-me de forma mais vulgar, ainda que o impermeável fosse inglês (que, aliás, já começava a ficar usado e gasto nalguns lados, como um sapato de charão). Não penso que Maria de Fátima se sentisse humilhada com a modéstia do meu trajar; provavelmente nem reparou. Quando me perguntou o que íamos fazer, e lhe disse que íamos comprar livros, vi no seu olhar uma espécie de estupefacção, de incompreensão, de repulsa.

— Mas os que tens em casa não te chegam?

Tentei explicar-lhe que, naquelas questões da literatura, convinha estar a par das coisas, do que se publicava, do que tinha êxito e era comentado. Não sei se entendeu ou não, e até é possível que não tivesse percebido metade das minhas palavras. Não fez nenhum comentário. Quando chegámos à livraria, permitiu-me, em silêncio e indiferente, remexer em tudo, bisbilhotar prateleiras, perguntar por isto e por aquilo, e levou a sua amabilidade ao ponto de carregar com um dos embrulhos dos livros comprados. Fomos almoçar a um restaurante onde estivéramos outras vezes, onde nos receberam com sorrisos. Havia uma orquestra na sala de jantar que tocava fados, tangos e sambas, num tom que não nos incomodava. De qualquer forma, preferimos uma mesa afastada, quase a um canto: o sorriso do chefe de mesa que nos levou até lá queria dizer que era cúmplice do segredo, um segredo mais aparente do que real. Inesperadamente, Maria de Fátima perguntou-me não o que era aquilo da literatura mas quais eram as minhas relações com ela, sobretudo tendo em conta o meu futuro. Respondi-lhe que tinha escrito, ainda que não publicado, um livro de poemas, e que, na realidade, não sabia qual era o meu caminho nem se o que seguia, continuamente rectificado, e, no entanto, invariável, me levava a algum lado. Cheguei a dizer-lhe que desejava vagamente ser escritor, mas que ainda não tinha descoberto se o desejo correspondia a uma verdadeira vocação, algo que me impelisse incoercivamente para a frente. Não me interrompeu uma única vez com perguntas ou comentários, mas, no fim, limitou-se a dizer-me:

— Isso não é uma coisa séria.

E fez-me compreender que, embora os meus pontos de partida não coincidissem com os dela, as minhas coisas não eram, efectivamente, sérias. Durante o caminho de regresso fez-me outra pergunta:

— Já pensaste a que é que te vais dedicar? Agora não me refiro à literatura.

A resposta também não podia consistir noutra coisa senão em frases vagas. Pensava ir para Lisboa, escrever nos jornais, esperar que acabasse a guerra de Espanha. O que poderia fazer depois era imprevisível. O interrogatório continuou durante toda a viagem, já longa a tarde. Não eram perguntas seguidas, mas sim espaçadas, como se entre uma e outra ela reflectisse sobre o alcance da minha resposta. Finalmente interessou-se por Villavieja del Oro. Tinha casa lá? Como era? Descrevi-lha, tive de a comparar com o paço minhoto, a casa da minha mãe ficou inferiorizada, embora eu me esmerasse em descrever os seus salões e os seus móveis, a sua fisionomia e o seu aspecto.

— E a vida em Villavieja, como é? Lá, qual seria o papel da tua mulher?

Não podia dar-lhe grandes informações, e ainda menos as que ela desejava. Eu vivera em Villavieja apenas uma infância e uma adolescência, ignorante da vida social. As coisas, além disso, deviam ter mudado. A minha mãe, é claro, pertencia ao topo daquela sociedade (eu dissera emperiquitada, e tive de lhe explicar), e esperava que a minha mulher ocupasse o seu lugar. Mas a vida em Villavieja era forçosamente aborrecida, se comparada com a do Rio. Claro que para mim tinha outros aliciantes...

— E nessa casa, podem dar-se festas? Podem levar-se convidados de fora? Há salões para enfeitar e iluminar, e nos quais se possa dançar?

— Eu até nem sei se aqueles soalhos de madeira e vigas de castanho suportarão mais de quinze pessoas.

— És rico, Ademar?

— Rico, não. Não sou rico como o teu pai, nem nada que se pareça. Tenho o suficiente para viver com dignidade e modéstia aqui, em Portugal, ou em Espanha. Nada mais.

Quando chegámos à porta do paço saiu comigo do automóvel: fizera-se noite e chovia um pouco. O tempo também tinha arrefecido. Sem me dar explicações, entrou comigo. Só depois de ter cumprimentado as pessoas, de eu ter perguntado se a lareira da minha sala estava acesa, de pedir que nos levassem um chá quente, é que Maria de Fátima me perguntou se podia ler os meus versos.

— Estão em castelhano.

— Entendo-o bastante bem, embora não o saiba falar. Além disso, o que eu não entender, traduzes-me tu.

Assim foi: sentados em frente da lareira acesa, com a mesa de chá servida, começou a ler. Tinham colocado um candeeiro de pé à sua esquerda: aquela luz iluminava-a de cima, metia-a num cone de claridade que me deixava de fora, instalado na penumbra. Podia contemplá-la à vontade, e deleitar-me. Ela prescindiu de mim, aplicou-se à leitura; muito de vez em quando perguntava-me o significado de uma palavra, ou pedia-me que lhe traduzisse um verso inteiro. Leu todos os poemas; pelo que pude depreender, houve alguns que leu duas vezes. No fim fechou o caderno com ar desanimado.

— Não percebo — disse.

A chávena de chá arrefecera. Com um movimento enérgico e certeiro, atirou o líquido para a lareira e serviu-se de outra chávena, bebeu-a sem dizer nada, creio que chegou a mordiscar um bolinho dos que a *miss* fazia pessoalmente, bolinhos da melhor tradição inglesa. Por fim, acendeu um cigarro e olhou para mim.

— Não percebo — repetiu.

— Se não estás acostumada a ler poesia, é natural.

— Não. Não me refiro a isso, mas aos teus sentimentos, às tuas ideias. Não percebo o que queres dizer quando falas do amor. Referes-te à cama, àquilo de que a minha mãe gosta? Será possível que para falar dessa porcaria consumas o teu tempo e a tua vida a escrever coisas tão difíceis? Porque, além disso, o que é que terá a ver isso a que vocês chamam amor com o mundo, com a morte, com as estrelas, até com o próprio Deus? Não achas que exageras um pouco? À minha mãe, pelo menos, isso não a perturba. O que começa na cama, na cama termina.

Pela primeira vez desde que conhecia Maria de Fátima, o seu olhar coincidia com as suas palavras, dizia a mesma coisa, se bem que talvez com mais intensidade e mais ira. O olhar não se detinha neste ou naquele pormenor, repudiava-me de uma vez por todas e completamente, repudiava-me por causa daqueles poemas que eu tinha escrito quase arrebatado, quase ausente com a recordação de Ursula. Repudiava-me, pelo menos, com os poemas como pretexto imediato, embora a repulsa resumisse todas as incompreensões, todas as decepções que eu lhe causara. Era uma repulsa total, rejeitava-me inteiro, não me deixava um resquício pelo qual pudesse recuperar a sua estima. E seria que me interessava realmente? Naquele momento, iracunda, furiosa, contida, estava bonita, não mais que outras vezes, mas de uma maneira nova, e eu deleitava-me no seu conjunto, não na excelência ou especial atractivo destas ou daquelas insignificâncias.

— Alguma vez te falaram de amor, Maria de Fátima?

— Disseram-me muitas coisas estúpidas ao ouvido, como a todas as mulheres bonitas que os homens consideram como presa sua.

— Isso não é falar de amor.

— Vais tu falar?

— Não, porque não te amo. Atrais-me, confesso-o, mas o teu olhar ergue entre os dois uma barreira que não me atrevo a saltar. Sem ela, talvez chegasse a amar-te. É o mais provável, e não me consideraria feliz, porque tu não me havias de amar nunca...

Interrompeu-me:

— Para quê? Eu ser-te-ia fiel e poria o meu corpo à tua disposição para que engendrasses filhos e para que te saciasses, se era isso o que necessitavas.

— Sem compartilhar dos meus sentimentos?

— A que é que chamas sentimentos?

— A sentir que cada um dos dois é necessário ao outro e a viver juntos a felicidade da necessidade cumprida.

— Isso inclui o prazer da cama?

— Sim, compartilhado, como tudo o resto.

Moveu serenamente a cabeça.

— Não preciso disso, não o entendo, não me interessa.

Tirar naquele momento, do maço de tabaco, um cigarro foi como procurar um ponto de apoio no vazio. Ofereci-lho, rejeitou-o, acendi o meu.

— Não achas que foi uma sorte termos chegado a esta conversa?

— Porquê?

— Podíamos ter continuado a enganarmo-nos como até aqui; podíamos chegar a casar. Teríamos sido muito infelizes.

— Eu não.

— Eu sim. Não concebo a convivência de um homem e uma mulher sem amor. Mas como eu acabaria por te amar, tenho a certeza disso, é possível que fosse eu apenas o infeliz.

Tinha recusado o meu cigarro. O maço estava em cima da mesa. Tirou ela um, levantou-se, e acendeu-o numa brasa da lareira, cujo lume não tinha chamas e cujos troncos começavam a escurecer.

Voltou-se para mim, expeliu uma baforada de ar.

— Tenho a certeza de que em pouco tempo faria de ti outro homem. Ensinar-te-ia a desejar o verdadeiramente desejável, e não essas ilusões do amor e da poesia. Sabes o que são a riqueza, o poder, o ser alguém no mundo? Ao meu lado aprendê-lo-ias.

— Tu sabes que o teu pai deseja para genro um homem como ele, um homem capaz de se encarregar do seu império?

— Talvez tenha razão. Mas a esse genro eu poria as minhas condições. Isto é: pediria o que me agrada do que tens e do que és.

— Uma casa como esta, por exemplo?

Encolheu os ombros.

— Por que não? Um pouco melhorada, é claro.

Julguei descobrir uma certa melancolia no olhar que lançou às paredes da minha sala privada, onde um relógio antigo deu as horas naquele momento: era um relógio que tocava de forma muito delicada e muito leve, um relógio romântico.

— Que pena termo-nos defraudado! — disse eu.

Ela voltou-se bruscamente.

— Eu a ti também?

— Sim, claro. Tu não percebes o amor, eu não percebo a ambição. Há mulheres que seriam felizes com o que eu posso oferecer-te. Ursula tê-lo-ia sido, Clelia também, possivelmente. E outras haverá, penso eu, que mais não pedirão à vida, se bem que lhe peçam viver até ao fundo isto que podem partilhar comigo. Eu conheci casais que viviam em sótãos e irradiavam luz.

Aproximou-se, já calma, com o olhar sereno e talvez um pouco irónico. Pôs a mão no meu ombro.

— A isso chamo eu mediocridade. E, quanto à felicidade, essa de que me falas, ou à que aspiras, nunca pensei nela. Como te terás apercebido, voo mais alto.

— Porquê?

Ficou a olhar para mim, sem resposta. Repeti a pergunta:

— Porquê? — E como continuasse sem me responder, acrescentei: — Se tu me fizesses essa pergunta, eu não ficaria mudo como tu. Para já dizia-te: porque sinto assim, ou porque preciso. Por baixo das justificações, há sempre algo mais forte e mais explicável. É aí que tocamos na vida.

— Mas nem todos vivem da mesma maneira — disse ela então, embora com a voz menos segura.

— É verdade. É algo a que todos temos direito, tu a voar mais alto, eu a ficar onde estou, quem sabe se sozinho para sempre. A diferença está em que tu vives de esperanças e a mim é muito provável que me calhe viver de recordações. Mas repara na diferença: eu não tento convencer-te a renunciares às tuas esperanças. Basta-me que saibas que, nessa viagem, não me julgo com disposição para te acompanhar. Exigiria de mim um esforço para o qual não estou preparado, talvez porque nada do que possas oferecer-me me seduza ou simplesmente me atraia. A não ser tu mesma.

— Sim. Compreendo. Enganei-me contigo. Mas sei perder, sabes? — acrescentou com uma alegria súbita. — A única coisa que te peço é que esqueças tudo, ou faças como se te tivesses esquecido. Eu farei outro tanto...

Estendeu-me a mão. Não a recusei. E enquanto a acompanhava até à saída pensei pela primeira vez que era uma pena não nos termos entendido. Também o era eu não poder imaginar a forma de lhe baixar a pluma, de a trazer à realidade humilde das pessoas a quem ela chamava medíocres. Acima de tudo, ensiná-la a amar. Era tão bonita, tinha um corpo tão desejável! E, no fundo, eu não acreditava que fosse má pessoa.

V

VIERAM UNS DIAS DE CHUVA CONTINUADA, noite e dia chovendo, o mesmo rumor nos telhados e nas janelas, uma cor cinzenta que ia escurecendo, até se meter na noite como que empurrada, como que obrigada, por aquele rumor invariável. As pessoas, incluindo a *miss,* calçavam os tamancos e pegavam nos chapéus de chuva só para atravessarem o pátio e entrarem nas adegas. Ausente o meu professor, a *miss* preferia não aparecer. E por alguma razão não explicada, talvez por uma dessas adivinhações de que as mulheres são capazes, parecia tranquila, e é provável que se tranquilizasse mais ao ver que eu não saía de casa e que Maria de Fátima não se deixava ver. Nem sequer telefonava. Embora estivesse frio na biblioteca, eu passava ali a maior parte do dia: tinha mandado trazer uma braseira que me aquecia as pernas, e o corpo metia-o numa samarra velha e antiquada, mas confortável e aconchegada. O seu feitio e ornamentos revelavam uma certa intenção de elegância. Se calhar tinha pertencido ao meu bisavô Ademar, se bem que eu ignore se no tempo dele já existiam samarras.

Tinha-me dado para reler os meus versos, escritos ali mesmo já há muito tempo atrás, esquecidos até a conversa de Maria de Fátima mos ter feito recordar. Li-os como se não fossem meus, e pareceram-me bons, embora não me sentisse com forças para repetir, nem sequer na memória, os sentimentos de que tinham nascido. Li-os e reli-os totalmente como coisa alheia, e como tal os julguei. Cheguei a mudar uma palavra, a corrigir um ritmo, mas com a sensação de impertinência daquele que emenda a página de outrem. Uma coisa tirei a limpo daquela leitura, daquelas longas meditações com o caderno dos poemas fechado no meu colo, e o olhar perdido na luz cinzenta da tarde: já não me apetecia escrever versos, não só como aqueles, quaisquer. Lia-os, contemplava-os como aquele que revê um álbum de fotografias de uma cidade à qual se sabe que nunca mais voltará. A princípio, cada fotografia serve de referência a um conjunto vivido, que renasce: o ar, a cor, o estado de espírito, certas pessoas e certas emoções. Mas à medida que o tempo passa, tudo se vai esquecendo, e a fotografia reduz-se à simples imagem: não faz recordar, nem sequer o que ali aparece, cuja realidade não ressurge nem se sobrepõe à imagem, não a vivifica. É imagem de algo existente, mas poderia sê-lo de algo que jamais se vira. Comecei a compreender, não sei se com pena ou indiferença, que às minhas recordações, aquelas que tinha considerado suficientes para continuar a viver, ou quem sabe se fundamentais para a minha vida, acontecia-lhes o mesmo que às fotografias e aos poemas. A história de Ursula tanto podia ser já uma história vivida como lida. Quanto a Clelia, seria ela que eu recordava, ou o conjunto de circunstâncias coincidentes numa tarde de Outono, em cujo centro, e por causas ou motivos absolutamente desconhecidos, tinham estado juntos um homem e uma mulher que quase se ignoravam, que não voltaram a ver-se, que não chegariam a encontrar-se outra vez? Se a história de Ursula podia comparar-se a coisa lida, a de Clelia parecia mais uma sequência de cinema isolada do filme, sem antes nem depois, e a recordação que tinha daquela tarde ia-se parecendo com a de alguns filmes que vira. De forma que, na realidade, o que eu julgava uma boa bagagem instalada no meu coração, sempre à mão, já não era quase nada, mera recordação parda, e um dia chegaria a ser nada. Não sei em qual daquelas tardes concluí (ou talvez me tenha ocorrido subitamente) que o meu comportamento para com Maria de Fátima não tinha sido inteligente, fora mais uma azelhice de novato, de alguém que sabe pouco de mulheres e de si mesmo, e o que sabe, mera literatura. Porque outra coisa não era tudo quanto lhe havia dito, e os fundamentos do que lhe dizia, e as minhas cautelas. Era provável que o que ela desejava, aquele «voar mais alto», fosse também algo semelhante, talvez um sistema de defesas ou a resposta a algum «complexo» adquirido na sua infância de menina rica perdida numa casa imensa, desprovida de afecto, solitária e talvez apavorada, a de uma menina que não percebe porque é que a sua mãe não dorme em casa e que vem a saber, talvez antes de tempo, que aquele que julga ser seu pai não o é: uma menina, enfim, para quem o mundo é um enigma ou uma confusão em que a única coisa clara é o porquê de aparecerem cobras nos cantos, e, ao espreitar debaixo da cama, aranhas como punhos. Isto penso eu agora, como penso que a sua frigidez podia ser curada por um médico, como penso que um tratamento carinhoso e inteligente a teria feito baixar das suas alturas imaginárias até à realidade que os dois podíamos ter compartilhado. Mas naquela tarde em que reconheci o meu erro, não me lembrei do remédio, nem pensei que o houvesse. Não estava apaixonado por ela, embora o tivesse desejado, por vezes ardentemente: o mesmo ardor com que me tinham apetecido outras mulheres que também passaram, que se tinham perdido no esquecimento. Não sei. Se calhar engano-me agora como então e como tantas vezes; mas pode ser que, detrás daquela frieza ambiciosa que confessava, se escondesse uma criatura acessível ao amor, capaz ela própria de amar.

Vieram dizer-me que alguém estava ao telefone para mim. Era Regina.

— Não posso mais com esta chuva e este aborrecimento! Oferece-me uma bebida?

Naturalmente! Chegou logo a seguir, metida num casaco comprido, tiritando. Tinham preparado numa sala não tão íntima como a minha vinhos e qualquer coisa para comer. Bebeu o primeiro copo de um trago e aproximou-se da lareira sem tirar o casaco. Esfregava as mãos inteiriçadas.

— Como é que pode vir com tanto frio, daquela casa tão quente?

— Não venho da minha casa. Ando há horas a percorrer caminhos, telefonei-lhe da povoação.

Por fim tirou o casaco, largou-o num lado qualquer, aproximou um cadeirão da lareira, muito perto das chamas, e ali se manteve quieta e silenciosa, recebendo o calor com visível avidez. Senti uma certa ternura súbita para com ela, limpa de desejo. Levei-lhe outra bebida, que tomou com mais parcimónia: sem lhe perguntar se queria, levei-lhe também algo para comer. Debicou qualquer coisa, mas mantinha o copo na mão, e de vez em quando sorvia. Quando acabou de beber, deu-mo sem sequer olhar para mim, e enchi-lho. Era um copo grande, antigo, muito bem talhado. Penso que o silêncio durava já há mais de meia hora. Não sei se ela se sentia incomodada, eu sim. A que tinha vindo? Unicamente para se aquecer, quando o sistema de calefacção da casa dela era melhor do que o meu? Só para estar diante de uma lareira, num velho salão atravessado por correntes de ar em que num dos cantos a água de uma goteira caía num alguidar? Porventura porque a chuva se ouvia melhor na minha casa do que na dela? Contemplava-a da minha penumbra. Ainda era bonita e atraente; mas quanto tempo levaria a sua beleza a desfazer-se? Um ano, talvez dois? Tinha o rosto pintado, e não podia dissimular as rugas incipientes do pescoço, longo, sim, ainda esbelto. Naquela tarde não se esmerara na roupa: não vinha, pelo menos, provocante, como de outras vezes. Deu-me a sensação de mulher vencida e quem sabe se desesperada. As pessoas que nunca passaram por isso não sabem o que pode provocar tantos dias a chover, como isso pode vencer as resistências dos não habituados, mudar a situação de uma alma, deixá-la inerme e despida. E não o digo por mim, que sempre vivi em cidades chuvosas. Para mim a chuva é o natural, e quando há muitos dias de sol seguidos, a monotonia dos céus limpos esmaga-me, e procuro, no entardecer, os crepúsculos por cima do mar que sempre acumulam brumas ou nuvens inesperadas longas e escuras, como linhas pintadas sobre o horizonte vermelho. Só precisava de subir ao terraço da minha torre para os ver, quero dizer, os céus, com essa cor consoladora. O sol que se põe, além disso, parece que atrai a alma, que a arrasta para esse além que nunca conheceremos, o além que me extasiava nos dias mais românticos da minha juventude. Mas não creio que uma mulher como Regina pudesse satisfazer-se com o espectáculo de um crepúsculo, excepto tendo ao lado um homem em fato de banho, e o mar perto. Sim. Ao contemplá-la, naquela tarde, iluminada pela luz cambiante das chamas, imaginei-a assim. Mas o homem que a acompanhava não era eu.

— Compreende por que é que eu não posso mais? — disse de repente com uma voz desesperada, cujo dramatismo, um pouco teatral, abrandou para acrescentar: — Você é um homem de mundo, você perceberá porque estou desesperada.

Não olhou para mim ao dizer isto; nos seus olhos continuavam a bailar as chamas da fogueira. Eu teria preferido concordar com um gesto, ou com qualquer trejeito afirmativo, mas tive de dizer que sim, que a entendia. Nem então olhou para mim. Bebeu com calma o resto do vinho, e com uma fúria repentina lançou o copo para as chamas. Eu tinha aproximado o meu cadeirão do dela, mas não o suficiente para conseguir impedi-la, nem o teria feito mesmo que a tivesse ao meu lado. Muitas vezes é preciso quebrar alguma coisa para não matarmos ou não nos matarmos. Regina, repentinamente desalentada, pediu perdão, pediu-o com esse tom de voz que equivale a um longo raciocínio, embora sempre desnecessário. Continuou sem olhar para mim, mas disse:

— Você sabe tudo acerca de mim, não é verdade?

— Não, senhora; não tudo, mas o indispensável para me abster de a julgar. Que mais lhe podia dizer? Mas ela falou como se não me tivesse ouvido:

— A minha filha ter-lhe-á contado horrores, todos os da minha casa e os meus. Não me diga que não: foi ela própria quem mo confessou.

— Não é preciso levar à letra a confissão de uma rapariga que ainda não sabe em que *mundo* vive: tanto o que lhe disse a si, como o que me disse a mim, pode ser exagerado.

— Mas revelou-lhe que nos odiamos.

— Há palavras que querem dizer tantas coisas!... Além de que nada está mais perto do amor do que o ódio, embora ela ainda não o saiba.

Então voltou-se por um instante, um só instante, o tempo que levou a dizer:

— Eu também não sei.

E olhou novamente para o lume, em silêncio, até que me pediu mais vinho.

— Não mo sirva num copo fino, não vá outra vez dar-me a fúria.

O copo em que lho servi era igual ao que tinha partido. Agradeceu-me e bebeu.

— Compreendo que haja momentos em que as pessoas precisem de fumar.

— Quer fumar?

— Não, nunca levei um cigarro à boca, mas gostaria de estar habituada para fumar agora.

Sim, teria preenchido o silêncio que se seguiu lançando o fumo para o ar como fazia a sua filha. Baforadas longas de fumo acinzentado, cheirando a essas misturas com ópio e mel que os ingleses fumam.

— Mas você sabe que gosto de homens, não é verdade? A minha filha contou-lho, e isso não admite mais do que uma interpretação.

— Quem sou eu para a julgar?

— Não estou a pedir-lhe que me julgue, nem lho toleraria. Trata-se apenas de saber que você sabe, julgue-me ou não. E, já que o sabe, não tenho de lhe explicar as causas principais do meu aborrecimento, do meu desespero.

— Não estou a pedir-lhe que me explique nada.

— Já sei. É a sua obrigação. Você é um cavalheiro, etc... Por o ser, por eu não poder mais, por rebentar se não falar, é que vim falar consigo. Digamos que você é uma testemunha do meu desabafo.

— Obrigado por me ter escolhido.

Virou-se, brusca, para mim e apontou-me o dedo.

— Mas não pense que venho pedir-lhe para dormir comigo. Não acredite nem espere por isso. Nem pense numa coisa dessas.

Desatei a rir de uma forma suave, que pelo menos não a ofendesse.

— E por que é que eu iria pensar? Que razões teria? Você é atraente e desejável, mas, para mim, respeitável.

— Não. Não sou respeitável — resmungou.

Desta vez olhou para mim francamente, com uma expressão que, no momento, não consegui interpretar, mas que acabei por compreender que era de orgulho, o orgulho de quem se atreve a assumir os seus pecados.

— Não sou respeitável — repetiu. — E sê-lo-ei cada vez menos, quanto mais velha for, quando deixar de ser atraente e desejável, como você disse educadamente. Já estou a deixar de o ser. Sabe que tive de pagar ao último dos meus amantes? Era um rapaz das redondezas, desses que passam aqui o Verão. Jovem, apetecivelmente jovem, mas mau. Levou as minha jóias e desprezou-me.

Fez uma pausa breve e pareceu-me que reprimia um soluço.

— A minha filha não sabe disto, não o podia saber, porque mo teria deitado em cara, envergonhar-me-ia com mais uma vergonha.

— E você precisa de que eu o saiba?

Deitou-se para trás no cadeirão e ergueu a cabeça. Eu via-a de perfil, com metade do rosto avermelhado pelas chamas. Por trás dela começavam as penumbras da tarde.

— Se eu fosse religiosa, tê-lo-ia confessado ao padre. Teria confessado tudo, e o meu coração estaria livre. Você deve saber que quando não estamos de acordo connosco próprios, é preciso confessar o que faz mal ao interior...

— Sim — creio ter murmurado.

— Tudo se teria evitado se eu tivesse um marido... Bom, creio que se teria evitado, mas ele teria de ser... — Outra pausa. — Eu sei lá como teria de ser o homem capaz de receber todas as ânsias e esgotá-las? Não penso apenas na cama. Há outras coisas de que uma mulher precisa.

— A sua filha não as considera indispensáveis.

— Você dormiu com ela?

— Não.

— Nem sequer teve vontade de o fazer?

— Isso, sim senhora. Tive uma vontade muito grande.

— Então...?

Fez esta pergunta a olhar para mim. E via-me a cara toda, iluminada. Consegui responder-lhe com um gesto ambíguo.

— Defraudou-me. Eu pensava... eu esperava... Nunca lhe passou pela cabeça que eu precisasse disso? Que a violasse, que a deixasse grávida, que ela tivesse de lhe suplicar. Defraudou-me.

Demorei a dizer-lhe:

— É curioso. Parece que o meu destino é defraudá-los a todos, não só a si. O seu marido deu-me a entender com bastante clareza que eu não lhe serviria para genro. E Maria de Fátima, há dois ou três dias, reconheceu que nos tínhamos defraudado um ao outro. Quer dizer, apesar de ter sido eu a dizer-lho, ela também pensava assim.

— Mas a quem isso mais magoa é a mim. Você tirou-me a última esperança. Não quis perguntar-lhe qual era, embora começasse a adivinhá-la. Foi um momento difícil da conversa: tudo fora dito, e talvez mais do que o conveniente. Vacilei uns segundos, saí do impasse levantando-me e indo até à lareira, cujas achas esmoreciam. De cócoras em frente à lareira, remexendo no monte de brasas, ofuscado pelas faíscas, sentia Regina respirar ofegante atrás de mim.

— Não se volte, peço-lhe. É só um momento, mais nada.

Ouvi-a mexer apressadamente na mala, como quem procura alguma coisa. Depois aspirou com força duas vezes, talvez três. Ouviu-se o clique da mala a fechar-se. Lembrei-me de que teria inalado rapé, mas refutei a ideia.

— Já se pode levantar.

Levantei-me. A minha sombra tapava-a, mas na sombra os seus olhos resplandeciam com força, e a voz com que me falara tinha mais vigor. Perguntei-lhe se queria mais vinho, ou qualquer coisa.

— Não, já não.

Levantou-se de repente, como se tivesse rejuvenescido. Acompanhei-a até ao automóvel. Havia caído a noite, e os faróis acesos iluminaram a chuva incansável, que caía inclinada. Arrancou com ruído de bom motor, saiu do pátio deixando o lago à esquerda. As rodas levantavam rios de água e salpicos de lama.

VI

PAULINHA TELEFONOU, do bar da povoação, como se fosse a coisa mais natural do mundo, com um recado em tom misterioso.

— Não posso ir vê-lo. Venha o senhor até cá. Eu estou na povoação, como todas as manhãs. Ao meio-dia volto ao bar. O senhor pode esperar por mim enquanto toma uma cerveja, que eu sei que toma uma de vez em quando. Não falte.

Sim. Às vezes ia à povoação beber uma cerveja, ou um copo de vinho verde, que ali era bastante bom, e dava uma vista de olhos aos jornais que encontrava. Mais frequentemente desde aquela vez em que à sobremesa se falara da guerra de Espanha. As coisas iam cada vez melhor para as pessoas da povoação, mas cada vez pior para os republicanos. O meu professor dava já como certa a vitória do general, a quem se referia assim, sem acrescentar o apelido. Não deixava de me demonstrar a sua preocupação com o que pudesse vir a acontecer-me, tanto no caso de querer voltar a Espanha como ficando em Portugal, dado que ou corria o risco de perder a liberdade, ou de ficar sem o meu património espanhol, que não era um património de milionário, mas que tinha o seu valor. Ele não sabia que, para mim, tinha sobretudo um valor sentimental. Não gostaria de perder por confiscação desonrosa a casa de Villavieja, tão cheia de recordações, e de nunca mais voltar à cidade, com tanta gente interessante, de quem às vezes tinha saudades, tão sozinho que eu estava, sem ninguém à mão com quem ter uma conversa medianamente inteligente que não fosse sobre vacas, sobre prados ou sobre situações dramáticas entre mãe e filha.

Paulinha foi pontual, e revelou ser uma boa actriz. Entrou no bar, pediu um café ao balcão, e só depois de o ter bebido, quando saía, é que fingiu dar por mim, aproximou-se da minha mesa, estava um pouco retirada, junto de uma janela do fundo. Fingi surpresa, ofereci-lhe qualquer coisa, pediu outro café e sentou-se: com naturalidade, com graça, com uma certa sorna. Trazia um impermeável escuro, com capuz, que tirou e deixou numa cadeira.

— Com esta chuva, e de bicicleta, não temos outro remédio senão molharmo-nos.

Apercebi-me de que também trazia o inevitável cabaz com as compras.

— Não posso demorar-me, senhor. O que aconteceu foi que a noite passada a menina e a senhora andaram à pancada, e a senhora disse à menina que todas as noites vinha ao paço e dormia consigo, e que o deixava cansado para que, no dia seguinte, não ligasse nenhuma à menina. Bom, está a perceber o que eu quero dizer com isto. Eu sei que isso é mentira, senhor; eu sei que a senhora nunca saiu à noite de casa desde que o senhor cá está. Antes sim, e eu disse isso à menina. Mas não sei o que poderá acontecer. Gritaram muito. Se o senhor estivesse em casa...! Não digo o senhor, mas o outro, o marido.

Como era bonito ouvir aquela história de loucas dos lábios de Paulinha! Teria ficado a ouvi-la uma hora inteira, mas foi breve: agarrou nas suas coisas e foi-se embora.

Devo dizer que não me deixou perplexo, nem assustado, nem divertido nem estupefacto. Alguma razão houvera para eu esperar uma coisa assim, uma dessas esperanças que não se pensam, esperara por ela desde aquela tarde de chuva escura, quando Regina se foi embora; e por essa razão fiquei tranquilo, e pude saborear o meu vinho, e ir-me embora fumando debaixo de uma chuva miudinha. Regina havia mentido para manter sobre a sua filha aquela superioridade que eu não tinha conseguido dar-lhe, e Paulinha, discretamente, destruíra-lhe a mentira. As coisas estavam no seu lugar. Esqueci-me de perguntar a Paulinha pelo estado de espírito de Maria de Fátima. Sim. Foi um esquecimento inexplicável, mas também não teve consequências. Regressei ao paço, tratei de algumas bagatelas com a *miss*, meti-me na biblioteca e não fiz nada. Nem sequer fantasiar acerca das notícias trazidas por Paulinha. O meu professor regressou naquela tarde: estivera também em Lisboa, vinha carregado de ideias e de ilusões, de soluções teóricas, e contou-me que o senhor Amédio finalmente lhe insinuara indirectamente a possibilidade de uma colaboração no empreendimento das vacas, no caso de eu estar de acordo. Não lhe respondi nem que sim nem que não, mas ele interpretou esta ambiguidade como um sim, e combinou pelo telefone com o senhor Amédio um almoço entre os três para o dia seguinte num restaurante escondido no meio da serra, ou a coberto de um santuário que só os refinados conhecem. O senhor Amédio veio buscar-nos, com o charuto matutino já na boca. Era ele que conduzia. A primeira coisa que nos disse foi que, no dia seguinte, no cinema da povoação, se projectava em sessão privada o filme que uns cineastas de Lisboa haviam feito para a Associação de Viticultores, e que o tinham incumbido de nos convidar, dado que éramos sócios. Que não nos assustássemos, pois eram apenas duas fitas; no total, meia hora, embora longa, porque depois da projecção havia um beberete. O restaurante ficava à beira de um bosque, no patamar de uma encosta, entre magnólias. Se o tivesse conhecido antes, teria lá ido algumas vezes com Maria de Fátima e, quem sabe, se calhar estava a tempo de o fazer. Uma casa antiga de comida caseira. Nunca imaginara que o senhor Amédio fosse um comilão, mas emborcou, além de caldo verde, um bacalhau e um cabrito de doses generosas, e, de vinho, ele sozinho duas garrafas, que não lhe soltaram a língua, pois falou menos do que na manhã a sós comigo na adega; falou menos, mas concretamente. Descreveu uma empresa fabulosa e ofereceu-se para investir nela três vezes o capital do meu empréstimo. À sua objectividade opus vacuidade, indefinição, embora deixando bem claro que a sociedade que formássemos seria em partes iguais, e que cada um responderia pelo capital investido, e se algum dos dois participasse por alguma razão com uma quantidade maior, aumentaria os seus direitos de propriedade sobre a empresa na mesma proporção e responderia com o seu capital privado, bem entendido que nenhum investimento extraordinário podia ser considerado como dívida contraída pelo outro sócio para com a sociedade. Eu não sabia como se chamava, em termos jurídicos, aquele tipo de contrato, mas tinha uma ideia da sua existência e da sua legalidade. Sociedade

Limitada? Não me lembro. Sei que era o modo de salvaguardar o paço no caso da empresa falir e de ele ter de se encarregar de uma parte do passivo. Tomou muitas notas, acrescentou cálculos.

— A empresa, no arranque, será raquítica.

— Bom: eu chamá-la-ia modesta.

O acordo foi que cada uma das partes estudaria a proposta, e, ou faria outra, ou iríamos juntos ao notário. Tudo na semana seguinte.

Quando ficámos sós, o meu professor recriminou-me, amável, mas firmemente, pela minha desconfiança ou pela minha falta de jeito.

— Nem uma coisa nem outra. A única coisa que faço é garantir, a ti e à tua mulher, que nunca vos expulsarão daqui. Eu não o farei, nem vivo nem morto, e não gostaria que outro o fizesse. Também não gostaria de ficar sem o paço. Estas são as razões das minhas reticências.

O meu professor compreendeu, quero dizer, compreendeu as razões da minha atitude, ainda que não os seus termos.

— Queres que te confesse a minha desconfiança no senhor Amédio? Essa é a única causa daquilo a que chamo reticências. Tem fama de tubarão. Por que motivo íamos deixar que nos mordesse?

O meu professor não ficou muito convencido, mas aceitou a minha posição.

Tínhamos combinado encontrar-nos no dia seguinte ao meio-dia no cinema da povoação, a família inteira do senhor Amédio e nós. Adiantaram-se a nós. Regina parecia amorrinhada; Maria de Fátima, indiferente. Também haviam trazido Paulinha, porque ela aparecia em certos momentos do filme. Connosco vinha a *miss*, que se juntou às outras mulheres. Era uma reunião dessas em que homens e mulheres fazem grupos à parte, e cada sexo ocupa um lado da plateia, como em algumas igrejas. Eu não conhecia a maior parte das mulheres e pareceram-me provincianas: incomodadas perante a elegância e talvez também a reputação duvidosa («São demasiado modernas») das duas brasileiras, e não deixava de ser possível que a presença de Paulinha as incomodasse ainda mais («Trazer a criada, que escândalo!» «Se não for criada, é escrava»). Quando se apagaram as luzes e começaram as imagens no ecrã, a primeira coisa a aparecer depois de uma garrafa foi o rosto de Maria de Fátima, em quem a câmara encalhou com tanta persistência e minúcia quanto deleite: não saía das suas pernas, das suas ancas, da blusa folgada e dos seios saltitantes quando pisava o vinho. Deteve-se na sua figura quando ela distribuía os prémios. A montagem tinha juntado imagens, havia-as sobreposto, fundido, invertido, aumentado, recortado, com olhar duplamente ébrio até criar uma metáfora indefinida de mosto e corpo, quem era quem não se sabia, se vinho, se mulher. Aplaudi calorosamente, ainda que quase sozinho. O beberete subsequente foi um encontro frio, do qual todos os casais fizeram o possível por sair cedo. Até Regina o fez antes do marido e da filha; antes, é claro, de mim. Dei por ela deprimida, quase afundada. Só soube interpretar um dos seus olhares como o do náufrago que suplica ajuda, e que ajuda podia eu prestar? Maria de Fátima foi-se embora com o pai, indiferente, parecia, ao seu triunfo. O senhor Amédio também não parecia entusiasmado, tão-pouco triste. Opinava que era uma boa propaganda e que no Rio de Janeiro, onde aquelas coisas se entendiam melhor, seria um êxito.

Durante o almoço, o professor, a *miss* e eu mantivemo-nos silenciosos. Não sei se eles também se haviam sentido incomodados pelo modo de estar no ecrã de Maria de Fátima; de qualquer forma, espero que por razões diferentes das senhoras dos viticultores e das de Regina. Certamente! Não vi Paulinha, menos favorecida que a sua ama, mas nem por isso menos bonita, no breve tempo da sua aparição. Não a vi no beberete. O mais certo terá sido que, ao acabar a projecção, tenha pegado na bicicleta e regressado. Paulinha, em qualquer dos casos, sabia o que devia fazer. «Sou quem sou», dissera-me ela uma vez, e quem saberá que filosofia prática se encerra em fórmula tão abstracta? Para já, uma ideia de si mesma e do mundo, embora, interrogada nestes termos, tivesse aberto os olhos e dissesse: «Não entendo.»

A chuvinha continuava. Numa canção esquecida, quiçá num poema, diz-se que «chove no meu coração». Dá tristeza, mas uma tristeza agradável à qual compraz entregarmo-nos. É um sentimento difuso, cujo nome talvez não seja tristeza. A *saudade* portuguesa aproxima-se mais da realidade. Ou a nossa *morriña*, ou *soidade,* que eu indistintamente costumava usar quando me encontrava naquele estado. Não há nada que seja capaz de nos tirar de lá, quando nos apanhou. A poesia serve para o expressar, mas eu perdera-a havia tempo e fracassaram as minhas tentativas mais recentes de a recuperar. Foi numa tarde assim, saudosa, morrinhenta, que acabou como tinha começado, verdadeira suspensão do tempo, que não se sente fluir, quieto no coração embora transcorra nos relógios? Com a alma vazia, com os sentidos abertos para a única sensação: de quietude, quem sabe se de eternidade... Passar deste estado ao sono é como renunciar ao paraíso por uns quantos sonhos incertos. Os daquela noite giraram, lentos, em volta das imagens de Maria de Fátima: a câmara pusera em relevo o que eu tantas vezes havia contemplado com desejo, isolara-os do corpo, oferecia-os assim ao olhar do sonho...

Fui acordado pela *miss* espavorida.

— Maria de Fátima chama por si! Algo de grave se passou! Vá a correr!

Pouco depois das oito horas, nas janelas apenas uma claridade, a chuvinha. Vesti-me num abrir e fechar de olhos, fustiguei o cavalo. O grande portão da quinta do senhor Amédio, de ferros retorcidos, enlaçados, enlouquecidos, que era tido como o mais belo exemplo de forja modernista, estava aberto, e também a porta da casa, de madeira, ferro e vidro. Saí do carro, entrei a correr. Levei tempo a encontrar alguém.

— Ai, senhor, que desgraça, que grande desgraça! — foi o que me disse o criado negro. Paulinha veio a seguir.

— Não foi a menina, garanto-lhe.

— Não foi o quê?

— Quem matou a senhora.

Algo se esclarecera.

Maria de Fátima atirou-se para os meus braços.

— Não fui eu, tens de acreditar em mim, não fui eu! — sussurrou ao meu ouvido.

Levou-me ao quarto onde a sua mãe jazia. O médico da povoação examinava-a, já havia um bom bocado que a examinava. Era um homem novo, desses que basta vê-los para repararmos que andam pelo mundo repletos de capacidade, pelo menos, profissional. Olhou para mim.

— Uma paragem cardíaca, não pode ser outra coisa.

O corpo não apresentava sinais de ter sido espancado, nem ferido, nem envenenado. Haviam-no encontrado encolhido sobre si mesmo, em posição fetal. O senhor Amédio não estava presente.

— Vocês sabem se sofria de falta de ar ou se desmaiava?

— Não, senhor doutor, nunca.

A voz de Paulinha era categórica.

— Pois é estranho... Trata-se, indubitavelmente, de uma paragem do coração. Fumava?

— Não, nunca!

— É tão estranho...!

Não obstante, passou uma certidão e disse que já podiam avisar a funerária. Maria de Fátima, friamente, perguntou-lhe quais os seus honorários.

— Deixe isso agora...!

Tinha ido buscar um casaco escuro de cima de uma cadeira, vestiu-o, deu os pêsames e foi-se embora. Maria de Fátima, mais descaída do que sentada, olhava para o ar inexpressivamente. Paulinha aproximou-se da janela e esperou que o ruído do carro que levava o médico se perdesse na chuva opaca. Depois aproximou-se de mim e levou-me pela mão.

— Venha daí. Repare no que lhe vou mostrar.

Pegou numa caixa redonda do toucador de Regina, uma caixa de coral, de lavra maravilhosa. Abriu-a.

— Ela punha estes pós no nariz quando estava triste ou cansada.

Peguei numa pitada, cheirei-a, inspirei-a de uma só vez: foi uma sensação súbita e crescente de plenitude, de euforia. Cocaína? Eu não entendia de drogas, mas, sem dúvida, que era uma coisa dessas. Mostrei-a a Maria de Fátima.

— Foi isto. Cocaína, talvez.

— Agora entendo. Agora entendo muitas coisas.

Tirou a caixa das minhas mãos, esvaziou-a num lavatório, limpou-a bem.

— Onde costumava tê-la?

— Ali mesmo, menina, à esquerda do espelho.

Deixou-a lá.

— É preciso dizer ao teu pai.

— Como quiseres...

Paulinha levou-me a um pequeno escritório onde o senhor Amédio, em pijama e roupão, se afundava no silêncio. O roupão era grená, de tecido grosso, brocado, um roupão de *parvenu*.

— Concede-me uns minutos?

— Traz alguma notícia?

— Acho que sim, senhor. O médico certificou o falecimento como paragem cardíaca. O senhor sabia que a sua mulher tomava cocaína?

— Cada qual é dono de fazer da sua vida o que quiser.

— Abusou da dose, é o mais provável. Talvez tenha dissolvido o pó na água e o tenha bebido.

— Vão fazer autópsia?

— Acho que não...

Levantou-se com dificuldade.

— Vamos ter de a enterrar no Brasil. Isto obriga-me a uma viagem inesperada e desagradável. Os nossos negócios ficam suspensos.

— Compreendo.

Alguém tinha chorado a morte de Regina?

Vieram o professor e a *miss*. Vieram outras pessoas. O velório começou sem o corpo presente, como uma tertúlia triste. Paulinha e outra criada amortalharam-na. Ao cair da tarde, chegou de Lisboa um camião com um caixão duplo, de zinco e mogno. Uma vez colocada lá dentro, organizou-se a capela ardente. Um padre da aldeia disse uma missa. Pessoas dos arredores chegavam, ajoelhavam-se, rezavam longos terços, beijavam Maria de Fátima, iam-se embora. Assim foi até ao meio-dia seguinte, em que uma carrinha veio buscar a urna. À frente da porta, foi carregado por dez homens fortalhaços. Havia um semicírculo de curiosos. Partiu. O senhor Amédio ia atrás, sozinho no seu carro. No de Maria de Fátima íamos Paulinha e eu. Paulinha no banco de trás. Viajámos até bem entrada a noite, atravessámos um Portugal chuvoso e tristonho. Parámos todos no mesmo hotel. Alguém tratava das coisas. A urna ficou encerrada num armazém do cais, havia que esperar três dias até chegar o barco. Durante esse tempo mal vi o senhor Amédio, não vi Maria de Fátima nem Paulinha. Fiquei sozinho no hotel, melancólico. Não visitei os Pereira. No dia da partida já me tinha vestido e preparava-me para sair, quando Paulinha bateu à porta do meu quarto. Já estava pronta para a viagem.

— O senhor dá-me licença que entre? — Fechou a porta atrás de si. — Quero despedir-me do senhor a sós, porque tenho que dizer-lhe que teria gostado de ficar consigo.

Abraçou-me, beijou-me na boca e foi-se embora. Meia hora mais tarde juntei-me a ela e a Maria de Fátima, acompanhei-as ao cais, deixei-as instaladas no mesmo camarote. O senhor Amédio não apareceu. Quando a sirene tocou, nenhuma delas assomava à amurada. Apesar de tudo, esperei que o barco se afastasse.

Capítulo Cinco

Longo interregno contado um pouco à pressa

I

QUANDO REGRESSEI SOUBE que o senhor Amédio tivera
tempo para confiar os seus interesses ao meu professor; de início, apalavrado e
com entrega das chaves da casa e algumas instruções ao banco local para o pagamento das despesas; posteriormente, uma procuração para que o representas-
se; do que deduzi que a sua intenção não era de regressar logo, e que, pelo menos aparentemente, os seus receios de ser vítima da justiça espontânea, tinham ficado adiados. Quem sabe? Notava-se a satisfação do meu professor, apesar de a
dissimular queixando-se do trabalho suplementar que ia recair sobre ele sem o
menor benefício, pois da quinta do senhor Amédio a única coisa que se podia tirar era flores, pouco cotadas nos mercados mais próximos. A sua nova situação
distraiu-o um pouco do negócio das vacas, ao qual, é claro, não renunciou, mas
que já concebia numa dimensão razoável. Tratámos do assunto durante alguns
dias, até deixar as coisas não só claras, como também encaminhadas, e quando
concordámos em tudo, anunciei-lhe o propósito de ir uma temporada para Lisboa, se bem que lhes ocultasse, a ele e à *miss,* a verdadeira razão: que não era
outra senão a caducidade do meu passaporte, passado pelas autoridades republicanas, e a necessidade em que me encontrava de conseguir outro. No hotel de
Lisboa, onde me conheciam, tinham-me avisado: «Será melhor o senhor tirar outro passaporte. Este já não lhe serve de nada.» Era verdade, e eu não me tinha
apercebido. Ao voltar para o mesmo hotel, disse que vinha justamente tratar disso: aceitaram-me sem dificuldade, embora me aconselhassem que, assim que ti-

vesse um novo, o fosse lá levar para tomarem nota: a Polícia tornara-se exigente, porque com a guerra de Espanha e agitado como andava o mundo, Lisboa começava a ser encruzilhada de caminhos e destinos, refúgio de gente indesejável e outros inconvenientes. Falava-se muito de espiões, e qualquer pessoa não habitual dos cafés da Baixa podia tornar-se suspeito. Como é que o Governo português resolvia o possível conflito entre a sua tradicional amizade com Inglaterra, a sua tendência franquista e a presença interveniente da diplomacia nazi, ignoro-o. Os portugueses foram sempre hábeis, e de um funcionário conheço a seguinte frase, dita a um representante estrangeiro: «Vossa excelência tem razão, mas não a tem toda, e a pouca que tem não lhe serve de nada.»

Fui ter com o meu recurso habitual, o senhor Pedro Pereira, que me remeteu para o seu filho, a cujo escritório no banco fui pela primeira vez. Era o gabinete sumptuoso de um financeiro importante, num andar alto e com janelas para a luz: o de um banqueiro moderno segundo os modelos importados pelo cinema. Que contraste entre aqueles móveis modernos e o ambiente tradicional, um pouco antiquado, mas sempre elegante, dos escritórios bancários de Londres! Simão Pereira, com a promessa de almoçarmos juntos na primeira ocasião, reteve-me durante uma hora, ouviu a exposição das minhas dificuldades e, finalmente, disse-me que eu não só precisava de um novo passaporte, como de resolver de alguma maneira conveniente a minha situação militar.

— Por não ter aceitado a solução que lhe ofereci há tempos, a de se fazer cidadão português, em Espanha você é um refractário.

— Sou-o na Espanha de Franco.

— Que em breve será em toda a Espanha, não espere outra coisa.

— Então qual é a solução que lhe ocorre?

— De momento, nenhuma. Para já, se for ao consulado, negar-lhe-ão o passaporte. Deixe isso nas minhas mãos, dê-me alguns dias, e vamos lá ver se saímos desta embrulhada.

Noutro momento da conversa sugeriu-me que fosse ao jornal para onde tinha trabalhado, me apresentasse ao director com o nome de Ademar de Alemcastre, aquele por que era conhecido no mundo do jornalismo, ver se me ofereciam uma colocação, algo que justificasse a minha presença em Portugal.

— Convém pensar em ficar por cá, se as coisas correrem bem. O mundo não está tão atraente que se possa pensar em Roma ou em Berlim. Fique, porque, aconteça o que acontecer, sempre o poderemos ajudar.

Concordei com ele.

O director do jornal recebeu-me sem dificuldade e com aparente alegria.

— Já estava a estranhar não ter aparecido por aqui, e cheguei a pensar se não se teria perdido pelo caminho ou, o que seria pior, se não se teria metido nessa loucura da guerra de Espanha! Dou-lhe as boas-vindas e ponho-me à sua disposição.

Falámos, primeiro de Magalhães, que pensava ser um jornalista eficaz e limitado.

— Não pense você que não nos apercebemos da mudança das crónicas desde a sua chegada a Paris. Toda a gente o disse, e isso fez com que muitos de nós pensássemos que você percebe de outras coisas para além de literatura.

Agradeci-lhe e minimizei a minha influência sobre Magalhães. Depois perguntou-me se eu pensava ficar em Lisboa. Respondi-lhe que sim.

— De momento não posso oferecer-lhe um lugar no quadro do jornal, mas sim a presença da sua assinatura uma ou duas vezes por semana. Você vem da Europa, sabe o que se passa, e a sua prosa é clara e convincente. Ofereço-lhe escrever sobre o que quiser, política, cultura ou finanças, e toda a informação de que dispõe o jornal; isto é, que pode entrar e sair como qualquer pessoa da casa. Quanto aos seus honorários, não posso dar-lhe já uma quantia, mas garanto-lhe que irei conseguir o máximo possível.

Caramba! Não há dúvida de que sou um homem com sorte, ou que o fui. Até onde teriam chegado outros com as minhas oportunidades! Nunca encontrei no meu caminho um inimigo, nem isso a que se costuma chamar uma má pessoa. Nunca ninguém tentou enganar-me. Isso não é ter sorte? Mas a sorte, entendida como a persistência favorável dos azares, para ser verdadeiramente efectiva, requer uma disposição de espírito que eu não tive. Disse-mo o senhor Pereira, Simão, quando lhe fui contar a minha entrevista com o director do jornal. E acrescentou:

— Isso não mo deve a mim, pode ter a certeza. No outro dia não lhe disse, por esquecimento, que as suas crónicas de Paris eram lidas e elogiadas em Lisboa. Mas disse-lhe que não se esquecesse do seu nome português. Conhecem-no por esse nome. Graças a ele será lido novamente, e poderá andar em Lisboa de cabeça erguida e não como um qualquer.

Olhem só! Mandei um telegrama ao meu professor para que me enviasse rapidamente a máquina de escrever, uma *Remington* portátil que tinha comprado em Paris. Fui ao jornal, passei uma tarde a ler diários ingleses e franceses. Creio que consegui recuperar a imagem, já perdida, ou, pelo menos, esbatida de como iam as confusões políticas. França abatida e míope devido aos seus problemas internos, Hitler cada vez mais seguro e mais desavergonhado, Mussolini mascarando em discursos altissonantes a sua impossibilidade de ir mais além do que já fora. Escrevi um artigo que me pareceu inteligente e ambíguo. Fi-lo assim porque ainda não tinha percebido qual a ideologia do jornal; quero dizer, do seu verdadeiro matiz ideológico dentro do mais estrito conservadorismo. O artigo foi publicado no dia seguinte, e o senhor Simão telefonou-me para me felicitar.

— Nem sabe como foi oportuno. É-me útil como mais uma achega nas diligências que efectuo junto da embaixada espanhola acerca do seu problema.

Vejam lá que bem! Se calhar conseguia-me o passaporte antes do que se pensava. Escrevi mais dois ou três artigos, nem todos de política.

— Será melhor que trate também do andamento das finanças no mundo. Passe pelo meu escritório e dar-lhe-ei alguns dados — disse-me por telefone o senhor Simão.

Fui vê-lo. Tinha-me arranjado um verdadeiro *dossier*. Ao lê-lo, apercebi-me da sua tendenciosidade e orientação. O que me dava não era mentira, mas insuficiente. Faltava a outra face da moeda, mas eu tive de escrever um artigo de uma só face, que agradou muito ao director do jornal. Ele, além disso, ao felicitar--me, anunciou-me que com o que me pagaria por aqueles trabalhos eu teria mais do que o suficiente para fazer frente às minhas despesas em Lisboa, incluindo um bom hotel. Disse-me que eu era um jornalista de luxo, que podia fazer uma grande carreira, e deixou-me estupefacto.

— E não sabe como é importante chamar-se Ademar de Alemcastre! Ainda há velhas senhoras que se lembram, do seu tempo de meninas, do seu bisavô como um homem bonito com fama de conquistador. Isso favorece sempre os netos.

Estas palavras trouxeram-me à memória outras muito semelhantes, embora não tão completas, ouvidas em várias ocasiões.

O senhor Simão Pereira não tardou a telefonar-me. A questão do meu passaporte estava resolvida. Como, não sei. Disse-me que fosse ao Porto, munido do documento caducado e de duas fotografias, e que me apresentasse a um funcionário cujo nome me deu. Fiz a viagem e, a um meio-dia cheio de sol encontrei--me de novo com os meus papéis em ordem, e, o que é mais estranho, sem vontade de me instalar em Lisboa. Não sei se terá sido a vista da paisagem do Norte que me fez sentir uma saudade repentina do cantinho minhoto, embora a saudade e o desejo se mascarassem num interesse súbito pelo negócio das vacas. Voltei, portanto, a Lisboa, recolhi as minhas coisas, fiz as visitas oportunas e regressei ao paço. Tivera uma longa conversa com o director do jornal, a quem prometi continuar a escrever, o qual me prometeu enviar-me regularmente jornais e revistas estrangeiras, de que precisava para a minha indispensável informação. Os meus artigos mudaram rapidamente de tom: eram as reflexões de um homem que vive em paz, longe do mundo, como um monge, perante as loucuras dos homens. Talvez tivessem influenciado também certas leituras de textos moralizantes que fui fazendo devido ao português em que eram escritos, donde tirei a conclusão de que as loucuras do mundo sempre haviam sido o pão nosso de cada dia. Ensaiei um estilo mais irónico, muitas vezes sarcástico, do que o costume. Fui recebendo também, regularmente, os textos necessários para estar a par da literatura, pelo menos da francesa e da inglesa, e daquilo que se podia averiguar das outras, incluindo a espanhola, através dos suplementos dominicais especializados: pouca coisa havia, tão preocupado estava todo o bicho careta com a política. Também me chegava a imprensa espanhola do lado franquista: causou-me má impressão. O patetismo dramático da republicana era suplantado por uma retórica pueril do pior gosto e do mais inesperado arcaísmo. Compreendi, ou pude conhecer, talvez já tarde, o fenómeno linguístico engendrado pela guerra. O seu estudo teria feito a felicidade de alguns dos meus professores da Sorbonne! Quanto às notícias, eram menos fidedignas que as da imprensa estrangeira. Soube da batalha do Ebro pelos jornais ingleses. Os nacionalistas ocultavam a evolução das batalhas e só relatavam as vitórias.

As obras da vacaria avançavam num ritmo regular. Rapidamente ficou pronto o primeiro edifício, provido de novas técnicas cuja complexidade e eficácia eu nunca suspeitara. Para mim, a operação de ordenhar as vacas fora sempre uma tarefa individual e manual, à qual tinha assistido, em criança, muitas vezes, e na qual havia colaborado. Agora fazia-se mecanicamente. O engraçado era que tínhamos os aparelhos, mas não as vacas. Foi necessário pensar em comprar a quantidade que o edifício concluído pudesse albergar, por razões que o meu professor precisou de muito tempo para me convencer: até que eram óbvias. A aquisição das primeiras vacas obrigou-nos a uma viagem rápida à Holanda; a uma série de operações bancárias, e às não menos complexas e embaraçosas do desembarque, do carregamento em vagões e do transporte por comboio até Valença, que a partir daí se fez por métodos elementares: em manada e por maus caminhos, perante o espanto dos aldeãos. O meu professor enjoou tanto na viagem de ida como na de volta. Os poucos dias que estivemos na Holanda, bastaram-nos para ver de perto, ou, pelo menos, para nos apercebermos, de como um medo incerto penetrava dia a dia em todos os corações, até os encher, até por vezes os fazer rebentar de injustiças. Como tínhamos combinado que metade das vacas compradas seriam holandesas e metade suíças, apressámo-nos a concluir o segundo edifício, não fosse a guerra interpor-se no negócio. Desta vez a viagem fez-se de comboio, e os encarregados foram o meu professor e a *miss*, dado que eu, apesar do meu passaporte, não me atrevia a atravessar Espanha. Com duas fronteiras pelo meio e as insuportáveis inspecções pelo caminho. Como a *miss*, além da sua língua, falava alemão, ou pelo menos falara-o, a operação foi levada a cabo sem grandes atrasos. O mais difícil não foi o casal atravessar a Espanha, mas sim as vacas, ameaçadas desde Irún até Fuentes de Oñoro por uma ordem de requisição qualquer assinada por uma qualquer autoridade local ou regional. Tiveram sorte. Chegaram a Portugal, e ficaram instaladas naquela espécie de hotel Ritz para cornúpetas leiteiras que construíramos para elas. Como vinham dois touros com elas, chegaram todas prenhes. Foi um trabalho que nos poupou a lírica solidão do semental.

Dividi a vida entre a vacaria e a biblioteca, e o espírito entre o negócio e as elocubrações sobre o que poderia acontecer. A quantidade de hipóteses que podem ocorrer a uma pessoa ao ler uma notícia! Lógicas, necessárias e, no entanto, irreais! Eu era dos que estavam convencidos de que as coisas iam de mal a pior, em todos os aspectos, e de que eu próprio não escapava à inquietação geral: costumava acontecer-me que, cansado do trabalho, pegava num livro, e ao fim de poucas páginas, quando não de poucas linhas, o abandonava, como se o interesse se tivesse esvanecido sem causa aparente. Isto acontecia-me tanto com as novidades como com os livros mais amados. Tinha pensado que o importante era entender o mundo, mas eu não o entendia, e assim o dava a saber aos meus leitores, que não deviam ser poucos, a julgar pela insistência com que o director do jornal me telefonava quando, por qualquer razão, me tinha atrasado. Recebia cartas com elogios e também com insultos, e até de Espanha, de alguém que devia conhecer a minha identidade, chamando-me embosqueirado. Supus, e não me enganei, que para lá do Minho, para certas pessoas, isto era o pior insulto.

Deram-se dois momentos difíceis, dois abalos sentimentais, desses que o melhor que se tem a fazer é sentarmo-nos à porta e deixá-los passar até que se esgotem em si mesmos, o que seria razoável se não acontecessem no coração, se não fossem precisamente abalos interiores. Um foi provocado pela chegada de uma carta de Maria de Fátima; logo ao princípio, poucos dias depois de me ter instalado definitivamente no paço. Trouxeram-nas juntas, essa que eu digo e a primeira das muitas que o meu professor recebeu do senhor Amédio. As deste eram mais frequentes, à razão de uma por mês. Maria de Fátima só me escreveu aquela, precisamente a bordo do barco que a levava para o Brasil com o cadáver da sua mãe estivado como uma mercadoria. Era uma carta longa, emaranhada de prosa, indubitavelmente sincera e muito pouco pensada; isto é, espontânea. Mais de metade era consumida em queixas sobre o aborrecimento da viagem, a recordar como tinham sido bons os nossos passeios e as nossas discussões, no medo que tinha de chegar ao Rio e ver-se como única mulher em casa, com um pai que não o era, perante o qual não sabia a que santo se apegar. Acontecia-lhe igualmente que a recordação da casa em que tinha vivido tão próximo de mim lhe fazia ter *saudades:* como se aqueles meses em Portugal tivessem sido os da sua estada no paraíso. Mas um pouco menos de um terço da carta era-me pessoalmente dedicado. Poderiam resumir-se aqueles parágrafos de arrevesada sintaxe na confissão de um duplo erro; o primeiro, a crença do que ela pensava de si mesma e do mundo era a verdade e que tinha de a impor aos outros, quase como uma missão redentora da miséria moral que conhecera; o segundo, que a sua conduta comigo não fora nem correcta nem decente. «Não sabes — dizia-me — como me ajudou a compreender-te a minha conversa infindável com Paulinha. O que me disse de ti pode resumir-se numa frase: és um bom homem. Queres crer que nunca me tinha ocorrido que os homens pudessem ser bons? Dever-se-á isso a que na minha vida só tenha tratado com pessoas más? Ou que era um equívoco o que eu entendia por bondade? Não sei.» Estas linhas levaram-me a imaginar Maria de Fátima e Paulinha deitadas no convés do barco que as levava para longe, falando do passado e de mim, que fazia parte dele. Falavam do que acontecera, mas também do que não chegou a acontecer. A leitura desta carta, reiterada nas tardes cinzentas da biblioteca, recordada palavra a palavra continuamente, fez-me também pensar se não me teria enganado com Maria de Fátima e como ela, se não teria sido um erro recíproco, do qual me cabia a maior responsabilidade por ser o mais experiente, se bem que talvez também mais enganado; porque, embora fosse capaz de prever, como previ, certos excessos internacionais das potências totalitárias (não era preciso ter olhos de lince), enganava-me acerca de mim próprio e dos outros. Ainda não tinha aprendido que as mulheres são todas diferentes, e que apesar de ser verdade que as tácticas (e as técnicas) para obter dos seus corpos as mais altas vibrações são de uma monótona semelhança, quando se trata de um amor e de um destino, cada uma delas requer um modo diferente de ser tratada. Eu gostava que Maria de Fátima fosse outra Ursula, ou quem sabe se outra Clelia, sem me aperceber de que ela tinha o direito de ser comigo ela própria, e de que o era. Ter-lhe-ia escrito tudo isto, mas na sua carta não me enviava direcção, e eu interpretei isso como desejo de que eu não lhe escrevesse. Não sei se fiz bem ou mal. O meu professor ter-me-ia dado a morada dela no Rio, que seria, suponho, a do senhor Amédio.

O outro abalo forte nasceu no meu próprio interior, suscitado pela recordação inesperada de uma data. Lembrei-me subitamente que se completavam os nove meses daquela tarde, em Vincennes, com Clelia. Se fosse verdade o *post scriptum* da sua única carta; se não fosse, como afirmava Maria de Fátima, a fantasia de uma louca, o menino já teria nascido, ou estaria para nascer? E se isso fosse verdade, teria eu notícias? É curioso como a consciência difusa da minha possível paternidade quase não se tinha abeirado de mim durante o tempo que passara desde então; como nem uma única vez me tinha perturbado nas tardes intermináveis da biblioteca, com o livro fechado no colo e a máquina das recordações a funcionar como uma máquina louca. E agora de repente aparecia, e não como consciência de paternidade, nem de culpa, menos ainda como alegria, mas tão-só como curiosidade. Teria ou não um filho? Chegaria a sabê-lo? Aqueles dias foram, durante quase um mês, de inquietação íntima, de distracção das coisas da realidade. A minha cabeça funcionava sozinha, segundo o capricho das suas leis, a minha vontade e o meu sentimento ausentes. O meu professor atribuiu isso a outras inquietações.

— Por que é que não vai uns dias para Lisboa? Um homem da sua idade precisa, de vez em quando, de pintar a manta.

Fui até Lisboa, pintei mais do que uma manta, e pelo menos, uma muito grande, das que começam em casa de uma amiga, antes de jantar, e não se sabe nem onde, nem quando, nem como acabam; das que deixam ressaca e enjoo. Vi as pessoas, falei das coisas do mundo, fui até objecto de uma pequena homenagem por parte de alguns colegas que não achavam maus os meus trabalhos. Mas todos os dias telefonava para o paço a perguntar se tinha chegado uma carta dos Estados Unidos ou, pelo menos, de Paris. Passei quinze dias em Lisboa. A carta não chegou e eu comecei a aborrecer-me. De regresso ao paço, os meus artigos foram mais pessimistas.

II

APETECE-ME CHAMAR «LONGO INTERREGNO» àquele tempo que vai desde a partida de Maria de Fátima até ao fim da Segunda Guerra. Uma boa parte dele, a que durou aquele perigoso espectáculo, passei-o fora da península. Embora altere aqui a ordem natural do relato, o que tenciono contar neste capítulo aconteceu com posterioridade ao que seguramente contarei no que se segue. E não o faço obedecendo a qualquer preceito ou preconceito literário, mas a uma veleidade ou talvez capricho surgido neste momento da escrita. E a primeira coisa que tenho de dizer é que, se vou resumir em poucas páginas os acontecimentos de um bom punhado de anos, não é por cansaço, nem por esquecimento, mas sim porque o mais substancial deste tempo já está escrito e publicado no meu único livro *Crónicas de Guerra,* por Ademar de Alemcastre, Lisboa, Borges e Souto, 1947. É um livro que se vendeu muito bem, do qual se fizeram até agora quatro edições, traduzidas para inglês e para francês, e ao qual devo uma certa reputação que se, em vez de ter o nome de Ademar de Alemcastre, tivesse o de Filomeno Freijomil, ter-me-ia feito pior do que o mal que recebi de certas pessoas que ignoram a coincidência dos dois nomes na mesma pessoa. Não tenho, pois, que explicar que fui correspondente de guerra, embora não seja demasiado recordar como o fui. A notícia da invasão da Polónia apanhou-me no paço e lá estava quando a Inglaterra e a França declararam a guerra à Alemanha. Não me surpreendeu, mas assustou-me. Havíamos comprado um aparelho de rádio mais perfeito do que o que tínhamos, e confesso que passei aqueles dias colado ao altifalante, ouvindo, ora Paris, ora Londres, e, de madrugada, Nova Iorque. Fui um dos muitos milhões de homens que consideraram iniciada a catástrofe, se bem que fosse inimaginável o que poderia acontecer. Provi-me de mapas, coloquei-os adequadamente num espaço amplo e visível, tracei linhas, escrevi números, consultei dados, descobri mentiras, e, com um certo erro, acabei por concluir que Hitler ia ganhar a guerra. Esta foi a primeira e a última vez na minha vida que tive a mesma opinião que ele, com a diferença de que eu deduzira isso por raciocínio e ele sabia-o por intuição; mas também porque eu conservava a esperança irracional de me enganar, e ele estava seguro de si próprio. Senti-me profundamente deprimido, e imaginei a chegada dos investigadores de prosápias, para descobrirem que o menino de Alemcastre se chamava também Acevedo, e que era judeu numa décima sexta parte do seu sangue. Tinha as medidas para ir ao suplício, ou era uma proporção tolerável de sangue pecador? Precisaria de possuir os conhecimentos dos inquisidores especialistas no ramo para chegar a uma conclusão válida, e, sobretudo, tranquilizadora, dado que estava convencido de que, embora defendessem ortodoxias diferentes, Hitler e os inquisidores estavam de acordo. Nos métodos também? Então, em Outubro de 1939, dos campos de concentração e dos processos de extermínio neles utilizados sabia-

-se pouco, mais uma lenda do que uma certeza, mas bastava a lenda para pôr os cabelos em pé. Chegavam notícias da ocupação da Polónia, não sei se certas se exageradas; em qualquer caso, suficientes para imaginar a expansão de inúmeros tanques pelas planícies da Europa, em direcção ao ocidente depois de terem ido para leste, e a Espanha vitoriosa teria de lhes dar passagem para alcançarem as planícies e os montes de Portugal, se não queria ser, de passagem, destruída. Tudo isto era lógico, e se os dados consultados não mentiam mais de cinquenta por cento, podiam ser reais. Ainda haverá barcos para o Brasil?

O director do jornal telefonou-me, e insistiu que fosse urgentemente a Lisboa. Lá fui. Recebeu-me imediatamente, foi directo ao assunto:

— O senhor quer ir como correspondente de guerra para Londres?

Apanhou-me tão de surpresa que tive de me sentar e pedir-lhe qualquer coisa para beber antes de lhe responder. Enquanto me servia um Porto seco, continuou a falar: não seria por muito tempo, a guerra ia durar só uns meses, pagar-me-iam o que fosse preciso, não dispunha de uma pena melhor do que a minha para aquela tarefa; além disso eu conhecia Londres. Havia, sim, que resolver certos problemas diplomáticos, porque eu não era português... Antes de eu lhe dar a resposta, serviu-me um segundo Porto.

— E então? Apetece-lhe? Uma temporadazita em Londres nunca calha mal. E até vai estar lá bem, a ver os touros das barreiras, porque a guerra nunca chegará às ilhas!

— O senhor acha?

O director ficou pasmado.

— Mas, ó senhor, a Londres nunca chegaram outras guerras a não ser as dos próprios ingleses entre si.

— Isso, meu amigo, não é uma lei da natureza, mas um êxito dos próprios ingleses. Mas os bafejos de sorte podem acabar.

— A que é que chama bafejos de sorte?

— Levaria muito tempo a explicar, meu caro director. O que lhe digo é que, neste caso em que estamos, há duas possibilidades: que esta guerra se pareça com a anterior, ou que traga algumas novidades que a tornem diferente. E não me refiro precisamente a essas armas de que, segundo dizem, os alemães dispõem.

— O lógico, para si, seria o quê?

— Que tal como anteriormente, os Estados Unidos venham em socorro da Inglaterra e seja a Marinha a ganhar a guerra.

— Mas os alemães não a têm.

— Têm centenas de submarinos.

— E a Rússia?

— Essa é a incógnita.

— Já li nos seus artigos que desconfia do pacto de Molotov-Von Ribbentrop.

— Não é uma desconfiança racional, nem sequer uma intuição. É... como dizer-lhe? Algo que cheira mal.

O director, que também tinha servido um Porto para si, mas que o esquecera, recorreu a ele para salvar uma pergunta pouco inteligente. Depois disse:

— Devo entender, portanto, que não aceita a minha oferta?

Pus-me de pé.

— Sim, aceito-a, desde que o senhor admita a possibilidade de, em vez de quatro meses, serem quatro anos, ou mais.

— Mas isso seria o mesmo que admitir a destruição da Europa!

— É preciso contar com ela, e com muitas outras destruições.

— Não estará a ser demasiado pessimista?

— Creio que sou apenas realista, e sê-lo, neste caso, é admitir o imaginável e o inimaginável. Para já, tenha em conta estes dados: a preparação bélica da Alemanha é incalculável, mas nem a França nem a Inglaterra contavam com esta guerra. Isto obriga-nos a admitir, de momento pelo menos, o risco de os alemães chegarem até ao nosso Cabo de S. Vicente.

O director não me respondeu. Deu uns passos em silêncio.

— Bom. Tudo isto são especulações. O importante é que você possa ir para Londres.

— E porquê só para Londres? Se as tropas inglesas desembarcarem em França, eu terei de as seguir.

— Sim, sim, claro... Há que ter tudo previsto.

Combinámos que ele daria início aos trâmites para conseguir do Foreign Office a minha credencial de correspondente de guerra. E enquanto ele não a conseguia, regressei ao meu esconderijo, para cuidar das minhas vacas, nada seguro de que o assunto chegasse a bom porto. Passaram pelo menos quinze dias. A formulação da guerra, segundo as minhas notícias, ficava-se pela invasão da Polónia e pelo estabelecimento de uma frente imóvel entre as linhas Siegfrid e Maginot, que é como quem diz, entre duas cordas bambas: uma ocultava o maior potencial bélico de que há memória; a outra, a inapetência de um país cansado e moderado. Escrevi dois ou três artigos explicando e justificando a inapetência francesa, mas com a esperança de que, perante a realidade de um inimigo poderoso, reagisse. E quando passaram aqueles quinze dias, o director telefonou-me e disse-me que estava tudo pronto e podia voar para Londres quando quisesse. Preparei a viagem, e uma das minhas precauções foi a de fazer testamento. A sua redacção levou-me várias tardes. Era lógico que os meus bens espanhóis deveriam ser herdados pela filha de Belinha; quanto aos portugueses, tive de procurar uma fórmula que admitisse a eventualidade de um dia se apresentar o hipotético filho de Clelia, ou a própria Clelia com ele. Nesse caso, e reconhecido como meu, declarava-o herdeiro do paço, se bem que confiando ao meu professor e à sua mulher, conjuntamente, não só a administração dos bens até que a criança atingisse a maioridade, como o cargo de testamenteiros. A redacção destas últimas fórmulas levou-nos, ao notário e a mim, umas duas manhãs até encontrarmos as palavras certas e os seus fundamentos jurídicos segundo as leis portuguesas. Senti-me aliviado quando saí de casa do notário com a cópia do meu testamento no bolso. Como tinha acrescentado um bom quinhão para o meu professor e para a *miss,* conjuntamente, e para os seus herdeiros, no caso de eles faltarem, não tive escrúpulos em fazer o meu professor depositário da cópia. Confiava, como sempre, na sua honestidade.

Fui-me embora, voei para Londres, passei por trâmites intermináveis, recuperei em casa de *mistress* Radcliffe o meu antigo quarto, visitei os meus amigos do banco, e outros amigos e amigas. Era inevitável acabar por encontrar algum espanhol republicano imigrado, e a minha surpresa foi achar-me um dia frente a frente com o comandante Alzaga. Fiquei contente de o ver; ele não ficou contente de me ver; talvez se lembrasse de que, na minha presença, tinha garantido que, se não morresse na guerra, Franco fuzilá-lo-ia. Não lhe pedi explicações, nem ele mas deu; não se mostrou cordial, mas desconfiado.

— E você, o que faz aqui?

— Trabalho no mesmo banco que antes de ir para Paris.

Apesar da falta de cordialidade, tomámos umas cervejas juntos e falámos da guerra presente. O comandante Alzaga tinha a certeza do triunfo de Hitler: tinha-a em virtude dos seus conhecimentos militares, e riu-se das minhas esperanças de que no fim triunfassem as potências marítimas.

— As guerras, meu amigo, ganham-se ou perdem-se no campo de batalha, não no mar nem no ar. Não soubesse eu isso!

O comandante Alzaga esperava poder emigrar para um país americano, embora não soubesse qual nem como. A América seria o único refúgio dos homens livres, porque entre Hitler e Estaline se repartiria o Velho Continente, incluindo a África, e como esta partilha era insustentável, acabariam a lutar um contra o outro.

— E aí, sim, querido amigo, não me atrevo a profetizar, salvo que, ganhe quem ganhar, será uma catástrofe para a humanidade.

Falámos de Espanha:

— Agora as potências liberais — disse ele — vão ver o disparate que foi deixar que Franco triunfasse. Não terão outro remédio senão assistir à passagem dos tanques de Hitler, que também ocuparão Portugal para evitar um desembarque inglês. Espanha será um capítulo importante desta guerra. Não ficará pedra sobre pedra.

Despedimo-nos menos friamente, mas sem ficarmos de nos ver. Efectivamente, não soube mais nada dele.

Aquando da minha chegada a Londres, já a Alemanha e a Rússia, depois da nova partilha da Polónia, tinham oferecido a paz ao Ocidente, e o Ocidente recusara-a. As espadas estavam em riste, e em riste permaneciam, com uma Frente estabilizada e praticamente inactiva na fronteira da França, e um drama colectivo na desmantelada Polónia. A Inglaterra enviou soldados para o continente, e nós os correspondentes de guerra seguimos os soldados, mas da Frente não havia nada para contar: os grandes acontecimentos eram ainda de ordem política, a não ser talvez o ataque submarino a Scapa Flow, que os ingleses encaixaram contrafeitos. Nós os jornalistas destacados para a Frente fomos a Paris, e de Paris contámos aos nossos leitores como era o estado de espírito dos Franceses. Eu reatei velhas ligações, a minha antiga porteira, como toda a gente, falava da *drôle de guerre,* mas Magalhães estava aterrado.

— Já viu o que aqueles bárbaros fizeram na Polónia?

— O que farão em Portugal quando lá chegarem.

— Acha que chegam lá?

— Vai ser muito difícil impedi-los.

Eu não sei se tinham sido as notícias, ou a influência de alguma pessoa, mas o facto era que o antigo defensor dos nazis lhes chamava agora bárbaros.

— Em todo o caso, eu, no seu lugar, iria para Lisboa.

— E você?

— Eu estou creditado como correspondente de guerra em Londres. Antes ou depois, voltarei para lá.

Foi antes do que pensava. Sem querer, vi-me envolvido na retirada do Exército inglês e, pela primeira vez, soube o que era a guerra. A minha boa sorte acompanhou-me: trabalhei denodadamente em Dunquerque e fui dos últimos a embarcar; também dos poucos que conseguiram enviar reportagens daquele espanto. Creio que Magalhães tinha regressado a Portugal, via Espanha, qualquer coisa assim como um mês antes.

O meu trabalho consistiu em contar de Londres o que se passava em Paris, o que se pensava em Inglaterra do que acontecia em França. Vivíamos tranquilos, mas era uma tranquilidade fictícia. Toda a gente esperava que acontecesse qualquer coisa, sobretudo depois de ter sido recusada a última oferta de paz que Hitler fizera. O Verão chegou e foi quente. A partir de oito de Agosto, Londres foi bombardeada todas as noites, e os que vivíamos em Londres conhecemos o terror, a incerteza da morte, mas aprendemos a mascarar os nossos sentimentos e a mostrarmo-nos tranquilos. Íamos serenamente para os refúgios assim que começavam os alarmes, permanecíamos em silêncio enquanto se ouviam as explosões, obedecíamos às sirenes uivantes que nos mandavam regressar aos lares: muitos encontravam-nos danificados ou destruídos. Gente que tínhamos visto ao nosso lado, não voltávamos a vê-la; vivíamos suspensos da rádio, ou a rádio era o nosso alimento moral, o nosso suporte. Eu não sei se os estrategos de Hitler haviam tido em conta, ao calcularem os efeitos psicológicos dos bombardeamentos, esta presença da rádio em todas as consciências, esta esperança e absoluta fé no que nos dizia. Sabíamos sobretudo que não nos enganava, porque podíamos confirmar a veracidade das suas informações nas ruas. O texto das minhas crónicas chegou a tornar-se monótono: esta noite bombardearam tal bairro, ou tal cidade; houve tais destroços e tantos mortos. E assim até ao dia seguinte. As relações humanas alteravam-se, mas só na aparência. Havia comida, embora estivesse racionada. E era preciso sair à procura de uma rapariga que, por sua vez, tivesse saído à procura de um rapaz, não por necessidade de prazer, mas por outras razões, ou causas, que só podiam descrever-se num romance, que não tinham cabimento nas crónicas. Desconhecidos que se encontravam nas ruas, que se reconheciam pelo olhar, procuravam refúgio nas casas sobreviventes ou nas casas arruinadas, a horas inusitadas. Aquela espécie de amor era uma afirmação desesperada da vida, e toda a gente o entendia assim. Eu não sei se alguma vez, e de maneira geral, as relações entre homem e mulher haviam tido esse sentido, mas imagino que sim, que assim se juntaram, ao longo da História, em todos os momentos de terror.

Alguns que não conseguiram resistir suicidaram-se amando: os que não iam ao refúgio, os que ficaram em sua casa ou em casa dela, os que foram surpreendidos no leito pela morte vomitada por grandes bombardeiros. Às vezes dizia-se: nestas ruínas apareceram dois na cama. Os ingleses faziam piadas que lhes serviam co-mo descarga para o terror que os unia a todos. Nós latinos não éramos tão atina-dos a fazer piadas, ou talvez fosse porque os cadáveres abraçados e mutilados de um homem e de uma mulher nos emudecia. De todas as maneiras foi admirável a resistência daquele povo, que aguentou sem estridências, sem gritos nem gestos trágicos, um bombardeamento por noite, até que Goering compreendeu que a indústria alemã não podia produzir aviões de combate ao mesmo ritmo com que eram destruídos. Houve um alívio: voltaram, partiram para não voltar. A des-forra foi tremenda. Enquanto Hamburgo ardia, eu pensava em Ursula, provavel-mente morta há muito tempo atrás; mas ela passara a sua infância ali, e o nome de Hamburgo trazia-me a sua recordação. Porquê Hamburgo, com aquela insis-tência, e não as ruas, os restaurantes, a sua própria casa de Londres? Nada da-quilo tinha sido destruído; quanto muito danificado. Mas dos lugares de Hambur-go por onde passara a sua figura de menina assustada consigo própria não restavam mais do que cinzas. As respostas sentimentais à realidade são assim caprichosas, inesperadas.

Nenhuma dessas recordações actuou sobre mim com mais força do que o ter-ror. Não tento dar-me como exemplo, e não posso garantir que às outras pessoas tenha acontecido o mesmo que a mim. Foi, em primeiro lugar, como se a alma se despojasse de tudo o que é supérfluo, do que não fosse estritamente necessário para seguir em frente com aquela vida reduzida a puro esquema e naquelas cir-cunstâncias. Eu sentia aquilo como um empobrecimento íntimo que se traduzia em indiferença perante a recordação ou a presença do que mais me atraíra ou do que mais me tinha fundamentado: a minha infância, os livros preferidos, os mo-mentos felizes que involuntariamente se revivem perante uma tristeza, uma des-graça ou uma catástrofe: passavam pela minha mente com lentidão ou com pres-sa, tentava afastá-los da memória como imagens incómodas. Era como se a alma tivesse descoberto e aplicado os princípios da sua própria economia de guerra. Agora contemplo-o como uma verdadeira desumanização, da qual felizmente me fui recuperando à medida que as noites foram readquirindo o silêncio e a escuri-dão. Creio que no final daquele período irrepetível tinha chegado a perder a sen-sibilidade. Via sem emoção como retiravam das ruas restos humanos espalhados por uma explosão ou como levavam para o hospital uma mulher mutilada. O úni-co raciocínio que subsistia era o do egoísmo. «Podias ter sido tu, não foste, mas, quem sabe o que se vai passar esta noite?» Lembro-me de que uma vez, no refú-gio, nos apertávamos silenciosos enquanto lá fora o estrondo das bombas e da defesa antiaérea superava tudo o que se conhecia. A conclusão lógica a que o medo nos levava, a que se via em todos os olhares, era a de que, naquela noite, Londres podia desaparecer como tinha desaparecido Coventry. Um homem que se mantinha de pé próximo do meu canto, um *clergyman* não sei de que confissão ou de que seita, disse, de repente, em voz alta:

— Que esse Deus que não entendemos tenha misericórdia de nós.

Noutras circunstâncias, a mim pelo menos, essa expressão «esse Deus que não entendemos» ter-me-ia abalado, teria desencadeado em mim uma sucessão frenética, dificilmente refreável, de pensamentos, de sentimentos, de razões e sem--razões, e, por trás de tudo isso, ter-me-ia confrangido o coração. Mas a sensibilidade tem um limite, ultrapassado o qual, tudo é indiferente. Nem os meus nervos nem o meu espírito responderam àquela prece desesperada.

Durante o tempo dos bombardeamentos recebi duas cartas de Maria de Fátima remetidas de Portugal pelo meu professor, que chegaram Deus sabe como, a segunda antes da primeira. Censuradas? Mais à frente chegaram outras, até seis no total, mas pelo texto deduzi que me tinha escrito mais vezes, que algumas cartas se tinham perdido. O jornal em que eu escrevia chegava ao Rio de Janeiro, ou quem sabe se as minhas crónicas eram enviadas para lá pelo meu jornal: nem o soube nem o tentei averiguar. O facto era que Maria de Fátima lia as minhas reportagens, e nas suas cartas transmitia-me a sua angústia, que poderia resumir--se nestas interrogações: «Vais morrer?» «Que vai ser de mim?» Eu coloco-as juntas, e assim parece que uma é consequência da outra, mas a verdade é que eram interrogações distantes, sem mais nada em comum que a própria angústia. Também me contava coisas da sua vida, que não era muito feliz. Jamais me insinuou que lhe respondesse, mas o que me dizia bastava para que eu me desse conta de que não só não me tinha esquecido, mas de que os seus sentimentos para comigo haviam mudado, de que eu era uma peça da sua vida, uma peça para o futuro. Um prego em brasa? As cartas recebidas durante os bombardeamentos não me perturbaram. E cada uma delas me ligava mais profundamente a Maria de Fátima; uma espécie de gratidão por ser a única mulher que se lembrava de mim, que sofria por mim. As que vieram depois chegaram a comover-me. Também senti uma espécie de interesse crescente pela mudança da sua personalidade, acusada em cada carta. O mais provável terá sido, durante aquele tempo de guerra, dizem que anos, não sei, nunca se consegue cronometrar um pesadelo, eu ter perdido a noção real de mim próprio, ter-me sentido como algo insuportavelmente irreal: aquelas cartas ajudaram-me a não perder totalmente a noção da minha figura, a recordar com elas que eu era mais do que uma máquina que sofre e conta o que se passa. Também me fizeram desejar uma solução desconhecida, imprevisível. O facto de Hitler não se ter atrevido a atravessar Espanha sem o consentimento de Franco foi avaliado em todo o seu valor. Alguém que usava uniforme disse uma vez diante de mim: «Hitler perdeu a guerra pela segunda vez.» A primeira, é claro, tinha sido o fracasso da invasão da Inglaterra. Mas, a partir do cerco de Estalinegrado, da sua dramática evolução, já sabíamos com o que contávamos, ainda que ninguém pudesse profetizar o dia em que deitaríamos foguetes. Entre os jornalistas creditados como correspondentes de guerra corriam boatos e interpretações caprichosas de dados seguros. Os desembarques que precederam o da Normandia, as campanhas de África e de Itália, às quais não nos foi permitido assistir, foram presságios que nos chegavam sob forma de notícias isoladas, às vezes contraditórias, que entretecíamos para deles fazermos a grande notícia. Tentei transferir-me de Londres para Alexandria e assistir à campanha de Monty, mas negaram-me a autorização. Mas não quando as tropas de desembarque chegaram a Paris. Nessa altura já foi relativamente fácil atravessar o canal, apanhar um comboio. Assisti, com poucos dias de atraso, à festa de Paris libertada. Não pude ver, e tenho pena, os tanques tripulados por republicanos espanhóis que formavam a vanguarda de Lefèbvre e que levavam a sua bandeira ao lado da francesa, mas senti algum orgulho quando mo contaram. Fui ver a minha porteira: encontrei-a no seu cantinho habitual, feio e quente, um pouco mais magra, mas cheia de satisfação porque os alemães tinham sido expulsos. Contou-me que uma tarde, pouco depois da invasão de Paris, apareceu, à porta de sua casa, Clelia, aterrorizada. Pediu-lhe que a acolhesse, nem que fosse só por uma noite. Acolheu-a. No dia seguinte, Clelia desapareceu, não voltou a saber mais nada dela.

— Levaram-na, senhor, levaram-na como a muitos outros. Não espere vê-la mais.

Fiquei triste, interroguei-me se aquele filho anunciado teria nascido ou não. Porque voltara a Paris vinda dos Estados Unidos, onde estava segura? Uma vez, percorrendo os alfarrabistas das margens do Sena encontrei um livro publicado por uma editora desconhecida, pelo menos para mim. Intitulava-se *Memórias de um Desendemoninhamento,* e assinado «Clelia». Era um exemplar por abrir, um refugo de venda. Comprei-o, li-o avidamente, de um fôlego, com emoção crescente; li-o como se estivesse a ouvi-lo, como se alguém mo contasse. Não havia dúvida que Clelia era a sua autora, não havia dúvida que escrevera a sua própria história, desde o momento da sua entrada no sanatório até ao próprio da saída, não mais. Era o processo de uma cura psicanalítica, mas também o de uma gravidez mantida contra a opinião do médico. «Você tem de abortar. A evolução da gravidez pode estorvar, ou, pelo menos, prolongar o tratamento.» Clelia recusara, tivera a criança, a sua família tinha-a levado, estava viva e em boas mãos. Referia-se a ela como uma esperança, mas nunca ao pai. O final do livro pareceu-me especialmente patético: «Quando saí do sanatório vi perto de mim os meus velhos demónios, que estavam à minha espera, perfilados, como os criados de um castelo inglês quando o convidado se vai embora. Rodearam-me, instigaram-me, recebi-os não sei se com espanto ou júbilo. O que sei, sim, é que entraram outra vez dentro de mim, que se instalaram no sítio do costume. Assim que entrei no táxi que me afastava daquele lugar, era de novo eu mesma, a que havia entrado um ano antes, endemoninhada para sempre.» Não deixei de pensar em Clelia, pensei intensamente quando, na retaguarda das tropas, entrei na Alemanha: passávamos por entre ruínas, as pessoas tinham uma especial maneira de olhar, indescritível, a dos vencidos sem esperança. E íamos sabendo já, de fonte segura, o que tinha acontecido nos campos de concentração. Pobre Clelia! E porquê apenas pobre Clelia? Ursula não teria passado por uma sorte semelhante, para mim inimaginável, salvo no que tinha de terrível? O estado de espírito que aquelas cidades destroçadas, que aquelas gentes humilhadas, que procuravam nas ruínas não sei se um corpo ou uma recordação, me causavam era o adequado para imaginar o pior em relação a duas mulheres que me tinham amado, cada uma a seu modo; que eu julguei ter esquecido, mas que agora ressurgiam como fantasmas naqueles espectros de cidades. A guerra arrebatara-mas. Já não eram nada.

Fui invadido por um desânimo que era como que sentir-se num vazio em que se cai sem que a queda tenha um fim nem seja pressentido. Começou em Berlim, talvez depois de uma mulher bonita e derrotada me ter pedido dinheiro e oferecido o seu corpo para me pagar. Não o pude fazer, nem o desejei. Mas foi como se uma enorme faca cortasse o tempo: até aqui e desde aqui. De repente tudo o que me rodeava perdeu interesse. A guerra tinha terminado, tudo se resumia a miséria e política. Regressei como pude a Portugal. Fui recebido quase gloriosamente, uma glória que não me chegava ao coração, que se ficava pela mera superfície, graças e sorrisos.

— Temos de publicar essas crónicas num livro! — gritava o director.

Não me opus, também não fiz nada por isso; que fizessem o que quisessem. Sentira de repente um desejo inesperado de voltar para Villavieja. Porquê para

Villavieja e não para o paço minhoto? Também não me preocupei em saber. O regresso a Villavieja era um modo simbólico de regressar ao passado, à mãe que não conheci, à felicidade e à inocência, mas também a um modo enganoso, pois eu sabia bastamente que em Villavieja não encontraria nenhuma dessas coisas. Agora compreendo que se tratou de uma das minhas fugas à realidade. Àquela em que me encontrava metido até aos joelhos, um desgostar de mim mesmo, a acostumada ausência de projectos e de esperanças. Podia, sim, ficar em Lisboa, onde me consideravam um bom jornalista; mas, e depois? O jornalismo era uma etapa consumada; teria podido agarrar-me a ele se precisasse dos seus rendimentos para subsistir, ou se não pudesse passar sem a reputação que me grangeara. Mas felizmente tanto podia prescindir do dinheiro como da reputação, pelo menos das suas manifestações imediatas. «Este é Ademar de Alemcastre, o famoso Alemcastre.» «Ah, sim, claro, o famoso Alemcastre!» Muitas vezes me pediam que descrevesse de viva voz as angústias dos refúgios. Consistia nisso a boa reputação? Em Villavieja as pessoas ignoravam as relações entre Alemcastre e eu, e, se alguém as vislumbrava, bastava negar, e pronto. «Em Portugal há muitos Alemcastres.» Nunca me ocorreu, no entanto, pensar que em Villavieja seria eu próprio, porque na realidade nunca tinha sabido de fonte segura quem eu era. E provava isso o facto de me decidir a deixar de ser um para ser outro. Provava-o, não o prova. Hoje penso ter superado essas preocupações, que considero mera literatura. Um homem pode ter dois nomes, mas é o mesmo homem; uma personalidade pode demonstrar-se ou exercitar-se em aspectos diferentes, mas é a mesma personalidade. Quando vivia em Londres, com Ursula, não colocava semelhantes questões: eu era o que sou, Filomeno, embora não goste do nome. Meu Deus, como tudo isto é inútil, e até que ponto foi prova de imaturidade isso ter-me preocupado, isso ter-me tirado o sono! Isto da maturidade também tem o que se lhe diga. Acontece a cada um o mesmo que à cabeça das crianças, que quando nascem trazem os ossos mal ajustados, e é preciso o tempo passar até estar concluída a soldadura do crânio. Somos feitos de peças que encaixam, e o encaixe é a maturidade: com a diferença de que não basta o tempo. Assim como as maçãs amadurecem com o sol, nós homens amadurecemos junto de outra pessoa, em colaboração com ela. O meu processo de maturação ia bem com Ursula. Interrompeu-se, não houve oportunidade de o continuar com Clelia, e embora as relações com Maria de Fátima me fizessem avançar um pouco, o fracasso daquelas relações era, perante a minha consciência, a prova da minha relativa incapacidade. E a guerra, ao acabar, devolvia-me a mim próprio no mesmo estado em que me apanhara. No meu crânio ficava um buraquinho e algo que entrava ou saía por ele levava-me a esperar não sei que maravilhas do meu regresso a Villavieja. Voltei a fazer as malas, passei pelo paço, deixei as coisas encaminhadas e sob a direcção inteligente do meu professor, o qual me perguntou o que eu pensava fazer, e ao qual respondi, como sempre, que não sabia.

III

O HISTORIADOR TRABALHA COM TODAS AS CARTAS na mão. A sua tarefa consiste em ordená-las, tendo em conta que essa ordem não tem por que ser sempre a mesma. Na obra do bom historiador nota-se sempre, ou adivinha-se, uma componente artística, algo que acaba por remeter para as musas, e que talvez seja só o resultado de um tipo especial de perspicácia, a que permite descobrir relações ignoradas, ou pelo menos invisíveis, entre os factos, ou inventá-las. A boa História é como um bom romance escrito com o rigor de um drama. Os factos sobre os quais eu escrevia da minha solidão no paço não eram ainda história, mas tão-só actualidade. Via as ligações conforme iam passando, e se é verdade que se pressentia o final, ou pelo menos se temia, não eram claros os trâmites que podiam levar a ele, nem a sua ordem. Há romancistas que terminam o seu romance em casamento (mais agora autores de filmes), e acabou-se. O que possa acontecer depois já não interessa. Mas todos os que de um lugar ou outro escrevíamos sobre a política do mundo nesses anos da guerra civil espanhola, sabíamos, ou estávamos persuadidos, que tudo acabaria num confronto geral. Mas, e depois? Quem iriam ser os oponentes? E quem iria ganhar? O Velho Continente seria repartido entre a Rússia e a Alemanha? Era uma solução, não só incerta, mas instável, porque a vocação de uns e de outros era a totalidade. E esta dúvida coloria os nossos escritos de pessimismo intelectual. Via-se claramente que Hitler tinha entrado na História como um cavalo num armazém de loiça, e que, apesar da sua forma de agir, cada uma das suas roturas parecia apanhar de surpresa os governos e os intérpretes da realidade. Qual será, onde será o próximo golpe? Os governos europeus tinham perdido a iniciativa, pareciam dispostos a continuar a dormitar, cada um entretido com os seus problemas nacionais, actuando de má vontade e resmungando quando alguma coisa exterior os espicaçava. Nesse caso optavam pelo caminho mais fácil. Isto, pelo menos, era o que me ocorria pensar à vista das notícias que me iam chegando; à vista, por exemplo, do Tratado de Munique e das tantas reuniões internacionais que o haviam precedido e das poucas que se lhe seguiram. Cuidado com o cavalo, não vá quebrar mais púcaros! Mas isto são histórias que todo o mundo conhece, que já estão suficientemente explicadas e contadas, não digamos comentadas. O que eu tento agora recordar, e relatar, era a minha situação pessoal, escondido entre bosques e vacas, enquanto fora de Portugal a guerra de Espanha acabava e se preparava, a curto prazo, a outra. E a única coisa curiosa do meu caso foi a facilidade da passagem da minha consciência de observador, e, às vezes, de juiz, do que acontecia pela Europa fora, para a exigida pelos negócios concretos de um proprietário agrícola metido num empreendimento de que não entende nada, mas pelo qual se vai apaixonando dia a dia. É verdade que, tacitamente, havia delegado a direcção no meu professor, o qual, cortês como era, não abusava do seu dissimulado privilégio, mas que mantinha os formalismos e, quando tomava uma decisão, consultava-me acerca da sua conveniência. Achei correcto corresponder ao seu interesse. Dedicava as manhãs à vacaria, e as tardes ao estudo da situação internacional, e agia como dois homens num só que vivesse alternadamente em dois mundos sem relação aparente. Se num o que era premente era a evolução de uma situação ao que parecia sem saída, no outro o que urgia era chegar ao fim daquela etapa de vacas prenhes, o que iria acontecer quando nos deparássemos com cem crias nos estábulos, para as quais havia que encontrar uma saída. A iminência da guerra obcecava-me; a de cem partos obcecava o meu professor. Os partos chegaram antes da guerra, bastante antes: não todos de uma vez, mas gradualmente; primeiro, os das vacas holandesas, e, umas semanas depois, os das suíças. Foram dias de emoção e de animação. Havia algo de humano, de comovente, naquelas maternidades em série que presenciámos com curiosidade e estupefacção.

O meu professor recebia regularmente cartas do senhor Amédio. Respondia-lhe dando-lhe conta do estado dos seus bens, ou, melhor, da sua casa e das suas quintas. Não davam dores de cabeça, porque eram puro luxo, a não ser os inevitáveis cuidados da conservação e do fisco. Mas aconteceu que a *miss* recebeu uma carta de Maria de Fátima, a que se seguiram muitas, quase regularmente. Costumava dar-mas a ler, a pretexto da obscuridade da sua sintaxe, mas na realidade era para que eu as conhecesse. Ela pensava, e não mo disse, e eu pensava, embora o tenha calado, que Maria de Fátima se valia da *miss* para comunicar comigo, para que eu soubesse da sua vida e das suas desventuras. Nunca o disse expressamente, mas a evidência da sua intenção não era sequer discutível. Pouco a pouco foi estabelecendo um sistema de códigos: dizer que se lembrava de Portugal significava que não se tinha esquecido de mim. E assim muitos outros. Nunca li as respostas da *miss*, nem ela me falou delas, mas suponho que, também de maneira indirecta, manteria Maria de Fátima informada acerca da minha vida. Desta correspondência deduzi facilmente que Maria de Fátima não era feliz, que a sua relação com o seu suposto pai não era fácil, menos ainda cordial, que a vida do Rio de Janeiro não a satisfazia. Falava como de uma redenção do momento em que o pai decidisse voltar para Portugal, facto que, pelo seu lado, o senhor Amédio remetia para uma data incerta, embora longínqua. O estado dos seus negócios no Brasil, afectados como em todo o lado pela situação geral, reclamava a sua presença. Chegou a dizer numa carta que era uma sorte a morte da sua mulher o ter obrigado a regressar; caso contrário, os seus negócios teriam ido parar às urtigas.

Numa manhã de muita chuva chegou a minha casa um automóvel de matrícula espanhola, do qual saíram dois senhores que queriam falar comigo. Recebi-os. Apresentaram-se como representantes duma empresa de ganaderia que abarcava toda a Galiza. Haviam tido conhecimento de que eu tinha gado para vender, e vinham tratar de uma possível compra. Mandei chamar o meu professor, perante o qual repetiram as suas pretensões, mas com quem falaram já de números e de formas de pagamento. Assisti a um diálogo que não me atrevo a qualificar como disputa, no qual ninguém se opunha directamente a ninguém, nem se exibiam razões contra razões, mas sim uma intricada conversa feita de sinuosidades, alusões, reticências, rectificações, no fim da qual resultou terem chegado a um acordo e considerarem-se comprometidos com uma opção preferencial sobre a produção. Ou seja, dito de outra maneira, aqueles cavalheiros comprar-nos-iam todas as vitelas e bezerros que as vacas parissem, pagando não só segundo os preços do mercado, mas também de acordo com a raça das mães e a esclarecida prosápia dos sementais. Se calculávamos em cem o número actual de crias, e em vinte as de um e outro sexo que devíamos conservar, eles comprometiam-se a adquirir oitenta, o que não estava mal para princípio de negócio. O que apresentava, por parte deles, umas certas particularidades relacionadas sobretudo com o modo de transporte, que tinha de ser feito não de comboio, como parecia mais lógico e cómodo, tendo em conta a proximidade de uma estação em Valença, mas em camiões pelos caminhos da serra. Isto surpreendeu-me, embora não fizesse qualquer observação, mas depois o meu professor explicou-me que aqueles cavalheiros representavam um sindicato poderoso com grandes apoios em Burgos, e gente de poder comprometida, e que a maior parte dos seus negócios tinha algo de ilegal. Para já, o nosso gado estava destinado a passar clandestinamente para Espanha.

— O que não nos deve preocupar, porque não somos nós que corremos os riscos.

Como tinham pago à vista, o assunto ficou por ali; mas como permaneceram alguns dias na aldeia e almoçaram connosco, quando vieram buscar a manada, sem eu querer, surgiu a questão da minha ausência de Espanha e das suas razões. Um daqueles sujeitos, um tal Bernardino, personagem jocunda e bom bebedor, ouviu-me com atenção, e, no fim, disse-me:

— O senhor gostaria de entrar em Espanha, pelos menos dar uma vista de olhos aos bens que tem por lá?

— Oh homem, é claro!

— Deixe isso por minha conta.

Pediu-me alguns dados, sobretudo referentes ao serviço militar. Ao despedir-se, disse-me:

— Vá-se preparando para a sua próxima viagem a Espanha.

Não me entusiasmei demasiado, mas algum tempo depois, pouco mais de duas semanas, aquele sujeito apareceu no paço num carro conduzido por ele próprio; ao meio-dia, de forma que foi convidado para comer. E guardou a surpresa para a sobremesa: tirou um sobrescrito do bolso e entregou-mo.

— Aí tem uma licença para passar a fronteira válida por um ano. Durante todo esse tempo o senhor poderá entrar e sair todas as vezes que quiser, desde que o faça por um posto da Galiza. A jurisdição da autoridade que o assina não vai mais além. Quando for a Villavieja, não deixe de me procurar, ou, pelo menos, de me avisar previamente. Há uma pessoa que gostaria de falar consigo.

Não deixei de pensar que aquilo podia ser uma cilada, e disse-o ao meu professor.

— Eu não acho. Vão fazer muito bons negócios connosco para os estragarem com uma jogada política que não interessa a ninguém. Não te esqueças de que, em Villavieja, pouca gente, ou nenhuma, se lembra de ti, e que o teu suposto delito não deve ter saído das secretarias militares. Eu, no teu caso, arriscava.

Entrei pela fronteira de Tuy sem dificuldades. Também não as tive em Vigo, nem no comboio que me levou à minha aldeia, apesar de me terem pedido a documentação várias vezes. É preciso não esquecer que o meu passaporte tinha sido passado pelo cônsul franquista do Porto. Cheguei de noite a Villavieja, sem avisar ninguém. Fui encontrar a minha casa fechada, embora uma luz acesa no segundo andar, onde costumavam dormir as criadas, mostrasse que estava lá alguém. Fiquei num hotel aconselhado pelo taxista. Ninguém pareceu conhecer-me, nem lembrar-se de mim. E já em minha casa, de manhã, a velha Puriña demorou a reconhecer-me.

— Ah, o menino Filomeno! — disse por fim.

Já era outra vez Filomeno, com aquele acrescento de «menino» que não conseguia fazer-me feliz e que me perseguiria por muito tempo! A comoção sentimental não foi tão grande a ponto de tremerem as paredes. Puriña mostrou grande interesse, um interesse imediato em mostrar-me a casa, para que eu visse como estava bem cuidada, como se estivesse à espera da minha chegada. Achei-a linda, fria e solitária, como um museu esquecido em que até os sentimentos tivessem sido guardados em vitrinas. Mandei trazer as minhas coisas do hotel, e disse ao meu advogado para vir ter comigo. Fê-lo e ouviu com surpresa e um certo sorriso finalmente compreensivo a explicação da minha presença. Quando lhe disse o nome daquele sujeito que me tinha arranjado o salvo-conduto, primeiro torceu o nariz, depois desatou a rir.

— Um bom malandro esse tal Bernardino! Mas, às vezes estamos mais seguros com os desavergonhados do que com as pessoas decentes.

Por ele vim a saber as andanças daquele senhor Bernardino, testa de ferro de incógnitos, se bem que suspeitados poderes, e mandarete do sindicato do gado que me tinha comprado a manada.

— Trazem os pobres camponeses atormentados. Compram-lhes o gado a preços irrisórios, que eles impõem sob ameaças. Depois reúnem o gado num lugar onde o empanturram de sal. As pobres vacas bebem, aumentam de peso, e assim vendem-nas ao Exército e aos fornecedores de muitas cidades.

Mostrei-me pesaroso por lhes ter vendido as minhas vitelas, dado que iam sofrer, as pobres coitadas, de sede artificial.

— Não. Gado como o teu não o vendem, têm um melhor destino para elas. Tem em conta que, quando a guerra acabar, será necessário abastecer metade de Espanha, que está faminta, e implementar a criação de gado... Não te preocupes com os teus bezerros.

De tudo o que o meu advogado me contou, o mais importante foram as dificuldades em que se meteu para evitar que requisitassem a minha casa com o pretexto de estar vazia, para não sei que organização patriótica.

Apesar dos relatórios, e por conselho do próprio advogado («com esta gente temos de andar de olho aberto, porque conforme te dão as facilidades também tas tiram; conforme te ajudam também te afundam»), mandei um recado ao senhor Bernardino, que me marcou um encontro num café.

— Vamos ver esse comandante que tem interesse em conhecê-lo.

Levou-me a um edifício militar, onde entrou com o maior dos à-vontades. Fez-se anunciar e fomos recebidos. O gabinete era vulgar, poeirento. Um recruta de cabeça rapada escrevia à máquina; o comandante ordenou-lhe que se retirasse. Era, o comandante, um tipo alto e magro, de boa raça, mas com algo de decadente ou degenerado no olhar; um brilho vacilante, às vezes turvo, que vagueava pelo espaço. Mexia o braço direito com dificuldade, de modo que me estendeu a mão esquerda e explicou que eram as consequências da guerra. A conversa foi vulgaríssima; fez-me perguntas sobre a minha situação, e eu respondi com a verdade a todas elas. Interessou-se sobretudo pela minha estada em Paris e pelo meu actual ofício de analista das dificuldades internacionais.

— Olhe, disso é que eu gostaria de falar consigo.

O senhor Bernardino, que não havia intervindo, propôs um almoço não sei em que restaurante, e dali mesmo fez, por telefone, a reserva. O comandante, assim que nos sentámos a comer, foi directamente ao assunto.

— Explique-me a situação. Aqui, as notícias chegam tergiversadas e ninguém sabe a que ater-se, salvo os de lá de cima, que, no entanto, também não têm certezas.

Falei durante um bom bocado, dei a minha visão particular, ou melhor, pessoal, de como andavam os negócios da política na Europa e fora dela, e do que eu julgava ser a causa dos seus sobressaltos.

— Então, você acredita numa próxima guerra?

— Será difícil evitá-la.

— Ganharão os alemães?

— O meu ofício não é ser profeta.

— Mas conhece melhor do que eu a magnitude do armamento deles.

— Sim, é superior ao da França, Itália e Inglaterra juntas.

— Acha que Mussolini se irá pôr do lado da França?

— Tudo depende do que tiver mais força na sua vontade, se a sua ideologia ou os interesses da Itália. Mas não se esqueça também do receio de uma invasão, inevitável, a partir da Áustria.

— Não o considera inteligente?

— Sim, mas são os homens inteligentes que cometem os maiores erros.

— Qual é a sua opinião acerca da nossa guerra?

— Quase não vivi em Espanha. Faltam-me dados para ter uma opinião.

— Mas o senhor lê a imprensa do mundo.

— Sim, mas não confio nela.

— O senhor é daqueles que ainda esperam que ganhem os republicanos?

— Depois da batalha do Ebro, não.

Não pareceu ficar muito satisfeito com a minha resposta, embora também não dissesse nada que revelasse qualquer contrariedade. De repente, a conversa mudou de tom. O senhor Bernardino insinuou qualquer coisa, o comandante respondeu-lhe, e começaram as anedotas picantes e políticas. O senhor Bernardino falava mal de Franco, cuja vitória, no entanto, desejava, não por razões ideológicas, como compreendi imediatamente, mas porque assim os seus planos económicos alcançariam a dimensão pretendida, ou, pelo menos, sonhada: nada menos do que uma espécie de império agro-pecuário que abarcasse toda a Europa.

— E não é disparate nenhum, acreditem. Por agora aqui ainda comemos, mas quando a guerra acabar vão começar as dificuldades. Será preciso dar de comer à outra metade de Espanha. É para essa altura que é necessário estarmos preparados.

Os olhares que se cruzavam entre o comandante e o senhor Bernardino revelavam sem grandes dúvidas a sua conivência; mas como às vezes também olhavam para mim, acabei por compreender que, naquele projecto de invasão vacum da Espanha derrotada, as minhas vacas eram um dado adquirido.

Estivemos a conversar até tarde. O comandante bebera muito, e tinha o olhar mais toldado e mais triste. Ao senhor Bernardino, cada copo fazia-lhe aumentar a loquacidade, as suas piadas eram cada vez menos respeitosas e mais agressivas. Houve um momento que se calou e pareceu adormecer. O comandante aproveitou isso para me perguntar o grau de amizade política dos portugueses para com o Estado do general. Quando o senhor Bernardino regressou da sua viagenzita ao sono, garantiu com palavras contundentes que era preciso acabar aquilo com uma borga. Mas o comandante tinha qualquer coisa para fazer. Ficámos de nos encontrar nas arcadas da praça por volta das oito.

O comandante vinha de gabardina e boina; o senhor Bernardino, muito bem posto, de sobretudo e chapéu. Tomou a iniciativa desde o princípio, que consistiu em nos comunicar os seus planos.

— Lembrei-me de telefonar para casa da Flora. Estão à nossa espera no salão reservado.

O nome Flora não me trazia recordações, mas imaginei logo que se tratava de um bordel. E se era verdade que o meu estado de espírito não estava para putedos, acompanhei-os, aos dois, por ruas que tinha esquecido, até uma estreita, que descia por trás de uma abside românica. A única luz era a de um candeeiro antigo com uma lâmpada macilenta. Mais do que iluminar, aumentava as sombras. Deixava ver, no entanto, uma janela da abside, ornamento de monstros e geometrias.

O senhor Bernardino ia à frente, como cliente preferido. Nem bateu à porta, empurrou-a. Levou-nos, por uma escada rangente, até outra portinha, envernizada e reluzente, após a qual nos esperava o salão da Flora, quer dizer, o salão privado, aquele a que só tinham acesso os boémios distintos. Havia outro, no rés--do-chão, para soldados e caixeiros; deste segundo salão chegavam, como de muito longe, os rumores de uma festa com guitarra. O senhor Bernardino deixou em cima de um cadeirão as peças exteriores da sua roupa, e convidou-nos a fazermos o mesmo. De repente, desapareceu. O comandante e eu preenchemos o silêncio com uns cigarros que eu ofereci, e ele acendeu com um isqueiro antiquado, dos de campanha. O senhor Bernardino regressou com a Flora; uma cinquentona magra, ainda bem conservada, embora um pouco deslavada. Trazia ao pescoço um medalhão de ouro da Nossa Senhora do Carmo. Já conhecia o comandante. Eu fui-lhe apresentado como Filomeno Freijomil. Ficou a olhar para mim.

— O filho do falecido senador, que Deus tenha em descanso?

Respondi-lhe que sim.

— Temos de falar, rapaz.

Pediram-lhe as bebidas, que foram trazidas por umas raparigas meio despidas, algo assim como um arremedo ridículo e um pouco piroso da Paris lendária. Beberam connosco, sentaram-se nos nossos joelhos, sempre a rir às gargalhadas e a dizerem ordinarices. A que me calhou a mim, uma loira gordinha, que dizia ser berciana, a um sinal da Flora abandonou-me e perdeu-se de vista. Flora indicou--me com a mão que ficasse quieto, e fiquei, fumando cigarros, enquanto assistia ao espectáculo da folia estrepitosa e ordinária do senhor Bernardino, ao entristecimento progressivo e cruel do comandante. Foi o primeiro a sair com a sua rapariga; seguiu-se o senhor Bernardino quase imediatamente. Então, Flora sentou-se ao meu lado, ofereceu-me outro copo (por conta da casa) e ficou calada. Compreendi que queria dizer-me alguma coisa e que não sabia como começar. Ou talvez não estivesse ainda decidida. Um cigarro aproximou-nos, mas não lhe soltou a língua. Decidi ser eu a romper a barreira.

— Por que é que mandaste aquela rapariga embora?

— Por que vão com os soldados que vêm da Frente, e sabe-se lá as merdas que lhes pegam. Tenho sempre uma delas no hospital.

— E os outros?

— Ah, os outros que se lixem!

— Porquê?

A isto não soube ou não quis responder-me senão com uma careta de bastante desprezo. Só um instante depois é que acrescentou:

— São uns filhos da puta, e não gosto de te ver com eles.

Não sei que cara fiz: deve ter sido muito esquisita para ela se apressar, não a rectificar, mas a explicar-se, e fê-lo de maneira prolongada e minuciosa, não a acusá-los de nenhum pecado, mas expondo as razões pelas quais, sem aparente justificação, se tinha metido na minha vida. Fora amiga do meu pai, e isso bastava. Dormira com ele muitas vezes, e isso fazia-a sentir-se um pouco minha mãe, «com perdão da falecida, que Deus tenha; mas Ele sabe bem que nunca lhe tirei o marido, pois quando andou comigo, ela já tinha morrido». Passados os primeiros minutos de surpresa, as primeiras palavras que me custaram a encaixar, senti-me, de repente, atraído, não tanto pelo que me ia dizendo, mas pelo que podia dizer-me. Perguntei-lhe coisas do meu pai.

— E que queres que te diga? O que eu possa saber será sempre o que as putas vêem. E um homem com uma puta não se comporta como com as outras pessoas. Connosco são diferentes. Saem-lhes coisas que eles próprios não sabem que têm lá dentro. A uns, a pena; a outros, a maldade.

— E ao meu pai?

— O teu pai não era feliz, e era isso o que lhe saía. Tinha por que arrepender--se. Uma vez confessou-me que fizera um filho a uma criada e que depois a tinha despedido.

— Isso já eu sabia.

E tive de afugentar, para continuar a ouvir Flora, uma série de recordações repentinas, impertinentes.

— Também disse uma vez que tu não gostavas dele.

— E era isso que o fazia infeliz?

Pareceu recordar, ou meditar.

— Isso nunca se pode saber, *filliño*. Uma pessoa traz a infelicidade consigo própria, como o caracol a sua casa, e às vezes ninguém quer saber quem é o culpado, se o houver. Estás a ver: chegam-me aqui raparigas infelizes. A uma abandonou-a o namorado com um filho; a outra violou-a o pai, e a mãe expulsou-a de casa. Isso é o que contam, mas qual é a verdade que calam? Eu não lhes pergunto. Cada um sabe de si e Deus sabe de todos. O teu pai não era feliz, via-se logo, apesar de ter tudo. Nunca sorriu na cama, nunca o vi alegre, ao chegar ou ao partir. Era desses que vêm às putas como um faminto vai à taberna comer um bife. Fazia aquilo, além disso, como se tivesse vergonha, e saía daqui mais envergonhado do que quando entrara. Mas não começou a vir desde novo, quando ficou viúvo, ou, pelo menos, eu nunca ouvi ninguém dizer isso. Também não vinha quando ia a Madrid todos os meses, porque lá tinha as suas paródias, digo eu, com outro género de mulheres, mais refinadas. Começou a visitar-me depois daquilo da criada. Eu ainda não era a dona, e tinha bons clientes. Também não sofria do coração, como agora, que qualquer dia estico o pernil, sobretudo se continuar a fumar. Ao teu pai, como te disse, remordia-lhe a consciência por causa daquilo da criada. Essas coisas só se contam quando nos fazem infelizes.

Atrevi-me a perguntar a Flora pela sífilis do meu pai.

— Sabes disso?

— Alguém mo contou.

— Pois essa merda que o levou para o outro mundo não fui eu quem lha ofereceu, Deus bem sabe, mas sim uma nova, uma dessas dos cafés-concertos, que se via a léguas que estava podre. Eu bem lho disse quando a trouxe aqui. «Tem cuidado, que essa não é trigo limpo.» Não me fez caso. Parecia que andava à procura disso. E não é que eu tivesse ciúmes, mas uma pessoa tem de tomar as suas precauções. «Não voltes à minha cama se fores com ela.» Não voltou.

Deu um suspiro, Flora, como se aquelas palavras lhe tivessem trazido a pena juntamente com as recordações. Atrevi-me a perguntar-lhe se estivera apaixonada pelo meu pai.

— Neste ofício, quem pode dizer que está apaixonada? As coisas são diferentes. Mas a verdade é que lhe ganhei carinho, pela pena que me dava, um homem como ele, que se consumia sem consolo. Se tivesse estado apaixonada, não me teria importado que me contagiasse. Nós somos assim. Mas tive medo. Graças a Deus e à Nossa Senhora do Carmo — e levou a mão ao medalhão de ouro — tive algumas merdas pequenas, mas nunca essa. Olha, até quando o teu pai morreu, como não havia ninguém aqui da família, e tu não sei onde andavas, mandei dizer umas missas pela sua alma. E agora conto-te isto tudo não sei porquê. Se calhar tens outra ideia do teu pai, e saber que não era mau faz-te bem.

De repente, desatou a chorar. Não alto, nem com soluços ou aflição, mas com lágrimas tranquilas.

— Bom, não falemos mais disso. Os mortos já estão mortos e Deus terá sido justo com eles. Agora vamos ao presente. Se ficares aqui, e precisares de uma mulher, telefonas-me e dizes-me. Eu sei de algumas que o fazem por necessidade, e não por vício, raparigas educadas, que tiveram pouca sorte, ou filhas de fuzilados. Há tanta gente a passar um mau bocado! Como esta casa fica por detrás da igreja, elas entram pela porta principal, como se fossem ao terço, e saem pelas traseiras, que dá precisamente para o outro lado da rua, onde faz sombra. Nunca se deu o caso de as terem descoberto, nem de que haja suspeita. Há homens casados que gostam de dar uma facadinha no matrimónio, e que calam a boca, não vá o diabo tecê-las. Pagam-lhes bem, a essas desgraçadas. Há uma que te vinha mesmo a calhar, novinha e muito jeitosa. Dizem que é muito alegre na cama. Se quiseres, amanhã, a esta hora... Podes confiar nela, e, é claro, em mim.

Aceitei a oferta por cortesia, e um pouco também porque simpatizara com aquela mulher. Combinámos para o dia seguinte ao fim da tarde.

— Agora vai-te embora. Eu dou a desculpa aos outros. Não gostaria de voltar a ver-te com eles.

Antes de me ir embora pedi-lhe que me falasse do senhor Bernardino e do comandante.

— O senhor Bernardino é um patife, toda a gente sabe. Vem aqui, bebe uns copos, serve-se e vai-se embora sem pagar, como se o negócio fosse dele, tudo à conta não sei de que favores ou protecções de que se gaba sempre, como se estivéssemos vivas graças a ele. E eu aguento porque, nesta vida, uma pessoa nunca está segura, e uma inspecção qualquer pode fechar a casa sem pretexto. O outro, o comandante, é um desmancha-prazeres. Paga, isso sim, mas porta-se mal com as raparigas. Só querem ir com ele as que não o conhecem, como esta de hoje. Dizem que as faz sofrer, e que lhes pede coisas que não estão bem. E, porra, nós as putas também temos a nossa dignidade.

Levou-me até à rua pelas escadinhas das traseiras. Estávamos à porta, quando saiu das sombras uma mulher com o rosto coberto por um véu, disse «Boa-noite» e foi pela escada acima. Flora olhou para mim, deu-me um encontrãozinho e fechou a porta. Fiquei sozinho à chuva, e caminhei por ruelas na sombra. Recordava o meu pai e apercebia-me de que não o entendia nem nunca o entendera. Aquela pena póstuma durou pouco.

Estive alguns dias em Villavieja del Oro. Não voltei a ver o comandante, embora o senhor Bernardino sim. Pelas perguntas que me fez deduzi que se sentia repentinamente interessado pela política externa.

— E você acha que, se houver guerra, os alemães chegam a Irún?

Não me foi difícil deduzir que aquela cabecinha maquinava abastecimentos de carne em quantidades industriais ao exército invasor. Quem sabe se as minhas vacas alimentaram os ocupantes de França? Pelo que fui sabendo, comprou as minhas crias durante vários anos seguidos, até acabar a guerra. Pagou sempre bem, pontualmente. Segundo me informou o meu professor, desapareceu de repente, ou, melhor, uma vez em que o esperavam não veio, e não voltou mais. Foi preciso pensar noutros compradores para o nosso gado, mas nessa altura o rumo da minha vida já tinha mudado.

Capítulo Seis

A frustrada ressurreição de Sotero
e a apoteose fúnebre da Flora

I

EMILIO ROCA FAZIA O MESMO percurso diário, sem descanso dominical: de manhã cedo, os balcões dos bancos e das caixas de aforro; depois, os cafés do centro; por último, a estação do caminho-de-ferro, à hora em que passa o comboio para Madrid. Levava um catrapázio debaixo do braço, e dirigia-se às gentes, ou melhor, às pessoas: «Quer um poema?», perguntava umas vezes, e outras: «Está interessado nuns versos?» Como Emilio Roca exercia a poesia satírico-narrativa de alcance estritamente local, costumava vender todas as manhãs vinte a trinta daquelas folhas editadas clandestinamente em *stencil*, comentadas nos ajuntamentos, nas mesas dos cafés e, à hora das refeições, nas casas particulares. Tinha, como é lógico, mais leitores do que compradores, e disfrutava de uma excelente, se bem que um tanto maliciosa, reputação local; não tanto da generosidade de certo público, que o lia e ria à custa dos seus versos sem gastar uma peseta. Emilio Roca, às vezes, metia-se com a autoridade constituída, e não com alusões, mas com frases paladinas, e então a Polícia detinha-o, passava-lhe uma multa e, como não a podia pagar, ia para a prisão quinze dias, um mês ou vinte dias, segundo a gravidade da ofensa. Durante estes períodos de clausura, a família Roca, esposa, três filhas crescidas e dois rapazes, viviam como podiam, e muitas vezes não podiam viver. Então pediam esmola discretamente ou passavam fome. «Que comerão nestes dias os filhos de Emilio Roca?» «Devem passar as passas do Algarve.» Poucos lhes enviavam uns cobres ou um quilo de jarrete para fazerem um caldo com um mínimo de substância. Emilio, na prisão, poupava pão, e quando aos domingos as suas filhas o iam visitar (a mulher estava entrevada), tinha um saquinho de mendrugos preparado que o visitante levava para pelo menos cozinhar umas sopinhas de alho.

— Mas, senhor Emilio, já cá está outra vez? Nunca mais aprende? Se em vez de se meter com o presidente da Câmara, o elogiasse, o senhor podia viver lindamente.

— Sim, senhor director, eu compreendo, e às vezes até me lembro de escrever um soneto a dar-lhe manteiga; mas não sei o que têm os meus versos, que sempre me saem satíricos, e é como vê.

— Compreendo, senhor Emilio, que diferença lhe faz um presidente ou outro? No fundo, todos são iguais, os de agora e os de antes.

— Tem muita razão, senhor director! São todos cabrões na mesma.

De cada vez que saía da prisão prometia a si mesmo não reincidir e limitar as suas agressões verbais à mulher da loja que não lhe fiava o tabaco, ou a uma certa menina da localidade que andava a dar ao rabo, mas depois, se não se metia com o presidente da Câmara, metia-se com a Guarda Municipal, que era pior, e, zás, outros quinze dias na choldra. Quando me conheceu, da primeira vez que foi para a cadeia, mandei umas pesetas à família. Disseram-lhe. Enviou-me, da prisão, um longo poema laudatório, e senti-me comprometido perante a minha própria consciência a manter a mulher entrevada, as três filhas que já começavam a andar na vida, e os dois mamões dos filhos, até à próxima. Foi uma das acusações que me fizeram na devida altura, a de favorecer publicamente um inimigo do regime; acusação baseada, sem dúvida, nos factos, mas Deus sabe que as minhas razões não eram políticas, apenas humanitárias. Eu simpatizava com Emilio Roca, como toda a gente, e se o seu indubitável estro se tinha especializado na sátira, bem compensado estava por outros estros orientados exclusivamente para a adulação. Emilio Roca, quando estava em liberdade, era um dos frequentadores da minha tertúlia nocturna no café-concerto La Rosa de Té, título que não podia esconder nenhum antro, mas sim um lugar divertido a cujas sessões da tarde iam numerosas famílias das mais bem vistas de Villavieja. Claro que as sessões da noite eram menos decentes, e em algumas ocasiões, não por culpa do dono, incurriam na mais desenfreada indecência, segundo os critérios vigentes; mas o dono, o senhor Celestino, pagava na mesma as favas; quero dizer, a multa que a autoridade lhe impunha.

— O senhor Celestino compreenderá que há coisas a que não se pode fazer vista grossa. Hoje vem uma denúncia no jornal de que, ontem à noite, a bailarina de turno tirou as cuecas em cena.

— Sim, meu caro inspector, eu não o pude evitar. As pessoas começaram a gritar: «Tira-as, tira-as!». E o senhor já sabe como é este género de mulheres. Mas garanto-lhe que não voltará a acontecer, garanto-lhe pela alma da minha mãe.

— Sim, homem, compreendo-o, mas se o jornal não tivesse dito nada...

— Isso do jornal, senhor inspector, é outra patifaria. Esse gajo, Villaamil, que é quem escreve a notícia, vem cá todas as noites divertir-se à conta, e às vezes passa das marcas. Não se pode, senhor inspector, pedir uma garrafa de champanhe para oferecer a uma galdéria, e abalar sem pagar. Foi o que aconteceu ontem à noite. E o grande cabrão fartou-se de rir quando a gaja tirou as cuecas! Como depois lhe apresentei a conta...

À sociedade nocturna de La Rosa de Té vinha também o professor Agapito Baldomir com a sua pasta. Agapito Baldomir tinha sido mestre-escola oficial, mas deixaram-no sem colocação devido às suas ideias republicanas. Felizmente, a mulher do professor Agapito tinha terras para as bandas do Ribeiro, e era delas que o casal ia vivendo, pois não tinham filhos. O professor Agapito, além disso, dava aulas clandestinas a alguns rapazes para quem o latim era um bicho de sete cabeças, e ele, que o dominava desde o seminário, e que tinha bons métodos, conseguia que acabassem por passar, de forma que nunca faltava por este lado um rendimento de cento e cinquenta ou duzentas pesetas, das quais a mulher lhe deixava metade para os seus gastos; porque um homem precisa de ter umas pesetas no bolso e não andar sempre a pedir para tabaco ou para tomar café. A mulher do professor Agapito deixava que ele fosse às tertúlias nocturnas, apesar das coristas e dos seus excessos, graças à boa reputação que tinha com ela e que ela se dava ao trabalho de propagandear. «É um homem que cumpre, oh se cumpre! Apesar dos seus cinquenta anos.» Para cumprir em casa, como o professor Agapito cumpria, não se podia abusar com sacripantas nocturnas, isso era óbvio. Para a senhora Baldomir, que uma vez encontrei na rua na companhia do seu marido, eu seria uma espécie de sábio, se não fosse mais uma espécie de santo. O que são as coisas! Por esta razão, e porque na sociedade nocturna, segundo o professor Agapito, só se falava de temas intelectuais, a senhora Baldomir permitia que ele fosse todas as noites, com a condição de que, depois, na cama, ele lhe contasse de que se tinha falado, e um pouco do que se vira, e assim poderem amar-se docemente.

O professor Agapito Baldomir levava dentro da pasta o seu poema *Panta*, sob cujo título, com uma caligrafia segundo o estilo mais florido, rezava entre parênteses a tradução castelhana: *Todo. Panta* era um poema cosmogónico escrito em aleluias e dactilografado em papéis de cores diferentes, cada canto da sua, de forma que, fechado e encadernado, mostrava um arco-íris que convidava à leitura, como um gelado ou um rebuçado multicolores que estão mesmo a pedir que os comamos. O professor Agapito levava sempre consigo o texto do poema pela certeza que tinha de que muita gente estava disposta a roubar-lho e a plagiar-lho , e também porque, na realidade, se tratava de um poema instável e bastante confuso, cujo primeiro capítulo parecia condenado a nunca encontrar a forma definitiva. O professor Agapito era um homem escrupuloso e, apesar das dificuldades policiais que impediam a entrada no país das últimas ideias científicas, ele conseguia averiguar o que pensavam os sábios acerca da origem do universo em dispersão, e como cada semestre, mais ou menos, chegavam ideias novas, ele não tinha outro remédio senão refazer os seus emparelhados e introduzir no poema as novidades, quer em afirmações definidas, quer em hipóteses. Se é bem verdade que se consolava com a estabilidade do segundo capítulo, ou canto, uma paródia do Génesis, de que se sentia muito orgulhoso, sobretudo ao pensar que, depois daquelas aleluias, ninguém poderia alegar a sério, como argumento científico, a história de Adão e Eva e a insustentável tese do pecado original. O professor Agapito ficou do meu lado depois da cisão dos contertúlios do Café Moderno, e acompanhou-me também quando a disputa entre Agamenón e Aquiles, por causa de Briseida, se decidiu a favor de Agamenón e tivemos de emigrar de La Rosa de Té. Mas isso é outra história.

O meu crédito, em Villavieja, começou como um estrondo, como um fulgor inesperado que, paulatinamente, se vai apagando em virtude provavelmente da mesma lei que regeu o incremento do seu esplendor. Quando cheguei, ninguém sabia ao certo donde eu vinha, nem onde tinha passado os anos da guerra, nem muito menos que tivesse sido correspondente de guerra de um diário lisboeta, nem podiam sequer suspeitar, porque o meu livro de crónicas ainda não tinha sido publicado. Esta incerteza, que eu não me preocupava em esclarecer, atribuía-me um resplendor de mistério, qualquer coisa como uma aura que rodeasse a minha a cabeça e me conferisse uma condição próxima da santidade, ainda que de carácter bastante ambíguo. Os que garantiam saber de fonte segura que eu passara todos aqueles anos em Paris dividiam-se em dois grupos, não necessariamente inimigos, dado que uma coisa não impedia a outra e podiam complementar-se. Uns atribuíam-me enredos de espionagem e de mulheres, porventura um único enredo, se bem que complexo, e interrogavam-se como é que eu me tinha arranjado para não cair nas mãos das SS. «Porque umas vezes fala de Paris, outras de Londres, e durante a guerra não devia ser muito fácil viajar de França para Inglaterra.» Os segundos limitavam-se a imaginar-me entregue a uma vida intelectual e galante, digamos de escritor mulherengo, mais ou menos boémio, embora mais mulherengo que escritor, sem inquirir demasiado a fundo a forma como eu tinha conseguido iludir os perigos das polícias políticas. «Porque uma coisa é certa: não era dos nazis. Caso contrário, seria bem visto pelos que mandam aqui, e todos sabemos que desconfiam dele.» A verdade foi que nem uns nem outros andavam muito certos, mas todos eles me espicaçavam para que lhes contasse coisas, umas vezes políticas, outras, pornográficas. A minha reputação, para os contertúlios do Café Moderno e, graças a eles, para as pessoas em geral, juntamente com um matiz que não se atreviam a reconhecer como erótico, situavam outro que também não se decidiam a qualificar como depravado, mas que se lhe aproximava. «Parece mentira ao que chegou o filho do senhor Práxedes Freijomil, tão de direita!» Não faltava quem se benzesse. Paris ainda conservava, para aquela gente, o prestígio diabólico de capital do mundo, que implica a capitalidade do vício e quem sabe se a do crime.

De qualquer forma, o fundamento mais sólido, e, embora pareça estranho, o mais perigoso da minha fama local, era o meu conhecimento de literatura e dos movimentos artísticos anteriores e contemporâneos da guerra: acerca destes assuntos, quando surgiam dúvidas, em última instância consultavam-me. Os intelectuais de Villavieja sempre tinham presumido estarem actualizados, e agora sofriam do isolamento em que a censura os tinha confinados. Sabia-se vagamente que em Paris aconteciam coisas de que só chegavam notícias insuficientes, as ondas mansas de uma tempestade longínqua. «O que é o existencialismo? Quem era Sartre?» E a estas interrogações, verdadeiramente angustiantes, eu não podia responder porque eram fenómenos posteriores à minha saída de França. Se através de amigos e subrepticiamente conseguia que de Lisboa me enviassem um livro, depois de o ler, e, às vezes antes, passava-o àqueles famintos de letra impressa, insaciáveis como os famintos de Deus: sempre em segredo e com precauções, mas embora nenhum daqueles livros tivesse caído em mãos policiais, não deixava de se dizer que eu recebia do estrangeiro, por portas travessas, literatura subversiva. Por canais maçónicos? Em certos meios não se encontrava outra explicação. A minha correspondência era escrupulosamente examinada e mais de uma vez tive de ir a um gabinete e explicar a um funcionário de rectidão incomparável e escrupulosa ortodoxia o significado exacto de umas frases suspeitas.

— Essa Maria de Fátima de que sempre lhe falam, não é uma palavra em código? Não será a república?

— Não se preocupe, senhor. Trata-se apenas de uma mulher bonita e infeliz. O mangas de alpaca não ficava muito convencido.

Tudo isto acontecia, digamos, nas catacumbas intelectuais da cidade, naqueles restos de passado que a sorte ou o desprezo dos vencedores haviam deixado incólume, e que, por fidelidade a tempos que já começavam a ser remotos, continuavam a reunir-se no mesmo café em que anteriormente se juntavam os Quatro Grandes, aqueles definidores indiscutidos da realidade que eu conhecera na minha infância. «Ah! O senhor chegou a conhecer o senhor Fulano?» A minha resposta afirmativa situava-me no grupo (cauteloso) dos que haviam privado com eles; gente toda ela mal vista pelo regime, gente de péssima recordação. No entanto, existia na cidade um outro mundo, o da cultura visível e triunfante, no qual erguia a voz D. Eulalia Sobrado. Ai, aquela D. Eulalia! Quarentona de bom aspecto, famosa pela perfeição das suas pernas e pela oportunidade das suas citações de Menéndez y Pelayo, ocupava uma cátedra provisória de literatura na qual substituía um antigo professor titular, fuzilado pelas suas ideias e, sobretudo, pela sua tenacidade. Defendera-as até ao fim, o infeliz, feito ainda mais heróico se se considerar que nenhuma delas era sua! Também não o eram as de D. Eulalia, se bem que, devido a coincidirem com a ideologia oficial, não só podia expô-las, como sobretudo defendê-las, e na defesa de qualquer ideia D. Eulalia era um espectáculo mais do que intelectual, erótico. Até os vermelhos mais recalcitrantes se deixavam acariciar pela doçura sensual da sua voz, e é muito bem possível que a arrogância e a mobilidade dos seus seios (não se sabe porquê com fama de afrancesados) arrancasse a muitos radicais dissimulados gemidos de ilusão sem esperança, porque, segundo um dos folhetos poéticos de Emilio Roca, era muito cuidadosa com o ideário político dos seus supostos amantes. Havia publicado, durante a guerra, um romance patriótico de amor e sacrifício, muito discutido no seu tempo, porque os protagonistas, ao despedirem-se, se beijavam, e não com um beijo casto na testa, mas sim na boca, longo e estremecido, um beijo a que se seguiam umas reticências. Que burburinho, meu Deus, por causa das reticências! O seu significado não oferecia dúvidas, e ninguém as teve. Um vermelho ruidosamente convertido, que exercia no jornal local as recensões literárias, depois de elogiar as boas intenções patrióticas de D. Eulalia, entreteve-se a decifrar as reticências e o que surgiu foi o pecado. Aquelas reticências, por incrível que parecesse, destruíam os efeitos patrióticos e moralizantes do romance! Bem bastava, como concessão ao naturalismo, que se beijassem na boca; mas com reticências!... Que seria dos bons costumes se os casais dessem em beijar-se na boca

com reticências? Durante umas horas, D. Eulalia ficou mal vista; mas defendeu-
-se das acusações puritanas dizendo que os pecadores tinham pago o seu pecado;
ele morrendo na frente de combate; ela, ingressando numa Ordem hospitalar
donde não pensava sair. Também D. Eulalia tinha a sua alcunha, *Defensora do
Ocidente,* cujos valores propagueava a trouxe-mouxe, e Emilio Roca tinha-lhe escrito um romance no qual se dizia que tinham metido vários golos à defensora do
Ocidente. Acerca deste romance corria a lenda de que D. Eulalia mandara chamar o poeta, que o tinha recebido com pouca roupa, e lhe dissera que lhe metes-
se um golo, mas que Emilio Roca tinha saído na brasa: pura calúnia, na qual
quem ficava pior era o poeta. «É claro que lhe teria metido um golo! Até a minha mãe sabe isso.» Como se vê, as pessoas ainda são piores do que os poetas
desbocados. Esta D. Eulalia, não sei porquê, embirrou comigo desde o princípio,
e não que falasse no meu nome nas suas multitudinárias conferências do Liceo,
nem nos seus artigos do jornal, imperativos como códigos, mas fazia alusões a
mim, e até me pôs uma alcunha: *O Afrancesado,* que foi para ela como o mani-
queu com quem idealmente se discute e a quem verbalmente se flagela. *O Afrancesado* reunia num só todos os pecados espirituais e muitos dos outros! Embora
deva dizer, a bem da verdade, que com estes não se metia excessivamente, não
sei se por falta de informação ou pela castidade da sua palavra, incapaz de se referir, nem mesmo com palavras obscuras, a certas imundícies. Por acaso, algumas
delas até lhas atribuíam em colaboração com um cónego elegante que actuava pelo menos como seu conselheiro e director espiritual, no mais amplo sentido da
palavra; mas era um boato para uso exclusivo dos meios republicanos: neles se tinha inventado e deles não saía. Ouvi-la a ela era como ouvi-lo a ele, ainda que
em surdina. O tal cónego desfrutava da mais atractiva maneira de mandar, a de
mandar da sombra, um poder aureolado de chamas, pois fora ele não só o expur-
gador das bibliotecas públicas como o que pusera fogo, no meio da praça, aos
montes de livros nefandos seleccionados pela sua opinião certeira, enquanto a
charanga da Câmara Municipal executava um arranjo para quinteto de sopro da
marcha triunfal da *Aida.* Chamavam-lhe *don* Braulio e toda a gente sabia que tinha o bispo nas mãos. Quando eu regressei a Villavieja, e me lembrei do costume, necessariamente interrompido, de convidar o bispo para tomar chocolate
com churros, pelo menos uma vez por semana, escrevi ao prelado uma carta res-
peitosa recordando-lhe os bons tempos de outrora e propondo-lhe reatar aqueles
doces, embora indigentes, serões. Não me respondeu pessoalmente, mas no seu
lugar apareceu o *don* Braulio.

— O senhor compreenderá que o senhor bispo, antes de aceitar o seu convite, precise de saber como é que o senhor é, e mandou-me averiguar isso.

— O senhor vem examinar-me?

— De certa forma, mas não se ofenda. Está há pouco tempo entre nós e já goza de uma reputação duvidosa. Não lhe será muito difícil admitir, creio eu, que o senhor bispo não queira comprometer a dele.

Deixei-o falar. Fê-lo com eloquência rebuscada num jogo muito convincente de mãos, umas mãos delicadas que muitos manipuladores gostariam para si. Ao terminar disse-lhe:

— Olhe, padre: podemos reduzir tudo a uma questão bastante simples. Entre esta casa e o palácio em frente houve sempre relações, umas vezes boas, outras más. Quando as relações eram boas, abria-se o portão da entrada, que dá para a frente do palácio; quando eram más, fechava-se, e abria-se a porta lateral, que é menos solene. E as pessoas sabiam o que queria dizer este jogo de portas. O que eu preciso é que me diga claramente qual das duas deve manter fechada.

O sacerdote largou-se a rir.

— Os antigos eram muito engenhosos! Mas, meu amigo, o senhor tem de perceber que os tempos mudaram. Antes o poder era dividido entre vocês e o bispo. Hoje vocês não têm poder, e os termos da relação têm de ser outros: de obediência pela vossa parte, de indulgência pela nossa. Já não há igualdade como antes, vocês já não nomeiam bispos. E há muitas maneiras de mostrar a submissão. Por exemplo, toda a gente sabe que o senhor tem livros, os antigos da casa e os que trouxe do estrangeiro. Entre eles há seguramente muitos que figuram no Índice; a sua posse coloca quem os detém num grave risco moral. Um bispo, como o senhor facilmente compreenderá, não pode ser assíduo visitante de uma casa em que se guardam livros proibidos. Deixa-me dar uma vista de olhos aos seus?

— Para quê?

— Para lhe dizer quais há-de queimar se quiser que o bispo o visite em sua casa.

Não esperava aquela proposta, não pude (ou não soube) responder-lhe, pelo menos naquele momento. Quero dizer que hesitei.

— Ocorre-me dizer-lhe, senhor cónego, que se o senhor bispo desconhece os livros que há nesta casa, não há razão para esses escrúpulos de consciência.

— Senhor Freijomil, neste momento sou a consciência do bispo e não posso enganar-me.

— Então venha comigo.

Levei-o à sala dos livros, onde parte deles estavam já nas suas prateleiras, e outra parte jazia no chão, aos montes.

— Aqui os tem. Veja-os.

Leu uns quantos títulos. Ficou perplexo.

— Trata-se de literatura desconhecida. Teria de lê-los um a um.

— Quanto tempo pensa que levaria?

Os livros eram muitos. O cónego voltou a olhar para eles. Eu fui em sua ajuda.

— Senhor cónego, se conhece medianamente o francês e o inglês, pois dou por descontado que sabe o português, podemos calcular em três ou quatro anos o tempo de leitura. Acha bem que adiemos para então a visita do bispo? Mas além disso, há uma questão de consciência, não sua, mas minha, de que me lembrei agora. O senhor está suficientemente preparado para a leitura de algum destes livros? Não o irão perturbar gravemente?

— Essa sua dúvida demonstra que são livros perigosos!

— Para si, não há dúvida, senhor cónego. Para mim não o são, porque já passei por muitas dessas coisas e ultrapasso-o em experiência mundana. Ou, se quiser que lho diga de outra maneira, por razões profissionais a minha consciência é mais flexível do que a sua.

— Não duvido, senhor Freijomil, não duvido.

Parecia dissimular uma espécie de humilhação que eu, involuntariamente, lhe teria causado. Ofereci-lhe um cigarro e convidei-o para beber. Também o levei para o melhor salão e indiquei-lhe o sofá de honra para se sentar. No salão havia bons quadros de santos, e, num lugar destacado, um precioso crucifixo de marfim.

— Os seus antepassados, senhor Freijomil, respeitavam mais do que o senhor as leis da Igreja.

— Não duvido, senhor cónego; mas devo revelar-lhe que entre os meus livros herdados figuram as obras de Voltaire e a segunda edição da *Enciclopédia*. Ouvi dizer que os encarregados de distribuir estes livros pelas casas nobres da Galiza eram uns certos eclesiásticos compostelanos. De qualquer modo, esses livros estavam aí e os bispos vinham a esta casa pelo menos uma vez por semana. Talvez a qualidade do chocolate os fizesse esquecer a existência de semelhantes heresias.

— A consciência dos bispos de outrora, senhor Freijomil, fica muito distante da minha esfera de acção.

— Compreendo, mas o senhor compreenderá também que, por causa das suas picuinhices, eu não vou queimar a minha biblioteca. De forma que o senhor dirá: fecho ou deixo aberto o portão da entrada.

Teve dificuldade em responder.

— Será melhor fechá-lo.

— No entanto, senhor cónego, se a porta lateral não é digna de um bispo, talvez o senhor não se sinta humilhado ao entrar por ela. Pois nesta casa, sempre que quiser, encontrará à sua disposição uma chávena de café importado de Portugal e um cálice de conhaque.

— Prefiro a aguardente da região.

III

DONA EULALIA SOBRADO havia tomado a seu cargo a glorificação póstuma de um jovem estudante, morto no hospital devido a uma doença contraída na frente de combate, que escrevera um bom punhado de poemas patrióticos. D. Eulalia publicou num jornal uma série de artigos louvando as virtudes do falecido, que se chamava Jacobo Landeira, ou, melhor, que assim se chamara: com o propósito de a Câmara o declarar filho ilustre de Villavieja e de mandar instalar uma placa comemorativa na casa em que Landeira tinha nascido. A tese de D. Eulalia era que um homem daquelas qualidades morais que, além disso, era um grande poeta, merecia todo o género de honras e reconhecimentos da sua terra natal, à espera de que a nação também os reconhecesse, para o que tinha enviado a José María Pemán uma cópia dos versos. Aqueles artigos, dez ou doze, lidos e discutidos por toda a gente, marcaram o início oficial da apoteose de Landeira, que consistiu numa récita pela própria D. Eulalia na tribuna do Liceo. Foi uma tarde de glória e encontrões, onde mais de uma rapariga decente teve de aguentar impávida as explorações de ousadas mãos anónimas, enquanto da garganta de D. Eulalia saíam hendecassílabos como jactos de música.

— Gostou dos poemas, senhor Filipe?

— Quase não ouvi nada, mas posso garantir-lhe que a filha do senhor Patrício, a mais nova, tem umas belas nádegas.

Os azuis estavam ali por o homenageado ter sido um dos seus; os vermelhos congregavam-se no enorme salão pela curiosidade em conhecer aqueles poemas cuja grandeza nos ia ser revelada. D. Eulalia tinha vestido para actuar um fato preto, de *moiré* de seda, com uma espécie de *écharpe* ou *foulard* de tule finíssimo que envolvia o seu pescoço de garça já em declínio, e caía, em duas pontas, pelas suas costas. Estava realmente atraente, e a seriedade com que se apresentou perante o público, uma seriedade de circunstância, isto é, entristecida, tornou-a mais sedutora.

— Por que é que esta cadela não é vermelha? — perguntou-me angustiado, ou antes, transido de entusiasmo, um contertúlio do Café Moderno.

— Ai, meu amigo, quem pudesse responder-lhe!

A récita foi precedida por uma longa intervenção de *don* Braulio, o cónego, não para apresentar a declamadora, sobejamente conhecida do público, mas para dedicar uma recordação elogiosa ao poeta comemorado e colocá-lo como exemplo do que deve ser um poeta e do que é a verdadeira poesia: exaltação dos valores eternos de Deus e da pátria, convicção que o glorioso falecido tinha selado com o seu sangue. D. Eulalia ouvia a peroração do cónego em atitude de esfinge melancólica e um quê de enigmática. Levantou-se com a cabeça em êxtase, de frente para os focos, de olhos entreabertos, possuída seguramente pelo espírito do poeta; isso foi pelo menos o que ela assegurou, com palavra emocionada e algo entrecortada.

— O espírito de Jacobo Landeira domina-me, e não sou eu, mas ele, quem vai declamar os seus versos. Queridos amigos, não sou mais do que um instrumento.

E o instrumento, depois de uma pausa, tirou da mala um monte de folhas e começou a declamar. Fazia-o bem, arrancava matizes aos versos onde não os havia, e cadência em que o poeta não tinha pensado. Os versos eram maus: um pouco de García Lorca, um pouco de Miguel Hernández, postos em tom bélico, tirando alguns deles em que se anunciavam os limites incertos, ainda incalculáveis e até difusos, do império futuro, e se perfilava a silhueta mítica, mas identificável, do general com a espada e a cruz à frente das hostes invencíveis, a caminho não se sabia donde, talvez de Jerusalém. As ovações foram cerradas e longas; o entusiasmo político, comedido.

— Dedicar um minuto de silêncio aos mortos é um rito pagão. Rezemos um Pai-Nosso pela alma do poeta — pediu, solene, ainda que em voz baixa, o cónego *don* Braulio.

Vários assistentes dos mais radicais retiraram-se discretamente; não era preciso fixar bem para saber quem eram: os de sempre. O presidente de Câmara subiu ao estrado e anunciou, com voz de circunstância, que a lápide comemorativa de Jacobo Landeira já tinha sido encomendada a um artista local, e que a Câmara se encarregava das despesas, sem necessidade de recorrer a um peditório público. O presidente da *Diputación* subiu também:

— A corporação que dirijo encarrega-se da impressão desses poemas, como homenagem de Villavieja e da sua província ao grande poeta.

Houve outros acordos complementares. D. Eulalia dissimulava o seu prazer mascarando-se com uma seriedade compungida.

— Ah, se o Jacinto estivesse aqui, se ele estivesse aqui — deixou escapar um soluço que a fez parecer mais bela.

O presidente da Câmara propôs que fossem servidas umas bebidas.

Naquela noite, os frequentadores do Café Moderno pareciam estar de luto.

— Não há direito, digo-te que não há direito!

— Aqueles versos são um plágio vergonhoso!

— E vamos ter de gramar aquele piroso como o grande poeta local? Em Villavieja, onde até as crianças sabem distinguir um bom verso de uma bodega?

Houve, não obstante, pontos de vista para todos os gostos, e quem finalmente deu no cravo foi um advogadozeco sem causas que salvara a pele por uma unha negra e que se distinguia pelo seu senso comum.

— Amigos, no meu entender, não há razão para ficarmos tristes, mas sim alegres. Todos os que estávamos a ouvir, quando não nos lembrávamos de García Lorca, lembrávamo-nos de Miguel Hernández, que são dois poetas nossos. Não terá sido a eles, e não ao falecido Landeira, que se prestou homenagem?

— Eh pá, se vês assim as coisas...!

Foi assim que todos acabaram por ver, e o luto converteu-se em alegria: tanta, que passou da discrição ao desafogo, até ao ponto da notícia sair do café, percorrer os ajuntamentos e alguém a levar até aos ouvidos da própria D. Eulalia, de quem, no dia seguinte, o jornal publicava um artigo urgente protestando, em nome de Deus e da pátria, contra a felonia que alguns invejosos queriam conferir à glória imarcescível *(sic)* de Landeira acusando-o de plagiador, de nada menos que de dois poetas vermelhos.

— Caiu na armadilha, a gaja! A partir de hoje toda a gente saberá com o que contar!

Numa reunião realizada em casa de *don* Braulio, ficou combinado não se renderem e levarem a homenagem até ao fim, com uma introdução o mais vibrante possível de D. Eulalia e o *Nihil obstat* do bispado. E a crítica de Madrid logo poria os pontos nos is aos recalcitrantes: uma reunião entusiástica, que acabou por proclamar a adesão incondicional dos presentes ao que fosse e a quem fosse.

O sopro do anjo chegou-me numa daquelas tardes, quando me dirigia para o Café Moderno. Consistiu numa só palavra, «Sotero», surgida como um relâmpago ou uma revelação, a seguir à qual se amontoaram as ideias e os propósitos, rapidamente ordenados nas linhas gerais de uma operação de guerra, da que me senti intimamente satisfeito, para não dizer exultante. Em vez de ir ao café, fui a casa dos pais de Sotero, que tinham envelhecido, que arrastavam penosamente a dor pela morte do filho.

— Os senhores lembram-se de mim?

— Claro que nos lembramos: tu eras o amigo do nosso filho, aquele que o convidava a ir a Portugal! Chamas-te Filomeno, não é verdade?

— Filomeno, sim, senhora, para os servir. E como é que aconteceu a Sotero, que ninguém me soube dar uma explicação clara?

— Ah, meu Deus, nós também gostaríamos de saber! Dizem que morreu no hospital, mas em qual? E quando? Também há quem diga que o mataram na prisão, mas ficamos na mesma. Em que prisão? Na destes ou na dos outros? Se pudéssemos ir buscar as suas cinzas e enterrá-las! Por falta de dinheiro não seria.

Os velhinhos choravam, há dois anos que choravam, há seis anos, morreu na prisão, morreu no hospital, era daqueles, não, era destes. Meu Deus, as coisas que acontecem com as guerras civis! Perguntei-lhes se tinha deixado papéis. Disseram-me que um monte deles, e que se queria vê-los...

— Com certeza, minha senhora, vê-los-ia com muito gosto!

Levaram-me ao quarto de Sotero onde eu tantas vezes tinha estado naqueles tempos em que servia de pedestal à sua glória.

— Veja aí, nas gavetas dessa mesa, e naquelas estantes. Não sabemos o que fazer com eles, e temos medo que a humidade os estrague. Os amigos dizem-nos que talvez fosse melhor queimá-los; mas eu, como são dele...

Trouxeram-me uma cadeira para que me instalasse, e perguntaram-me se queria uma braseira. Recusei.

— E um café, senhor Freijomil, não lhe apetece um café a estas horas, com um cálice de aguardente?

— Está bem, minha senhora, para não fazer a desfeita!

Aquela senhora, a mãe de Sotero, praticava a velha cortesia da gente simples, e fazia-o com naturalidade. Bebi o café, animei-me com o bagaço, e deixaram-me sozinho com os papéis. A maior parte eram cadernos e apontamentos escolares, mas também havia as notas tiradas, daqui e dali, para a sua tese, e o texto da própria tese, este encadernado. Num dos cadernos encontrei também notas pessoais, datadas em diferentes lugares e países, não de carácter biográfico, mas intelectual: reflexões, projectos de obras futuras, observações e anotações sem uma finalidade imediata. Habilmente tratados, aqueles fragmentos podiam servir de base a uma elucubração ou a uma hipótese da qual se poderia deduzir o que teria sido, sem a morte, a obra de Sotero. Havia lacunas, mas podiam solucionar--se com um pouco de imaginação e um pouco de ousadia. Senti-me capaz de o fazer. Falei à mãe daqueles papéis, pedi-lhe autorização para continuar a examiná--los e, perante a surpresa e o entusiasmo da pobre mulher, acabei por lhe dizer:

— Olhe, minha senhora: o que eu quero é escrever no jornal acerca do seu filho para que as pessoas não o esqueçam.

— Mas se até nem os amigos mais íntimos já se lembram dele!

— Eu, está a ver como me lembro. E devo dizer-lhe que talvez também conserve alguma coisa dele. Estivemos juntos em Paris, sabia?

— E como é que eu podia saber, se não voltámos a vê-lo?

O meu exame aos papéis de Sotero durou umas semanas. No fim tinha redigido um bom número de notas coerentes que podiam servir-me de base para meia dúzia de artigos dos quais seria fácil criar uma imagem se não real, pelo menos verdadeira; uma imagem da qual ficava excluído o Sotero baixinho, impertinente, malévolo: o retrato de um sábio frustrado pela morte e de quem qualquer terra natal pudesse orgulhar-se e dar o seu nome a uma rua. No entanto, o que eu poderia dizer não seria suficiente como material para criar um contraponto vigoroso ao heróico poeta Landeira, menos ainda para que fosse esteticamente irrepreensível: reduzia-se a um cérebro pensante, sem um átomo de coração. Os papéis que eu tinha de Sotero eram apenas as cartas que me escrevera e que, para efeitos de fazer o perfil da sua figura, não serviam de nada. A inspiração complementar veio-me no momento mais inopinado, no menos oportuno. Tinha ido ver, com dois ou três daqueles do Café Moderno, uma cantora de revista recém--chegada a La Rosa de Té, de quem a propaganda dizia maravilhas. Sentámo-nos num lugar próximo do palco. Aquilo estava cheio de espectadores ansiosos. Quando se acenderam as luzes da ribalta, fez-se um silêncio em cujo limite, ao fundo, um rumor de colheres e de chávenas indicava o balcão do bar. Tocavam um piano e um violino, bastante mal: as primeiras notas puseram-nos na pista de uma canção conhecida, das toleradas pela censura. Olhávamos uns para os outros como que dizendo: «A mesma coisa de sempre.» A tipa, em contrapartida, não era das do costume: tinha bom corpo, uma voz aceitável e uma certa graça a cantar. Aplaudimo-la, e parecia que agradava às pessoas. E assim foi, até três ou quatro números. De repente, ao fundo, alguém gritou: *Ojos Verdes!* E algumas vozes mais repetiram o pedido. A rapariga veio ao palco e cantou outra coisa. Então armou-se o alvoroço. As pessoas pediam em coro os *Ojos Verdes* e pateavam ao mesmo tempo que aplaudiam. O senhor Celestino ia e vinha do palco para o balcão do bar, tentava acalmar os ânimos, gritava qualquer coisa que não se percebia. Por fim, subiu ao palco, ergueu os braços, e as pessoas calaram-se.

— Os senhores sabem que essa canção é proibida.

— Canta-a, canta-a! — voltaram a gritar.

— O representante da autoridade, aqui presente, vai dirigir-lhes a palavra! — disse, quase congestionado, o senhor Celestino, e subiu ao palco o polícia de serviço, um quarentão de ar simpático, bastante atrapalhado com a situação.

— Senhores, eu não faço mais do que cumprir o meu dever! Essa canção que vocês estão a pedir está na lista das proibidas.

Reatou-se a gritaria, desta vez já misturada com expressões ordinárias, ou pelo menos com duplo sentido, como «Venha ela, venha ela!». O pobre homem não sabia o que fazer. Ergueu os braços e conseguiu silenciar o tumulto.

— Senhores, vou telefonar para a esquadra, para ver se fazem um excepção só por hoje, mas com a condição de que a menina a cante decentemente!

Devia pensar que se tratava de uma canção pornográfica, das que exigiam uma exibição mais ou menos escandalosa. Quando ele se dirigiu ao escritório do senhor Celestino para telefonar, o proprietário aproximou-se da nossa mesa e pediu-nos que o acompanhássemos, para o caso de ter de explicar alguma coisa ao comissário. Lá fomos. O polícia já estava a telefonar, e, com a mesma humildade como se o chefe estivesse presente, respondia:

— Sim, senhor. Sim, senhor!

Desligou e dirigiu-se a nós:

— Ele diz que se tirarem da canção essa coisa da mancebia, que ela a pode cantar.

Tinha todo o ar de não saber o que queria dizer aquela palavra; eu perguntei-lho:

— Pois olhe, senhor, não sei, confesso-o.

— Pois a mesma coisa que lhe acontece a si, acontece ao público. Porque aqui no norte, não se usa isso da mancebia, mas sim casa de putas.

— Ah! Quer dizer isso?

— Exactamente.

Coçou a cabeça.

— Bom, então se não é mais do que a questão de uma palavra, e os senhores me garantem que ninguém a entende...

O público falava em voz alta, mas sem gritar. O senhor Celestino subiu outra vez ao palco e dirigiu-se à cançonetista, que falava com o do piano, seu marido, ao que parecia, um tipo com guedelhas de pianista famoso. O senhor Celestino falou ao ouvido dela e desceu. Ela, muito contente, voltou-se para o público.

— A vosso pedido, *Ojos Verdes*.

Aplausos, assobios, vivas à autoridade competente. A cançonetista cantou no meio de um silêncio imaculado. Fê-lo bem, aplaudiram-na, e foi então, no momento em que agradecia e mandava beijos a esmo, que me surgiu na mente a frase inesperada, como que escrita num papel, ou, melhor, num grande quadro preto, as letras de fogo que o dedo do mistério traça na parede: «E por que não fazes passar os teus versos pelos de Sotero?» A princípio fiquei um pouco estonteado, como quem passa sem entraves da realidade ao sonho. Eu próprio não entendia bem aquela minha lembrança repentina. Mas aquele momento foi o ponto de partida para uma longa e excitada celebração, um labirinto de razões e sem--razões que durou várias horas e ao fim da qual tinha decidido atribuir a Sotero os meus próprios poemas: esquecera-me deles, não me serviam de nada, seriam melhores ou piores, mas sempre acima dos de Jacobo Landeira. Isso requeria uma manobra bem pensada, sem precipitações. Escrevi o primeiro artigo, publiquei-o, foi lido com a mínima curiosidade possível. «Como é que este foi agora tirar um génio da manga?» Poucas pessoas se lembravam de Sotero. Quando cheguei ao café, naquela tarde, caíram-me em cima os mais irrequietos do convento.

— Quem é esse Sotero Montes? Por que é que se fala dele agora?

Expliquei-lhes:

— Foi meu colega na escola. Depois encontrámo-nos em muitos sítios, entre outros, em Paris. Estudava línguas indostânicas, mas também fazia versos. Trago--lhes a cópia que me ofereceu, para ver se gostam.

As folhas da cópia, com tantos anos, tinham envelhecido, e a velhice dava-lhes credibilidade.

— Este caderno vou dá-lo aos pais dele. Coitados, vão gostar de o ter, e eu não o quero para nada.

Aquelas páginas deram volta à tertúlia. Um leu aqui; outro, ali. No fim, levaram-no a sério (perante a minha estupefacção).

— Olhe, senhor Filomeno, estes versos são bons.

— Isso foi o que eu sempre achei.

— É que é uma injustiça estarem inéditos.

— Também estou de acordo.

Um dos presentes pediu para o deixarem ler um dos poemas em voz alta, e foi escolher aquele que, numa ocasião já remota, eu próprio lera a Clelia. Ouviram--no em silêncio.

— Esse tipo era um grande poeta! — disse alguém, e todos confirmaram com palavras e gestos.

— Temos que fazer uma leitura pública, pelo menos!

O segundo dos artigos que dediquei a Sotero já foi recebido com interesse: tentava eu, nele, explicar a originalidade das suas ideias filosóficas, esboçadas, mais do que sistematizadas, nos seus apontamentos.

— Mas esse tipo era uma espécie de Nietzsche!

Era o que eu esperava que dissessem. Eu já voltara a casa de Sotero, mostrara o caderno dos meus versos aos pais dele, e tinha-lhes prometido entregar-lho depois de o ter dado a conhecer: aquela pobre mãe desfazia-se em agradecimentos. Ainda publiquei mais três artigos, sobre as ideias de Sotero, antes de me referir por escrito aos seus poemas. Ao quarto artigo apareceu na minha casa *don* Braulio, o cónego.

— Venho falar consigo desse filósofo que descobriu.

— Eu não o descobri, *don* Braulio. Há dez anos toda a gente o conhecia em Villavieja e sabia do seu valor. Pergunte aos antigos professores dele, se ainda houver algum. Ao fazer com que os seus conterrâneos o recordem, mais não cumpro do que um acto de justiça. Não se esqueça de que uma guerra civil é capaz de enterrar meia dúzia de génios.

Don Braulio não se sentia muito à vontade, apesar de lhe ter oferecido um café e um cálice de aguardente.

— Olhe, senhor Freijomil, o que menos interessa é os seus conterrâneos lembrarem-se ou esquecerem-se dele. O importante é que esse sujeito era um ateu.

— Como é que sabe?

— Basta ler o que o senhor diz. Nunca fala de Deus, como se não considerasse isso necessário. Já para não falarmos do direito que a Igreja tem de dizer a última palavra em certas questões transcendentais.

Eu não tinha contado com aquilo: não tinha contado ingenuamente, pois logo a seguir compreendi que a intervenção de *don* Braulio era inevitável.

— Olhe, senhor cónego, eu não sou um teólogo, nem sequer um especialista em filosofia. Limito-me a resumir como posso o pensamento de um amigo, a maior parte das vezes com as suas próprias palavras, e é tudo.

— E não se lembrou de que devia ter pedido uma opinião? Isso que o senhor está a fazer ao seu amigo com a melhor das vontades, pode fazer mal a muitas almas.

— Mal? A quem? Ninguém lê os meus artigos, a não ser o senhor e mais três ou quatro pessoas.

— Três ou quatro rebeldes, que se sentirão felizes.

— Mas esses, segundo o senhor, já estarão condenados.

— O que menos importa é que o estejam ou não. É lá com eles. O que importa é qualquer manifestação de independência, isto é, de soberba, que é o que esse pensamento implica. A independência está limitada pelo que a Igreja pensa e pelo que o Estado ordena quando a Igreja e o Estado se entendem, como é o nosso caso. E a Igreja já pensou para sempre nas questões fundamentais. Todo o pensamento livre é, por definição, rebelde, e há que obrigar os rebeldes à obediência. Não me refiro a si, pelo menos da maneira mais grave. O senhor realiza um acto de amizade com o melhor propósito; mas, em todo o caso, se não for uma indiscrição, será uma leviandade. Quanto ao pensamento do seu amigo, é inconsistente, não resiste à análise. Qualquer seminarista poderia refutá-lo. Ainda bem que morreu.

Pedi-lhe licença para me levantar, trouxe o caderno dos poemas.

— Nem sequer essas pessoas a quem o senhor se refere teriam levado a sério as ideias de Sotero Montes se não fossem os seus versos. Aqui os tem. Sotero foi um grande poeta, e pretendo dar a conhecer a sua obra numa récita no Liceo, para a qual, é claro, o senhor está convidado.

Don Braulio pegou no caderno, sem o abrir, e respondeu-me:

— Para um povo chega um grande poeta. Dois, já são de mais.

Começou a folhear as páginas, deteve-se aqui e ali, talvez tivesse lido um poema inteiro.

— Poesia amorosa. Pantominices! — disse com desprezo ao devolver-me o caderno.

— Nesses poemas há algo mais do que sentimentos, senhor cónego. Há também uma palpitação da realidade humana perante o mistério do amor.

Escorropichou lentamente o que lhe restava da aguardente e deu um estalido com a língua. Enchi-lhe de novo o cálice.

— A única poesia amorosa legítima, senhor Freijomil, é a mística.

— Sim, senhor cónego. Também foi a única perseguida pela Inquisição.

Levou tempo a responder-me que eram outros tempos e que as coisas tinham mudado muito, embora não soubesse se para bem ou para mal.

— Uma Inquisição à moderna ter-nos-ia evitado muitas desgraças.

— O senhor quer dizer ao mundo em que vivemos?

— Refiro-me sobretudo a Espanha.

— Bom. Se o senhor não tiver inconveniente, o meu propósito é fazer uma leitura pública um dia destes.

Encolheu os ombros.

— É lá consigo!

Anunciei-a no meu artigo seguinte: espalharam-se a surpresa e a curiosidade; em certos grupos, um começo de mal-estar; o tempo de expectativa tornou mais patente a divisão do povo em cores incompatíveis, e deu azo ao aparecimento de antecipados juízos de valor.

— Os senhores vão ver o que é um verdadeiro poeta, dos de antes!

— Grande merda deve ser esse Sotero!

Organizou-se a leitura no salão do Liceo, no mesmo lugar em que D. Eulalia tinha recitado, como um manifesto, os versos de Landeira, e à mesma hora. Li o melhor que pude, as pessoas ouviram, aplaudiram no final, e alguém gritou:

— Isto é que é um poeta e não essa merda do Landeira!

Foi uma imprudência, conquanto colocasse as coisas no seu devido lugar. De qualquer forma, o jornal local pediu-me autorização para publicar os poemas, durante vários dias, a toda a página.

— A licença, quem a tem de dar é a família.

E a família deu-a com muito gosto. Os poemas foram passando sem atropelos de censura. «Não eram mais do que versos sentimentais!» Com as caixas da impressão compôs-se um cadernito em cuja capa sobressaía em letras vermelhas: *Los Poemas de Sotero Montes*. Letras vermelhas! Um cartaz de desafio. Tiraram-se mil exemplares, rapidamente distribuídos pelos quiosques, pelas livrarias e outros estabelecimentos. Venderam-se em pouco mais de uma semana, e toda a gente teve de dizer alguma coisa acerca deles: uns, nas tertúlias e nas reuniões do café; outros, no mesmo jornal que os tinha editado. Publicaram-se vários estudos sucintos para demonstrar a sua qualidade, graças aos quais pude aperceber-me de que o conteúdo dos meus poemas era, pelo menos, contraditório. Em geral, elogios entusiásticos; alguns desenfreados. O tema dos versos de Sotero durou mais do que se esperava, e, entretanto, o livro de Landeira atrasava-se na tipografia, não por má vontade de ninguém (que se soubesse), mas porque os primores da sua impressão e da sua encadernação exigiam mais tempo do que aquele modesto caderno de aleluias de Sotero. Iria ser a luta de uma catedral contra uma barraca? Mas entretanto aconteceu um percalço. Não se sabe quem terá tido a ideia de enviar os versos de Sotero a um emigrado no México. Lá, foram lidos, elogiados, e numa revista da capital foi publicada uma crítica assinada por um desconhecido que garantia ter compartilhado, na prisão, a cela de Sotero, mas na prisão franquista, e que presenciara a sua morte devido a tuberculose galopante.

Segundo o autor do artigo, Sotero, doente, recitava os seus poemas de amor com voz dolente e nostálgica; os poemas dedicados a uma activista italiana que morrera fuzilada por Mussolini. Um dos números da revista chegou a Villavieja, não às nossas mãos, mas às de D. Eulalia. O jornal publicou, num domingo, o artigo integral, com um título a toda a página, em grandes caracteres: «Um pouco da verdade sobre Sotero Montes. Era ou tinha sido um vermelho?» Havia quem o imaginasse conduzindo bispos à morte e violando freiras. Deixou-se de falar dele em voz alta, mas o remate da operação foi outro artigo, enviado de Madrid por um senhor desconhecido, que assinava como doutor, no qual se fazia a psicanálise daqueles poemas, e, com provas científicas irrefutáveis, demonstrava-se que o autor era um homossexual, e que o objecto amado era um miliciano morto na frente de combate. Fiquei, mais do que surpreendido, estupefacto, e aconteceu que só então, ao ler aquelas linhas suficientes e pedantes, me lembrei de que os versos eram meus, e não de Sotero; pois havia-me acostumado a falar deles como se não me pertencessem. Senti-me acusado pelas afirmações do doutor pedante, foi como se a terra me faltasse debaixo dos pés. Torturei a minha memória em busca da recordação de algum efebo que tivesse deslizado por entre outros objectos de desejo e, do inconsciente, conduzido as minhas palavras. Não o encontrei. Do mais recôndito da minha memória, das mamas de Belinha que, em menino, me tinham servido de brinquedo, não encontrava mais do que recordações de mulheres. Era evidente a mistificação voluntária do doutor, é evidente que as palavras podem ser interpretadas como se quiser, e também o era que sob aquela manobra se ocultava uma mão malévola, que não era a de D. Eulalia, mas que podia ter sido movida por ela. O corpo de uma mulher apaixonada pode tanto! Sobretudo quando a impulsiona a vaidade política. Escrevi um artigo refutando o sabichão do doutor, mas não mo publicaram: o jornal virava-nos as costas. Tive de limitar-me a lê-lo na tertúlia do Café Moderno, sem grande êxito: acharam-no prudente e, o que é pior, ambíguo. A ideia de contrapor o nome de Sotero ao de Landeira acabara numa derrota, por um lado, colectiva; por outro, pessoal: eram muitas as pessoas que tinham comprometido o seu entusiasmo naquela desforra. A culpa não era minha, ninguém mo deitou em cara, mas os olhares traduziam uma espécie de ressentimento contra mim, responsável, ou pelo menos, promotor do alvoroço. O nome de Sotero passou ao silêncio, em breve também ao esquecimento. Não fui capaz de consolar os seus pais, vítimas involuntárias do meu fracasso. Apesar de tudo, agradeciam-me o que eu tinha tentado fazer pelo nome do filho, e nem nas suas palavras nem na sua conduta havia qualquer rancor.

Ainda bem. Comecei a notar um certo desapego por parte dos mesmos que me tinham elogiado, que haviam feito de mim uma espécie de cabecilha da oposição intelectual de Villavieja. Deixei de ir ao Café Moderno e permaneci encerrado em minha casa algumas semanas, de modo que não pude ser testemunha da apoteose de Landeira, uma vez publicado o seu livro. Chegaram até mim, é óbvio, as frases de desdém de D. Eulalia no acto popular que se seguiu à publicação do livro e à cerimónia cívica de descerrar uma lápide na casa onde Landeira nascera. Gritava-se em coro: «Landeira, sim; Sotero, não», como um cântico triunfal. Sotero Montes serviu a D. Eulalia de termo de comparação, aludido, não mencionado. Chegou a dizer, referindo-se a mim, que o responsável por aquela ofensa aos altos valores da civilização europeia e cristã não se atrevia a aparecer em público, pela vergonha que tinha em exibir a sua derrota. Vieram a minha casa, sucessivamente e sem combinarem, primeiro, Roca, e, depois, Baldomir. Queixosos, compungidos, pareciam mais derrotados do que eu. Da sua solidariedade para comigo não tinha dúvidas, como tão-pouco do seu desejo veemente e um tanto aparatoso de que eu saísse do meu enclausuramento, de que me desse a ver. Eu andava naqueles dias com o coração e a mente muito longe de Villavieja, esquecido da fracassada operação de contrapor um poeta a outro como quem põe dois galos a lutar. Pelas cartas que o meu professor e a sua mulher me escreviam eu ia sabendo não só do andamento dos meus interesses vacuns e vinícolas, mas também da vida e da sorte de Maria de Fátima no seu Brasil. A *miss* escrevia-me espantada, com mais veemência e temor do que era de esperar de uma inglesa de certa idade. Maria de Fátima não se entendia com o pai, tinha deixado a casa, começara a trabalhar: primeiro, como hospedeira numa companhia aérea, onde os homens não a deixavam em paz, começando pelos seus próprios companheiros de voo. Vira-se obrigada a renunciar, e agora trabalhava como recepcionista num hotel importante do Rio, onde também era importunada, ainda que mais dissimuladamente. Não era feliz, suspirava por regressar a Portugal. Nas suas cartas quase não se referia a mim. Numa das suas cartas, a *miss* chegou a dizer-me que estava arrependida de, a princípio, me ter advertido contra Maria de Fátima, e que, na realidade, o que devíamos ter feito era casarmo-nos. Tudo isso começou a interessar-me mais do que os acontecimentos de Villavieja, e pensei que talvez o meu dever fosse o de ir ao Brasil e trazer Maria de Fátima comigo; mas, como costumava acontecer-me, pensava as coisas, imaginava-as até ao último pormenor e, depois, não as fazia. Por outro lado, não tinha a garantia de me concederem a autorização para sair de Espanha. Disse-o ao meu advogado, que fez algumas tentativas discretas e só encontrou dificuldades: a minha ficha na Polícia não me beneficiava; era, entre outras coisas, suspeito de ser mação. De forma que tudo se ficou por uns dias de emotividade sentimental, donde saí pelas visitas sucessivas, quase urgentes, de Roca e Baldomir, que combinaram vir juntos a minha casa. Não sei se me convenceram ou se, de repente, me deu vontade de contrariar as pessoas e de fazer o que me desse na real gana. Uma tarde disse-lhes: «Amanhã vou sair com vocês. Venham buscar-me ao meio-dia e meia.» E consumi parte do tempo numa revisão a fundo do meu vestuário, quase todo metido nos velhos armários desde a minha chegada. Tinham passado anos desde a minha estada numa Inglaterra em paz, onde ainda imperavam, em visível oposição com o informalismo americano, os antigos preconceitos, as convenções seculares. Conservava uns quantos fatos e alguns sobretudos daqueles tempos. Estavam, essa era a verdade, um pouco antiquados, mas a roupa de bom corte dificilmente perde o seu valor, por mais que as modas mudem. Mais ainda, a moda pode ser o que vestimos e como vestimos. Vesti-me, pois, o melhor possível, como nunca o fizera em Villavieja, onde havia um oficial elegante, o senhor Federico Tormo e outros dois, mais populares, qualquer coisa como caricaturas dele, conhecidos pelas alcunhas de *El Marqués de la Espuma* e *El Conde de la Madroa*. O senhor Federico Tormo já era um jarreta, último rebento de uma família arruinada, que dizia mal do regime. Não se metiam com ele, pois era considerado uma personagem às vezes útil, porque o consultavam quando era preciso organizar um casamento de arromba ou preparar a recepção de uma personalidade: o senhor Federico era o único depositário dos elegantes costumes dos bons tempos, e um homem assim costuma ser útil quando o pandeiro é tocado por mãos ignorantes, manda-chuvas improvisados: isto permitia-lhe disparatar no café contra o general e seus agentes sem que nem sequer os mais fervorosos partidários da situação dessem importância às suas afrontas, às suas insídias e às suas denúncias. «Coisas do senhor Federico!» *El Marqués de la Espuma* era um trintão de classe média, filho de viúva com uma pensão modesta. Não se tinha conhecimento de que alguma vez tivesse feito algo na vida, nem outra coisa senão exibir com mais ou menos inocência o seu palminho de cara bonita e o seu bom aspecto. Tinha só dois fatos: o de Verão, branco a atirar para cor-de-rosa, com botões de madrepérola, e outro, cinzento, de Inverno, com o seu sobretudo e o seu chapéu de chuva. Nunca se ouvira dizer que *El Marqués de la Espuma* tivesse gasto na sua vida um cêntimo a convidar alguém, nem sequer as raparigas que acompanhava na rua ou de passeio; elas aceitavam-no a seu lado para não andarem sozinhas, as que não tinham acompanhante, e pelo que tinha de decorativo, as outras, mas sem irem mais além. A alcunha assentava-lhe bem, pois todo ele era como a espuma do champanhe quando perde a força e fica apenas em espuminha. Quanto ao *Conde de Madroa,* era totalmente o oposto, um pouco tosco, vital, generoso. Costumava desaparecer durante alguns meses; dizia-se dele que ia para Vigo, onde embarcava como criado de mesa nos barcos de emigrantes que iam para a Argentina ou para Cuba. Poupava o que ganhava e, no regresso, comprava a roupa mais moderna e vinha com ela para Villavieja mostrar-se no passeio público, e pagar coisas às pessoas até que o dinheiro se lhe acabava. Estes três sujeitos iam ser os meus rivais; mas, dos três, só o senhor Federico Tormo considerou que o seu espaço vital fora invadido por um intruso. Uma manhã, quando eu já andava há umas semanas a sair ao meio-dia com Roca e Baldomir, aparecendo pelos bares, e percorrendo a rua principal, à hora do passeio, com o ar mais impertinente e distante possível; uma manhã, digo, o senhor Federico Tormo apareceu em minha casa: recebi-o no salão mais requintado, e agradeceu-mo. Ofereci-lhe um xerez e bebeu-o.

— Senhor Freijomil — disse-me —, venho pedir-lhe que não torne infelizes os poucos anos de vida que me restam. O senhor é novo, e tem muito para fazer no mundo, se não cometer o erro de se encerrar para sempre em Villavieja. Eu passo dos sessenta e não sei fazer nada, nem nunca fiz mais nada senão arrastar como posso o papel de elegante local que me calhou em sorte. Sou pobre e o senhor é rico. O senhor usa fatos ingleses, e os meus foram feitos há tempos por um alfaiate da Corunha. Estão um pouco usados, mas são fatos gloriosos, porque continuei a usá-los, como um desafio, quando toda a gente refugiava o seu medo em uniformes ridículos. O tê-los usado com ousadia, como usei, podia ter-me custado a vida, mas só me custou um desterro. A sorte destinou-me uma missão em Villavieja, que as pessoas de bem compreendem e respeitam, e o senhor não tem necessidade de vir estragá-la. O que lhe peço é que renuncie a competir comigo, porque a vitória já o senhor tem segura e não precisa dela para nada. Custa-lhe muito? Por outro lado, o senhor já tem assegurado o seu lugar na cidade, um lugar nada fácil. Por que é que há-de renunciar a ele? O senhor é um intelectual, e passar por elegante não lhe acrescenta nada. — Aqui fez uma pausa, aceitou um cigarro que lhe ofereci, reflectiu sobre o que ia dizer a seguir. — Não pense que lhe tenho rancor, pois, à parte os fatos, sei que o senhor e eu comungamos de certas ideias e certos desdéns, e isto une muito. Ambos somos suspeitos para o regime, e ambos contemplamos as pessoas de cima, não com o ressentimento dos vencidos, mas com o desdém dos superiores. Tanto o senhor como eu consideramos vulgar esta gente que governa. Se assim não fosse, o senhor não teria escolhido a elegância pública para se vingar. Mas acontece, querido amigo, que o senhor pode valer-se de meios que a mim me estão vedados. Peço-lhe: deixe a rua para mim, não faça nada que me obrigue a eclipsar-me, o que, na minha idade, seria como morrer. Em compensação, senhor Freijomil, far-lhe-ei uma revelação. Na cidade conspira-se contra si. As alterações na sua conduta e na sua forma de vestir foram interpretadas como tentativa de aproximação aos que mandam. Numa reunião que houve, *don* Braulio, o cónego, garantiu que o senhor é recuperável, e que tudo consistirá em encontrar para si uma noiva conveniente. Andam à procura dela, senhor Freijomil, uma menina de linhagem que o tire das suas putanhices. Todos eles sabem, senhor Freijomil, que o senhor é cliente da Flora, mas gostariam de saber com quem se deita! Puseram gente a vigiá-lo ou pensam pôr. E tudo isto que lhe digo é a pura verdade, não estou a inventar. Mais gente sabe disso. Uns gostariam que o senhor mudasse; outros, não. Eu sou um destes. Pois já fica a saber.

Desatei a rir, dei-lhe um abraço, e levei-o ao quarto dos armários. Mostrei, perante o seu assombro, a minha não muito numerosa, embora criteriosa, colecção.

— Indique o senhor, de todos estes fatos, os que não quer que eu vista.

Examinou-os, um a um, com cuidado, com olhos de especialista.

— Na realidade, mais do que indicar-lhe os proibidos, apontar-lhe-ia os obrigatórios. São estes dois. Para um cavalheiro como o senhor, numa cidade como esta, usar dois fatos é suficiente. Compreendo que seja um sacrifício, sobretudo se tiver em conta que alguns deles...

Calou-se e tirou um do cabide, um «príncipe de Gales» sobre o cinzento, quase por estrear.

— Não sabe o que eu daria para ser dono deste fato!

— Pois já o é a partir deste momento.

Olhou para mim com assombro.

— Como diz?

— Que, se não lhe parecer mal, lho ofereço. Somos da mesma altura e de figura semelhante, embora a sua seja mais arrogante do que a minha. Mas isso da arrogância é coisa de personalidade, não de figura. Basta arranjar alguns pormenores e parecerá mesmo feito à medida. Tenha em conta que nunca o usei em Villavieja, e que ninguém vai poder adivinhar a sua proveniência.

Ficou com o fato nas mãos, perplexo.

— Senhor Freijomil, o senhor coloca-me na obrigação de o admirar. Se o senhor saísse à rua com este fato, destronar-me-ia para sempre.

— Muito bem. Ofereço-lhe, então, a coroa.

Um tanto comovido, libertou a mão direita e estendeu-ma.

— Aperte aqui. O senhor é um grande tipo.

A partir daquele dia deixei de comparecer nos bares em ostentação, deixei de percorrer com visível impertinência a rua principal. Os meus companheiros habituais, Roca e Baldomir, surpreenderam-se com aquela mudança súbita.

— Diz-se por aí — expliquei-lhes — que estou a tentar aproximar-me da direita, e é preciso desmentir isso.

Acharam muito bem.

IV

FALAR DE BRISEIDA requer uma explicação entre erudita e biográfica. Chamava-se simplesmente Laura Martínez, e dedicava-se à canção moderna, com preferência para os boleros. Tinha boa presença, com umas pernas espectaculares, voz agradável e um certo estilo entre refinado e piroso, que ligava muito bem com as canções que cantava. Mas, como cartão de apresentação, «Laura Martínez, canção moderna» não era suficientemente atractivo: era surpreendente, e nada agradável, uma certa contradição interna difícil de explicar, uma espécie de princípio universal vulnerado, de uma menina que arrasta um nome tão pequeno-burguês como o de Laura Martínez não podia esperar-se que cantasse com a devida paixão e uma pontinha de arrebatamento, por exemplo, ao cantar aquele «*Y tú que te creías el rey de todo el mundo...*» fazendo concorrência a Amália Rodrigues. Esta era a razão pela qual Laura tinha percorrido os cafés-concerto de uma boa parte da península sem ter alcançado a honra de um anúncio luminoso:

> LAURA MARTÍNEZ
> Canção moderna

Até que obteve um contrato em Sória. Em Sória conheceu e deitou-se mais de duas vezes com um professor de Literatura daquelas paragens, um tipo bastante cabeludo que trazia sempre consigo uma pasta a abarrotar de papéis, cadernos e separatas em duas ou três línguas: um sujeito muito culto e bastante brincalhão, conhecedor, segundo ele, da psicologia colectiva, que lhe explicou as razões por que não merecera as honras do rótulo luminoso, espécie de meta profissional das especialistas em qualquer género de canções.

— Tudo depende do teu nome. Laura está muito bem para uma mãe de família, e até para uma noiva ignobilmente abandonada que mantém a fidelidade ao traidor até ao envelhecimento e à amargura, mas não para uma cantora como tu. O que precisas é de um nome de guerra.

— E por que é que não mo arranjas?

O professor de Literatura, em sucessivos encontros horizontais, propôs-lhe uns quantos, todos eles literários, que nunca mais convenciam Laura. Até que uma noite lhe disse:

— O que te parece Briseida?

— Briseida? E isso o que quer dizer?

— Qualquer coisa como a das faces rosadas. Não exactamente, mas coisa parecida.

O significado deixou de interessar a Laura: que lhe interessavam a ela as etimologias? Mas gostou do nome. Gratificou o professor de Literatura com a oferta de carícias e o reconhecimento eterno. O seu contrato seguinte já incluía o nome de Briseida, e, ao segundo ou terceiro, foi incluída uma cláusula segundo a qual ela seria anunciada com o famoso rótulo de letras reluzentes — violeta as de cima e de tamanho razoável; as de baixo de cor chamativa, um pouco mais pequenas — onde rezaria:

```
┌─────────────────────────┐
│        BRISEIDA         │
│      Canção moderna      │
└─────────────────────────┘
```

o que a obrigou a comportar-se como uma diva no seu género, a fazer roupa nova e a seleccionar os seus amantes de ocasião: o que se chama melhorar a personalidade. O senhor Celestino contratou-a para La Rosa de Té. O letreiro luminoso custou-lhe umas pesetas, mas, uma vez instalado, ficou muito atractivo. Era a primeira vez que no La Rosa de Té se utilizava aquele reclame, pelo qual o senhor Celestino, além disso, teve de pagar impostos à Câmara. Briseida foi recebida com grande expectativa, e na sessão da tarde em que se apresentou juntaram-se gregos e troianos, dado que a curiosidade não tem cor política. Foi aplaudida com delírio, e teve de repetir alguns números, sobretudo *María Bonita* e aquele em que se diz «... *por cama quiero un sarape / por cruz mis dobles cananas»*, para o qual vinha vestida de charro mexicano com umas calças justas nas ancas e que punham em relevo as linhas capitais do seu sistema de persuasão erótica. O senhor Celestino foi muito felicitado pela descoberta. Os conquistadores profissionais voltaram na sessão da noite, para inquirir sobre os costumes de Briseida e sobre os custos. Ficaram defraudados, porque Briseida ainda não tinha cotização na praça. Ao fechar o local, ficámos os do grupo, com o polícia como convidado; Briseida veio à nossa mesa, e eu ofereci champanhe. Era o mínimo! Veio à baila o nome dela, e o senhor Agapito Baldomir, erudito em notícias literárias, como não podia deixar de ser num poeta da sua categoria, que além disso cultivava o género épico, explicou com referências textuais ditas em grego e vertidas para romance, que Briseida era uma personagem da *Ilíada* pela qual tinham lutado Aquiles e Agamémnon.

— E quem eram esses senhores? — perguntou Briseida muito interessada, como se fosse deitar-se naquela noite com algum dos dois.

O senhor Baldomir cedeu-me a palavra e fui eu o encarregado de colmatar aquela lacuna na informação literária de Briseida. Confesso que o fiz com a minha melhor voz e as palavras mais atraentes e sugestivas, depois de ter pedido mais champanhe (à minha conta). Ficou claro que, chamasse-me eu Aquiles ou Filomeno, Briseida me escolhera para aquela noite. Ninguém se intrometeu, e pude levá-la tranquilamente a casa da Flora, sem precisar de atravessar a igreja porque já era de madrugada. Devo confessar que não consegui arrancar-lhe ais de entusiasmo, pelo que a conversa derivou para temas práticos: que estava cansada daquela vida, que já ia fazer trinta anos e que lhe apetecia alguma estabilidade, se não um casamento, uma coisa que se lhe parecesse: aquilo que se chama um programa de encosto. Não consegui evitar que me desse o sono. Verem-me com ela pelas ruas, na manhã seguinte, incrementou os traços inquietantes da minha reputação, tanto para os que me admiravam como para os que me detestavam. «Qualquer um com o dinheiro dele, também a levaria para a cama!» — foi a opinião mais adversa. Nos meios selectos (moralmente), em que pessoas piedosas se preocupavam com a minha salvação, concluiu-se que era urgente deixarem-·se de projectos e levar à prática os que houvesse. Foi então que *don* Braulio, o cónego, me enviou o recado de que iria tomar café a minha casa, e apareceu acompanhado de D. Eulalia. Apanharam-me precavido com todas as minhas defesas intelectuais. Ah, se tivessem aparecido de imprevisto! Levei-os para o salão de mais respeito, onde tinha mandado abrir as madeiras e acender os candeeiros, porque o dia estava cinzento e tristonho. *Don* Braulio teria começado o seu discurso sem esperar pelo café, mas D. Eulalia deu-lhe cabo das primícias; antes de se sentar, antes quase de tirar o casaco e deixar o guarda-chuva no bengaleiro, começou a desfazer-se em elogios aos móveis, aos quadros, às bugigangas, e até a apreçá-los.

— Ah, senhor Freijomil, o senhor tem aqui um tesouro! Como é possível que seja infiel a tanta tradição como a que aqui se encerra?

Não sabia se considerar mais o valor dos móveis no mercado ou o seu significado no mundo dos valores que ela defenderia até à própria morte.

— O senhor não é um qualquer, senhor Freijomil! O senhor não pode ser um traidor a tanta glória como aquela que está representada aqui!

— Mas, minha senhora, quem lhe diz que eu penso atraiçoá-la?

— A sua conduta pouco exemplar, senhor Freijomil, indigna de um homem do seu sangue! Como é que concilia as suas ideias e os seus costumes com estes móveis, com estes candeeiros, com estes antepassados!?

— Minha senhora, nenhum deles me pede contas.

— Vimos nós pedir-lhas em nome deles! Caramba!

Se *don* Braulio permaneceu fiel à aguardente da região, D. Eulalia preferiu uma *anisette* de nome francês, que, segundo ela, lhe caía bem no estômago.

— É que não há como a *Marie Brizard* para uma digestão tranquila, sobretudo quando uma pessoa tem de falar!

Era o que eu temia, que a um e a outro se lhes soltasse a língua e me estragassem a tarde com conselhos morais ou com acusações pormenorizadas da minha falta de exemplaridade pública. De início, contive D. Eulalia mostrando-lhe bugigangas e antigualhas, dessas que comovem as mulheres que nunca as tiveram: recordações sentimentais de tias mortas, a madeixa de cabelo da noiva frustrada, a miniatura do brigadeiro morto nas Índias. Repetia como um *ritornello:*

— Que feliz seria a mulher que fosse sua esposa! O senhor nem sabe como são consoladoras estas ninharias quando se chega à idade dos desenganos!

Donde inferi que ela já tinha chegado, embora o seu palminho de cara e o que o realçava fizessem pensar outra coisa. *Don* Braulio não se sentia muito feliz por a sua companheira se ter adiantado na iniciativa, precisamente por caminhos impensados, pois do reconhecimento da felicidade de possuir aqueles testemunhos das histórias menores do passado, bem podia dar um salto e propor-me a necessidade de que uma mulher viesse ocupar o vazio que sem dúvida se notava naquela casa, e quem sabe se no meu coração. *Don* Braulio não parava quieto no seu lugar, e já se tinha servido do terceiro cálice de aguardente e da segunda chávena de café. Com semelhante bagagem ninguém podia imaginar qual ia ser o teor do seu discurso, se moralizante ou apocalíptico. Em qualquer caso, tinha de o evitar.

Tive sorte. Entre os tarecos havia um fragmento de um vitral gótico encontrado entre os escombros de Londres bombardeada. Mostrei-o, a ela primeiro, depois a ele.

— Mas o senhor esteve em Londres durante os bombardeamentos?

— O senhor não sabia, *don* Braulio? Eu fui correspondente de guerra.

Pedi-lhes licença para sair por uns instantes, trouxe-lhes o álbum de fotografias daquele tempo e daqueles acontecimentos tiradas por mim. Apoderaram-se dele, do álbum; a cada fotografia, o espanto saía-lhes em exclamações.

— E o senhor não correu perigo?

— Naturalmente que sim, todos os dias e a toda a hora.

Foi possível acrescentar à contemplação das fotografias um relato pormenorizado e bastante patético daquelas horas de pavor. Deixaram-me falar. Pude verificar que a minha oratória e a minha capacidade descritiva e evocadora eram eficazes, quase artísticas. Enquanto falava, servia-lhes mais café, e aguardente ao cónego, *anisette* à dama. Eles bebiam sem se aperceberem, sem perderem pitada das minhas palavras. Às vezes exclamavam: «Oh! Mas como é possível?». Falei bastante mais de uma hora. Lá fora já era crepúsculo, que num dia como aquele, cinzento e chuvoso, era como o anoitecer.

— Ai, meu Deus, já é tão tarde, e com tantas coisas à minha espera!

Don Braulio também descobriu que o tempo passara sem ele dar por isso e que chegaria tarde a um encontro. D. Eulalia ainda achou uma ocasião para me perguntar:

— E como é que conseguiu aguentar esse medo sem ficar louco?

— Quanto ao primeiro, não há dúvida, dado que estou aqui. Quanto ao segundo, quem sabe?

Olharam um para o outro, o clérigo e a dama, como se naquelas palavras tivessem achado uma explicação para as minhas intemperanças. Senti-me, se não perdoado, pelo menos compreendido por aquele par de definidores da moral. Mais por ela do que por ele. Aos soldados que voltavam da frente de combate enlouquecidos pelo aparato artilheiro, toleravam-lhes a cura do putedo.

— Tem de ser mais discreto nas suas expansões, senhor Freijomil — aconselhou-me a dama.

E o clérigo, clemente e sensato, despediu-se com o velho aforismo:

— Todos os pecados serão perdoados, menos os pecados contra o espírito.

Referia-se ao meu pensamento inconformista? É o mais provável. Foram-se embora à pressa. A ameaça, contudo, deixaram-na a pairar.

— Voltaremos outro dia, senhor Freijomil, uma tarde destas.

Mas já com outra voz.

As notícias do escândalo provocado pelo meu passeio matutino com Briseida tinham chegado ao café. Os meus amigos receberam-me com protestos e condolências, e todos concordaram em que, sob um regime que ao mesmo tempo oprimia política e moralmente, a cidade estava a retroceder aos piores tempos do provincianismo pretérito. Briseida disse-me, muito melosa:

— Já estamos comprometidos publicamente.

Toda a gente ficou em silêncio, e a própria Briseida se retirou para a sombra, porventura envergonhada. Foi o senhor Celestino quem falou por mim, talvez em virtude dos seus direitos de empresário do local e contratador de Briseida:

— Isso não convém ao senhor Filomeno. A sua reputação anda muito em baixo, conforme sabeis.

— De qualquer forma, senhor Celestino, sou eu que administro a minha reputação.

— Pareceu-lhe mal o que lhe disse?

— Não, senhor Celestino; mas já me conhece o suficiente para saber que costumo tomar as minhas decisões por mim próprio.

O senhor Celestino deu-me uma palmada no ombro.

— Perdoe-me se fiz asneira, senhor Freijomil. Fi-lo com a melhor das intenções.

No entanto, toda a gente acreditou, ou pelo menos suspeitou, que agia como parte interessada. A ninguém tinham passado inadvertidas as suas intenções, os seus mimos, para com Briseida, e a cara com que ficara na noite anterior, quando ela foi comigo. A coisa ficou assim, a conversa continuou e, de certo modo, a festa. Briseida cantou para nós umas quantas indecências divertidas para as quais se mostrou mais dotada do que para os boleros sentimentais; foram recebidas com muitos aplausos e risos, e tiveram a virtude de desnortear o senhor Celestino, indefeso diante das intimidades exibidas num passo de rumba cubana. A dada altura, de que eu me apercebi, falou ao ouvido de Briseida, e ela pareceu satisfeita a ouvi-lo: «Sim, sim», ouvi que lhe dizia. Chegou a hora de irmos embora. Preparámo-nos para sair. Briseida fingiu demorar-se. Não esperei por ela. Já na rua, o senhor Agapito perguntou-me discretamente:

— Dá-se por vencido, senhor Filomeno?

— Estou-me a marimbar para Briseida!

Mas, na consciência de todos, ficou assente que o senhor Celestino ma tinha surripiado. No dia seguinte, ao ficarem os do costume, foi ela que anunciou que chegara a um acordo com o senhor Celestino, e que, depois de acabar o seu contrato, ficaria como animadora permanente do local.

— Olha que bem! Não há dúvida de que o local ficará a ganhar muito.

Não foi necessário ela explicar que, no novo contrato, se incluiria uma cláusula, talvez só verbal, de desfrute exclusivo por parte do senhor Celestino, com comida e alojamento. Pensei que Briseida tinha actuado com discernimento: o senhor Celestino era um solteirão acomodado, com um dinheirito no banco, e ainda bastante rijo, e uma relação continuada e bem conduzida por parte dela podia acabar até em casamento. O senhor Celestino, por profissão e origem, ficava fora do raio de acção das conveniências, e, no mundo em que vivia, as pessoas eram mais abertas. Era tão tentador passear em público com uma Briseida bem vestida! Nalguma coisa se tinha que gastar o dinheiro. Lembrei-me de pedir champanhe e brindar pelo novo casal.

— Até parece que foram feitos um para o outro!

As minhas palavras não foram bem recebidas, nem por Briseida nem pelo senhor Celestino: atribuíram-lhes, suponho, uma intenção que não tinham. Até os meus amigos pensaram que eram provocadas por um certo ressentimento, e aquele «feitos um para o outro» implicava a puta e o cornudo. Alguém disse:

— O senhor não tem razão para ficar assim.

Respondi-lhe:

— Olhe, amigo: Briseida foi disputada por Aquiles e Agamémnon. Não tenho nenhum inconveniente, neste caso, em fazer o papel de Aquiles, que é muito lúcido, embora deva recordar-lhes que, por causa desta questão, os gregos estiveram à beira de perder a guerra de Tróia. Aquiles ficou ressentido. Eu, mais experiente do que ele neste género de questões, deixo de boa vontade o campo livre.

A emenda foi pior que o soneto. Queria eu dizer que Briseida não valia a pena?

— Oh, não! Parece-me a mulher mais bonita e desejável de todas as que passaram por La Rosa de Té, que eu me lembre.

Pedi a conta e paguei. Roca e Baldomir vieram comigo.

— Não pensa voltar, senhor Filomeno?

— A minha presença seria tanta indiscrição como lembrar ao senhor Celestino que eu fui para a cama com Briseida antes dele.

— E para onde é que vamos?

Caminhávamos à chuva, em direcção às arcadas. Parei, com o guarda-chuva aberto, entre os meus dois amigos.

— Que tal a casa da Flora?

— Senhor Filomeno! O que irão dizer as pessoas? Somos uma tertúlia literária.

— Meu caro senhor Agapito, conta-se que um dos mais famosos generais africanos do exército espanhol tinha o seu Estado-Maior numa casa de putas de Melilha... Será menos decente irmos falar de literatura para casa da Flora?

— Não sei o que irá pensar a minha mulher, senhor Filomeno.

— A sua esposa, senhor Agapito, tem inteira confiança em si. Por que é que há menos ocasiões de infidelidade em La Rosa de Té do que na casa da Flora?

— Oh, homem, visto dessa maneira!...

— Pois tente que a sua esposa veja a coisa assim, e vai ver como não acontece nada.

Foi assim que se instalou no salão reservado de um bordel, com espelhos nas paredes e uma Nossa Senhora das Dores por cima da cómoda, um grupo literário mais ou menos provinciano. Quando fiquei sozinho, naquele espaço sombrio, embora também sonoro, dos salões da minha casa, pensei que me tinha comportado como um imbecil, mas, coisa curiosa, apesar de o reconhecer, não me arrependi. Recordando *don* Braulio e D. Eulalia ria-me silenciosamente: mais exactamente, era algo interior que se estava a rir. Mas não deixava de me interrogar como é que iria acabar tudo aquilo.

V

PARA A FLORA NÃO DEIXOU DE SER UM NEGÓCIO, apreciado pela segurança, a transferência da tertúlia dissidente para o seu salão reservado: apercebia-se vagamente do género de enobrecimento de que era objecto a sua casa, e assim, com diligência e habilidade, ajeitou as coisas de forma a que os clientes secretos limitassem as suas visitas às horas da tarde, de modo a que o campo ficasse livre antes de soarem as dez. A essa hora, uma criada (uma puta reformada por idade) dava um ar de decência ao aposento, colocava a mesa para o serviço de bebidas e organizava as cadeiras em círculo. Continuávamos presididos pela Nossa Senhora das Dores dentro da sua redoma, o coração de prata atravessado por espadas, mas ninguém se detinha nesse pormenor, ou, pelo menos, ninguém fazia objecções, certos como todos estavam de que Flora antes se deixaria matar do que retirar a sua imagem preferida, aquela perante a qual se prostrava nas suas dificuldades, ou nos piores momentos, nos mais angustiantes, da sua angina de peito, embora com o bagaço ao lado, que também ajudava. Quanto à clientela, tinha aumentado, ainda que não desmesuradamente: dos três que éramos a princípio passámos a nove fixos, incrementados os fundadores com seis desenganados do Café Moderno, onde a literatura se politizara até já não ser reconhecida. Aqui éramos-lhe fiéis, e dentro de pouco tempo o que começou como conversas anárquicas acabou por organizar-se e converter aquele salão de paredes azuis com flores vermelhas numa espécie de aula onde cada noite um dos contertúlios lia um trabalho breve que depois se discutia. Ao conjunto de intervenções e discussões, pelo seu carácter obrigatoriamente irónico, ou pelo menos satírico, sempre informal, mas não por isso leviano, dava-se o nome de «Críticas da razão humanística», o que se enquadrava no espírito da povoação, refreado até à coacção pela seriedade do regime. Inevitavelmente a presidência e direcção daquele ajuntamento tinha recaído em mim, e como não se pusera uma hora limite para a reunião, o normal era que, depois das palavras programadas e discutidas, tivesse de ser eu a prolongá-las com uma prática sobre qualquer tema acerca do qual tivesse alguma coisa a dizer, fosse ele literário ou histórico, e isso com tal rigor que, até as informações, as explicações ou as discussões sobre a situação internacional, a grande contenda que se iniciava entre os russos e os norte- -americanos, se desenvolviam com absoluta independência (na realidade quase ofensiva) da opinião oficial: os jornais ingleses e franceses, que recebia de Lisboa clandestinamente, auxiliavam os meus pontos de vista. As pessoas demoraram muito pouco tempo a ficarem a par, e havia sempre alguém que, todos os dias, transmitia a algum curioso o resumo do que se tratara na noite anterior. Dali era propagado, deformado e frequentemente concretizado numa versão quase surrealista, fruto da colaboração colectiva. Apareceram logo candidatos a contertúlios, e foi dada entrada a mais três ou quatro, muito seleccionados, de cuja lealdade não houvesse dúvida, e também, de vez em quando, permitia-se que assistissem, sem direito ao uso da palavra, alguns adolescentes espertos, estudantes em Santiago ou aspirantes a poeta. Putas, nenhuma, e isso era o que as pessoas não compreendiam, ou talvez o que não aprovavam: porque — que diabo! — um lupanar não é um grémio literário, por muito que alguns grémios literários pareçam lupanares.

Era obrigatório tomar qualquer coisa, isso sim, e que cada um pagasse a sua conta, embora não fossem proibidos os convites e não faltassem clientes escassos de numerário a quem a Flora, por caridade ou por confiança que tivesse neles, servia fiado o cálice de aguardente ou de licor de café. O mais extraordinário foi que todas as noites, mais ou menos à hora em que começava o meu discurso, a Flora comparecia, sentava-se num canto e ouvia. Uma vez, em segredo, perguntei-lhe porque o fazia:

— Ai, filhinho, falas tão bem!... Fazes-me lembrar o teu pai.

Não tardaram, no entanto, a surgir conflitos com a autoridade. As informações verbais que recebiam, através de bufos, eram geralmente incompreensíveis, ou pelo menos ambíguas, que tanto podiam proceder de uma seita protestante como de uma célula anarquista. A primeira coisa foi enviarem-nos como testemunha um polícia que tomava notas do que se ia dizendo, com a obrigação de redigir um papel que acabaria nas mãos do governador civil depois dos trâmites habituais. Não era má pessoa, o polícia, se bem que um pouco defraudado pelo carácter selecto das palavras e pela ausência de putas, e a Flora oferecia-lhe todas as noites o que ele quisesse, e ele não abusava. Unicamente, antes de se ir embora, ia dar uma vista de olhos ao salão de baixo, onde havia sempre qualquer coisa com que regalar a vista e o ajudasse a suportar o que o esperava no seu leito conjugal. Ao terceiro ou quarto dia apareceu em minha casa, a meio da manhã, pediu para me ver, e com timidez e uma certa humildade acabou por me dizer, mais ou menos:

— Olhe, senhor: eu sou obrigado a informar os meus superiores do que se fala na tertúlia, mas como não entendo nada do que dizem, o relatório não me sai. Venho pedir-lhe para, se não for muito incómodo, me escrever o senhor umas folhas, com algumas asneiras, claro, para parecerem minhas, e eu passo-as depois à máquina e dou-lhes seguimento. Caso contrário, ao não perceberem o que os senhores dizem pelo que eu escrevo, receio que lhes proibam as reuniões, porque, vendo bem, são clandestinas.

Discutimos amigavelmente até que ponto a comparência de uns quantos homens de bem e o colóquio subsequente no salão privado de uma casa de amor podia ir contra as ordens, mas ele repetia sem variação as palavras que tinha ouvido. Acedi a redigir-lhe as folhas, e se nos primeiros dias escrevi um resumo muito sumário do que na realidade se tinha tratado, pouco tempo depois lembrei-me de fantasiar um pouco: redigia o relatório antes de jantar, e entregava-o ao polícia quando se encerrava a reunião. Os temas eram do mais disparatado: «Na noite de ontem, os presentes no tugúrio da Flora discutiram sobre a personalidade de um tal Ninon de Lenclos. O senhor Martínez Sobreira leu uma biografia, segundo ele resumida, da famosa hetera, e no fim explicou que não juntava a lista dos seus amantes porque tinham sido mais os desconhecidos ou supostos que os citados pela história. Advirto a chefia que ignoro o significado da palavra hete-ra, que foi repetida várias vezes, mas, pelo que lá se disse e pelo que se foi sa-bendo, no que eles chamam colóquio, deve ter sido uma conspiradora carlista infiltrada na corte de Isabel II. Quem mais sabia acerca dela, ou assim pelo me-nos me pareceu, era o senhor Marcelino Pita, o boticário. Ninguém pronunciou uma única palavra contra o regime nem contra as autoridades locais e provinciais. A reunião terminou às duas e trinta e cinco da madrugada. Deu-me a impressão de que, como de costume, cada qual ia para sua casa. Ninguém estava totalmente bêbedo, embora o senhor Claudio Seco andasse um bocado aos tropeções à saí-da. A Flora deve ter embolsado em cafés e licores, mais ou menos o de todas as noites, umas quinhentas pesetas.» Com este tem-te não caias vivemos sossegados algumas semanas. As «Críticas da razão humanística» iam prosseguindo, e liam--se ou diziam-se coisas de bastante engenho, tanto sobre a realidade empírica co-mo sobre a imaginária, e chegámos a organizar um concurso para ver quem fala-va mais tempo sobre nada: ganhou um antigo seminarista que agora se dedicava ao ramo da bijutaria fina e que se chamava senhor Alemparte (apelido popular que me fazia duvidar da prosápia do meu Alemcastre). A nossa reputação cres-cia, e chegavam-nos convites para nos mudarmos para um sítio mais amplo, onde pudessem caber mais contertúlios, mas defendíamo-nos desses convites alegando a originalidade de uma reunião científica que escolhera semelhante sede.

Em Villavieja toda a gente conhecia a rivalidade entre o governador civil e o subchefe da província. Aquele procedia da extrema direita; este, de uma zona próxima da esquerda. Aquele tinha todos os dias fotografia no jornal; este levava uma vida recolhida sem que se lhe conhecessem desvarios. Aquele agia por inter-médio de acólitos, quando não de sicários; este percorria frequentemente as povoações da província e interessava-se pelas suas necessidades. Finalmente, o governador chegara precedido por uma fama sinistra, enquanto se atribuía ao subchefe o salvamento de várias vidas nos tempos do terror. Se o mantinham no seu cargo, isso devia-se não só ao seu comportamento na guerra como à estima em que era tido, mesmo pela esquerda encoberta. Pois este subchefe lembrou-se de me enviar um recado por um amigo comum, ou, pelo menos meu conhecido, dizendo-me que tomara conhecimento da natureza das nossas conversas, e que havia alguns rapazes entre os jovens, muito espertos, com clara vocação política, que gostaria de ir iniciando na dialéctica e na oratória; como me sabia bem infor-mado, e como na tertúlia, do que se falava, ainda que em tom de brincadeira, era de cultura, não lhes faria mal, aos mocetões, assistir às nossas reuniões: de forma passiva, é claro, e sem outros direitos que o de fazerem uma ou outra pergunta que viesse a propósito. O mensageiro aconselhou-me a aceitar, já que, dado o ca- rácter extraordinário da nossa situação, sempre convinha ter nas alturas alguém que nos defendesse. Uma vez que o que se dizia na tertúlia não podia prejudicar os rapazes, mas sim espevitá-los mais do que já eram, o plenário concordou em aceitá-los. Os rapazinhos apresentaram-se numa daquelas noites, entre tímidos e ousados. Tinham prescindido da camisa política e vinham vestidos como quais- quer outros da sua idade, com gravatas civis. Mantiveram-se atentos e discretos: um deles fez algumas perguntas atinadas e foram-se embora quando lhes fiz sinal para que fossem. Vieram nas noites seguintes, com os seus livrinhos de aponta- mentos, onde tomavam notas. Naqueles dias eu falava da questão do petróleo. Não é uma questão que se possa encarar a brincar, mas eu procurava dar-lhe um tom divertido ao mesmo tempo que crítico. O de cara mais alegre dos dois, o loi- ro, perguntou-me de repente:

— O senhor acha que sem petróleo se pode fazer um império?

Respondi-lhe que não e dei-lhe as razões.

— Então como é que nos falam do império se não temos petróleo?

— A isso não te posso responder. Eu nunca falei de império.

Ele não disse mais nada. Outro dia, o moreninho, sem que viesse ao caso, tal- vez para ficar bem, perguntou:

— E o senhor acha que a América do Sul voltará a ser de Espanha?

Respondi-lhe que não achava isso provável, muito menos conveniente. Tomou nota da minha resposta. Pouco tempo depois recebi umas linhas do subchefe, muito concisas: «Seja prudente, atente no que lhe digo.» E aquele que me trouxe a nota, o amigo comum, certamente instruído pelo subchefe, foi mais explícito:

— O que o senhor explica aos rapazes contradiz o que lhes apregoam todos os dias. E o pior é que lhe fazem caso a si.

Mas os rapazes não tinham vindo a casa da Flora para que os enganassem, pois não?

Numa daquelas noites, inopinadamente, em vez do polícia do costume apare- ceu o próprio comissário em pessoa. Ficámos paralisados, ou, pelo menos, mudos e sem saber o que fazer.

— Que a minha presença não os estorve, senhores. Venho ouvi-los por mera curiosidade.

Fizemos um esforço para dar naturalidade e alegria à conversa, e o meu dis- curso final versou sobre a moda feminina, segundo os últimos figurinos. Ao terminar, e as pessoas começarem a retirar-se, o comissário pediu-me que esperasse. Ficámos sozinhos com a Flora, medrosa e desconfiada.

— Olhe, senhor Freijomil, eu não tenho nada contra estas reuniões, salvo serem ilegais. São ilegais, mas inocentes. Para poderem continuar concordámos (não disse quem) que o senhor devia introduzir algumas novidades. A continuarem desta forma, o senhor teria de pedir autorização diariamente e entregar um requerimento na esquadra, assinado por si e por outro responsável, com a indicação detalhada do que se vai dizer. Compreendemos que isto não só é difícil, como chato. Mas há uma solução. Isto é uma casa de passe, mas eu não vi putas em lado nenhum. Este salão, com a ausência delas, perde o seu carácter. A solução está em voltar a dar-lho. Se todas as noites estiverem presentes, enquanto vocês falam, a Puri e a Ghuli, por exemplo, o salão recupera a sua verdadeira condição, os assistentes são clientes da casa que se encontram e conversam por acaso, e a Polícia não tem por que se meter. Se assim o fizerem, tiram-nos um peso de cima.

Interveio a Flora:

— Mas, senhor comissário, como é que vou ter todas as noites duas mulheres paradas, a olharem? Fazendo as contas por baixo, ponha vinte e cinco pesetas por hora e por mulher; sai a cem pesetas de perda por cada menina que estiver presente. Garanto-lhe que a casa não pode perder duzentas pesetas diárias. A comida está cara: as raparigas têm de ser alimentadas. Depois vêm as despesas do médico e da farmácia, que só elas arruínam qualquer um... Não, não pode ser.

O comissário deu uma palmada na coxa de Florita:

— Isso, Florita, não é da minha incumbência. Entende-te com estes senhores acerca dos honorários. Eu já faço bastante oferecendo a solução.

Serviu-se de um cálice, saboreou-o, pagou ostensivamente e foi-se embora. A Flora e eu ficámos desolados.

— Isto não pode parar, Florita. Seria darmo-nos por vencidos.

Discutimos a questão e chegámos a um acordo: eu pagar-lhe-ia diariamente cem pesetas, sem que ninguém soubesse, embora o comissário suspeitasse de um arranjo parecido. Tirei a carteira e dei-lhe umas quantas notas.

— Toma, o pagamento de uma semana.

A novidade com que no dia seguinte se depararam os contertúlios foi a presença de duas pupilas, vestidas de maneira adequada, quer dizer, meio despidas, com as suas intimidades discretamente insinuadas, mais do que exibidas, tanto por razões de sedução como de decência; pois não fosse a Polícia, se voltasse, encontrá-las inteiramente tapadas como ursulinas: acordos são acordos. De qualquer forma, trouxeram duas mantas de lã para o caso da sua imobilidade lhes dar frio. Eu passei a noite olhando para elas pelo canto do olho: começaram furiosas, continuaram aborrecidas, acabaram a dormir, bem embrulhadas, com a cabeça de uma no ombro da outra. Era uma ternura vê-las, como dois passarinhos encolhidos numa tarde de neve. Quanto ao resto, passada a surpresa, prescindiu-se delas, e a sessão decorreu tão animada e divertida como de costume. Na noite seguinte já lá estavam, à nossa espera, não as mesmas, mas outras diferentes, que aceitaram ofertas e se deixaram galantear pelos assistentes mais animados, até que, começada a sessão, caíram no mesmo aborrecimento e no mesmo turpor que as colegas que as antecederam no uso do tédio, embora, como me disse a Flora num aparte, tivessem vindo voluntariamente, porque acabavam por preferir aquilo a suportar o cheiro dos clientes. A notícia correu pela cidade, se bem que concebida nestes termos: «Por ordem governamental, na tertúlia da casa da Flora têm de assistir obrigatoriamente dois membros do pessoal», o que serviu para que as pessoas fizessem piadas mais ou menos incómodas à autoridade máxima da província, que assim se interessava pela propagação da cultura entre as classes pecadoras.

— Agora já só falta que também tornem obrigatória a presença de um dominicano que lhes dê o *Nihil obstat*.

A Polícia não compareceu. A partir de então, nem sequer o seu representante obrigatório, pelo que me vi livre de redigir, ou de inventar, os resumos diários. Houve sessões admiráveis, como aquela em que o senhor Baldomir nos expôs em hendecassílabos emparelhados as últimas descobertas da genética: concluiu com a descrição, em tom heróico, de um combate entre espermatozóides de diferentes grupos pela conquista do óvulo desejado, neste caso imparcial: como uma espécie de torneio em que, do alto de uma janela gótica, a mulher disputada presencia os combates dos seus campeões. Foi muito felicitado, o senhor Baldomir, pelo primor das suas imagens, pelo ritmo crescente da narração e pelo refinado sentido de humor manifestado, sobretudo nas descrições.

— O senhor há-de passar à história da literatura, senhor Baldomir, disso não há dúvida.

E o senhor Baldomir sorria agradecido.

Até que uma noite de muito vento e luar, quando um advogadozeco chamado Doce Pereiro expunha (em prosa) as linhas gerais do seu projecto de um «Catálogo dos pecados da carne não incluídos nos tratados de moral, com a sua descrição minuciosa» em que se registava um número assombroso de transgressões que tinham passado inadvertidas aos legisladores e moralistas de qualquer país em qualquer tempo; nessa noite, sem aviso prévio, nem denúncia, nem suspeita, a Polícia irrompeu.

— Ninguém se mexa! Tirem os documentos e mostrem-nos.

A Flora, que estava a meu lado, começou a tremer, e só dizia baixinho: «Virgem Santíssima, Virgem Santíssima!». Cada um dos presentes tirou os documentos de identificação e mostrou-os, excepto os dois rapazes recomendados pelo subchefe, que não os tinham. Perguntaram-lhes a idade, disseram-na; aquele que parecia dirigir a operação increpou a Flora:

— Você desconhece a proibição de receber menores neste tipo de lugares?

— Pobre de mim — dizia a Flora, tremendo —, está a tratar-me por você! Eu respondi por ela.

— Advirto-o, senhor inspector, caso não saiba, que neste local e a estas horas nós os presentes nos dedicamos a tarefas meramente intelectuais. Os seus chefes foram devidamente informados, e consentiram.

O inspector era um tipo de bigode aparado, de aspecto e de gestos muito respeitáveis, um tipo perigoso.

— Então, que fazem aí essas putas? Porque suponho que essas duas mulheres fazem parte da tripulação deste barco.

Que engenhoso! As duas pobres raparigas todas esmirradas e cheias de pintura, dessas que começavam a perder a clientela e passavam os dias sem ocupação, não sabiam o que fazer nem o que dizer. Felizmente permaneceram quietas e caladas. A verdade é que toda a gente o estava, menos a Flora, que repetia baixinho: «Virgem Santíssima, Virgem Santíssima!» e batia os dentes. O inspector, fazendo alarde da sua autoridade, moveu o braço direito com gesto totalitário, como que abarcando o mundo inteiro:

— Para a esquadra! Todos os que não viverem nesta casa, para a esquadra. Andor!

A Flora desatou a chorar; as suas pupilas também, talvez por contágio. Fomos desfilando e saímos para o vento que assobiava nas esquinas.

— Grande carga de água vai cair amanhã, quando isto acalmar!

Íamos dois a dois, silenciosos, escoltados pelos polícias, e o vento arrebatou alguns chapéus que se perderam na escuridão longínqua. A esquadra era um sítio desolado, tristonho, iluminado por uma luz cinzenta, a não ser a única mesa, em que um tipo de óculos alumiado por um candeeiro de braço escrevia num livro grande. Mandaram-nos sentar nuns bancos de madeira, desconfortáveis, ao lado de umas galdérias da rua mortas de frio e um bêbedo que dormia. Foram assentando as filiações e as declarações. Quando chegou a vez dos rapazolas, o mais decidido deles, o loiro, exigiu em voz alta e imperativa que telefonassem ao subchefe e lhe dissessem que eles estavam ali.

— Mas o que é que tu julgas, meu fedelho?

No entanto, um dos inspectores que nos tinham detido apressou-se a telefonar enquanto continuavam os trâmites. Passou-se algum tempo: de repente, irrompeu no local, fardado e enfiado num capote, o requerido subchefe, acompanhado pelos seus guardas, dois mocetões armados de pistolas muito visíveis. Não se dignou a cumprimentar.

— Que diabo se passa aqui? — perguntou sem se dirigir a ninguém.

E, antes que lhe respondessem, aproximou-se dos rapazolas e disse:

— Por estes dois respondo eu. Vão comigo.

Eu esperava que alguém se opusesse, mas naquele momento ouviu-se um grito dilacerante do senhor Baldomir:

— A minha pasta! Perdi a minha pasta!

— Ficou em casa de Flora, senhor Baldomir, não se aflija.

Mas ele já tinha saído, perante a estupefacção dos polícias.

— Vão atrás dele e detenham-no, e se fizer falta, disparem! — disse o de maior patente, o do bigode aparado.

Mas eu interpus-me:

— Senhor inspector, respondo pelo regresso do senhor Baldomir à esquadra quando encontrar o que perdeu.

E logo o poema *Panta,* em aleluias!

— Se ele não regressar, vai você para a prisão, senhor Freijomil!

— De acordo, senhor inspector.

Ainda não tinha acabado o interrogatório, quando Baldomir apareceu, a transpirar, com o chapéu e a pasta na mão.

— Encontrei-a, encontrei-a, estava lá!

O subchefe tinha-se ido embora com os dois rapazolas, quase a abrigá-los sob o seu amplo capote, sem que ninguém resmungasse; embora o do bigode, depois do subchefe ter partido, ordenasse em voz muito alta:

— Ambrosio, levante o auto, e todos estes senhores devem assinar como testemunhas.

Não só assinámos nós, como as mulheres de esquina e o bêbedo, a quem foi preciso acordar. Eu acho que passámos ali coisa de hora e meia. Disseram-nos:

— Podem ir embora, mas já sabem que ficam à disposição do tribunal que se encarregar do caso.

— Qual caso? — perguntou alguém, creio que foi Roca. — Porque ir a uma casa de putas pode ser pecado, mas não delito.

— Vá-se embora, já, seu idiota! Entenda-se depois com o juiz.

Eu regressei a casa da Flora: encontrei-a abatida num sofá, com uma garrafa de aguardente e um cálice ao lado.

— Já me salvou a vida outras vezes, graças a ele e à Virgem ainda estou aqui!

Contei-lhe o que se tinha passado.

— A vocês não vos vai acontecer nada, mas a mim, vão ver.

Procurei tranquilizá-la e recomendei-lhe que se deitasse. As putas tinham ficado alvoroçadas, não faziam mais do que subir e descer as escadas, abandonando as suas obrigações. Alguém gritava no salão de baixo:

— O que é que se passa aqui, carago? Não há direito manterem um tipo aqui entesoado horas a fio!

A Flora já não tinha fôlego para pôr ordem naquela balbúrdia.

— Vão foder, meninas, que é para isso que estão aqui!

Mas dizia-o com voz esmorecida. Em cima da mesa havia um monte de dinheiro, moedas e notas espalhadas. Contei-o, entreguei-o à Flora.

— Anda, deita-te!

VI

A MEIO DA MANHÃ apresentou-se em minha casa aquele amigo que servia de intermediário entre o subchefe e eu. Acabava de me levantar, não tinha feito a barba, estava a tomar o pequeno-almoço. Mandei-o entrar, convidei-o a acompanhar-me pelo menos numa chávena de café.

— Não sabe o que se passa?

— Ainda não falei com ninguém esta manhã.

— Um verdadeiro escândalo. Tudo o que aconteceu ontem à noite em casa de Flora não foi mais do que uma armadilha para caçar o nosso amigo e acusá-lo de corruptor de menores. Esta manhã recebeu um telegrama urgente com a sua destituição e a ordem de se apresentar em Madrid. Acabava de sair mesmo agora. Eu venho da parte dele perguntar-lhe se está disposto a declarar em favor dele.

— Pois claro, homem, ora essa!

Não se falava doutra coisa na cidade, e até alguns partidários do regime se tinham chateado com a conduta desleal do governador.

— Aqui ainda vai acontecer alguma coisa, acredite. As pessoas andam excitadas. Ainda que o que muitos lamentem é terem acabado as reuniões. Porque, depois disto, vamos ver quem se atreve...

Villavieja del Oro, famosa pelas suas tertúlias intelectuais, a Atenas do Noroeste! Segundo o que aquele bom homem me foi informando, havia muitos anos que não se alcançava semelhante unanimidade, ali, em Villavieja, famosa outrora pelas suas reacções colectivas.

— Porque aqui, meu amigo, nesta terra, sem sabermos uns dos outros, todos pensávamos a mesma coisa.

Contou-me dois ou três acontecimentos a que a cidade respondera como um só homem, sem que ninguém os demovesse, e não como agora, que quase era preciso tirar as pessoas de casa à força para organizar uma manifestação de quatrocentas pessoas.

— Villavieja já não é o que era... Aquelas conferências dos grandes mestres, de que o senhor talvez se lembre! E quantas pessoas esperavam que o que os senhores faziam fosse um ponto de partida para uma verdadeira restauração... Como é bem verdade que o passado não volta, pelo menos o bom! Com aquela originalidade de se reunirem numa casa de putas... Quem se havia de lembrar! Comentava-se em toda a Galiza...

Já estava quase para sair, quando chegou ao portão um rapazito que queria falar comigo: com muita urgência, com algum dramatismo. Mandei-o entrar:

— É para o senhor ir já a casa da Flora! Não se demore, porque ela está a morrer!

Quis dar-lhe alguns tostões, mas recusou-os.

— Elas já me pagaram, senhor, e pagaram-me bem.

Saí disparado. Fui acolhido pelos rostos tristes de putas transtornadas.

— Ela vai-nos morrer, senhor Filomeno! Mandou que o avisassem!

A Flora jazia no leito, uma cama pequena, de ferro preto, num quarto cheio de santos nas paredes, e um grande, de vulto, por cima da cama. Respirava com dificuldade. Peguei-lhe na mão e ela olhou para mim:

— *Esta vez morro, meu rei!* — disse em galego; e depois de um esforço acrescentou: — *Quero que me poñan unha crus ben grande na sepultura! Na cómoda están os cartos. Cólleos ti.*

Pedi a uma das suas pupilas que fosse chamar o médico; perguntei a uma outra o que tinha acontecido.

— Este papel, senhor. Trouxeram-no esta manhã.

Era uma ordem para fechar o local, assinada por um comissário da Polícia.

— Quando o leu deu-lhe um badagaio, senhor, um badagaio muito grande e a aguardente não lhe fez nada.

A Flora estava moribunda, não havia dúvida. A sua garganta emitia roncos entrecortados, as mãos tremiam-lhe, tão depressa lhe saltava o pulso como desaparecia.

— Esse médico, não vem?

Segurava as mãos de Flora. Dizia-lhe palavras estúpidas, como «Espera um pouco, não morras ainda, o médico já vem». Quando o médico chegou, a Flora já tinha morrido, depois de uns estertores breves e angustiantes.

— Um ataque de coração, não há dúvida — foi tudo o que disse o médico. E dispôs-se a certificar o óbito. Tinham vindo todas as pupilas da Flora, algumas meio vestidas. Choravam.

— E que vai ser de nós? — clamava a mais nova de todas, aquela loira gordinha que se tinha sentado nos meus joelhos numa noite distante.

Apaziguei-as como pude, procurei o dinheiro na cómoda, contei-o à frente delas: havia uns milhares de pesetas.

— Tudo o que sobrar do enterro, reparti-lo-ei por vocês.

— E os parentes? — perguntou uma. — Porque ela tinha familiares em Celanova.

— Os familiares que vão para o caralho! — responderam-lhe. — Para aquilo que lhe ligaram!

Todas gritavam, todas tinham um afazer, todas queriam dar uma ajuda. Mandei que duas fossem à agência funerária, e que as outras lavassem e amortalhassem a morta com um lençol.

— Ela gostava tanto de ser enterrada com o hábito das Carmelitas!

A Flora devia ter tido uma grande confusão de Virgens na cabeça: ainda bem que todas se resumiam a uma. Mas em Villavieja não havia Carmelitas, de forma que não houve maneira de se conseguir o hábito, e o corpo, já ossudo, da Flora, acabou por ficar envolvido no melhor dos seus lençóis. Quem sabe quantos amantes teriam passado por ele! Um lençol de holanda fina, com bordados, para cama de casal. E não o teria bordado ela, quando virgem, à espera de um noivo oficial? Neste entretanto chegou o homem da agência funerária, um tipo carrancudo e sobranceiro, com um certo ar de padre ressabiado. A primeira coisa que disse foi que era preciso pagar adiantado, dadas as circunstâncias do caso. Mandei-o sentar, ofereci-lhe uma bebida, mostrou-me diferentes tipos de enterro, que levava num folheto com vários preços. Escolhi um dos modestos.

— E quanto à sepultura?

A agência também se encarregava disso, tal como do resto dos trâmites. Muito bem. Fizemos as contas, paguei, deixou-me um recibo, e à hora marcada, ou por aí, apareceram três ou quatro matulões vestidos de luto, com os objectos fúnebres, tudo o que era necessário para organizar um velório: as velas, um Cristo horrível, dos feitos em molde, negro e dourado, não sei de que metal. Tratavam-no de qualquer maneira, soava a oco. E faziam tudo na sorna, como coisa habitual.

— *Bota acá o Cristo!*

Já passava do meio-dia quando a Flora ficou instalada no seu caixão, segundo as leis e os ritos, e, em volta, as suas antigas pupilas a rezarem o terço, as que sabiam. A porta da rua estava entreaberta, e, pregado com *punaises* à madeira, um cartão de luto, manuscrito por mim. RIP. Fui a minha casa, almocei melancólico, dormi uma sesta. O funeral ficara marcado para o dia seguinte, às cinco. Naquela noite, antes de me retirar, passei pelo velório. Tinham vindo outras colegas, num total de quinze mulheres, entre jovens e mais velhas, todas em volta da finada. Um grupo de três ou quatro rezava. Outras, em voz sussurrada, conversavam sobre as suas coisas. As restantes, todas juntas, perto da porta, contavam anedotas picantes e riam-se com elas, silenciosamente. Não faltava a nenhuma o cálice de anis ou de aguardente, mas nenhuma se tinha embebedado. Já estava para me ir embora quando, de repente, não sei qual delas começou a gritar:

— Ai, pobre Flora, que tão cedo Deus te levou! Ai, pobre Flora, com tão bom coração que tu tinhas! Ai, pobre Flora! Que vai ser agora destas desgraçadas, que eram como tuas filhas?

As outras foram-se unindo ao pranto. Deixei-as todas a gemer, menos uma, que ia de cálice em cálice, enchendo-os de novo. Tinham trazido jacintos, ou qualquer coisa muito cheirosa, e o quarto, apesar do fumo do tabaco, cheirava a flores. Dei uma volta pela noite chuvosa, entrei numa taberna. Comentava-se que a Flora tinha morrido do susto provocado por um papel.

O dia amanheceu com uma chuva calma, miudinha; um dia escuro em que a neblina do rio se misturava com a chuva. Os transeuntes, escassos, pareciam fantasmas com guarda-chuvas. Um pouco antes das cinco horas cheguei a casa da Flora a tempo de ver como fechavam o caixão, entre prantos e despedidas: levava um crucifixo modesto nas mãos, um lenço amarelado atava-lhe o maxilar, já desencaixado. Enquanto a tapavam, repetia-se o pranto, ora em castelhano, ora em galego, segundo os gostos. O carro fúnebre não podia ir até à porta da Flora, porque na viela não havia espaço, de forma que ficou à espera, em frente da igreja, que levassem o caixão aos ombros. Tinham ido buscar uns quantos moços voluntários para aquela tarefa; eles desceram a sua carga até à porta, e ali mesmo se organizou o acompanhamento: aquelas quinze mulheres tapadas com os seus xailes, menos uma, que levava um guarda-chuva. Ficámos parados, à espera da chegada do padre, mas o padre começou a atrasar-se, cinco minutos, dez. O condutor do carro fúnebre, fúnebre também, veio perguntar o que se passava, e que se o padre se demorasse, que ele se ia embora, porque havia outro enterro às seis. Tinham decorrido vinte minutos de espera, o grupo abrigava-se da chuva, as janelas da vizinhança começavam a abrir-se, e assomavam caras curiosas, bisbilhoteiras, quando chegou, muito apressado, debaixo de um guarda-chuva enorme, o sacristão da paróquia.

— O enterro não pode ser celebrado, pois a Flora não pode ser enterrada em chão sagrado. É proibido pelos cânones.

As mulheres juntaram-se em volta do sacristão, começaram as injúrias, os gritos; alguém insultou o padre.

— Então, onde quer que a enterremos? Na lixeira?

— É para estes casos que há o cemitério civil.

— O cemitério civil? Vamos enterrar esta cristã entre silvas e urtigas?

— Eu disso não sei nada. São os cânones.

— É esse demónio do pároco, que não tem piedade! Pois boas esmolas lhe deu a Flora, que em paz descanse!

— Eu não tenho nada a ver com isso. E o pároco também não. É coisa do bispado. Como ela era uma puta!

Desenvencilhou-se como pôde do grupo suplicante, e deslizou pela viela, para cima. Reataram-se as lamentações, embora noutro tom. O condutor do automóvel veio dizer que se ia embora.

— E que fazemos nós agora, meu Deus? Que fazemos nós agora?

A água escorria-lhes pelos xailes, molhava-lhes o rosto. Alguém sugeriu a possibilidade da chuva poder ensopar a morta: trouxeram um pano impermeável para a cobrir.

— E que fazemos nós agora, meu Deus? Que fazemos nós agora?

Aquelas interrogações angustiadas, desesperadas eram dirigidas a mim. Lembrei-me de responder:

— Em frente.

— Em frente, para onde, senhor Filomeno?

— Para lado nenhum! Pelas ruas, a passear!

Os carregadores do caixão começaram a andar, sem outras ordens que não as minhas palavras. As mulheres amontoaram-se atrás, e começaram as rezas:

— Ave-Maria...

Um murmúrio surdo e rítmico, pausado como o andamento do caixão. Saímos das vielas para as ruas mais largas. As pessoas perguntavam.

— É a Flora, senhor, que não a querem levar para o campo-santo.

E uniam-se ao cortejo, o guarda-chuva aberto... Um guarda-chuva, três, cinco, a Rua do Alimón, a de Las Tres Estrellas, a de Fuentes Piñeiro. Aproximávamo-nos da Rua Real.

— Não, por aí não, ainda não.

Quinze guarda-chuvas, vinte.

— Ave-Maria, cheia de graça...

— Senhor, tende piedade da vossa serva Flora, que não encontra terra para o seu corpo!

As luzes da cidade tinham-se acendido, brilhavam tenuemente os guarda-chuvas molhados.

— E para onde a levam?

— Não sabemos, senhor, não sabemos.

Quarenta e cinco guarda-chuvas. Na Praça dos Álamos fez-se uma paragem. Os carregadores precisavam de descansar. Surgiram voluntários.

— Nós levamo-la.

Demos a volta à praça, demos duas voltas, saímos para a Rua Real, por fim. As lojas ainda não tinham fechado, as pessoas assomavam às portas, abriam-se as janelas dos que vinham ver, as vizinhas perguntavam-se de um lado para o outro da rua: gritavam, porque a chuva e a neblina apagavam as vozes.

— Uma mulher da vida, que não deixam levar para o campo-santo.

— E então? Para onde vão levá-la?

Sessenta e cinco guarda-chuvas...

A meio da Rua Real chegou muito apressado um homem da Câmara.

— Retirem-se imediatamente, levem-na para o cemitério civil!

— Por que é que não leva a sua mãe? — respondeu-lhe uma das que se tapava com o xaile, a cara oculta, e o enviado da Câmara escapuliu-se.

Um pouco mais à frente, quatro guardas municipais quiseram impedir a passagem.

— Para trás, para trás! Ide por outras ruas! Não se pode interromper o trânsito!
Seguiram em frente. Os guardas viram-se derrotados e desapareceram.

— Senhor, tende piedade da vossa serva Flora! Virgem Santíssima, recebei-a
no vosso seio!

Oitenta guarda-chuvas. As lojas fechavam as portas. As pessoas juntavam-se
ao cortejo: silenciosas, os guarda-chuvas abertos, alguns fumavam.

— É a Flora, que morreu ontem e não deixam enterrá-la em chão sagrado.
Muito mais de cem guarda-chuvas.

A Rua dos Cuatro Cantos, a Frouxeira; a Cuesta de Panaderas era tão íngreme
que os carregadores pararam para recuperar o fôlego, e um espontâneo entrou
numa taberna e trouxe vinho.

— Deus tenha misericórdia de ti! Que a Virgem te receba no seu seio sagrado!

A descida era ainda mais íngreme, e foi preciso substituir os carregadores, que
já não podiam mais. A Praça da Fuente, o Corrillo de las Monjas, o beco de San
Amaro... Pelas ruas estreitas, o grupo alongava-se, iam dois a dois, como uma interminável serpente de guarda-chuvas. Nos espaços mais largos caminhavam em
filas de oito, como um desfile de soldados, mas lento: ouvia-se o rumor rítmico,
às vezes estralejante, dos sapatos contra o chão molhado. A chuva continuava na
mesma, mas a neblina do rio adensara-se, a iluminação pública mal conseguia
penetrá-la. Já não brilhavam as centenas de guarda-chuvas.

— Pai Nosso...

No cruzamento das Tres Calles especara-se um funcionário do Governo com
dois guardas civis, encapotados de preto, os tricórnios de tela a escorrerem água.
O funcionário abriu os braços, o acompanhamento parou.

— Os senhores estão a incorrer num delito contra a ordem pública!

— E o que quer o senhor que a gente faça com este corpo? — perguntou uma
voz anónima de entre o grupo de mulheres.

— Levem-na para o cemitério civil, que é para isso que ele existe!

— Senhor, queremos terra santa para esta mulher!

— Sim, queremos terra santa!

— Que diferença há entre uma terra e outra?

— Ai, senhor, que blasfémia!

Foi outra voz, saída do mesmo grupo, uma voz desgarrada, que gritou:

— *Terra santa para esta muller! Terra santa!*

Três, quatro vozes próximas repetiram isto. E como uma vaga ao mesmo
tempo suplicante e imperativa, o grito ia-se transmitindo até ao fim da rua, até
ao último da multidão:

— *Terra santa! Terra santa para esta muller! Terra santa!*

Como uma voz a sair da terra, como se a própria terra se pusesse a clamar com palavras roucas, molhadas pela chuva:

— *Terra santa! Terra santa para esta muller! Terra santa!*

— A autoridade declina toda a responsabilidade pelo que acontecer — gritou o representante do governo civil, mas ninguém o ouviu.

Enfiou por uma rua lateral, seguido dos guardas. No cortejo, entretanto, tinha aumentado o número de guarda-chuvas. Já deviam ser nove e meia. Voltaram a caminhar, silenciosos: ouvia-se, sim, o roçar ritmado dos pés pelas pedras molhadas da rua. À frente do caixão iam crianças, como à frente de um regimento que desfila. De cada vez que os carregadores paravam a descansar, repetia-se o grito, unânime, surdo:

— *Terra santa! Terra santa para esta muller! Terra santa!*

Na Rua do Gato, na Travessa das Madres Capuchinas, no Passeio de Calvo Sotelo... Eram dez horas. Já quantos guarda-chuvas? Quantas vozes clamantes? Desembocámos na praceta em frente ao palácio episcopal. De um lado ficava a catedral; do outro, a minha casa. No segundo andar acenderam-se luzes, abriu-se uma janela, mulheres com lenços na cabeça espreitaram.

— E agora, que fazemos?

As janelas do palácio permaneciam fechadas. Nem uma luz, nem sequer nas águas-furtadas.

— *Terra santa!*

Pelo postigo do portão, saiu um clérigo jovem.

— Vão-se embora, vão-se embora! O bispo não pode fazer nada! É uma exigência da autoridade civil!

Meteu-se para dentro e fechou o postigo.

— *Terra santa!* — agora sem longas pausas, um clamor após outro, mais gente.

— Meu Deus, aqui ainda vai acontecer alguma coisa!

— E se mandam a guarda para a rua?

— Não quero nem pensar nisso!

— *Terra santa!* — as vozes cada vez mais roucas, cada vez mais exigentes e desafiadoras.

As pessoas não cabiam na praceta: espalhavam-se rua abaixo, perdiam-se pelas proximidades. E aquela voz unânime ecoava por toda a cidade, como os tambores da procissão de Sexta-feira Santa. Tinham deixado no chão o caixão da Flora, mesmo debaixo da varanda do bispo. Os carregadores, encostados à parede, fumavam um cigarro. Formara-se em volta uma roda de mulheres com xailes que rezavam. E cada vez mais neblina, infiltrando-se pela chuva imutável.

Abriu-se o postigo, saiu outra vez o padre novo, chegou como pôde até uma portazinha da catedral, abriu-a com uma chave enorme e, uns minutos depois, reapareceu, com sobrepeliz e estola, com a caldeirinha de água benta numa mão e o hissope na outra.

— Há alguém que saiba fazer de sacristão? — perguntou.

E a pergunta ecoou, percorreu a multidão, até que alguém gritou, lá em baixo:

— Eu sei fazer de sacristão!

O clérigo esperou a chegada de um homem que abria passagem.

— O senhor sabe responder-me?

— Sim, senhor padre.

— Vão rezar-lhe os responsos! — foi sussurrado de uma pessoa para outra, de um grupo para outro.

Fez-se silêncio pouco a pouco. Então, o padre começou com o seu latim, em voz alta, para que toda a gente o ouvisse. O Padre-Nosso foi rezado por todos, um Padre-Nosso íntimo e ao mesmo tempo triunfante.

— Pronto, já podem levá-la para o campo-santo!

O padre jovem retirou-se pelo postigo; ouviu-se o ruído dos ferrolhos.

— E agora?

— Para o campo-santo, ele já disse.

As pessoas começaram a mover-se, o féretro à frente, já sem crianças. Por ruazinhas, desertas, às escuras, chapinhando na lama.

— Cuidado não tropecem e caiam com o caixão!

— Alguém que vá à frente e avise!

— Cuidado, que aqui há um charco!

Eu ia quase à frente, as colegas da Flora precediam-me. Notei que alguém se instalava ao meu lado, um padre embuçado na capa, o chapéu enfiado, com o guarda-chuva aberto. Não conseguia ver-lhe a cara, nem mesmo os olhos, que, às vezes, olhavam para mim. Sim, olhavam para mim sem que eu os pudesse ver. Mas uma vez em que tropecei, agarrou-me.

— Obrigado!

As pessoas que seguiam o caixão iam diminuindo: éramos poucos ao chegar ao cemitério, onde outro padre esperava, já paramentado, com ar de desgosto e de cansaço. Dois coveiros, com lanternas, resmungavam:

— *Mira que sacalo a un de casa, a estas horas, pra enterrar a unha puta!*

Distribuímo-nos pelas veredas encharcadas do cemitério. A campa estava aberta, fora escavada naquela mesma manhã, tinha um palmo de água no fundo. Haviam colocado as lanternas nas esquinas, em diagonal: aquelas luzes fracas iluminavam até à cintura a roda dos presentes. Todos se apressaram: o padre, os coveiros. Sobre o caixão da Flora, despojado do Cristo da tampa, caíram pazadas de barro.

— *Pobriña, qué noite vai pasar con tanta chuva!*

As pessoas foram-se embora atrás das luzes; eu, o último, com o clérigo desconhecido. Identifiquei-o quando, ao sair do cemitério, me dirigiu a palavra.

— O senhor é o autor de tudo isto, não é verdade?

— Porquê eu, *don* Braulio? Foi um movimento espontâneo. Eu diria um acto de caridade colectiva.

— O senhor deveria saber que os cânones proíbem dar sepultura cristã a uma proxeneta morta no exercício da sua profissão, se não se confessou ou deu provas públicas de arrependimento. O senhor obrigou a Igreja a claudicar.

— Eu não percebo de cânones, *don* Braulio, e não penso que seja assim tão grave...

— Receio bastante que vai ter muito trabalho para convencer os que lhes exigirem responsabilidades.

Íamo-nos aproximando da cidade. A casa da Flora não ficava longe.

— *Don* Braulio, não se importava de fazer um desvio, só uns minutos, e acompanhar-me?

— Aonde quer levar-me?

— Diga se vem ou não.

Não disse nada, mas foi comigo. As pupilas da Flora já tinham chegado, numa azáfama com os seus baús, porque, umas melhor outras pior, já tinham conseguido ocupação.

— Espere por mim, *don* Braulio, só um instante.

Entrei, pedi-lhes que se ocultassem. Levei *don* Braulio até ao quarto onde a Flora tinha morrido. Não precisei de lhe explicar nada. *Don* Braulio percorreu as paredes com o olhar, deteve-se neste ou naquele santo...

— Sim, não lhe faltava a fé.

Saímos para a rua sem dizer nada. Despedimo-nos ao chegar à praça.

VII

VEIO UM SENHOR MUITO ESGUIO, de rosto imóvel e voz monótona, com uma pronúncia de para lá dos montes, a perguntar por mim: tinha ordens para me levar ao governo civil. Mandei-o entrar.

— O senhor quer esperar que me vista, ou precisa de presenciar como o faço?

— Confio, senhor, que não cometa o erro de fugir.

— Fugir porquê?

Lembrei-me de que a uma convocatória como aquela devia comparecer de ponto em branco, e atrevi-me a enfiar um dos fatos que o meu rival e amigo em elegância local, o senhor Tormo, me tinha proibido. Não pensava encontrar-me com ele! A maior parte do tempo gastei-o na escolha da gravata: precisava de encontrar uma que fosse ao mesmo tempo elegante e agressiva, e tive de desistir porque elegantes havia várias, embora todas da maior placidez. «Que pena!»

O funcionário esguio levou-me a um carro oficial que estava à espera em frente da minha porta. Tinham tido aquela atenção comigo por discrição ou por decoro? O funcionário não disse uma única palavra durante todo o trajecto, que não era longo. Eu olhava pela janela; ele, para um lugar indeterminado na direcção do seu nariz. Fizeram-me esperar numa sala vazia durante um quarto de hora. Um contínuo veio pedir-me que o seguisse: respeitoso, mas sério. Meu Deus, toda a gente ali era tão séria! Vi-me num gabinete grande, sumptuoso e antiquado, solene sem ostentação, pura retórica de tapetes, de cortinas, de retratos, de símbolos políticos. Por trás de uma mesa esperava-me um sujeito cuja importância se descobria apenas olhando para ele; um cinquentão bem conservado, de cabelo e bigode à militar, vestido de azul, gravata cinzenta. Não se levantou, e eu fiquei à porta, ou antes, encostado a ela, porque a tinham fechado; de pé, com o sobretudo vestido e o chapéu na mão. Dei-lhe os bons-dias, àquele senhor, não sei com que palavras, suponho que com as mais simples, mas não me mexi até ele me ordenar: «Aproxime-se», com a voz com que devem falar os autómatos autoritários. Fi-lo, espero que com segurança, se bem que sem intenção ofensiva nem altaneira, nem de modo algum desafiadora. Fui mesmo até à ponta da mesa, parei, olhei para ele como se lhe perguntasse: «Que faço agora?». Não me mandou sentar, nem tirar o sobretudo, nem sequer pousar o chapéu. A situação começava a ser a de um réu perante um juiz: olhar como aquele só é possível nas categorias inferiores ao próprio Jeová, mas era um olhar de imitação, ou de segunda mão, segundo o texto de qualquer ordem ignorada.

— Filomeno Freijomil é você?

— Sim, senhor.

— O mesmo que organizou o escândalo de ontem?

— Não, senhor.

— Como se atreve a negar? Tenho testemunhas.

— Eu tenho alguma coisa a ver com as testemunhas, senhor? Mas eu não organizei nada, nem ninguém. Foi uma resposta espontânea e popular a uma situação injusta.

— Quem é você, quem são as pessoas para julgar se uma situação é justa ou não?

— Suponho, senhor, que muitos de nós ainda conservamos a capacidade de opinar e de manter pontos de vista próprios acerca do que se passa no mundo. Quer dizer, eu acho!

Não me retorquiu imediatamente. Não contava, com certeza, com a minha atitude calma, com as minhas respostas racionais. Esperava meter-me medo, só com a agressividade do seu bigode? Levantou-se, e imediatamente, ao vê-lo de pé, corrigi a minha primeira impressão: não tinha de militar, pelo menos de militar profissional, senão o bigode e o corte de cabelo, e aquela expressão dura da cara; mas o corpo era fofo, indisciplinado, e o fato, apesar das suas pretensões, ficava-lhe largo. Adivinhava-se-lhe um longo passado burocrático, e aquela inveja dos militares, própria dos que não sabem mandar nada. A pergunta que me fez foi para sair do impasse:

— Será preciso mandar chamar uma testemunha do escândalo de ontem?

— De modo nenhum, senhor. Eu assisti a tudo do princípio ao fim, e não penso que tenha sido um escândalo, mas apenas um funeral um pouco barulhento.

— Isso, não é você quem tem de definir.

— Acabo de lhe dizer, senhor, que tenho a minha opinião e o meu ponto de vista.

— Mas aqui a que prevalece é a minha.

Encolhi os ombros.

— O senhor está em sua casa, e manda nela. Mas eu não pertenço ao serviço, perdão, ao funcionalismo. Eu sou cidadão livre e costumo pensar por mim próprio, e se o meu pensamento difere do de outra pessoa, discutimo-lo.

— Você está a sugerir que quer discutir comigo que aquilo de ontem terá sido ou não um escândalo?

— Eu não sugiro nada, mas não me negaria.

— Você sabe quem eu sou?

— Não fomos apresentados.

Ficou quieto, especado, em cima do tapete.

— Sou o governador civil — e antes de eu lhe poder responder, acrescentou:

— Sou o governador civil e posso metê-lo na prisão agora mesmo, sem qualquer explicação.

— Se o senhor é o governador civil, não duvido.

Ficámos a olhar um para o outro. Estava muito calor naquele gabinete.

— Posso tirar o sobretudo, senhor? Estou a ficar sufocado.

— Dispa-o e ponha-o onde quiser.

Despi-o, dobrei-o cuidadosamente, procurei um sítio onde o pôr, decidi-me por uma cadeira forrada de veludo vermelho, uma cadeira entre várias.

— Com a sua licença.

O governador voltara a sentar-se e, quando eu regressei à mesa, ele disse-me:

— Sente-se, se quiser.

Ocupei uma das duas cadeiras que havia em frente dele, a mesa entre nós, e esperei.

— Senhor Freijomil, desde a sua chegada a Villavieja que o senhor se tornou suspeito para as pessoas de bem. Em primeiro lugar, porque toda a gente esperava de si um comportamento diferente, uma conduta de cavalheiro educado e não de um dandi. É claro que eu não tenho nada a ver com você frequentar ou não os prostíbulos, mas sim com o mau exemplo da sua figura pública, que não corresponde a um homem correcto e responsável. Cedo foi visto a alinhar com os inimigos do regime, com esses biltres comunistas que vociferam nos cafés e que manifestam a sua hostilidade sob o pretexto da cultura. Não tenho por que lhe ocultar que pedi informações suas à Polícia portuguesa, e foi isso o que me deteve.

Abriu uma gaveta e tirou uns cadernos cosidos.

— Deteve-me, mas não definitivamente. Deste relatório deduz-se que você não é um revolucionário, nem sequer um vermelho declarado, mas um jornalista de certa fama que trabalhou como correspondente de guerra em Inglaterra. Por que é que ocultou isso? Aqui ninguém o sabia.

— Em primeiro lugar, senhor governador, eu não tenho por que andar a contar a toda a gente o que fui e o que fiz. Em segundo lugar...

Ergueu a mão e interrompeu-me.

— Não continue. Estava eu no uso da palavra.

— Desculpe.

Voltou a abrir a gaveta e tirou de lá um livro. Deu-mo.

— Você conhece isto?

Tinha à minha frente o livro das minhas crónicas de guerra, assinado por Ademar de Alemcastre, recém-publicado: ainda cheirava a tinta. Ainda não o tinha visto, não sabia que já fora editado. Examinei-o cuidadosamente, sem dissimular a minha complacência; devolvi-lho.

— Esse livro é meu. Ainda não o tinha visto. Deve ter sido publicado recentemente.

— Sim. Recebi-o da Polícia portuguesa há poucos dias, os suficientes para ter tido tempo de o ler. Suponho que será um bom livro, mas, do nosso ponto de vista, contém o elogio permanente dos nossos inimigos.

Olhei para ele estupefacto: no meu olhar ia uma interrogação.

— Sim, senhor Freijomil, o elogio dos ingleses. Um espanhol decente não pode elogiá-los, mesmo que sejam elogiáveis. A atitude deles para connosco foi, desde o princípio da guerra, hostil. Tem-no sido ao longo dos séculos. Você podia ter sido correspondente de guerra em Berlim, e narrar os feitos heróicos alemães na frente leste, ou os seus triunfos na ocidental. Os nazis eram nossos amigos.

— Mas não meus, senhor. Por milhares de razões.

— Que a mim não me interessam, porque disponho das minhas contrárias. Tenha em conta que eu sou advogado e conheço as argúcias do pensamento para defender o indefensável. Não me apetece ouvi-lo.

— Nesse caso, senhor, para quê continuar a falar? O senhor manda, eu tenho de resignar-me a obedecer.

— É que eu, senhor Freijomil, gostaria de chegar consigo a um compromisso. Gostaria..., como é que hei-de dizer?, de o trazer para o nosso lado.

— Não me parece fácil, senhor, mas não me nego a ouvi-lo.

Remexeu-se no cadeirão, tirou não sei donde uma caixa grande de charutos, abriu-a, estendeu-ma.

— Sei que fuma. São uns bons charutos, trazidos de Havana. Escolha um. — E como eu hesitasse, acrescentou: — Fumar um charuto comigo não o compromete a nada.

— É verdade... De certa forma.

Tirei um ao acaso: era uns charutos grandes, bonitos, de bom aroma, de marca acreditada.

— Cada qual tem as suas pequenas debilidades, e eu posso permitir-me esta. Não é um vício inconfessável.

Acendeu-os, o dele e o meu, segundo os rituais, e, antes de continuar a falar, intercalou umas quantas baforadas.

— Não é verdade que é excelente?

— Parece-me que sim, embora eu não seja um bom juiz.

— Do melhor que ainda há em Cuba...

Não parecia encontrar facilmente as palavras oportunas. Chegou a perguntar--me se queria beber alguma coisa.

— Também tenho um bom uísque, ainda que isso não seja ortodoxo; mas se o bom uísque, é o inglês, porquê prescindir dele? Apesar de eu ser inimigo da Inglaterra, não deixo de admirar a habilidade dos seus políticos. Churchill, digamos como exemplo... Você conheceu-o, por acaso?

— Não era muito fácil, senhor governador, chegar até ele. Vi-o de longe, mais de uma vez. Mas de longe, insisto...

— Eu também só vi Franco de longe — disse-o com uma certa amargura que não excluía a esperança como depois ficou claro. — Mas, um dia destes virá por aqui e terei a imensa honra de o cumprimentar. Você já o viu alguma vez?

— Também não tive a oportunidade.

— Dedicou-se, pelo menos, a estudar a sua figura?

— Não me foi fácil.

— Não se trata já da sua categoria militar, de grande estratego. Nós os civis não costumamos perceber disso. Eu julgo-o apenas como político, e garanto-lhe que, desde Filipe II, não houve ninguém em Espanha como ele.

— Advirto-o, senhor governador, que não admiro Filipe II.

Olhou para mim espantado.

— Mas é possível? Segundo o que já li seu, não desconhece a História.

— Provavelmente conheço-a de uma maneira diferente do senhor. Conheço, digamos, outra História.

— Aí começam as nossas divergências, senhor Freijomil. Quem diria! Se você estudou a nossa História vista de França ou de Inglaterra, é natural que não esteja de acordo com Filipe II. Mas cada país tem um modo de se entender a si mesmo, e todos os cidadãos devem partilhá-lo. Segundo isto...

— Segundo isto, senhor governador, é inútil continuarmos a falar. Não vamos estar de acordo. No que eu não acredito, precisamente, o que eu rejeito é a versão que cada país dá da sua própria História. E como agora estamos a tratar da espanhola...

— Tem razão. É um escolho grave.

Não sei se hesitou em prosseguir; fosse como fosse, decidiu-se:

— Senhor Freijomil, certamente não ignora o tipo de Estado em que vive, o que queremos construir e aperfeiçoar entre alguns é um Estado compacto, sem fissuras, um Estado do qual, por definição, fica excluída toda a dissidência. O tradicional espanhol, numa palavra. E a primeira e mais importante dissidência começa pelo pensamento. Existe uma declaração de princípios. Algo assim como o traçado de uns limites que não devem ser ultrapassados nem pelo pensamento nem pela acção. Esses princípios são indiscutíveis, como o é a realidade da chefia única. Pensar dentro desse sistema, esclarecê-lo, enriquecê-lo, não só é legítimo, como uma maneira de obedecer.

Entretive-me a sacudir a cinza do charuto, que tinha crescido e ameaçava cair em cima do tapete.

— Senhor governador, há já bastante tempo, lá pelos anos trinta e tal, entretive-me a estudar a realidade do Estado totalitário. O que o senhor me está a explicar coincide exactamente com o que eu aprendi: «Uma pátria, um *führer*», não é assim?

— Sim, assim é. E depois?

— Senhor governador, não mudei desde então. Continuo a ser liberal, e não vejo que seja possível deixar de o ser.

— Porquê? O liberalismo está morto e fora de moda, embora os que julguem ter ganho a guerra se proclamem liberais.

— Uns sim e outros não, claro. A Rússia não é liberal.

— Você é amigo da Rússia?

— Não tenho razões para ser inimigo, ainda que o seu sistema de governo não me agrade.

Remexeu-se no assento, deixou o charuto no cinzeiro, olhou para mim severamente...

— Senhor Freijomil, você tem razão. Entre nós não há entendimento possível. Eu pensava, como lhe disse, propor-lhe um acordo, uma espécie de tratado de paz.

— Numas condições inaceitáveis para mim, não é?

— A que é que você chama condições aceitáveis?

— As que derivam de um tratado de paz, isto é, deixar-me em paz.

— Para que você me organize tumultos como o de ontem? Quer que o deixe em paz para quê? Compreenda que não é possível. E o que lhe vou propor é mais leve do que eu pensava quando você chegou aqui, mas para que veja que posso dar-me ao luxo de ser sincero, vou dizer-lhe as razões. Se eu o multasse, se o processasse por um delito de ordem pública, a seguir os seus colegas, os jornalistas estrangeiros, imputá-lo-iam à intolerância do regime, não à minha própria. Não quero causar prejuízos ao Estado que defendo, não quero deitar achas na fogueira. «Jornalista perseguido pelo franquismo.» Não lhes darei esse gosto. Portanto, a minha última oferta é ir-se embora. Não vou expulsá-lo da cidade, mas garanto-lhe que se ficar, lhe farei a vida impossível com todas as pequeninas coisas que estiverem ao meu alcance, que são muitas. ·

Levantou-se muito sério, muito direito.

— Cabe-lhe a si escolher.

Levantei-me também.

— Vou-me embora, naturalmente. Como bom liberal, sou um homem que saboreia a vida confortável. Quantos dias me dá para preparar a partida?

— De quantos precisa?

— Digamos dez.

Olhou para um calendário de secretária.

— Hoje é quinta-feira. No sábado da semana que vem você tem de estar fora do país.

Não me disse mais nada. Ficámos a olhar um para o outro.

— E agora?

— Agora, vá-se embora.

Não me estendeu a mão. Peguei no meu sobretudo e no meu chapéu. Da porta recitei a despedida que nos tinham ensinado desde a infância:

— Passe muito bem.

Creio ter acrescentado uma ligeira, embora suficiente, inclinação de cabeça. Não me respondeu. Dei comigo no meio da praça, contemplado pelos guardas da entrada, inutilmente elegante e com o guarda-chuva aberto, porque começava a chover. O charuto estorvava-me, meio consumido: procurei a lama de uma esquina para o deitar fora.

VIII

ESTOU NO PAÇO MINHOTO. Para que outro sítio iria eu? Teria gostado de passar uns tempos no Mediterrâneo, que não conheço, que me atrai, que gostaria de perscrutar, mas, para qualquer lugar que eu fosse, far-me-

-iam a vida impossível através daquelas pequeninas coisas imperceptíveis que estão ao alcance de qualquer governador. Não me custou muito decidir-me: peguei na minha tralha e vim. Entre a minha tralha figuravam dois camiões carregados com todas as coisas da minha casa cuja pertença considerei que excedia o meramente jurídico: móveis e objectos que me traziam recordações ou que devia conservar por respeito ao passado. Com eles mobilei dois salões do paço minhoto, aqueles a que agora chamamos salões galegos. Os meus bens de Villavieja, e tudo o que constituía o património do meu pai, leguei-os à filha de Belinha, juridicamente bem defendido, num documento em que começava por reconhecê-la como irmã. Um dia voltará das terras remotas onde vive e ver-se-á proprietária de velhas pedras solenes e de algum dinheirito que lhe há-de dar jeito. Embora isto do dinheiro, agora, seja uma das coisas menos seguras deste mundo. Felizmente, o meu advogado de Villavieja tem tudo bem pensado, e por muito grandes que sejam as mudanças, alguma coisa ficará para aquela menina, agora que já não o é, que olhava para mim com os seus grandes olhos africanos. Não penso que alguém tenha lamentado a minha partida, salvo os meus dois poetas amigos, o satírico Roca e o heróico-cosmológico Baldomir. Fiz com eles um jantar de despedida que procurei que fosse alegre, mas acabou por ser melancólico.

— Consigo, senhor Freijomil, vai-se-nos toda a esperança.

— Não fiquem assim, amigos. As coisas não são eternas, nem tão-pouco as situações.

— Nem os homens, senhor Freijomil. Que isto há-de mudar um dia, quem duvida? O que duvido é que nós o vejamos.

— Pois não há outro remédio senão enfrentar a realidade. Você, Roca, com os seus romances, e você, Baldomir veja lá se acaba de uma vez por todas esse capítulo da origem do cosmos.

— É um capítulo impossível, senhor Freijomil! A ciência avança todos os dias, e não sabemos o que dirá amanhã. Além disso, confesso-lhe que cada vez tenho mais dificuldades com essas palavras novas que agora se usam. Não lhes vejo a consonância.

O negócio das vacas vai bem, se bem que não faltem dificuldades e complicações. O meu professor tem um sentido muito agudo da justiça social, e embora não tenha chegado a organizar nenhum tipo de exploração colectiva, pelo menos, isso sim, aumentou o salário dos nossos trabalhadores, até ao ponto de suscitar desconfianças e protestos dos proprietários vizinhos. Recebeu a ordem oficial para se ater ao habitual na comarca, mas como ele considera isso insuficiente, cada três ou quatro meses inventa uma maneira nova de compensar os nossos trabalhadores por aquilo que, em justiça, lhes devia pagar. Contra as ofertas que lhes faz, em géneros, e contra as facilidades que lhes dá, os vizinhos não podem protestar, embora não deixem de achar mal e de dizerem que se tornou comunista. Palavra perigosa tanto aqui como em Espanha! A única maneira válida até agora de nos libertarmos dela é ir à missa ao domingo. A *miss* tem de ficar em casa, porque continua a ser protestante, embora não acredite em nada.

Voltei a colaborar no jornal lisboeta. Como evitar isso? O êxito das minhas crónicas de guerra colocara-me entre os primeiros da profissão, embora possa confessar perante mim mesmo que não me entusiasma muito; ser um jornalista famoso quando se pretendeu, a dada altura, ser um grande poeta: não é compensação suficiente, sobretudo quando penso que a essência destas centenas de páginas que escrevi podia caber num soneto. No entanto, escrever como antes, crónicas pessimistas sobre o andamento do mundo, entretém-me e permite-me preencher as longas horas da tarde. Esta ideia de escrever as minhas memórias surgiu-me de repente, quase ao chegar aqui e reaver inteiro o mundo das minhas recordações. Amontoavam-se, despertavam-me, chegava a ouvir, quase a ver, as pessoas que de um modo ou de outro haviam estado perto de mim, desde Belinha até Flora, e pensei que espartilhando-as em palavras me libertaria delas. Creio tê-lo conseguido, e considero isso o prémio de tantas vigílias em cima do papel, no cantinho da minha sala, enquanto lá fora o vento bruava nos grandes eucaliptos. Aquela música eu conhecia-a desde a infância, embalara-me muitas noites, ajudara-me a dormir quando uma dor me desvalava. Às vezes pensei que estas memórias deveriam ecoar o ritmo dos ventos, mas o vento excede sempre o ritmo racional da palavra, é caprichoso e imprevisível, nada o pode imitar. Quando sopra forte por cima da minha janela, deixo de escrever e escuto. Muitas vezes me impediu de continuar a escrever; metia-se-me na alma, aventava as imagens e as palavras, deixava-me sem poder. Tinha de deixar para o dia seguinte, quando no chão do jardim jaziam arrancadas dos ramos camélias vermelhas e brancas. E se esse dia trazia chuva mansa ou furiosa, era-me mais fácil recolher-me depois de ter. jantado, recostar-me a recordar, escrever depois. O convívio com as recordações não é fácil. Vão e vêm como querem, segundo a sua lei, fora da nossa vontade, e é preciso agarrá-las, deixá-las quietas, quanto se metem nas palavras; soltá-las a seguir para que apareçam outras. De todos os modos, são indóceis, as recordações, são inclassificáveis e indomáveis. Às vezes aparecem coloridas; outras, ouve-se como repetem as palavras ditas há vinte anos, e não as importantes, mas quaisquer umas, palavras sem valor que, não se sabe porquê, ficaram ali, enquanto as graves, as transcendentes, as felizes, se apagaram para sempre. É necessário especular; suspender a escrita e perguntar-se: O que é que eu disse, o que é que me disse, naquela ocasião? Umas vezes acerta-se; outras, só aproximadamente; algumas transcrevem um diálogo que pode ter sido assim, mas que nunca se saberá como foi. Escrever as memórias tem a sua parecença com escrever um romance, mais do que é conveniente. Sim, os factos, no seu conjunto, são os mesmos; mas, quem seria capaz de recordar e de escrever em todos os seus pormenores aquela tarde de Outono que terminou no bosque de Vincennes? Mesmo sendo uma das minhas recordações persistentes, os dias, com a sua passagem, vão-lhe roubando matizes, e apresentam-se-me difusas. E para recordar Clelia, tenho de contemplar a sua fotografia, aquela tão pequena arrancada da carta de condução.

Apesar de tudo, apesar do tempo que perco a cuidar das minhas vacas, às quais dedico as manhãs inteiras (tive de aprender a montar a cavalo), cada vez me dói mais a solidão, com a sensação de ausência dolorosa que permanece no coração que sofreu. Quero dizer, a falta de uma mulher. Esta espécie de solidão não se sente da mesma forma aos vinte e cinco anos como aos trinta e tantos que eu tenho. Quando se é jovem, a carne puxa, e deixá-la sossegada é um modo fácil de nos sentirmos acompanhados: foi-se, mas voltará. A ausência é esperança. Na idade que tenho agora, a carne conta menos: não coage, não domina, não chega a cegar-nos, embora tenha ouvido contar que mais tarde regressa com violência. Mas se o sangue está mais tranquilo, o homem está mais inquieto. Transe difícil na vida de um solitário! «Ademar, por que não procuras uma rapariga?», pergunta-me a *miss,* que me observa. Há quantos anos me anda a fazer esta pergunta? Eu encolho os ombros. «É uma pena aquilo da Maria de Fátima se ter estragado! É claro que então era uma menina com a cabeça cheia de vento. Mas hoje é outra mulher.»

A *miss* já não me dá as cartas dela a ler, como antes: provavelmente a sua sintaxe já lhe é mais familiar. Mas de vez em quando traz-me notícias. Já sei que Maria de Fátima passou maus bocados, que voltar a Portugal é a meta da sua redenção. Estarei eu ainda nessa meta? Penso que sim, e não é por vaidade: interpreto que as suas relações continuadas, regulares, com a *miss,* não têm outro sentido. Ela é já outra mulher, eu já sou outro homem. «Nós, os de então, já não somos os mesmos», escreveu um grande poeta. «Então», naquele então não nos tínhamos entendido. Como seriam agora as nossas relações? Tudo depende da imagem que cada um tiver feito do outro. O tempo apaga umas coisas, outras deixa-as em pé, com mais relevo. Para mim, a figura de Maria de Fátima não mudou, e imagino-a vibrante, prodigiosamente esbelta, mas não posso esquecer também o seu olhar frio. Agora deve ter vinte e sete anos, já não é a menina rica que julga que todo o mundo é seu e que pode refazê-lo à sua vontade. O sofrimento deve ter-lhe baixado as plumas, ter-lhe-á suavizado o olhar, e o mais provável é que também tenha deixado marcas no seu rosto. Ter-se-á enamorado alguma vez? Existem modos de amor a que eu chamaria supranumerários, pairam por cima de um amor profundo, invariável. Mas, é curioso, esses amores superficiais são o real, enquanto esse outro, o profundo, é o que se idealiza, que é a mesma coisa que desrealizá-lo. Terá sido isso o que lhe aconteceu comigo, a Maria de Fátima? Eu não a idealizei. Admito, nas minhas meditações, que tenha perdido beleza e esbelteza. Não lhe dou importância. Maria de Fátima foi a mulher mais bonita que passou pela minha vida, não a que mais amei, ainda que possa chegar a amá-la mais do que a qualquer uma das outras. Aprendi que se ama as pessoas, não a sua beleza, ou não só a sua beleza. Ursula não era tão bonita como Maria de Fátima, e Clelia também não. Para que a relação carnal seja feliz basta que a pessoa seja atraente. Sim, estou no melhor estado de espírito para amar Maria de Fátima.

As coisas neste mundo não andam bem. Em geral, são cada vez mais inquietantes, embora nos aferremos a um resquício de esperança. É sobre isso que escrevo, sobre o que desespera e sobre o que ainda podemos esperar. Os livros que me chegam são cada vez mais pessimistas. Dão testemunho das muitas realidades que desapareceram para sempre, e, sobretudo, de que pode desaparecer a realidade. Será possível que nós homens sejamos tão insensatos? O director do jornal costuma telefonar-me. «Oh, homem, mas o que faz você aí nesse buraco, Ademar? Posso enviá-lo para onde quiser, sem discutir condições. Não gostaria de instalar-se em Nova Iorque? Hoje é o centro do mundo, ali se tomam as grandes decisões, e você sabe interpretá-las e analisá-las. Pense bem nisso, Ademar: Nova Iorque é uma cidade interessante.» Sim, quem o duvida? Mas eu, que sei o que é estar só em Londres e em Paris, resistiria à solidão em Nova Iorque, essa cidade onde ninguém é ninguém? Penso às vezes responder-lhe que sim, mas passando antes pelo Rio de Janeiro. Seria fácil mandar um telegrama a Maria de Fátima: «Chego tal dia. Casamo-nos. Seguimos para Nova Iorque.» Mas, como sempre acontece, penso e não me decido. O que faço é imaginar o encontro no aeroporto do Rio, o abraço que daríamos. Beijar-me-ia na boca? Isso seria o sinal. Viria depois a procura, em Nova Iorque, de um lugar onde viver. Uma procura cansativa, mas esperançada.

É tempo de chuva. Talvez isso aumente a minha melancolia. Já terminei estas páginas de recordações, esta visão de mim mesmo que ainda não sei se é a certa ou não. Talvez as duas coisas. O governador de Villavieja foi destituído por causa do escândalo que se deu no enterro de uma proxeneta. Quem haveria de dizer! A queixa partiu do bispo, aparente responsável, a quem o governador obrigou a aplicar os cânones quando ele, o bispo, por si teria fechado os olhos. Isto é o que se diz em Villavieja. Também me escreveu o subchefe, restituído ao seu cargo: agradece-me o eu estar disposto a testemunhar em favor dele, já não faz falta, e assegura-me que posso voltar a Villavieja quando quiser. O que são as coisas! No entanto, um dia destes reservarei uma passagem para o Rio. De avião, é evidente. E, sem telegrama prévio, para o que der e vier. Levarei comigo — podia lá deixar de ser! — o relógio do major Thompson.

No paço minhoto, chuvosa a Primavera, num ano destes.